© Jean-Christophe Godet

Le Routard

Londres

Cofondateurs : Philippe GLOAGUEN et Michel DUVAL

Directeur de collection et auteur
Philippe GLOAGUEN

Rédacteurs en chef adjoints
**Amanda KERAVEL
et Benoît LUCCHINI**

Directrice de la coordination
Florence CHARMETANT

Directrice administrative
Bénédicte GLOAGUEN

Directeur du développement
Gavin's CLEMENTE-RUIZ

Conseiller à la rédaction
Pierre JOSSE

Direction éditoriale
Hélène FIRQUET

Rédaction
**Isabelle AL SUBAIHI
Emmanuelle BAUQUIS
Mathilde de BOISGROLLIER
Thierry BROUARD
Marie BURIN des ROZIERS
Véronique de CHARDON
Fiona DEBRABANDER
Anne-Caroline DUMAS
Éléonore FRIESS
Géraldine LEMAUF-BEAUVOIS
Olivier PAGE
Alain PALLIER
Anne POINSOT
André PONCELET
Alizée TROTIN**

Responsable voyages
Carole BORDES

2019

hachette

TABLE DES MATIÈRES

LA RÉDACTION DU ROUTARD

(sans oublier nos 50 enquêteurs, aussi sur le terrain)

© R. Delalande et E. Dessons

Thierry, Anne-Caroline, Éléonore, Olivier, Alizée, Pierre, Benoît, Alain, Fiona, Emmanuelle, Gavin's, André, Véronique, Bénédicte, Jean-Sébastien, Mathilde, Amanda, Isabelle, Géraldine, Marie, Carole, Philippe, Florence, Anne.

La saga du *Routard* : en 1971, deux étudiants, Philippe et Michel, avaient une furieuse envie de découvrir le monde. De retour du Népal germe l'idée d'un guide différent qui regrouperait tuyaux malins et itinéraires sympas, destiné aux jeunes fauchés en quête de liberté. 1973. Après 19 refus d'éditeurs et la faillite de leur première maison d'édition, l'aventure commence vraiment avec Hachette. Aujourd'hui, le *Routard*, c'est plus d'une cinquantaine d'enquêteurs impliqués et sincères. Ils parcourent le monde toute l'année dans l'anonymat et s'acharnent à restituer leurs coups de cœur avec passion.

Merci à tous les routards qui partagent nos convictions : liberté et indépendance d'esprit ; découverte et partage ; sincérité, tolérance et respect des autres.

NOS SPÉCIALISTES LONDRES

Gavin's Clemente Ruiz : né en 1978, belgo-hispano-normand, il vadrouille pour le *Routard* depuis 1999. Logique avec un tel pedigree ! Son plaisir : l'adresse introuvable dénichée en fin de journée. Et garder le contact avec les personnes croisées. Son défaut : ne quitte jamais son téléphone portable (« Bon, c'est pour le Facebook et l'Instagram du *Routard* » !).

Carole Fouque : elle est rentrée au *Routard* en 1997. Sa passion des terroirs et des produits authentiques a nourri son amour des voyages, l'incitant à repousser toujours plus loin les frontières de sa curiosité gourmande. Depuis près de 20 ans, éclectique et hédoniste dans l'âme, elle prend plaisir à partager ses belles découvertes avec les lecteurs.

Fiona Debrabander : franco-britannique, passionnée d'Histoire, de musique et de cinéma, elle apprécie autant le thé après un trek qu'un café au comptoir, les bains de foule sur les marchés et les bains de minuit en bord de mer. Avide de rencontres et de nature, au coin de la rue ou au bout du monde, elle sillonne la planète avec l'envie de partager ses découvertes.

Pictogrammes du Routard

Établissements

- Hôtel, auberge, chambre d'hôtes
- Camping
- Restaurant
- Terrasse
- Pizzeria
- Boulangerie, sandwicherie
- Pâtisserie
- Glacier
- Café, salon de thé
- Café, bar
- Bar musical
- Pèlerinage rock
- Club, boîte de nuit
- Salle de spectacle
- Boutique, magasin, marché

Infos pratiques

- Office de tourisme
- Poste
- Accès Internet
- Hôpital, urgences
- Adapté aux personnes handicapées

Sites

- Présente un intérêt touristique
- Point de vue
- Plage
- Spot de surf
- Site de plongée
- Recommandé pour les enfants
- Inscrit au Patrimoine mondial de l'Unesco

Transports

- Aéroport
- Gare ferroviaire
- Gare routière, arrêt de bus
- Station de métro
- Station de tramway
- Parking
- Taxi
- Taxi collectif
- Bateau
- Bateau fluvial
- Piste cyclable, parcours à vélo

Important : dernière minute

Sauf rares exceptions, le *Routard* bénéficie d'une parution annuelle à date fixe. Entre deux dates, des événements fortuits (formalités, taux de change, catastrophes naturelles, conditions d'accès aux sites, fermetures inopinées, etc.) peuvent modifier vos projets de voyage. Pour éviter les déconvenues, nous vous recommandons de consulter la rubrique « Guide » par pays de notre site • routard.com • et plus particulièrement les dernières *Actus voyageurs.*

☎ **112** : c'est le numéro d'urgence commun à la France et à tous les pays de l'UE, à composer en cas d'accident, agression ou détresse. Il permet de se faire localiser et aider en français, tout en améliorant les délais d'intervention des services de secours.

Tout au long de ce guide, découvrez toutes les photos de la destination sur • routard.com • Attention au coût de connexion à l'étranger, assurez-vous d'être en wifi !

LUTON ✈ Harry Potter Warner Bros. Studio Tour

Sites inscrits au Patrimoine mondial de l'Unesco

WEMBLEY

WILLESDEN

HAMPSTEAD

plan
Hampstead

plan
Camden Town

CAMDEN
TOWN

plan détachable

Regent's
Park

EUSTON

PADDINGTON

MARYLEBONE plan

plan centre 2

NOTTING
HILL

BAYSWATER

OXFORD CIRCUS

SOHO

ACTON

SHEPHERD'S
BUSH

A 40

Hyde Park

PICCADILLY

KENSINGTON

Kensington
Gardens

Green
Park

Holland
Park

A 4

WESTMINSTER

BROMPTON

HAMMERSMITH

VICTORIA

CHISWICK

A 4

WEST
BROMPTON

CHELSEA

PIMLICO

la Tamise

EARL'S
COURT

A 316

FULHAM

SOUTH
KENSINGTON

Battersea
Park

WINDSOR — KEW GARDENS — HEATHROW

A 205

WANDSWORTH

A 3

Richmond
Park

A 24

Wimbledon
Common

WIMBLEDON

A 3

0   1   2 km

STANSTED

NORD

STRATFORD
Parc
Olympique
2012

HACKNEY

STOKE
NEWINGTON

ISLINGTON

WEST
HAM

KING'S
CROSS
ANGEL
SAINT
PANCRAS

HOXTON

plan Hackney,
Bethnal Green et
Whitechapel

plan
Spitalfields

SHOREDITCH

BETHNAL
GREEN

CLERKENWELL
BLOOMSBURY
FARRINGDON
centre 1

BRICK LANE

East End

WHITECHAPEL

plan Les Docklands

SPITALFIELDS

HOLBORN
COVENT
GARDEN

LA CITY
Tower
of London

St-James's
Park
WATERLOO

SOUTHWARK

la Tamise

TOWER
BRIDGE

O2
ARENA

SOUTH BANK

DOCKLANDS

LONDON CITY

plan
Greenwich

CAMBERWELL

GREENWICH

BRIXTON

LEWISHAM

CATFORD

STREATHAM

Beckenham
Place
Park

GATWICK

L'AGGLOMÉRATION DE LONDRES

PLAN DES BUS

Le marché aux fleurs de Columbia Road, dans l'East End

Londonstills.com/Alamy/Hemis

« Un homme qui parle trois langues est tri-lingue. Un homme qui parle deux langues est bilingue. Un homme qui ne parle qu'une seule langue est anglais. »

Claude Gagnière

Londres a franchi le millénaire en s'offrant une cure de jouvence comme elle n'en connaît que tous les 30 ou 40 ans. Dans les années 1960, sa jeunesse avait secoué les oripeaux de la vieille Angleterre et imposé à la planète de nouveaux codes et références culturels. En 2000, dopée par la croissance économique, elle s'est offert un lifting architectural spectaculaire, affirmant ainsi son rôle de mégalopole multiculturelle. Le cosmopolitisme et la tolérance, l'esprit d'entreprise, les hauts salaires et le (presque) plein-emploi ont attiré une nouvelle vague d'immigration sans précédent jusqu'à l'automne 2008.

Même si la crise et le Brexit ont quelque peu changé la donne, Londres a toujours la cote, et les jeunes *Frenchies* franchissent encore le *Channel* pour tenter leur chance dans cet **eldorado européen,** devenu la capitale économique et culturelle du Vieux Continent. De fait, le prix de l'immobilier dépasse celui de New York ou de Tokyo et chasse de nombreux Londoniens en banlieue lointaine. Quant au coût de la vie…

Question **intégration,** Londres aurait de quoi donner des leçons à n'importe quelle société contemporaine : la proportion de mariages mixtes est supérieure à toutes celles constatées en Europe et dans le monde (et surtout aux États-Unis). Pas moins de **50 nationalités** se côtoient, parlant, en tout, plus de **300 langues** ! L'élection à la mairie de Londres de Sadiq Khan, avocat travailliste fils d'un chauffeur de bus immigré du Pakistan, en est le parfait symbole. Mais tout n'est pas rose non plus pour les autochtones, les contrastes sont parfois criants : le taux de chômage atteint presque 15 % dans certains quartiers, alors qu'il avoisine 5 % pour la moyenne nationale.

À 2h15 en Eurostar de la gare du Nord, le choc est réel : **comment peut-on être si proche de Paris et pourtant si différent ?** La capitale française semble bien calme comparée à Londres, cette ville-monde, métropole énorme, grouillante, éclatée, moderne, vibrante et qui n'est plus seulement anglaise, mais réellement cosmopolite. Avec des **musées** et des **galeries** par centaines, des **pubs** par milliers et plus de 10 000 **restos,** il y en a vraiment pour tout le monde ! Sans oublier les taxis qui semblent, comme les escargots, sortir avec la pluie. Et comme il pleut assez souvent…

Ici, vous êtes sûr de trouver chaussure à votre pied : un **concert rock** ou **électro,** un **pub irlandais,** de la porcelaine chinoise, de la cuisine indienne, un immeuble au **design** futuriste, des **vêtements vintage** ou excentriques, le thé le plus raffiné, un disque introuvable, des tableaux impressionnistes, de l'art étrusque, des parcs immenses, des activités à foison pour les enfants…

NOS COUPS DE CŒUR

♡ **Tenter de** mettre un nom sur les chefs-d'œuvre de la National Gallery.
C'est l'un des trois plus beaux musées de peinture au monde, avec plus de 2 300 toiles représentant toutes les grandes écoles occidentales. Une foule de maîtres (Vinci, Raphaël, Botticelli, Rembrandt, Rubens, Turner, Van Gogh, Cézanne…) et de chefs-d'œuvre (*Vénus et Mars* de Botticelli, *Vierge aux rochers* de Vinci, *Les Tournesols* de Van Gogh…) sont réunis ici ! N'hésitez pas à y consacrer une journée entière, mais le mieux est de s'y rendre en plusieurs fois. *p. 115*
Bon à savoir : accès gratuit. Infos : • nationalgallery.org.uk •

© Jon Arnold images/hemis.fr
© The Savoy

② Pousser le tambour de la porte du mythique *Savoy Hotel,* **rien que pour le plaisir des yeux !**

Rénové par le designer Pierre-Yves Rochon, ce temple du style édouardien et Art déco a retrouvé son lustre d'antan. Construit en 1889 pour loger les stars de la scène, ce palace a été le témoin d'instants de vie culturelle. Monet y a peint de sa chambre certaines vues sur la Tamise, Oscar Wilde y retrouvait son amant Alfred Douglas, Marlène Dietrich exigeait d'être accueillie avec 12 roses, Lady Di venait y prendre le thé... Y fut aussi inventé le *dry martini,* à l'*American Bar,* où venait jouer Frank Sinatra. *p. 126*
Bon à savoir : • *fairmont.fr/savoy-london* •

③ **Jouer les explorateurs au British Museum, l'un des plus grands musées d'antiquités au monde.**

Il couvre l'histoire de l'humanité, depuis ses origines jusqu'à nos jours. Accès par la sublime Great Court, large atrium recouvert d'un toit translucide, résille de verre et d'acier. Entre autres merveilles : la fameuse pierre de Rosette, des momies et sarcophages, une frise du Parthénon, un buste de Ramsès II, un élément du temple d'Artémis à Éphèse… impossible de tout voir en une seule visite. Opter pour quelques sections et revenir pour explorer la suite, le « British » est totalement gratuit ! *p. 213* *Bon à savoir : se munir du plan du musée – un vrai labyrinthe… Infos : •* britishmu seum.org •

© Mattes René/hemis.fr

④ **S'adonner à une session shopping dans les grandes enseignes d'Oxford Street ou les boutiques branchées de King's Road.**

Oxford Street est le temple de la consommation de Londres, avec plus de 300 boutiques. C'est ici que l'on trouve les grands magasins comme *Selfridge, Marks & Spencer, HMV…* ainsi que la plupart des grandes enseignes. Par exemple *Primark* (*499-517 Oxford Street*), pour des fringues et accessoires à des prix défiant toute concurrence. Dans un genre nettement plus chic, visez les boutiques de King's Road, épicentre de la branchitude made in Chelsea : un quartier plus calme où le shopping est aussi plus onéreux. *p. 124, 171*

© Stéphane Frances/Onlyworld.net

© Peter Horree/Alamy/Hemis

⑤ Assister à une comédie musicale **dans un des théâtres du quartier de Soho.**

Avec New York, Londres est « *the place to be* » pour les amateurs de comédies musicales. À peine arrivé, partout des affiches vous vantent les mérites des succès du moment. Il y en a pour tous les goûts. Laissez-vous tenter par *The Lion King, Billy Elliot, Singin'In the Rain, Charlie et la Chocolaterie, Matilda* ou bien *Les Misérables*, les « Miz » comme on dit là-bas, à l'affiche depuis plus de 25 ans ! *p. 359*
Bon à savoir : programmes sur • londontheatre.co.uk • et billets à tarifs réduits sur place à Leicester Square, au kiosque TKTS (lun-sam 10h-19h, dim 11h-16h30 ; • tkts.co.uk •).

© Sonnet Sylvain/hemis.fr

⑥ Prendre un thé à Buckingham Palace **avec la reine ou, mieux, avec Kate ou Meghan !**

Si elles ne sont pas dispo, il est toujours possible de visiter cet édifice du XVIIIe s, mais seulement en août-septembre. Pas question de voir les 600 pièces, seulement une vingtaine sont ouvertes au public (les *State Rooms*), ainsi qu'une petite partie des jardins. Si vous étiez amené à croiser la reine, sachez qu'on s'adresse à elle aussi bien en anglais qu'en français : elle est bilingue à tel point qu'elle connaît même des chansons de Tino Rossi ! En revanche, on évitera « Majesté », elle préfère « Madame ». *p. 143*
Bon à savoir : • royalcollection.org.uk •

♡ 7 **Découvrir de nouveaux artistes à la Saatchi Gallery ou chez le célèbre marchand** Gagosian.

Charles Saatchi est un grand mécène de l'art contemporain britannique et il le prouve à chaque nouvelle exposition, dans sa galerie de Chelsea. Autre « faiseur d'artistes » mondialement connu, l'Américain Larry Gagosian, qui représente des pointures de l'art contemporain (Jeff Koons, Richard Wright…). Immanquables pour les amateurs. Et si ça ne vous suffit pas, cap sur le quartier de l'East End, où l'on trouve pas mal de galeries d'art contemporain. *p. 164, 226*
Bon à savoir : pour connaître les expos du moment, consulter • saatchi-gallery.co.uk • et • gagosian.com •

SCHATZ SILKE, *Mothership*, 2003
© Adagp, Paris, 2017 © René Mattes

♡ 8 **Refaire le monde au Victoria & Albert Museum, le V & A pour les intimes.**

C'est l'un des plus beaux musées au monde consacré aux arts décoratifs. On vient pour les pièces uniques de sa collection (la nef de Burghley du XVIe s, le tapis d'Arbidil, les bijoux….) mais aussi pour le cadre superbe et les activités ludiques. Les collections se sont enrichies depuis sa création au XIXe s et comptent aujourd'hui 4 millions d'objets, répartis sur un immense espace d'environ 50 000 m². *p. 155*
Bon à savoir : le V & A étant l'un des plus grands musées de Londres et d'accès gratuit, profitez-en pour revenir ! Infos : • vam.ac.uk •

© Mattes René/hemis.fr

© Antoine Lorgnier/Onlyworld.net

♡
⑨ Déambuler dans les rayons du très célèbre *Harrods,* **l'un des plus sompteux magasins du monde.**

Devenu monument à part entière, *Harrods* est un véritable chef-d'œuvre de décoration et de bon goût. L'Egyptian Hall, qui occupe plusieurs étages, constitue un parfait exemple de l'Art nouveau, chargé certes, mais unique. L'escalator (électrique) fut le premier installé en Europe. Ne pas manquer les *Food Halls* (rayons alimentaires), célèbres pour leurs sompteuses céramiques, où l'on peut aussi se restaurer. Un temple du shopping à fréquenter ne serait-ce que par curiosité, ou pour y faire quelques achats... Mais les prix sont à l'avenant ! *p. 154*
Bon à savoir : infos sur • harrods.com •

© Alamy/Hemis.fr

♡
⑩ Découvrir la Tate Modern, **magnifique musée d'art moderne.**

Installé dans une ancienne centrale électrique, c'est un hall d'exposition de 34 000 m² et de 35 m de haut, couplé à un tout nouveau bâtiment, ultra-contemporain. On peut y admirer des à-plats de Rothko, des sculptures d'Henry Moore ou Giacometti, des peintures de Mondrian, Miró, Picasso, Klein, et on en passe. Les accrochages changent régulièrement, les réserves sont inépuisables et d'une rare richesse ! *p. 302*
Bon à savoir : accès gratuit sauf pour les expos temporaires. Sur place, plusieurs cafétérias et restos avec vue imprenable sur les quais de la Tamise et St Paul's Cathedral. Infos : • tate.org.uk •

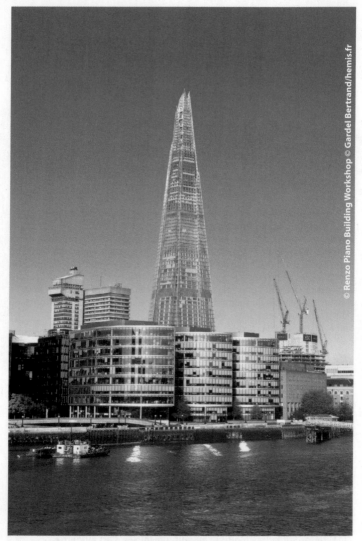

© Renzo Piano Building Workshop © Gardel Bertrand/hemis.fr

11 Atteindre le sommet du Shard, le plus grand immeuble d'Europe !
La silhouette de cette spectaculaire flèche de verre de 310 m de haut s'élance à proximité du London Bridge, sur la rive sud. C'est l'œuvre de Renzo Piano, à qui l'on doit le centre Georges-Pompidou à Paris ou le bâtiment futuriste de la Lloyd's dans la City, toute proche. Des ascenseurs ultrarapides (6 m/s) vous amènent sur la terrasse du 72e étage où des télescopes interactifs et un grand moment d'émotion vous attendent, entre le sifflement du vent et la vue à 60 km à la ronde… La nuit, c'est carrément magique ! *p. 304*
Bon à savoir : l'accès est cher… Résas : • theviewfromtheshard.com •

⑫ **Faire du shopping à Brick Lane, puis** se plonger dans l'ambiance de
la nuit londonienne dans l'East End.

Avant d'écumer les boutiques vintage de Brick Lane (et son génial marché aux
puces le dimanche), faire un tour au Spitalfields Market. Dans la foulée, découvrir
Shoreditch, Hoxton, Hackney... Admirer le festival de fresques murales et autres
œuvres de *street art*, innombrables. Ces quartiers branchés et bohèmes font aussi
partie des incontournables des soirées londoniennes. Tous les oiseaux de nuit qui
se respectent viennent ici en fin de semaine ! *p. 265, 264*

Bon à savoir : prendre un verre au Callooh Callay, *LE bar à cocktails de Shoreditch*
(• callocheallaybar.com •).

© Stéphane Frances/Onlyworld.net

(13) Au printemps, se balader au milieu des jonquilles de Regent's Park, en été profiter des spectacles à l'Open Air Theatre.

Avec Hyde Park, c'est l'un des lieux rêvés à Londres pour une sieste ou un pique-nique, taquinés par les écureuils gris qui gambadent joyeusement dans l'herbe. On résistera à la tentation de leur donner à manger… officiellement, cela n'est pas autorisé ! De mi-mai à mi-septembre, de nombreux festivals se tiennent dans le kiosque de plein air. On y joue du Shakespeare et autres classiques du théâtre anglais, des spectacles musicaux, de l'opéra… Concerts gratuits parfois. *p. 196, 201*
Bon à savoir : programme sur • openairtheatre.org •

© Image Source/hemis.fr

(14) Marcher dans les pas des Beatles sur Abbey Road et refaire la célèbre photo sur le passage clouté.

Les fameux studios sont classés Monument historique. En 1969, le tout dernier concert des Beatles eut lieu sur le toit, mais fut interrompu… pour tapage ! Quant au passage clouté *(crosswalk)* qui illustre le dernier disque des Fab Four, c'est le seul classé au Patrimoine national. Suivre aussi notre « pèlerinage rock » (voir « Hommes, culture, environnement ») pour découvrir les lieux phares par les stars de la musique anglaise. *p. 202*
Bon à savoir : la bonne station de métro est St John's Wood et non pas Abbey Road, située, elle, à… 9 miles du célèbre passage piéton !

© Degas Jean-Pierre/hemis.fr

©Miles Davies/Alamy/Hemis

(15) **Participer au carnaval de Notting Hill, le dernier week-end d'août.**
Créé à la suite des émeutes raciales qui ont secoué Londres dans les années 1950, c'est l'un des rassemblements de rue les plus importants et aussi le plus grand carnaval jamaïcain d'Europe. *Steel bands* et DJs envahissent Portobello pendant 2 jours et on y danse sur les rythmes des Caraïbes. Ce carnaval, c'est aussi un défilé de toute beauté à ne pas manquer. Le dimanche est généralement considéré comme « le jour des enfants », alors que le lundi, dernier jour de la fête, rassemble environ 1 million de personnes. *p. 190*
Bon à savoir : • carnaval-de-londres.com •

© Jon Arnold Images/hemis.fr

⑯ Visiter les Kew Gardens et se prendre pour un botaniste de l'époque victorienne.

Superbe parc botanique d'une extraordinaire variété : 90 000 végétaux sur pas moins de 120 ha ! La période idéale est bien sûr le printemps, lorsque les rosiers et les rhododendrons sont en fleurs, mais le bel aménagement permet de se promener toute l'année, sans jamais se lasser. Jardin japonais avec pagode, pinède, bambouseraie, roseraie... rien ne manque. Autre fleuron des Kew Gardens, les élégantes serres rénovées dessinent des courbes de verre soulignées par des lignes de fer forgé. À ne pas manquer ! *p. 334*

Bon à savoir : • kew.org •

© Jeff Gilbert/Alamy/Hemis

⑰ Franchir le méridien à Greenwich et grimper à bord du *Cutty Sark*, l'un des emblèmes maritimes britanniques.

C'est dans le parc de Greenwich que passe le fameux méridien zéro ! À découvrir au Royal Observatory, un site ravissant qui offre un superbe panorama sur les Docklands. Puis visiter le *Cutty Sark,* un fier clipper, ces trois-mâts du XIXᵉ s destinés à sillonner les routes commerciales du globe. Il fallut plusieurs années de restauration pour que l'on puisse admirer sa splendeur, grimper à bord et explorer ses entrailles. *p. 322, 326*

Bon à savoir : pour ceux qui ne souhaitent pas payer le billet d'entrée, assez dissuasif, on voit bien le méridien à travers la grille.

(18) **Suivre notre pèlerinage rock.**
Aller sur les traces des Beatles, de Jimmy Hendrix ou d'Amy Winehouse, c'est possible ! Reportez-vous à notre pèlerinage rock dans « Hommes, culture, environnement » en fin de guide. *p. 353*

© Jon Arnold images/hemis.fr

Le palais de Westminster et l'Elisabeth Tower surnommée Big Ben

Cabine téléphonique, Covent Garden

ITINÉRAIRES CONSEILLÉS

En 1 jour

Pour commencer, Houses of Parliament (1) avec Big Ben (2) en rénovation. Puis Buckingham Palace (3, se visite en été) pour la relève de la garde à 11h30. Pause dans Hyde Park (4) pour voir le fameux *corner*. Pas mal de marchands ambulants. Filons vers le British Museum (5). Momies et pierre de Rosette. À la National Gallery (6), rien que des chefs-d'œuvre de peinture ! On redescend vers Covent Garden (7) et ses animations ou vers Oxford Street (8) pour le shopping. Petite croisière sur la Tamise. Prendre une navette fluviale au départ d'Embankment (9) ou de Westminster (10) pour rejoindre la Tower of London (11) et apercevoir au passage le London Eye (12), la Tate Modern (13), St Paul's Cathedral (14), le Globe Theatre (15), où jouait Shakespeare, et le Shard (16), le plus haut immeuble d'Europe. On finit la journée – sur les rotules – dans Soho (17), Leicester Square (18) et les nombreux restos de Chinatown (19).

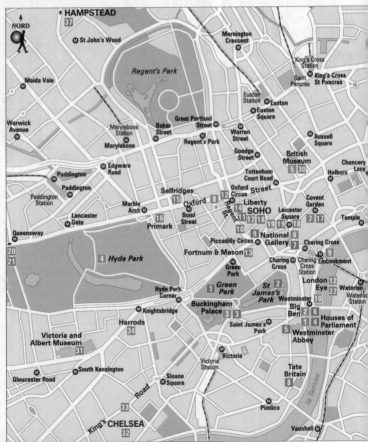

En 3 jours

• Petit déj bucolique vers **Green Park (1)** et **Saint James's Park (2)**. **Buckingham Palace (3)** pour la relève de la garde à 11h30. On n'oublie pas, en route, les **Houses of Parliament (4)**, l'**abbaye de Westminster (5)** et **Big Ben (6)**, bien sûr. Arrêt à la **National Gallery (7**, attention chefs-d'œuvre) ou à la **Tate Britain (8**, peinture anglaise). C'est gratuit ! **Piccadilly Circus (9)**, **Regent Street (10)**, **Carnaby Street (11)** et **Oxford Circus (12)**. Tous les grands magasins sont concentrés dans cette zone : **Fortnum & Mason (13)**, **Liberty (14)**, **Selfridges (15)**, **Primark (16)**... Virée à **Covent Garden (17)** avec ses animations de rue et son ancien marché. Soirée dans **Soho (18)**. Bars branchés, théâtre, opéra, comédie musicale... Sur place, billets pas trop chers quelques minutes avant la représentation ou kiosque *TKTS* (voir rubrique « Spectacles et sorties » dans « Hommes, culture, environnement »). Après le spectacle, dîner à **Chinatown (19)**.

• Départ de **Notting Hill (20)** pour les **puces de Portobello (21)**, le samedi matin. Puis Southwark et les bords de la Tamise ! Un peu de hauteur avec le **London Eye (22**, réserver à l'avance), grande roue avec vue sublime. Culture à la **Tate Modern (23)**. Compléter par la **Tate Britain (8)** ; navette fluviale (payante) entre les deux musées. Découverte des **bords de la Tamise (24)**. Vos pas vous guideront jusqu'au **Tower Bridge (25)** voire la **Tour de Londres (26)**. Plein de restos à côté du **Shakespeare Globe Theatre (27)**, avant de monter au sommet du **Shard (28)**. Pour finir (ou vous achever), tournée des bars et boîtes de **Hoxton, Shoreditch (29)** ou encore **Dalston**, plus au nord, vers Hackney.

• Petit tour par le **British Museum (30)**, l'un des plus beaux musées d'antiquités du monde. Ou bien le **Victoria and Albert Museum (31)**, passage obligé pour tous les fans d'*art & craft*. Pour les accros au shopping, après-midi à **Chelsea (32)**, vers **King's Road (33)** et **Harrods (34)**. Pour changer, escapade à **Greenwich (35)** où l'on peut aller en *Docklands Light Railway* ou en bateau. « Village » incroyablement préservé, avec le magnifique **Maritime Museum (36)**. Jouer les funambules sur le célèbre méridien. Autre possibilité, **Hampstead (37)** ! L'ancien village surplombe la mégapole londonienne et on vient y respirer l'air pur. Intellectuel et bohème.

Étapes
1 En 1 jour
1 En 3 jours

En 5 ou 7 jours

Dites-vous bien qu'en une semaine, vous n'aurez toujours pas le temps de tout faire. Néanmoins, vous aurez tout loisir de composer, de broder autour de quelques incontournables. L'idée est donc de reprendre l'itinéraire proposé en 3 jours et de l'enrichir en fonction de vos goûts, de vos envies et… de la météo ! Les parcs anglais, c'est bien beau, mais en plein hiver et sous la pluie, c'est tout de suite moins bucolique.

Vous aurez, enfin, du temps à consacrer à des quartiers un peu éloignés qui témoignent d'un autre visage de Londres, souvent insolite, parfois excentrique.

• Au nord par exemple, Camden Town (1), berceau de la culture punk, bien assagi aujourd'hui, mais dont les puces constituent l'un des incontournables des dimanches londoniens. Installé dans un ancien hôpital pour chevaux, le site ne manque ni de charme ni de cachet. Sur place, toutes sortes de stands proposent des spécialités du monde entier. De là, on rejoint sans problème (et pourquoi pas en bateau ?) l'Ouest et **Marylebone (2)**, pour découvrir **Little Venice (3)** et ses canaux. Inattendu et délicieux. Visite éventuelle du **London Zoo (4)**, l'un des plus grands et des plus vieux du monde. Pas loin, **Abbey Road (5)**, la célèbre rue où enregistraient quatre garçons dans le vent. Un peu plus loin encore, **Primrose Hill Park (6)**, que les « Beatles-maniaques » ne louperont pas.

· Autre jour, autre quartier : **Chelsea (7)**, le Londres des artistes. **King's Road (8)**, **Battersea (9)**, **Royal Hospital (10)**... Il réserve bien des surprises, à commencer par **Cheyne Walk (11)**, aux délicieuses et multiples ruelles. Si vous êtes déjà allé au **Victoria and Albert Museum (12)**, vous visiterez les autres musées de South Kensington, comme le **Science Museum (13)** ou le **Natural History Museum (14)** qui, eux aussi, valent le détour. Vous finirez la journée par une balade dans le Londres résidentiel, à l'architecture victorienne et aux demeures cossues.

· Le Nord et l'Est sont deux quartiers populaires qui ne séduisent pas d'emblée pour leur architecture mais montrent une autre façon de vivre. Bien qu'ils soient de plus en plus branchés, de plus en plus bobos, peu de touristes s'y aventurent encore. Les fêtards partiront à la recherche du dernier bar à la mode et les fans d'ambiance et de sociologie urbaines apprécieront la mixité culturelle qui caractérise le quartier. Rendez-vous donc à **Islington (15)** ou **Whitechapel (16)**. Balade nocturne sur les traces de Jack l'Éventreur au départ du métro Aldgate (voir « Patrimoine culturel. Monuments et balades » dans « Hommes, culture, environnement »).

· Même genre d'ambiance plus au sud, à **Brixton (17)**, l'ancien quartier des Clash et de la communauté jamaïcaine.

Vous pourrez également approfondir les quartiers du centre, tenter de sortir des sentiers battus. Prenez quelques heures pour flâner dans **Covent Garden (18)** et, pourquoi pas, visiter ses musées. Celui des Transports, par exemple, est en tout point exceptionnel. À l'occasion de la visite du **British Museum (19)**, vous découvrirez le quartier de Virginia Woolf, Bloomsbury l'intellectuel. Ne pas louper la **British Library (20)**, vaste bloc de brique.

· Toujours au cœur de la ville, *Saint Paul's Cathedral (21)* et la *City (22)*. Si vous voulez croiser de beaux *businessmen* cravatés, évitez de vous y rendre le week-end : vous n'y croiserez alors rien, ni personne, car cette ruche ne bourdonne qu'en semaine.

• Ça paraît idiot comme ça, mais passer plusieurs jours à Londres permet aussi d'étaler ses visites dans les musées gratuits. Par exemple, en consacrant 1h chaque soir, entre 17h et 18h (nocturne le vendredi), à la visite d'une aile de la **National Gallery (23)**, qui présente l'avantage de se situer à Trafalgar Square, en plein centre donc. Si vous n'êtes pas un rat de musée ou si, au contraire, vous en avez déjà exploré un ou deux à fond dans la journée, cela vous permettra de mieux en apprécier les innombrables chefs-d'œuvre : Botticelli, Vinci, Raphaël, Holbein, Titien, Van Gogh…

• En une semaine, vous pourrez découvrir (sans pour autant faire le tour de la question) l'incroyable palette de cuisines étrangères qu'offre Londres. Après Chinatown, pourquoi ne pas aller manger indien, bengla ou pakistanais dans l'**East End,** du côté de **Brick Lane (24)** ? Vous pourrez aussi vous initier aux cuisines japonaise, vietnamienne, thaïe, coréenne, turque, africaine… et britannique ! Car il serait vraiment dommage de ne pas goûter ces spécialités, certes roboratives, mais souvent savoureuses. Et faire les fantastiques boutiques de fripes après ! Que d'aventures !

SI VOUS ÊTES

En famille : les grands musées de l'Ouest londonien (vers Kensington), mais aussi les boutiques comme *Hamley's* et le Museum of London (voir aussi notre rubrique « Enfants » dans « Londres utile »).

Fêtard : Hoxton, Shoreditch, Dalston, Bricklane, Brixton, Camden, Soho (pour commencer ou pour finir la soirée).

En amoureux : les parcs, une balade sur la Tamise, un verre sur le toit du Shard, un hôtel à Notting Hill ou vers Holborn, et une visite soit de la Courtauld Gallery, soit de la National Portrait Gallery.

Plutôt shopping : tout le centre touristique (King's Road, Oxford Street, Regent Street), mais aussi vers Brick Lane, Whitechapel et Spitalfields, ou encore Camden, pour les fripes. Pour rêver devant les boutiques chic, vers Brompton, Chelsea et South Kensington.

Plutôt rock : ne pas manquer notre itinéraire sur les pas de groupes mythiques et autres chanteurs qui ont fait la gloire de Londres (voir la rubrique « Pèlerinage rock » dans « Hommes, culture, environnement »).

Plutôt quartiers populaires et fan de fresques murales : l'East End, Brick Lane, Hoxton, Shoreditch. Pour retrouver aussi l'architecture ouvrière du XIXe s et des bribes d'atmosphère.

Plutôt nature : Hampstead, Kew Gardens, Greenwich et tous les parcs du centre (notre préféré, c'est Green Park !).

Fan de la famille royale : Pimlico, Westminster, Chelsea, South Kensington, Greenwich et le palais de Buckingham !

Lu sur routard.com – #experienceroutard

Enamor, internaute routard.com

Tu es très présente sur le forum Londres. Pourquoi cette ville ?

Ah, Londres ! Cette ville est addictive et, depuis bientôt 10 ans que nous la parcourons, elle n'arrête pas de me surprendre. Chaque séjour apporte sa part de nouveautés et de découvertes. Tout me plaît à Londres : ses quartiers si variés, son architecture audacieuse, ses habitants, ses monuments, ses musées, ses parcs, son atmosphère, sa vie trépidante et aussi ses petits coins de paradis, loin du bruit et du tumulte des sirènes !
J'aime aussi la gratuité de ses musées nationaux : imaginez le Louvre gratuit ! Le British est une vraie merveille ! C'est un accès pour tous à la culture, à l'histoire, tous les musées sont très bien pensés, avec des parcours pour les enfants ou pour les « pressés », avec pas mal d'interactivité (on peut toucher, essayer), ils sont très ludiques et très bien faits… De quoi y passer des heures tant ils regorgent de trésors !
J'adore cette ville si cosmopolite, si ouverte aux autres, sans jugement. Londres est une ville riche de par ses habitants, issus de tant de pays et aux coutumes variées… Cette ville prend le meilleur de chacun.

Quel est ton coup de cœur à Londres ?

Saint James's Park : arrêt obligatoire à chaque séjour car nous adorons y aller entre deux visites ! Les nombreuses fleurs et animaux variés offrent de merveilleux moments de détente : nous adorons offrir des arachides aux écureuils peu farouches ! Les parcs londoniens sont très propres, très bien entretenus et chaque saison offre son lot de couleurs et lumières différentes.

Quel est la spécialité culinaire que tu adores manger à Londres ?

À Londres, on peut manger une cuisine internationale, mais j'avoue avoir un faible pour les fameuses « pies » servies dans les pubs : tourtes de viande accompagnées de légumes bien croquants et de petits pois fluos !

Aurais-tu une anecdote de voyage à partager ?

J'aime la gentillesse des gens sur place, toujours prêts à vous aider.
Un jour, perdus et ne trouvant pas notre chemin en raison de travaux, nous demandons à un policier la route à suivre ; nous essayons de comprendre ses explications pourtant données avec beaucoup de patience, puis nous nous mettons en route bien que n'ayant pas tout saisi ; au bout de quelques minutes, arrivés à un carrefour et hésitant sur la direction à prendre, je me retourne et vois à quelques pas derrière moi le même policier qui nous avait suivis et qui me faisait signe de la main pour aller à droite !

Retrouvez l'intégralité de cet article sur

Et découvrez plein d'autres récits et infos

LES QUESTIONS QU'ON SE POSE AVANT LE DÉPART

➢ **Quels sont les papiers nécessaires pour aller à Londres ?**

Suite au référendum sur le Brexit, entraînant la sortie de la Grande-Bretagne de l'Union européenne (normalement pour 2019), des changements sont certainement à prévoir aux frontières.
● *visitbritain.com/fr/Travel-tips/Customs-and-immigration* ● *service-public.fr* ●
Début 2018, pour les **ressortissants de l'Union européenne : passeport** ou **carte nationale d'identité** (un permis de séjour en France ou un permis de conduire ne suffisent pas), sont nécessaires. Les **mineurs** doivent être munis de leur propre pièce d'identité (carte d'identité ou passeport). Pour l'autorisation de sortie de territoire lorsque les enfants ne sont pas accompagnés par un de leurs parents, chaque pays a mis en place sa propre régulation. Ainsi, pour les **mineurs français**, une loi entrée en vigueur en janvier 2017 a rétabli **l'autorisation de sortie du territoire.** Il s'agit d'un formulaire signé par l'un des parents titulaires de l'autorité parentale et de la photocopie de la pièce d'identité du parent signataire. Facile à faire en ligne sur ● *service-public.fr* ● Autrement, renseignements auprès des services de votre commune.

➢ **Comment contacter l'office de tourisme de Grande-Bretagne ?**

Pas d'accueil du public, infos sur Internet uniquement. ● *visitbritain.com* ●

➢ **Quelle est la meilleure période pour y aller ?**

Le printemps est idéal : peu de gens dans les musées, le beau temps est souvent de la partie, et les tarifs d'hébergement n'ont pas encore atteint les sommets de la période estivale. Ne pas oublier non plus les soldes d'hiver et du début de l'été, très avantageux.

Attention, le jour de Noël, tout ou presque est fermé.

➢ **La vie est-elle chère ?**

Oui, assurément ! Londres est la capitale la plus chère d'Europe. Prévoir un bon budget, car les prix sont de 40 à 50 % plus élevés qu'en France.
En revanche, bonne nouvelle, tous les musées nationaux sont gratuits (sauf ceux dirigés par le royaume).

➢ **Quels types d'hébergement y trouve-t-on ?**

Très mauvais rapport qualité-prix à Londres ! On peut dormir en AJ ou *hostels* marrants mais pas toujours très propres. Les pensions et *B & B* sont vétustes et pas donnés, mais quelques pépites dans ce guide. Bizarrement, préférez les hôtels de chaîne : résas et prix moins chers sur Internet, et propreté presque garantie. Autre bon plan : les résidences hôtelières *(serviced apartments)*. Sinon, logement chez l'habitant possible aussi avec excellent service de conciergerie. Voir la rubrique « Hébergement ».

➢ **Quel est le meilleur moyen pour circuler ?**

Rien de tel que la marche pour découvrir une ville ! Mais Londres est gigantesque. Prendre le bus (économie d'énergie et très pratique) ou le métro, propre et sûr, pour aller plus vite. Le taxi reste une solution plus onéreuse, naturellement. Sinon, les vélos à louer à l'heure ou à la journée (sorte de Vélib') fleurissent à tous les coins de rue avec de nombreuses voies réservées aux deux-roues.

➢ **Y a-t-il des problèmes de sécurité ?**

Rien de particulier. Toujours bien veiller à ses objets personnels dans les lieux touristiques et les transports en commun.

➢ Y a-t-il un décalage horaire ?

Quand il est 10h en France, il est 9h à Londres. La Grande-Bretagne est à l'heure du méridien de Greenwich (quoi de plus normal ?) de fin octobre à fin mars, puis GMT + 1. Pendant ce temps, en France il est GMT + 1, puis GMT + 2. En clair, on a toujours 1h d'avance sur eux. Ce n'est pas qu'ils veulent nous embêter à tout prix, mais leur Ouest est vraiment plus à l'ouest.

➢ Partir un week-end, n'est-ce pas trop court ?

Non ! En 2h15 au départ de Paris et avec l'Eurostar, vous êtes au cœur de Londres, à la gare de Saint Pancras. Un peu plus long si vous venez en avion, mais les principaux aéroports sont très bien connectés au centre-ville (voir plus loin « Infos pratiques sur place »).

➢ Y a-t-il des problèmes de santé ?

Être à jour côté vaccins, car des cas d'oreillons, rougeole et de méningite à méningocoque C ont été constatés. Sinon, les précautions d'usage.

➢ Peut-on y aller avec des enfants ?

Bien sûr ! Londres plaira aux petits (à partir de 5-6 ans) comme aux ados. On a indiqué les sites qu'ils apprécieront par le picto 🧒. Et on trouve plein d'endroits propres pour changer bébé.

➢ Quel est le taux de change ? Comment payer sur place ?

Début 2018, 1 £ = 1,16 €. Aucun problème pour payer par carte de paiement, même les petites sommes. Plein de distributeurs dans les rues.

➢ Les Anglais acceptent-ils l'euro ?

Dans les grands magasins, comme *Harrods* ou *Fortnum & Mason*, ainsi que dans certains grands hôtels, la devise européenne est acceptée. En revanche, les petits commerces n'acceptent que la livre sterling.

➢ Quelle langue parle-t-on ?

L'anglais, mais aussi le... français (pas mal d'étudiants dans les hôtels et les restos).

➢ Peut-on partir avec des animaux ?

La quarantaine est officiellement levée. Mais officieusement, Médor doit montrer patte blanche, avec puce électronique et carnet de santé conforme aux règles britanniques.

➢ Ai-je besoin d'un adaptateur électrique ?

Oui. Le courant est de 240 V. Les prises sont plus grosses et toutes munies de fusibles. N'oubliez pas votre adaptateur (en vente dans toutes les bonnes quincailleries en France et en Grande-Bretagne).

➢ La reine est-elle souvent à Londres ?

Le plus simple pour le savoir : regarder le drapeau au-dessus de Buckingham Palace. S'il flotte au vent, la reine est là. S'il est descendu, elle est en vadrouille.

➢ Peut-on encore voir des punks à Londres ?

De moins en moins. Mais en vous promenant du côté de Camden et dans l'East End, vous apercevrez encore quelques crêtes ébouriffantes.

➢ Jack l'Éventreur a-t-il vraiment existé ?

Oui, le tueur en série sévissait dans le quartier de Whitechapel en 1888. Aujourd'hui, des balades sont même organisées sur les traces de ses crimes, et Patricia Cornwell nous fait revivre l'enquête. Terrifiant !

Avant de partir, pensez à scanner passeport, visa, carte de paiement, billet d'avion et vouchers d'hôtel. Ensuite, adressez-les vous par mail, en pièces jointes. En cas de perte ou vol, rien de plus facile pour les récupérer. Les démarches administratives seront bien plus rapides.

COMMENT Y ALLER ?

EN AVION

Les compagnies régulières

▲ AIR FRANCE

Rens et résas au ☎ 36-54 (0,35 €/mn – tlj 6h30-22h), sur ● airfrance.fr ●, dans les agences Air France et dans ttes les agences de voyages. Fermées dim.

➤ Air France dessert Londres à raison de 7 vols/j. depuis Roissy-Charles-de-Gaulle vers **Londres-Heathrow.**
Air France propose à tous des tarifs attractifs toute l'année. Pour consulter les meilleurs tarifs du moment, allez directement sur la page « Nos meilleurs tarifs » sur ● airfrance.fr ● *Flying Blue,* le programme de fidélité gratuit d'Air France-KLM, permet de gagner des miles en voyageant sur les vols Air France, KLM, Hop et les compagnies membres de *Skyteam,* mais aussi auprès des nombreux partenaires non aériens *Flying Blue...* Les *Miles* peuvent ensuite être échangés contre des billets d'avion ou des services (surclassement, bagage supplémentaire, accès salon...) ainsi qu'auprès des partenaires. Pour en savoir plus, rendez-vous sur ● flyingblue.com ●

▲ BRITISH AIRWAYS

☎ *0825-825-400 (0,18 €/mn).* ● ba. com ●

➤ Au départ de Paris (Roissy-Charles-de-Gaulle ou Orly), British Airways propose 10 vols/j. à destination de **Londres (Heathrow ou Gatwick).**

➤ British Airways dessert également Londres en direct depuis plusieurs villes de province (Angers et Bergerac en été, Biarritz, Bordeaux, Chambéry et Grenoble en hiver, Lyon, Marseille, Nice, Quimper en été, Toulouse) et Genève.
En complément d'un billet, British Airways propose aussi, sur Londres et toute la Grande-Bretagne, des séjours à la carte très compétitifs (du *B & B*

aux cartes de métro, location de voitures, spectacles, etc.). Plus d'infos sur ● baholidays.com ●

▲ KLM

Résas : ☎ 0892-702-608 (0,35 €/mn), sur ● klm.fr ●, dans les agences Air France et dans ttes les agences de voyages.

➤ Plusieurs vols/j. au départ de Bordeaux, Clermont-Ferrand, Lyon, Marseille, Nantes, Nice, Pau, Rennes, Strasbourg et Toulouse via Amsterdam, depuis lequel KLM dessert **Londres-Heathrow** avec 11 vols/j. et **London-City** avec 8 vols/j.

▲ SN BRUSSELS AIRLINES

Pour tt rens : ☎ 0892-640-030 (0,34 €/mn depuis la France) ou ☎ 0902-51-600 (0,75 €/mn en Belgique). ● brussel sairlines.com ●

➤ Liaisons à destination de **Londres-Heathrow** via Bruxelles depuis Bordeaux, Lyon, Marseille, Montpellier, Nantes (en été), Nice, Toulouse et Genève.

Les compagnies *low-cost*

Plus vous réserverez vos billets à l'avance, plus vous aurez des tarifs avantageux. Attention, les pénalités en cas de changement de vol peuvent être importantes. Certaines compagnies facturent les bagages en soute (vérifier le poids autorisé) et la réservation des sièges. En cabine également, le nombre de bagages est strictement limité (attention, même le plus petit sac à main est compté comme un bagage à part entière). À bord, tous les services sont payants (boissons, journaux). Attention également au moment de la résa par Internet à décocher certaines options qui sont automatiquement cochées (assurances, etc.). Au final, même si les prix de base restent très attractifs, il convient de prendre en compte les frais annexes pour calculer le plus justement son budget.

▲ EASYJET
☎ *0820-420-315 (1,35 € l'appel, puis 0,12 €/mn).* ● *easyjet.com* ●
➢ Départs de Roissy-Charles-de-Gaulle, Ajaccio, Bastia, Biarritz, Bordeaux, Grenoble, Marseille, La Rochelle, Lyon, Montpellier, Nice, Nantes, Toulouse et Strasbourg pour **Londres-Luton, Londres-Stansted, Londres-Gatwick.** Également des vols depuis Bâle-Mulhouse, Bruxelles et Genève.

▲ FLYBE
☎ *+ 44 (0) 207 308 0812 (en Angleterre).* ● *flybe.com* ●
➢ Permet de relier **Londres-Southend** depuis Caen, Lyon et Rennes, et **Londres-City** depuis Roissy-Charles-de-Gaulle.

▲ RYANAIR
☎ *0892-562-150 (0,35 €/mn).* ● *ryanair.com* ●
➢ Billets à prix réduits vers **Londres-Luton** et **Londres-Stansted** avec des vols quotidiens et directs au départ de Brive, Dinard, Nîmes, Perpignan, Poitiers et Tours.

LES ORGANISMES DE VOYAGES

– Ne pas croire que les vols à tarif réduit sont tous au même prix pour une même destination à une même époque : loin de là. On a déjà vu, dans un même avion partagé par 2 organismes, des passagers qui avaient payé 40 % plus cher que les autres. De plus, une agence bon marché ne l'est pas forcément toute l'année (elle peut n'être compétitive qu'à certaines dates bien précises). Donc, contactez tous les organismes et jugez vous-même.
– Les organismes cités sont classés par ordre alphabétique, pour éviter les jalousies et les grincements de dents.

En France

▲ POP VOYAGES
Rens et résas : ☎ *0899-18-95-79 (1,35 € l'appel + 0,34 €/mn).* ● *pop voyages.com* ● *Lun-ven 10h-13h et 14h-19h.*
Spécialiste des voyages en autocar à destination de toutes les grandes cités européennes. Week-ends, séjours et circuits en bus toute l'année, grands festivals et événements européens. Formules pour tout public, individuel ou groupe, au départ de toutes les grandes villes de France.

▲ VOYAGEURS EN IRLANDE ET DANS LES ÎLES BRITANNIQUES (ANGLETERRE, ÉCOSSE, IRLANDE)
Le spécialiste du voyage en individuel sur mesure.

● *voyageursdumonde.fr* ●
– *Paris : La Cité des Voyageurs, 55, rue Sainte-Anne, 75002.* ☎ *01-42-86-16-00.* Ⓜ *Opéra ou Pyramides. Lun-sam 9h30-19h. Avec une librairie spécialisée dans les voyages.*
– *Également des agences à Bordeaux, Grenoble, Lille, Lyon, Marseille, Montpellier, Nantes, Nice, Rennes, Rouen, Strasbourg, Toulouse, à Bruxelles et Genève.*
Parce que chaque voyageur est différent, que chacun a ses rêves et ses idées pour les réaliser, Voyageurs du Monde conçoit, depuis plus de 30 ans, des projets sur mesure. Les séjours proposés sur 120 destinations sont élaborés par leurs 180 conseillers voyageurs. Spécialistes par pays et même par régions, ils vous aideront à personnaliser les voyages présentés à travers une trentaine de brochures d'un nouveau type et sur le site internet, où vous pourrez également découvrir les hébergements exclusifs et consulter votre espace personnalisé. Au cours de votre séjour, vous bénéficiez des services personnalisés Voyageurs du Monde, dont la possibilité de modifier à tout moment votre voyage, l'assistance d'un concierge local, la mise en place de rencontres et de visites privées, et l'accès à votre carnet de voyage via une application iPhone et Android.
Voyageurs du Monde est membre de l'association ATR (Agir pour un tourisme responsable) et a obtenu sa

Votre voyage de A à Z !

certification Tourisme responsable AFAQ AFNOR.

> Voir aussi au sein du guide les agences locales que nous avons sélectionnées.

Comment aller à Roissy et à Orly ?

Toutes les infos sur notre site ● *rou tard.com* ● à l'adresse suivante : ● *bit. ly/aeroports-routard* ●

En Belgique

▲ CONNECTIONS

Rens et résas : ☎ 070-233-313. ● *connections.be* ● Fort d'une expérience de plus de 20 ans dans le domaine du voyage, Connections dispose d'un réseau de 30 *travel shops* dont un à Brussels Airport. Connections propose des vols dans le monde entier à des tarifs avantageux et des voyages destinés à des personnes désireuses de découvrir la planète de façon autonome. Connections propose une gamme complète de produits : vols, hébergements, location de voitures, autotours, vacances sportives, excursions.

En Suisse

▲ STA TRAVEL

☎ 058-450-49-49. ● *statravel.ch* ●
– *Fribourg :* rue de Lausanne, 24, 1700. ☎ 058-450-49-80.
– *Genève :* rue Pierre-Fatio, 19, 1204. ☎ 058-450-48-00.
– *Genève :* rue Vignier, 3, 1205. ☎ 058-450-48-30.
– *Lausanne :* bd de Grancy, 20, 1006. ☎ 058-450-48-50.
– *Lausanne :* à l'université, bât. Anthropole, 1015. ☎ 058-450-49-20.

Agences spécialisées notamment dans les voyages pour jeunes et étudiants. 150 bureaux STA et plus de 700 agents du même groupe répartis dans le monde entier sont là pour donner un coup de main *(Travel Help)*.
STA propose des tarifs avantageux : vols secs *(Blue Ticket),* hôtels, écoles de langues, *work & travel,* circuits d'aventure, voitures de location, etc. Délivre la carte internationale d'étudiant et la carte Jeune.

Au Québec

▲ TOURS CHANTECLERC

● *tourschanteclerc.com* ●
Tours Chanteclerc est un tour-opérateur qui publie différentes brochures de voyages : Europe, Amérique du Nord, Amérique du Sud, Asie et Pacifique sud, Afrique et le Bassin méditerranéen en circuits ou en séjours. Il s'adresse aux voyageurs indépendants qui réservent un billet d'avion, un hébergement (dans toute l'Europe), des excursions ou une location de voiture. Également spécialiste de Paris, le tour-opérateur offre une vaste sélection d'hôtels et d'appartements dans la capitale française.

EN TRAIN

En Eurostar

➤ Eurostar assure jusqu'à 21 liaisons quotidiennes de *Paris-Gare du Nord à Londres-Saint Pancras International* en 2h15, par le tunnel sous la Manche. Pas de restriction de poids et gratuité pour les enfants de moins de 4 ans. IMPORTANT : se présenter à l'enregistrement au moins 30 mn avant le départ, muni d'une carte nationale d'identité ou d'un passeport en cours de validité.

Avec la mise en service des nouveaux trains e320 sur le trajet Paris-Londres, les passagers profitent à bord du wifi gratuit et illimité et d'une plate-forme de divertissement. En connectant leur téléphone, tablette ou ordinateur portable au wifi, ils ont accès à plus de 300h de séries télévisées et de films. Au programme également : actualités, jeux, espace dédié aux enfants et carte de géolocalisation en temps réel.
Eurostar relie aussi :
➤ *Paris et Ashford* (1h40 de trajet).

> *Paris et Ebbsfleet* (2h05), dessert le Kent et la péninsule à l'est de Londres.
> *Lyon et Londres* (4h40).
> *Avignon et Londres* (6h).
> *Marseille Saint-Charles et Londres* (6h27).
> *Lille et Londres* (1h20).
> *Lille et Ashford* (env 1h).
> *Calais-Frethun et Londres* (env 1h).
> *Bruxelles et Londres* (2h).

Les billets Eurostar sont disponibles à partir de 78 € l'A/R en classe Standard (tarif soumis à conditions) et 199 € (190 € le w-e) en classe Standard Premier (avec repas et boissons servis à la place et magazines offerts).

Avec **SNAP**, la plate-forme digitale d'Eurostar, les passagers bénéficient de billets aux prix les plus bas. Il suffit de se connecter au service en ligne via votre compte Facebook (obligatoire), de choisir la destination, la date et vos préférences de départ (matin ou après-midi). Deux jours avant le départ, Eurostar vous envoie vos horaires définitifs. Réservations ouvertes 7 jours avant le départ, billets Paris-Londres mis en vente à partir de 35 €.

Avec la *carte cadeau* d'Eurostar, disponible en ligne, l'acheteur choisit le modèle et sélectionne le montant qu'il souhaite offrir (à partir de 25 €), le jour de l'envoi de la carte et le message qui l'accompagnera. Quelques clics plus tard, le *e-voucher* est prêt à être envoyé à son heureux destinataire, qui choisira alors ses dates de voyage vers Londres.

Eurostar est la 1re compagnie ferroviaire proposant des voyages neutres en CO_2, sans surcoût pour les voyageurs. À travers le programme « Voyage Vert », Eurostar propose à ses clients un voyage encore plus respectueux de l'environnement et s'engage à réduire les émissions résiduelles de CO_2. En plus de former les conducteurs à une écoconduite spécifique, tous les nouveaux trains sont équipés de compteurs d'énergie haute technologie pour suivre et gérer la consommation sur le trajet.

Pour vous rendre en Eurostar à Londres ou Ashford au départ de la province, rien de plus simple : Eurostar propose des liaisons directes quotidiennes depuis Marseille, Avignon et Lyon. Depuis les autres régions de province en France, Eurostar propose des prix comprenant le trajet en train jusqu'à Lille ou Paris, puis le voyage en Eurostar. Des promotions pour des voyages A/R sont proposées au départ de nombreuses villes de province.

Réductions

De nombreuses promotions tout au long de l'année au départ de Paris et de Lille avec A/R dans la journée, pendant le week-end, etc.

Gardez bien vos billets d'Eurostar ! L'offre « *Eurostar 2 FOR 1* » est un partenariat culturel unique entre Eurostar et une sélection de galeries et musées de Londres, Paris, Lille, Bruxelles, Lyon et Marseille.

– *Comment ça marche ?* C'est simple. Lorsque vous voyagez avec Eurostar, il vous suffit de présenter votre billet de train aux galeries et musées listés plus bas pour bénéficier de 2 entrées pour 1. Pour Londres, l'offre s'applique aux expositions payantes, l'entrée générale dans les musées étant gratuite. Cette offre est soumise à conditions.

– *À savoir :* l'offre est valable dans la ville de destination des voyageurs. Par exemple, si vous voyagez de Paris à Londres, vous pouvez bénéficier de 2 entrées au prix d'1 pour toutes les expositions payantes des galeries et musées londoniens listés plus bas. Une pièce d'identité peut vous être demandée.

L'offre est valable pendant 5 jours à compter de la date de départ indiquée sur le billet. Seule 1 personne doit être en possession d'un billet Eurostar pour profiter de l'offre 2 entrées pour 1.

– *Dans quels musées et galeries puis-je profiter de cette offre ?* La National Gallery, la National Portrait Gallery, la Tate Modern, la Tate Britain, le British Museum, la British Library, le Science Museum, la Royal Academy of Arts et le Victoria and Albert Museum.

Renseignements et réservations

– *Internet :* ● eurostar.com ●

– **Téléphone :** ☎ 36-35 *(0,40 € TTC/mn hors surcoût éventuel de votre opérateur)* ou ligne directe Eurostar ☎ 0892-35-35-39 *(tarif local).*
– Également en gare dans les billetteries Eurostar et sur les bornes automatiques, dans les boutiques SNCF et les agences de voyages agréées.

Pour préparer votre voyage

– **e-billet :** réservez, achetez et imprimez votre e-billet sur Internet.
– **m-billet :** plus besoin de support papier, vous pouvez télécharger le code-barres de votre voyage correspondant à votre réservation directement dans votre smartphone, à l'aide de l'application SNCF Direct.
– **Billet à domicile :** commandez votre billet par téléphone ou sur Internet, Eurostar vous l'envoie gratuitement à domicile. Vous réglez par carte de paiement (pour un montant minimum de 1 € sous réserve de modifications ultérieures) au moins 4 jours avant le départ (7 jours si vous résidez à l'étranger).
– **Cartes de transport :** il est possible d'acheter votre carte de transport *(Oyster Card,* voir « Transports » dans « Londres utile ») à bord de l'Eurostar, dans les voitures bar-buffet, ou sur le site internet d'Eurostar.

Une autre façon de réserver vos billets

▲ TRAINLINE

Une nouvelle façon simple et rapide d'acheter vos billets de train sur le web, mobile et tablette. Réservez vos billets pour voyager en France et dans plus de 20 pays européens. Consultez les tarifs et les horaires dans une interface claire et sans publicités. Trainline compare les prix de plusieurs transporteurs européens pour vous garantir le meilleur tarif.
Réservations et paiements sur ● *trainline.fr* ● et sur mobile avec l'application Trainline pour iPhone et Android.
Et pour répondre à vos questions : ● *guichet@trainline.fr* ●

En train, puis bateau

Les lignes ferroviaires ne desservent plus les gares maritimes françaises. On conseille donc cette formule aux habitants du Nord, aux claustrophobes (sous le tunnel) et à ceux qui ont vraiment le temps. Dorénavant, il faut prendre le train pour Calais, Boulogne ou Dieppe. À l'arrivée, des navettes sont assurées avec les gares maritimes d'embarquement. Pour les traversées, se reporter à la rubrique « En bateau ». Côté britannique, de nombreux trains relient les villes portuaires à Londres.

EN VOITURE

Avec la navette Eurotunnel via le tunnel sous la Manche

Le terminal est situé sortie n° 42 sur l'A 16 à Calais et vous arrivez directement sur la M 20 sans avoir à quitter votre véhicule. Vous embarquez dans la navette au volant de votre véhicule, ce qui en fait un service idéal pour les personnes à mobilité réduite ou avec des petits. Durant les 35 mn de traversée à bord de votre véhicule, vous pouvez vous détendre et consulter votre guide préféré pour préparer votre escapade !
Et pour que toute la famille soit du voyage, sachez que les animaux et

« leur puce » sont les bienvenus à bord (voir plus loin le paragraphe consacré au voyage avec les animaux de compagnie dans la rubrique « Avant le départ » du chapitre « Londres utile ») !
– *Fréquence :* les départs se font 24h/24. Réservez votre billet à l'avance sur Internet pour obtenir les meilleurs tarifs.
– *Billet :* sur place, lorsque vous avez réservé, des bornes automatiques vous permettent d'imprimer votre titre de transport et de gagner du temps !
– *Tarifs :* à partir de 32 € l'aller pour la voiture et ses passagers.
– *Rens et résas :* ● *eurotunnel.com* ● ou auprès du centre d'appels au ☎ 0810-63-03-04 *(prix d'un appel local).*

EN BATEAU

De France

▲ BRITTANY FERRIES
Rens et résas : ☎ 0825-828-828 *(0,15 €/mn + prix de l'appel),* ● brittany ferries.fr ●
6 lignes directes vers le sud de l'Angleterre :
➤ **Roscoff-Plymouth :** 6h de traversée. Jusqu'à 2 départs/j.
➤ **Saint-Malo/Portsmouth :** 8h de traversée. 1 départ/j.
➤ **Cherbourg-Poole :** 4h de traversée (plus long la nuit). 1 départ/j.
➤ **Caen/Ouistreham-Portsmouth :** 4h45 de traversée. Jusqu'à 3 départs/j.
➤ **Le Havre-Portsmouth :** 1 à 2 départs/j. Compter 5h30 de traversée. Un autre bateau, le *Normandie Express,* plus rapide (3h45 de trajet), de mi-mars à fin oct.
➤ **Cherbourg-Portsmouth :** 1 à 2 départs/j. avr-sept. Compter 2h de traversée.
Propose aussi des excursions et de nombreuses formules week-end et court séjour tout compris.

▲ CONDOR FERRIES
☎ 0825-135-135 *(0,15 €/mn + prix de l'appel).* ● condorferries.uk ●

Navires à grande vitesse, pouvant accueillir plus de 750 passagers.
➤ **Saint-Malo/Poole** (via Jersey et Guernesey) **:** à partir de 5h30 de traversée. Avr-oct, plusieurs départs le mat et retours en fin d'ap-m. Horaires variables selon saison, se renseigner.

▲ DFDS SEAWAYS
– *Dieppe :* quai Gaston-Lalitte, 76200. ☎ 0800-650-100. ● dfdsseaways.fr ●
Propose plusieurs liaisons quotidiennes :
➤ **Dieppe-Newhaven :** 2-3 traversées/j.
➤ **Dunkerque-Douvres :** 12 traversées/j. en sem et 8 traversées/j. le w-e.
➤ **Calais-Douvres :** 12 traversées/j.
Bateaux rapides, transport voitures et piétons, horaires à disposition sur le site internet. Plein de promos en ligne également.

▲ P & O FERRIES
– *Rens et résas :* ☎ 03-66-74-03-25. ● poferries.com ● Lun-ven 9h-17h30 ; sam-dim 10h-16h.
➤ P & O Ferries assure jusqu'à 24 traversées/j. entre **Calais et Douvres** (traversée en 1h30).
➤ **Zeebruge/Hull :** 10h30 (1 traversée/ nuit).

EN BUS

▲ EUROLINES
☎ 08-92-89-90-91 *(0,34 €/mn + prix appel),* tlj 8h-21h, dim 10h-18h. ● eurolines.fr ● N° d'urgence : ☎ 01-49-72-51-57.
– *Paris :* 55, rue Saint-Jacques, 75005. Lun-ven 9h30-18h30, sam 10h-13h et 14h-17h. N° d'urgence : ☎ 01-49-72-51-57.
Vous trouverez également les services d'Eurolines sur ● routard.com ● *Eurolines propose 10 % de réduc pour les jeunes (12-25 ans) et les seniors. 2 bagages gratuits par pers en Europe. Gare routière internationale à Paris : 28, av. du Général-de-Gaulle, 93541 Bagnolet Cedex. Ⓜ Gallieni.*
Première *low-cost* par bus en Europe, Eurolines permet de voyager vers plus de 600 destinations en Europe et au Maroc avec des départs quotidiens depuis 90 villes françaises. Eurolines propose également des hébergements à petits prix sur les destinations desservies.
Pass Europe : pour un prix fixe valable 15 ou 30 jours, vous voyagez autant que vous le désirez sur le réseau entre 51 villes européennes. Également un *minipass* pour visiter 2 capitales européennes (7 combinés possibles).

▲ FLIXBUS
Informations sur ● flixbus.fr ● *ou au* ☎ +33-1-76-36-04-12.
➤ Londres est accessible depuis Paris, Amiens et Lille.
FlixBus et ses bus verts offrent le

plus grand réseau longue distance d'Europe. Présent partout en France et dans une vingtaine de pays du continent, FlixBus propose un service accessible à tous les budgets. Wifi gratuit et prises électriques à chaque siège. Chaque voyageur peut transporter jusqu'à 2 bagages, et annuler/modifier jusqu'à 15 minutes avant le départ.

En bus via Eurotunnel

Toujours avec *Eurolines,* voir plus haut.

LONDRES UTILE

ABC de Londres

- *Superficie :* 1 572 km^2.
- *Population :* 8,60 millions d'hab. (estimation 2017).
- *Le Grand Londres est composé de 32 boroughs* (circonscriptions administratives, dont 12 forment Londres intra-muros) : Camden, Greenwich, Hackney, Hammersmith & Fulham, Islington, Kensington & Chelsea, Lambeth, Lewisham, Southwark, Tower Hamlets, Wandsworth et Westminster.
- *Densité :* 5 343 hab./km^2 (plus de 21 000 à Paris !).
- *Monnaie :* la livre sterling (£). En 2018, 1 £ = env 1,16 €.
- *Maire :* Sadiq Khan, membre du parti travailliste, élu en 2016.
- *Taux de chômage :* au niveau national, environ 4,3 % en 2017, à Londres 5 %.
- *Signe particulier :* plus de 300 langues parlées dans la capitale !
- *Culture :* 22 musées nationaux (gratuits !) et plus de 200 musées en tout, plus de 900 librairies (2 fois plus qu'à New York) et près de 200 festivals au cours de l'année.

AVANT LE DÉPART

Adresses utiles

En France

🛈 *VisitBritain, office de tourisme de Grande-Bretagne :* ● *visitbritain.com* ● *Pas d'accueil du public, infos sur Internet seulement.* Un site internet très riche avec des thématiques d'exploration du pays (des jardins aux sites de tournage de films). Également sur ● *visitbritains hop.com* ●, vente de cartes de métro, billets *Heathrow Express, Original London Sightseeing Tours,* billets avec transport pour le *Harry Potter Studio Tour,* ou tickets pour Madame Tussauds et *London Pass.* Possibilité également d'acheter des billets coupe-file pour les plus grandes expositions, des places de spectacles, de comédies musicales, des plans, guides, cartes, etc.

■ *Consulat de Grande-Bretagne :* 16, rue d'Anjou, 75008 Paris. ☎ 01-44-51-31-00. ● *ukinfrance.fco.gov.uk/fr* ● Ⓜ Madeleine. Lun-ven 9h30-12h30.

■ *The British Council :* 9, rue de Constantine, 75007 Paris. ☎ 01-49-55-73-00. ● *britishcouncil.fr* ● RER C : Invalides. Lun-ven 9h30-19h30 (17h sam). Fermé j. fériés, à Noël et début août. Pour son atmosphère feutrée et aimable, très anglaise. Pas de méthodes d'anglais ; il faut déjà parler la langue. Journaux, livres, renseignements, discothèque.

■ *W. H. Smith :* 248, rue de Rivoli, 75001 Paris. ☎ 01-44-77-88-99. ● *whsmith.fr* ● Ⓜ Concorde. Lun-sam 9h30-19h30, dim 11h30-19h. La branche française de la célèbre librairie anglaise. On y trouve tous les classiques. Vente également sur leur site internet. Petit plus, au 1er étage, un breakfast ou un simple thé peuvent se déguster dans le *tearoom* !

– Voir aussi notre rubrique « Sports » dans « Hommes, culture, environnement ».

En Belgique

🛈 **Visit Britain :** ● visitbritain.com ● Pas d'ouverture au public. Infos seulement par tél lun-ven 10h-17h, Internet ou voie postale. Informations touristiques par téléphone, vente sur Internet de passes (châteaux, jardins, manoirs) et de tickets pour les spectacles à Londres.

◼ **Ambassade de Grande-Bretagne :** av. d'Auderghem, 10, Bruxelles 1040. ☎ 02-287-62-11. ● ukinbelgium.fco. gov.uk ● visa4uk.fco.gov.uk ● Lun-mar, jeu-ven 9h-12h30 seulement sur rdv.

◼ **British Council :** Leopold Plaza, rue du Trône, 108, Bruxelles 1050. ● britishcouncil.be ● Pas d'accueil du public. Informations sur les cours d'anglais dans les écoles privées en Grande-Bretagne et en Belgique. Donne également des adresses d'organismes pour travailler au pair, trouver un job...

En Suisse

🛈 **Visit Britain :** ● visitbritain.com ● Pas d'accueil du public.

◼ **Ambassade de Grande-Bretagne :** Thunstrasse 50, 3005 Berne. ☎ 031-359-7700. Lun-ven 9h-12h30 et 13h30-16h30.

Au Québec

◼ **Consulat de Grande-Bretagne :** 2000, av. McGill College, suite 1940, Montréal (Québec), H3A 3H3 ☎ (514) 866-5863. ● ukincanada.fco.gov.uk ● Lun-ven sur rdv seulement, 9h-16h. Ne délivre pas de visa. Pour cela, les ressortissants étrangers doivent se rendre à Ottawa auprès du Haut Commissariat de la Grande-Bretagne : 80, Elgin St, Ottawa (Ontario), K1P 5K7. Toutes les démarches d'obtention de visa sont possibles sur le site internet du consulat.

Formalités

– La Grande-Bretagne ne fait pas partie de l'espace Schengen, et sa sortie de l'Union européenne votée en 2016 suite au référendum sur le Brexit risque de modifier les papiers nécessaires à l'entrée sur le territoire anglais dès qu'elle sera effective. Pour l'instant et avant le 29 mars 2019, date de sortie officielle de l'Angleterre (mais ça peut changer, renseignez-vous !), pour les ressortissants de l'Union européenne, un passeport ou une carte nationale d'identité (un permis de séjour en France ou un permis de conduire ne suffisent pas) sont nécessaires.

● visitbritain.com/fr/Travel-tips/Customs-and-immigration/ ● service-public.fr ●

– Les mineurs doivent être munis de leur propre pièce d'identité (carte d'identité ou passeport). Une autorisation de sortie du territoire est requise avec un formulaire signé par l'un des parents titulaires de l'autorité parentale et la photocopie de la pièce d'identité du parent signataire si l'enfant voyage sans ses parents. Renseignements auprès des services de votre commune et sur ● service-public.fr ●

– Attention : les ressortissants hors Union européenne doivent se renseigner au service des visas du consulat de Grande-Bretagne (voir plus haut) et à leur propre consulat... En cas d'urgence, s'adresser au consulat de Grande-Bretagne dans les ports.

– Pour la voiture : permis de conduire national, carte grise, carte verte et n'oubliez pas le F (ou le B ou le CH) à l'arrière du véhicule.

– Bagages en Eurostar : si vous avez des canifs ou couteaux sur vous, ils vous seront confisqués. Les consignes de sécurité sont quasi similaires à celles adoptées dans les aéroports.

– La légendaire quarantaine des animaux a été abolie en 2000. Malgré tout, chiens, chats et... furets (!) adorés devront montrer patte blanche : puce électronique, traitement contre les vers et vaccin contre la rage 21 jours avant le départ. Ces informations doivent être consignées dans un passeport européen (pour les animaux en provenance de l'Union européenne). Pour toute info : site du consulat de Grande-Bretagne (voir plus haut) ou ● *eurotunnel.com* ● (rubrique « Votre voyage »).

– Seuls les visiteurs de plus de 17 ans sont autorisés à importer ou exporter du **tabac** (800 cigarettes maximum) ou de l'**alcool.**

> Pensez à scanner passeport, carte d'identité, éventuellement visa, carte de paiement, billets d'avion, billets de train et vouchers d'hôtel. Ensuite, adressez-les-vous par e-mail, en pièces jointes. En cas de perte ou de vol, rien de plus facile pour les récupérer dans un cybercafé. Les démarches administratives en seront bien plus rapides.

Assurances voyage

■ *Assurance Routard par AVI International :* 40, rue Washington 75008 Paris. ☎ 01-44-63-51-00. Ⓜ George-V. ● *avi-international. com* ● Enrichie année après année par les retours des lecteurs, Routard Assurance est devenue une assurance voyage incontournable. Tout est compris : frais médicaux, assistance rapatriement, bagages, responsabilité civile...

Vous avez besoin d'un médecin, d'un conseil médical ou d'une prise en charge dans un hôpital ? Appelez simplement le plateau *AVI Assistance* disponible 24h/24, leur réseau est l'un des plus complets actuellement. Vous avez eu des frais de santé en voyage ? Envoyez les factures à votre retour, *AVI* vous rembourse sous 1 semaine. Avant votre départ, n'hésitez pas à les appeler pour des conseils personnalisés.

Et téléchargez l'appli mobile pour garder le contact avec l'assistance 24h/24 et disposer de l'un des meilleurs réseaux médicaux à travers le monde.

■ *AVA assurance Voyages et assistance :* 25, rue de Maubeuge, 75009 Paris. ☎ 01-53-20-44-20. ● *ava.fr* ● Ⓜ Cadet. Un autre courtier fiable pour ceux qui souhaitent s'assurer en cas de décès-invalidité-accident lors d'un voyage à l'étranger mais surtout pour bénéficier d'une assistance rapatriement, perte de bagages et annulation. Attention franchises pour leurs contrats d'assurance voyage.

■ *Pixel Assur :* 18, rue des Plantes, BP 35, 78601 Maisons-Laffitte. ☎ 01-39-62-28-63. ● *pixel-assur.com* ● RER A : Maisons-Laffitte. Assurance de matériel photo et vidéo tous risques (casse, vol, immersion) dans le monde entier. Devis en ligne basé sur le prix d'achat de votre matériel. Avantage : garantie à l'année.

Carte internationale d'étudiant (carte ISIC)

Elle prouve le statut d'étudiant dans le monde entier et permet de bénéficier de tous les avantages, services et réductions dans les domaines du transport, de l'hébergement, de la culture, des loisirs, du shopping...

La carte ISIC permet aussi d'accéder à des avantages exclusifs (billets d'avion spécial étudiants, hôtels et auberges de jeunesse, assurances, cartes SIM internationales, location de voiture...).

Renseignements et inscriptions

– **En France :** ● *isic.fr* ● 13 € pour 1 année scolaire.
– **En Belgique :** ● *isic.be* ●
– **En Suisse :** ● *isic.ch* ●
– **Au Canada :** ● *isiccanada.com* ●

Carte d'adhésion internationale aux auberges de jeunesse (carte FUAJ)

Cette carte vous ouvre les portes des 4 000 auberges de jeunesse du réseau *HI-Hostelling* International en France et dans le monde. Vous pouvez ainsi parcourir 90 pays à des prix avantageux et bénéficier de tarifs préférentiels avec les partenaires des Auberges de Jeunesse *HI*. Enfin, vous intégrez une communauté mondiale de voyageurs partageant les mêmes valeurs : plaisir de la rencontre, respect des différences et échange dans un esprit convivial. Il n'y a pas de limite d'âge pour séjourner en auberge de jeunesse. Il faut simplement être adhérent.

Renseignements et inscriptions

– **En France :** ● hifrance.org ●
– **En Belgique :** ● lesaubergesdejeunesse.be ●
– **En Suisse :** ● youthhostel.ch ●
– **Au Canada :** ● hihostels.ca ●
Si vous prévoyez un séjour itinérant, vous pouvez réserver plusieurs auberges en une seule fois en France et dans le monde : ● hihostels.com ●

ARGENT, BANQUES, CHANGE

La Grande-Bretagne utilise la *sterling pound*. La livre sterling est divisée en 100 *pence.* Pièces de 50 p, 20 p, 10 p, 5 p et 1 *penny,* et pièces de 1 livre et de 2 livres avec plusieurs dessins symbolisant les différents pays composant la Grande-Bretagne.
En 2018, le cours de la livre sterling atteignait environ 1,16 €, 1,24 CHF et 1,66 $Ca. S'attendre à un séjour onéreux en Grande-Bretagne. Ce cours pourrait avoir changé, faites vos calculs !
– Les **banques** sont ouvertes de 9h30 à 16h30 de manière générale, parfois plus tard. Elles sont habituellement fermées le week-end, sauf certaines grandes banques qui ouvrent le samedi matin. Essayez d'éviter les bureaux de change dont les taux sont médiocres ; préférez les banques, ainsi que les postes. Ces bureaux de change sont nombreux. On les trouve dans les aéroports, les gares ferroviaires, certaines grandes stations de métro et dans quelques grands magasins. Ils sont ouverts plus tard que les banques, c'est là leur seul intérêt.
– Les **bureaux de change Ace-Fx** n'appliquent pas de commission et proposent un bon taux. 2 adresses : à **London Bridge Station** *(plan d'ensemble, I4 ; 5 London Bridge Walk, bien indiqué ; lun-ven 7h45-18h30)* et à **Canary Wharf** *(plan Les Docklands, B-C1 ; dans le Shopping center ; lun-ven 8h30-20h, sam 12h-19h et dim 12h-18h).*

> **Avertissement**
>
> Si vous comptez effectuer des retraits d'argent aux distributeurs, il est **très vivement conseillé** d'avertir votre banque avant votre départ (pays visité et dates). En effet, **votre carte peut être bloquée dès le premier retrait** pour suspicion de fraude. C'est de plus en plus fréquent. Bonjour les tracasseries administratives pour faire rentrer les choses dans l'ordre, et on se retrouve vite dans l'embarras !

– **Retraits et paiements avec carte de paiement :** le système le plus simple et le plus pratique, si vous possédez une carte de paiement internationale. Toutefois, gardez en tête qu'à chaque opération, même minime, vient s'ajouter une commission de votre banque, parfois non négligeable.

Quand vous partez à l'étranger, pensez à téléphoner à votre banque pour relever le plafond de retrait aux distributeurs et pour les paiements par carte, quitte à le faire rebaisser à votre retour.

Avant de partir, notez bien le numéro d'opposition propre à votre banque (il figure souvent au dos des tickets de retrait, sur votre contrat, ou à côté des distributeurs de billets), ainsi que le numéro à 16 chiffres de votre carte. Bien entendu, conservez ces informations en lieu sûr et séparément de votre carte.

Par ailleurs, l'assistance médicale se limite aux 90 premiers jours du voyage et l'assistance véhicule aux cartes haut de gamme (renseignez-vous auprès de votre banque). Et surtout, n'oubliez pas de VÉRIFIER LA DATE D'EXPIRATION DE VOTRE CARTE DE PAIEMENT avant votre départ !

En cas de perte, de vol, ou de fraude, quelle que soit la carte que vous possédez, chaque banque gère elle-même le processus d'opposition et le numéro de téléphone correspondant.

– *Carte Visa :* numéro d'urgence (Europ Assistance), ☎ (00-33) 1-41-85-85-85 (24h/24). ● visa.fr ●
– *Carte MasterCard :* numéro d'urgence, ☎ (00-33) 1-45-16-65-65. ● mastercardfrance.com ●
– *Carte American Express :* numéro d'urgence, ☎ (00-33) 1-47-77-72-00.
● americanexpress.fr ●
– En cas de perte ou de vol, il existe un *serveur interbancaire d'opposition* qui vous met en contact avec le centre d'opposition de votre banque : en France : ☎ 0892-705-705 (prix d'un appel + 0,35 €/mn) ; depuis l'étranger : ☎ + 33-442-605-303.

> Petite mesure de précaution : si vous retirez de l'argent dans un distributeur, utilisez de préférence les distributeurs attenants à une agence bancaire. En cas de pépin (carte avalée, erreurs de code secret...), vous aurez un interlocuteur dans l'agence, pendant les heures ouvrables.

Carte prépayée *Travelex*

La carte prépayée *Cash PassportTM* (qui remplace les chèques de voyage) fonctionne comme une carte bancaire. Muni d'une pièce d'identité, il suffit de se rendre en agence de change et de charger le budget voyage désiré en dollars sur la carte. Elle peut aussi être commandée en ligne sur ● travelex.fr ● avant d'être collectée en agence sur présentation des documents d'identité. L'utilisateur peut ensuite la recharger à tout moment depuis le site ● travelex.fr ● partout dans le monde.

Une fois à l'étranger, elle est utilisable chez 32 millions de commerçants et distributeurs de billets. Pratique pour régler une note de resto ou d'hôtel, sans frais bancaires ni commission. Sûre, la carte n'est pas liée au compte bancaire de l'utilisateur et elle est protégée par une puce et un code PIN personnel. Assistance internationale d'urgence 24h/24 en cas de perte ou de vol. La carte est alors remplacée gratuitement sous 24h avec des fonds d'urgence.

Besoin urgent d'argent liquide

Vous pouvez être dépanné en quelques minutes grâce au système *Western Union Money Transfer.* L'argent vous est transféré en moins d'une heure. La commission, assez élevée, est payée par l'expéditeur. Possibilité d'effectuer un transfert auprès d'un des bureaux *Western Union* ou, plus rapide, en ligne, 24h/24 par carte de paiement (*Visa* ou *MasterCard*).

Même principe avec d'autres organismes de transfert d'argent liquide comme **MoneyGram, PayTop** ou **Azimo.** Transfert en ligne sécurisé, en moins d'une heure.

Dans tous les cas, se munir d'une pièce d'identité. Toutefois, en cas de perte/vol de papiers, certains organismes permettent de convenir d'une question/réponse type pour pouvoir récupérer votre argent. Chacun de ces organismes possède aussi des applications disponibles sur téléphone portable. Consulter les sites internet pour connaître les pays concernés, les conditions tarifaires (frais, commission) et trouver le correspondant local le plus proche :

● westernunion.com ● moneygram.fr ● paytop.com ● azymo.com/fr ●

– Autre solution, envoyer de l'argent par **la Poste** : le bénéficiaire, muni de sa pièce d'identité, peut retirer les fonds dans n'importe quel bureau du réseau local. Le transfert s'effectue avec un mandat ordinaire international (jusqu'à 3 500 €) et la transaction prend 4-5 jours en Europe (8-10 vers l'international). Plus cher, mais plus rapide, le mandat express international permet d'envoyer de l'argent (montant variable selon la destination – 34 au total) sous 2 jours maximum, 24h lorsque la démarche est faite en ligne. Infos : ● labanquepostale.fr ●

ACHATS

Marchés locaux

C'est un aspect de Londres que les touristes connaissent peu, et pourtant, il constitue une part essentielle de la vie de la capitale depuis que les néobobos ne jurent plus, à raison, que par les produits estampillés « authentiques » ! Levez-vous de bonne heure et allez voir l'un des meilleurs spectacles gratuits de la ville. Vous y entendrez le plus pur accent *cockney* depuis *My Fair Lady* ! On indique les marchés dans chaque quartier traité dans ce guide.

Shopping

Voir nos adresses dans chaque quartier. N'hésitez pas non plus à pousser la porte des **charity shops,** un concept made in Britain : ce sont les centaines de boutiques associatives qui revendent vêtements, vaisselle, DVD, CD, etc., d'occasion, cédés par les particuliers. De très bonnes affaires parfois, en prenant le temps de fouiner, surtout dans les quartiers chic. Si *Oxfam, Barnardo's* (contre le cancer) ou *The Red Cross* (la

> **HISTOIRE D'UN IMPER**
>
> *L'imperméable à doublure écossaise siglé Burberry est un classique de la mode britannique, mille fois copié et devenu incontournable. Son histoire n'a pourtant rien de glamour : le premier modèle trench coat, littéralement « manteau de tranchée », fut dessiné en 1914 par Thomas Burberry et porté par les soldats anglais pendant la Première Guerre mondiale.*

Croix-Rouge) comptent parmi les enseignes les plus répandues, on trouve aussi des organisations caritatives moins connues, par exemple pour la protection des animaux !

Horaires des boutiques

Les boutiques sont en général ouvertes du lundi au samedi de 9h30 à 18h, avec des nocturnes jusqu'à 19h ou 20h. De plus en plus, surtout dans le centre touristique, elles ouvrent également le dimanche de 10h à 18h. Autres exceptions, les épiceries qui font du non-stop de 9h à 22h. Les grands magasins ont, une fois par semaine, une nocturne jusqu'à 20h. Pendant la période des soldes *(sales)* – de fin décembre à fin janvier et début juillet –, les magasins des quartiers commerçants sont ouverts jusqu'à 20h, voire 21h. Voici, en gros, les différents coins commerciaux : Oxford Street, Regent Street, Carnaby Street et les environs ; Covent Garden, l'un des repaires de la mode de luxe ; Knightsbridge et Brompton Road (plutôt luxueux) ; Spitalfields Market, Brick Lane et Shoreditch, pour les vêtements vintage et quelques petites boutiques de créateurs, King's Road, Fulham Road et les rues avoisinantes ; enfin, Camdem Town, pour le marché aux puces.

Vêtements et chaussures

Le must de la mode anglaise est incarné par quelques créateurs qui, s'ils ont pignon sur rue à Paris, ont leurs boutiques phares et surtout des soldes permanents à Londres (ne rêvez pas trop, les prix restent élitistes). Parmi les incontournables, on citera *Vivienne Westwood* et *Stella McCartney*, pour les femmes, *Paul Smith* pour les hommes.

> ## SMOKING
>
> *Dès le XIXe s, après dîner, les Anglais de la bonne société dégustaient leur cigare au fumoir. Pour éviter que leurs vêtements ne soient imprégnés de l'odeur du tabac, ils enfilaient une veste d'intérieur appelée... smoking jacket. L'appellation est restée pour cette veste noire emblématique, symbole d'un certain chic !*

– Halte quasi obligatoire dans les grands magasins d'*Oxford Street* (centre 1, D-E-F3) et de *Regent Street*. On y trouve d'immenses boutiques pour faire le plein de fringues. Le meilleur marché reste *Primark* (hommes, femmes, enfants), vers Marble Arch et Tottenham Court Rd. *TopShop* (pour femmes et hommes) est aussi un grand classique, tout comme *Next, Miss Selfridge, River Island, Oasis* ou encore *J. Crew, Urban Outfitters,* une marque américaine bien implantée à Londres. Ces boutiques s'apparentent à *Zara* ou *Mango*, que l'on trouve aussi à Londres mais à prix plus élevés. On peut aussi faire un tour au rayon lingerie de *Marks & Spencer*, très varié, à l'image du goût des Anglaises pour les dessous affriolants !

– Quelques friperies bien *British* au fil des pages. Du jeune créateur dégriffé à la jupe écossaise pour punkette, on y trouve de tout (ou rien, c'est selon...). Fureter du côté de Camden ou de Brick Lane et Spitalfields Market.

– Les jeunes créateurs ont pignon sur rue à *Carnaby Street* et autour de *Shoreditch* et *Hackney*. On peut y dénicher une perle rare à un prix (relativement) raisonnable.

– Tout *King's Road* (plan d'ensemble, A-B-C6-7) est couvert de boutiques, chères mais ô combien attirantes !

– La mode de luxe se trouve dans le coin de *Kensington High Street.* Vous pouvez aussi aller faire un tour chez *Harrods, Liberty* ou chez *Harvey Nichols*. Un classique, *Burberry*, pas donné non plus. Cela dit, on vous indique plus loin l'adresse du stock (vers Whitechapel).

Correspondance des tailles

Vêtements pour femmes
Pour les collants *(tights,* prononcer « taïts ») : le *small*, ou petit, est notre taille 1, le *medium* est notre 2, le *large*, ou *tall*, est notre 3.

France	38	40	42	44	46
Grande-Bretagne Robes	10	12	14	16	18
Grande-Bretagne Pulls	32	34	36	38	40

Vêtements pour hommes
Pour les pantalons, les tailles sont celles que vous connaissez pour les jeans.

France	39	40	41	42	43
Grande-Bretagne Pulls/chemises	15	15,5	16	16,5	17

Vêtements pour enfants

Stature en centimètres	100	125	155
Âges	3-4	7-8	12
Stature en inches	40	50	60

Chaussures

France	37	38	39	40	41	42	43
Grande-Bretagne	4	5	6	7	8	9	10

Que rapporter ?

– Noter que les alcools forts (comme le whisky) ne présentent pas des tarifs plus avantageux qu'en France, même en duty-free, mais il y a évidemment plus de choix, pour le whisky par exemple.
– Bon à savoir : les produits de base pour enfants (vêtements, chaussures, cosmétique, etc.) sont moins taxés en Grande-Bretagne que les produits adultes et donc nettement moins chers !
– Les fameux *toffees* (caramels) bien moelleux et tout un tas de sucreries multicolores, la marmelade et le *lemon curd*, les sauces à la menthe ou barbecue (mais aussi tous les produits indiens), le thé, *of course*, notamment ceux de la fameuse maison *Fortnum & Mason* (voir « Le centre touristique »).
– Les fromages, méconnus dans l'Hexagone et pourtant intéressants ! Comment résister au goût puissant d'un vieux *stilton* ou à l'onctuosité d'un cheddar à point ? À déguster avec des crackers.

LE PRINCE ÉPICIER

L'engagement du prince Charles en faveur de l'environnement n'est plus à démontrer. Avec les produits Duchy Originals, *en vente dans les supermarchés* Waitrose, *vous pourrez soutenir une bonne action. Une partie des bénéfices des produits vendus, tous sélectionnés par le prince et issus de l'agriculture bio, est ensuite reversée à des œuvres de charité. Le produit phare de la maison est le biscuit à l'avoine. Et le pire, c'est que c'est bon !*

– *Crumpets, muffins, scones...* les rayons alimentaires de *Marks & Spencer, Tesco, Sainsbury's* et *Harrods* (pas si cher au demeurant, vu la qualité des produits) regorgent de produits uniques et que l'on trouve difficilement, voire pas du tout, en France.
– L'imperméable *Barbour*, adopté depuis des lustres par la famille royale. Constitué d'un col de velours côtelé et d'un coton traité avec de la cire et de l'huile, il habille aujourd'hui l'*upper class* et revient en force chez les hipsters.
– Les parapluies, élégants et de belle facture (grande spécialité britannique, mais fallait-il le préciser ?).

Disques et vidéos

Les « galettovores » et autres « compactophiles » adorent Londres ! Normal, on y trouve de tout...

Dans les hypermarchés audio-vidéo, le choix est impressionnant, mais les tarifs similaires à la France. Pour les promos, cherchez les rayons *Best* (ou *Special Price*). Pour les DVD, très peu sont disponibles en v.f., et les sous-titres ne sont généralement qu'en anglais (bien pour progresser dans la langue de Shakespeare !).

Les petites boutiques de disquaires sont à échelle humaine et sont tenues par des passionnés, généralement spécialistes d'un domaine (rock, blues, électro, jazz ou classique). Certaines d'entre elles ne font que de l'occasion *(second hand)* : c'est là que vous trouverez d'authentiques collectors. Pensez à vérifier l'état du disque avant d'acheter... La ville regorge de petits disquaires (nous en indiquons), mais c'est surtout à Soho que vous les trouverez, entre autres dans Berwick Street (Ⓜ *Tottenham Court Road, Oxford Circus ou Piccadilly Circus).*

BUDGET

Londres est définitivement la ville la plus chère d'Europe. Vous vous en apercevrez très rapidement. L'hébergement y est littéralement hors de prix ! La demande dépasse largement l'offre et le niveau des prestations hôtelières est du coup parfois décevant, surtout pour les petits budgets : chambres exiguës, propreté limite, salles de bains d'une autre époque, personnel sous-payé et peu motivé, petit déj riquiqui... Il faudra donc faire une croix sur l'idée d'un séjour londonien cosy et élégant, à moins d'y mettre le prix. Finalement – ce n'est pas vraiment notre *cup of tea* traditionnelle –, ce sont les **hôtels affiliés aux chaînes** (Travelodge, Premier Inn, Best Western, Comfort Inn, Express Inn...) qui offrent le meilleur rapport qualité-prix en s'y prenant bien à l'avance. Il est vrai qu'ils sont soumis à des critères de qualité assez rigoureux. Le prix d'une chambre double démarre à 50 £ et évolue quotidiennement en fonction de la période et de la demande. Ne négligez pas non plus les **« appart'hôtels »**, qui peuvent s'avérer avantageux en famille, confortables, avec kitchenette, machine à laver, etc.

> **Recommandation à ceux qui souhaitent profiter des réductions et avantages proposés dans le** *Routard* **par les hôteliers et les restaurateurs.**
>
> À l'hôtel, pensez à les demander au moment de la réservation ou, si vous n'avez pas réservé, **à l'arrivée.** Ils ne sont valables que pour les réservations en direct et ne sont pas cumulables avec d'autres offres promotionnelles (notamment sur Internet). Au restaurant, parlez-en **au moment** de la commande et surtout **avant** que l'addition ne soit établie. Poser votre *Routard* sur la table ne suffit pas : le personnel de salle n'est pas toujours au courant et une fois le ticket de caisse imprimé, il est souvent difficile de modifier le total. En cas de doute, montrez la notice relative à l'établissement dans le *Routard* de l'année et, bien sûr, ne manquez pas de nous faire part de toute difficulté rencontrée.

Si vous voyagez à plusieurs

Sachez que la plupart des hôtels disposent de chambres familiales, pour 4 (appelées ici des *quads*), voire 6 personnes. Il arrive que cela soit à peine plus cher (voire moins cher) qu'une chambre en AJ où il faudra, de toute façon, compter environ 20-30 £ par personne pour des prestations basiques et un confort plus rudimentaire.

Hébergement

– *Très bon marché (auberges de jeunesse) :* moins de 35 £ (env 41 €) par personne (voire moins de 20 £). Dortoirs d'auberges de jeunesse pas mal, mais guère intimes. Bien étudier la question, il est parfois moins cher de partager une chambre d'hôtel style triple ou quadruple...

Sinon, nos fourchettes de tarifs correspondent à une chambre double, petit déj inclus ou non. La majorité des hôtels proposent un simple petit déj continental. Les petits déj britanniques (bacon, œuf et saucisse), quand ils sont disponibles, sont le plus souvent assujettis à un supplément. En outre, nous mentionnons les hôtels équipés du wifi, mais le réseau se limite parfois à une aire autour de la réception.

– *Bon marché :* moins de 50 £ (env 58 €).
– *Prix moyens :* de 50 à 90 £ (env 58 à 105 €).
– *Plus chic :* de 90 à 120 £ (env 105 à 140 €).
– *Très chic :* plus de 120 £ (env 140 €).
– *Spécial coup de folie :* là, ça peut monter très haut !

Restaurants

S'il est difficile de trouver un hôtel correct et pas cher à Londres, il est nettement plus simple de manger dans des restaurants sympas et bon marché.

N'hésitez pas, si votre budget est serré, à vous rendre dans les chaînes de restaurants qui garantissent une qualité et des prix identiques aux quatre coins de Londres. Pour le pique-nique, nos préférences vont sans hésiter à *Pret A Manger* ou *Eat,* pour leur grand choix de sandwichs originaux, de salades et de soupes, tout frais du matin.

Nous avons classé les restaurants en 4 catégories : ces prix correspondent à un repas pour une personne, sans la boisson ni le pourboire. Ce qui est loin d'être anodin, quand on sait qu'il est désormais ajouté d'emblée au moment de l'addition. Compter donc autour de 12,5 % de plus. La vente à emporter pour manger « sur le pouce » n'est pas concernée, raison de plus pour privilégier ce mode de restauration à l'heure du déjeuner. Nous l'indiquons sur le plan par le petit logo ⌒ .

– *Très bon marché (ou sur le pouce) :* moins de 10 £ (env 12 €).
– *Bon marché :* de 10 à 20 £ (env 12 à 23 €).
– *Prix moyens :* de 20 à 30 £ (env 23 à 34 €).
– *Chic :* de 30 à 40 £ (env 34 à 46 €).
– *Très chic :* plus de 40 £ (env 46 €).

Visites

Heureuse nouvelle : les musées nationaux sont gratuits (National Gallery, British Museum, Tate Modern...) ! Seules les expositions temporaires sont payantes. N'oubliez pas l'offre « *Eurostar 2 FOR 1* », un partenariat culturel unique entre Eurostar et une sélection de galeries et musées qui permet d'avoir des tarifs sur les entrées d'expositions (voir plus haut « Comment y aller ? En train »). Les musées et sites du royaume, ainsi que les musées privés, sont payants, et généralement à prix très élevés...

Possibilité d'acheter le *London Pass* (à l'office de tourisme), qui sera vite rentabilisé ! Avec les *passes* de transport, quelques coupons de réduction également pour les sites touristiques.

CLIMAT

De tous les pays situés sous la même latitude, c'est la Grande-Bretagne qui a, dans l'ensemble, la température la plus égale. Les chutes de pluie à Londres restent inférieures à 604 mm pour l'année entière (525 mm à Paris). Même si le volume des précipitations est assez faible, il pleut en moyenne 10 jours par mois. Un petit peu mais souvent, quoi ! Un dicton précise qu'un vrai Londonien ne se fait jamais surprendre par la pluie. Cirés et grandes capes de pluie seront parfois plus appréciés que le K-way. Prévoir également deux paires de chaus-

> ### DUR MÉTIER
>
> *En 1677, une loi anglaise condamnait les météorologues, accusés de sorcellerie, à mourir sur le bûcher. Faut dire qu'ici, ils annonçaient souvent de mauvaises nouvelles. Cette loi ne fut suspendue qu'en... 1959.*

sures, au cas où. Rien de pire que de remettre une paire de pompes trempées le lendemain !

N'oubliez pas qu'à Londres, les étés (de juin à août) sont frais. La moyenne des températures maximales atteint au mieux 21 °C. L'hiver, les températures descendent rarement en dessous de 0 °C, climat océanique oblige.

DANGERS ET ENQUIQUINEMENTS

– **Drogues :** si vous vous faites prendre avec de la drogue, qu'importe que vous ne soyez pas sujet de Sa Majesté, vous êtes soumis aux lois du pays. Vous encourez une peine de prison allant de 5 à 14 ans !

– Ne pas se trimbaler avec une **bombe lacrymogène** dans sa voiture ou, à plus forte raison, sur soi. Ici, c'est un délit, et vous risquez de gros ennuis pour port d'arme dangereux. À bon entendeur...

– Rappel : si vous transportez un canif ou un couteau suisse, il vous sera confisqué aux contrôles de sécurité de l'Eurostar à Paris ou à l'aéroport.

ÉLECTRICITÉ

240 V. Les prises sont différentes, plus grosses et toutes munies d'interrupteurs (bon à savoir avant d'aller se plaindre à la réception !). Adaptateurs faciles à trouver chez les quincailliers, dans les gares, sur les bateaux et dans les aéroports. Sinon à Londres, dans la plupart des magasins, notamment chez *Boots*.

ENFANTS

Devant la diversité d'activités, on ne va pas énumérer toutes les pistes à suivre, mais on peut suggérer quelques spots intéressants par quartiers et par tranches d'âge, et vous renvoyer vers les pages concernées au cœur du guide. Cela vous permettra de concocter pour vos enfants un programme adapté à leurs centres d'intérêt (vous les connaissez mieux que nous) et à votre budget (Londres est hyper cher).

Avant tout, quelques petits conseils pratiques :

– ne pas trop charger la journée : Londres, c'est très grand ! ; attendre le bus ou le métro, arpenter les parcs, faire du lèche-vitrine ou courir toutes les salles d'un musée, ça fatigue beaucoup ; bref, préparez bien votre itinéraire avant le départ, pas de détours inutiles ;

– chaussures confortables et K-way obligatoires ;

– les taxis peuvent s'avérer économiques à 4 ou à 5 ; les prix sont corrects et les chauffeurs coopératifs ;

– les grands musées sont gratuits et les autres proposent toujours un forfait famille avantageux ; la plupart disposent d'un itinéraire de visite et d'une scénographie spécialement adaptés aux enfants ;

– fréquentez les cafés et les salons de thé, les mômes adoreront les *apple pies,* les *scones* et autres pâtisseries ; sans oublier les cafétérias de musées ;
– tous les grands magasins et musées proposent des toilettes propres et des *baby's change rooms,* très pratiques pour changer bébé.

Suggestions

➤ *Le centre touristique et monumental (centre 1).* Ⓜ *Charing Cross.* Une journée.
Trafalgar Square et les unités de mesure britanniques scellées au bas de la colonne de Nelson ; en face, les trésors de la *National Gallery* (gratuit) s'ils apprécient déjà la peinture (faire une visite express). Non loin de là se trouve *Saint James's Park* avec mise en jambes s'ils ont emporté leurs rollers pour contourner le lac où l'on peut nourrir les écureuils, les canards et les flamants roses (oui !), et, un peu plus loin, le *Buckingham Palace* de Sa Majesté la reine. Venir à l'heure de la relève de la garde ou pousser jusqu'à la caserne des *Horse Guards* pour essayer de dérider les deux impassibles sentinelles qui gardent l'entrée. Rejoindre *Westminster* et le Parlement pour entendre sonner *Big Ben* et, éventuellement (et à condition de ne pas avoir le vertige), rejoindre l'autre rive de la Tamise pour profiter du panorama depuis les nacelles du *London Eye,* la grande roue qui borde le fleuve (renseignez-vous avant d'y aller pour savoir si les réservations ne sont pas complètes). Rejoindre *Piccadilly Circus* et trouver un resto dans Soho (peut-être au *Rainforest Café* ?). Les petits seront aussi ravis d'aller se lover dans les bras de peluches géantes chez *Hamley's.* S'il reste du temps, les abords de *Covent Garden* et ses halles couvertes seront parfaits pour un plan « goûter » qui permet de profiter de l'animation commerciale et des nombreux chanteurs de rue.
➤ *La rive sud (plan d'ensemble, G-H4-5).* Ⓜ *Waterloo Station.* Une journée.
Pourquoi ne pas faire un petit détour et s'y rendre via la ligne Jubilee (couleur grise) entièrement automatisée ? Cela amusera les gamins.
Un petit tour en *London Eye,* si vous ne l'avez pas fait la veille, puis cap sur le cinéma *IMAX,* le plus grand du monde. Rayon frissons, le *London Dungeon* ravira tout ado amateur de gore et d'hémoglobine dégoulinante. Rejoindre alors *Queen's Walk* et le *Bankside* et entamer la longue promenade qui longe la Tamise jusqu'au *Tower Bridge,* avec autant d'étapes et de curiosités à choisir selon les goûts et les âges. La *Tate Modern* mérite un détour pour son architecture audacieuse et son intérieur spectaculaire, et profitez-en (c'est gratuit) pour les initier à l'art contemporain. Le vieux navire *Golden Hinde* avec son côté bateau de pirates plaira aux petits aventuriers, et le *HMS Belfast* fera l'unanimité, à coup sûr, chez les filles comme chez les garçons, qu'ils rêvent ou non d'une carrière dans la Marine. Stop pour lever la tête vers *The Shard,* l'immeuble le plus haut d'Europe. Le *Tower Bridge* reste un passage obligé de toute visite à Londres. Nous, on trouve cela cher et surfait, mais à vous de juger. Une petite incursion dans *Butler's Wharf* ou *Saint Katharine Dock,* en face, permet de se rendre compte des résultats de l'aménagement des docks. Lieux également propices à un dîner, comme le *Dickens Inn.* Attention, prévoir là un budget adapté. Si vous avez brûlé les étapes en cours de route, vous pourrez peut-être profiter de la dernière visite de la *Tower of London* (16h ou 17h selon la saison) pour admirer les bijoux de la Couronne, la collection d'armes et partir sur les traces de Blake et Mortimer. Vous pouvez aussi programmer une *croisière sur la Tamise* (45 mn) de Westminster Bridge à Greenwich (retour en métro) avec, pourquoi pas, une visite du clipper *Cutty Sark* à Greenwich.
➤ *Autour de Hyde Park (plan d'ensemble, A-B-C4-5) :* parcours de musées et de shopping en sauts de puce en bus ou en métro pour gagner du temps, surtout s'il fait mauvais. Profiter – le vendredi et le week-end uniquement – des puces de Portobello (Ⓜ *Notting Hill Gate).* Des tas de choses à acheter dans le quartier de toute façon.

Puisqu'on parle de ce quartier, les fans de royauté iront visiter **Kensington Palace,** dernière résidence de Lady Diana. Les jardins cachent une belle et grande aire de jeux et une mignonne statue en hommage à Peter Pan. Les fans de sciences naturelles ou de technologie franchiront **Hyde Park** jusqu'aux **Natural History Museum** (les dinosaures sont véritablement spectaculaires) et **Science Museum** (avions et ciné en 3D, entre autres). Chez **Harrods,** une halte au comptoir des douceurs pour s'offrir les inévitables caramels *(fudges)* et une incursion au rayon jouets raviront les petits.

Au coin nord-est de Hyde Park, le **Speaker's Corner,** l'occasion, si l'on est dimanche, d'un petit cours aux ados sur la sacro-sainte liberté d'expression de la démocratie britannique. Marylebone Road héberge le fameux **Madame Tussauds Museum** (très cher !). À côté, le **Sherlock Holmes Museum** fera vibrer les fans du célèbre détective de Conan Doyle. Aux abords de **Regent's Park,** oubliez le **London Zoo,** un peu tristounet.

UN BANDIT CHEZ SHERLOCK HOLMES !

Le célèbre Jules Bonnot, chef d'une célèbre bande anarchiste, fut, en toute discrétion, chauffeur de Sir Arthur Conan Doyle. Malgré son esprit bien affûté, le célèbre écrivain ne se douta jamais de rien !

Autres musées et attractions pour petits et grands

En vrac et dispersés géographiquement :
– **British Museum :** momies égyptiennes et antiquités gréco-romaines pour illustrer les cours d'histoire des ados studieux.
– **National Maritime Museum :** à Greenwich. Les fastes glorieux de la marine à voile.
– **Museum of London :** un superbe panorama de l'histoire de la ville depuis les Romains et des objets rigolos qui amusent les petits.
– **Kew Gardens :** plantations subtropicales et serres d'un autre temps.
– **Bethnal Green Museum of Childhood :** quartier Hackney. Collections de jouets, maisons de poupée, livres et costumes d'enfants depuis le XVIIe s.
– **Legoland :** à l'extérieur de Londres, du côté de Windsor. Le monde reconstruit avec les petites briques danoises. Le hic : c'est très très cher et fermé une partie de l'hiver.
– Les **croisières** sur la Tamise jusqu'aux écluses géantes de Thames Barrier.
– Dans les gares, boutiques des quais 9 ¾ qui célèbrent Harry Potter !

FÊTES ET JOURS FÉRIÉS

– **Parade du 1er janvier :** de Parliament Square à Berkeley Square (dans le quartier de Mayfair) en passant par Whitehall, Trafalgar Square et Piccadilly, grand défilé costumé regroupant plus de 100 sociétés.
– **Nouvel An chinois à Chinatown (Soho) :** en janvier ou février, puisqu'on fixe la date en fonction de la lune. Pour plus d'infos : ● *chinatownlondon.org* ● Tout commence sur The Strand normalement en fin de matinée ; Charing Cross Road, Shaftesbury Avenue et Trafalgar Square pour finir en beauté. Feu d'artifice vers 17h à Leicester Square.
– **Saint Patrick's Day :** le 17 mars. La fête du saint patron des Irlandais est particulièrement célébrée à Londres, qui compte la 3e plus grande population d'origine irlandaise du monde. C'est l'occasion d'une grande parade où les participants défilent tout en vert, la couleur de l'Irlande. De grands rassemblements et des concerts ont lieu dans différents endroits, tout particulièrement à Trafalgar Square.

– *Oxford & Cambridge Boat Race :* le 1er samedi d'avril (attention ! parfois aussi le dimanche ou bien encore en mars... vérifier sur le site), sur la Tamise (vers Hammersmith et Mortlake). La fameuse course d'aviron entre les universités mythiques et rivales situées au nord de la capitale. Pas non plus exceptionnel pour les spectateurs, mais ambiance festive. ● *theboatraces.org* ●

– *Floralies de Chelsea :* la dernière semaine de mai, près des jardins du Royal Hospital.

– *Mois des musées et des galeries :* en mai, nombreux événements spéciaux.

– *Trooping the Colour :* parade des *Horse Guards* au grand complet pour l'anniversaire de la reine, le samedi suivant le 6 juin. Elle se déroule entre Buckingham Palace et le quartier des gardes à Whitehall. Tous les fastes de la Couronne et les traditions anglaises sont déballés lors de ce défilé. Bonnets à poils, plastrons brillants et chevaux « bien garnis » sont au rendez-vous de cet événement haut en couleur.

> **BRITISH PROTOCOL**
>
> *Si vous êtes invité à l'anniversaire de la reine, faites gaffe : elle est née un 21 avril, mais on souffle ses bougies le samedi suivant le 6 juin. Pourquoi ? Parce qu'il fait plus beau ! On s'adresse aussi bien à elle en français qu'en anglais. Il ne vous reste plus qu'à recevoir le carton.*

– *Wireless Festival :* 4 jours de musique fin juin avec des artistes rock, pop et variétés à Hyde Park. Programme sur ● *wirelessfestival.co.uk* ●

– *Festival d'été de Victoria Embankment Gardens :* de juin à juillet, une succession de festivals animent les bords de la Tamise. Danse en plein air, festival de mime, festival de poésie, etc. ● *alternativearts.co.uk* ●

– *The Proms :* en juillet, août et septembre. La musique s'empare du Royal Albert Hall. Populaire et très festif !

– *Carnaval jamaïcain de Notting Hill :* les dimanche et lundi (férié) du dernier week-end d'août. Créé à la suite des émeutes raciales qui ont secoué Londres dans les années 1950, c'est le plus grand carnaval jamaïcain d'Europe. *Steel bands* et DJs envahissent les rues autour de Portobello pendant 2 jours, et on y danse aux rythmes de la *socca*, musique des Caraïbes, de la techno, du reggae, etc. Le carnaval de Notting Hill, c'est aussi et surtout un défilé de toute beauté à ne pas manquer. Le dimanche est généralement considéré comme « le jour des enfants », alors que le lundi, dernier jour de la fête, rassemble environ 1 million de personnes. Ambiance garantie et prix des hébergements à la hausse.

– *Spectacle et défilé du Lord Mayor* (le lord-maire) *:* le 2e samedi de novembre. Tradition qui remonte au XIIe s. Le Lord Mayor traverse la ville de Guidhall aux Royal Courts of Justice, dans un carrosse digne de celui de la reine (qu'on peut admirer au *Museum of London*). Le soir, un feu d'artifice est généralement tiré d'une péniche entre Waterloo Bridge et Blackfriars Bridge.

– *Illumination du sapin de Noël à Trafalgar Square :* 1re semaine de décembre. Le sapin monumental qui orne la place pendant la période des fêtes est illuminé à l'occasion d'une cérémonie avec cantiques de Noël chantés par le chœur de l'église de Saint-Martin-in-the-Fields.

– *Patinoires :* de novembre à mars, les grands monuments (Tower Bridge, Somerset House, National History Museum, entre autres) se parent d'une jolie patinoire. Payant, ticket à acheter sur les sites de chaque monument.

– *Jours fériés :* Jour de l'an (le Tout-Londres se donne rendez-vous à Trafalgar Square), *Good Friday* (Vendredi saint), *Easter Monday* (lundi de Pâques), *May Day Holiday* (1er lundi de mai), *Spring Bank Holiday* (lundi de Pentecôte), *Summer Bank Holiday* (dernier lundi d'août), et tout est fermé, même les transports et les musées, de Noël à *Boxing Day* (26 décembre, le jour des étrennes).

HÉBERGEMENT

Il est très difficile de trouver un toit bon marché (voir la rubrique « Budget ») et la réservation à l'avance est quasi obligatoire. L'été, la plupart des AJ ou adresses modestes sont complètes. N'oubliez pas d'exiger un reçu ou une réponse écrite officialisant votre demande pour éviter tout malentendu (comme les pratiques malhonnêtes de surbooking). Évitez d'annuler votre réservation 1 ou 2 jours avant, sous peine de voir le montant de la chambre débité de votre compte.

Les hôtels pratiquent des tarifs souvent prohibitifs pour un niveau de confort – voire de propreté – parfois limite. Les prix variant en fonction de la saison et du taux de remplissage de l'hôtel, plus vous vous y prenez à l'avance, moins vous payez cher. Certains hôtels proposent des discounts sur Internet. Enfin, faites-vous préciser si le petit déjeuner est compris ou non dans le prix.

Une solution consiste à faire réserver un lit ou une chambre par les nombreux organismes dont c'est le métier, moyennant commission. Tous les *Tourist Information Centres (TIC)* ont un service de réservation (voir plus loin le chapitre « Infos pratiques sur place », rubrique « Infos touristiques. Centres d'information »).

Enfin, petit détail : une chambre *en suite* dispose d'une salle de bains, une chambre *standard* non.

Hôtels pas chers sur Internet

Voici des sites qui proposent des chambres à partir de 12 £, à certaines conditions. Convient parfaitement aux jeunes routards : ambiance étudiante et festivités assurées !

- *accommodationlondon.net* ●
- *travelstay.com* ●
- *hostelworld.com* ●
- *hostelbookers.com* ●
- *budgetplaces.com* ●

Résidences hôtelières *(serviced apartments)*

Bien pratiques, ces résidences, quand on veut séjourner à Londres quelques jours. C'est standard, on peut se faire à manger et les résidences sont souvent dans le centre-ville. La chaîne *Citadines* (● citadines.com ●) en propose quelques-unes à Londres, très bien équipées, à Trafalgar Square, à South Kensington, mais aussi dans le coin du Barbican et de Covent Garden. Petit déj possible. En revanche, attention, le ménage est souvent fait à la demande (payant). On a bien aimé également la chaîne d'appartements *Go Native*. Plusieurs adresses sur Londres. Les appartements sont clairs, fonctionnels et joliment décorés.

Les auberges de jeunesse indépendantes (Independent Youth Hostels)

Contrairement aux AJ officielles, elles ne possèdent pas le triangle vert. On s'en fiche. Elles sont moins chères que les AJ officielles, elles n'exigent pas de carte de membre et l'ambiance y est souvent bien plus festive. Souvent situées dans des coins agréables et installées dans de fort belles maisons bourgeoises. Parfois, il s'agit de petits hôtels déclassés. On loge en dortoirs de 4 à 15 lits. Les draps ne sont pas toujours aussi blancs qu'on pourrait s'y attendre, mais on fait avec. Et elles restent ouvertes toute la journée. Les prix varient entre 12 et 20 £ environ par personne.

Les LHA *(The London Hostels Association)*

☎ 020-3733-1030 ● lhalondon.com/ ●

C'est une association qui, au sortir de la Seconde Guerre mondiale, s'est investie dans le relogement des personnes ayant perdu leur domicile suite aux bombardements. Aujourd'hui, les résidents sont des jeunes qui viennent travailler ou étudier. On y loge en dortoirs de 2 à 6 personnes non mixtes. Il y a 2 types d'hôtels : ceux proposant un petit déj et une petite restauration, et ceux équipés de cuisine commune. Compter environ de 22 à 30 £ pour un lit, bien moins cher à la semaine. Il n'est pas toujours évident d'obtenir un lit en dortoir pour une seule nuit. En revanche, c'est un bon plan pour passer un peu de temps à Londres. D'ailleurs, jeter un œil à la rubrique « Travailler à Londres », plus loin, car les *LHA* proposent de petits arrangements. Ils offrent un toit et le couvert contre un peu de temps et de travail. Le niveau de confort est en fonction des hôtels, mais il est dans l'ensemble très convenable. L'ambiance y est bonne et, en plus, ils sont tous équipés du wifi. Un très bon plan pour Londres.

Les auberges de jeunesse *(Official Youth Hostels)*

– Il n'y a pas de limite d'âge pour séjourner en AJ. Il faut simplement être adhérent.
– La FUAJ offre à ses adhérents la possibilité de réserver en ligne grâce à son système de réservation international ● hihostels.com ● jusqu'à 12 mois à l'avance, dans plus de 1 600 auberges de jeunesse dans le monde. Et si vous prévoyez un séjour itinérant, vous pouvez réserver plusieurs auberges en une seule fois.
Ce service permet d'obtenir toutes les informations utiles sur les auberges reliées au système, de vérifier les disponibilités, de réserver et de payer en ligne :
■ **Central Booking Office YHA :** ☎ 01629-592-700. ● yha.org.uk ●

Les *student halls*

En principe, réservés aux étudiants (avoir sa carte), mais ils acceptent souvent tout le monde. Ce sont des résidences universitaires, sans aucun charme, qui sont vides à Pâques et pendant l'été. Généralement, logement en chambres individuelles, avec douche extérieure. Pas vraiment donné mais bien entretenu. Certaines sont stratégiquement situées dans le centre, d'autres sont excentrées. Compter 25 £ par personne. On les indique au fil du texte.

Les Bed & Breakfast

Certains *B & B* ne sont pas plus chers que l'AJ quand on est 3, l'été, et qu'on n'a pas sa carte (des AJ). Et les tarifs peuvent être dégressifs quand on séjourne plusieurs jours. Le petit déj est toujours inclus dans le prix, ce qui n'est pas négligeable, mais pas mal de *B & B* abandonnent l'*English breakfast* au profit du *continental breakfast*... C'est pourtant l'une des principales différences qu'on adorait chez les *British* ! Prix très variables. Les prix des *B & B* « Plus chic » atteignent tout de suite des niveaux incroyables !

■ **The London Bed & Breakfast Agency Limited :** *Brookfield House, New Barn, Kent DA3 7LN.* ☎ 01-474-708-701. ● londonbb.com ●
■ **Bed & Breakfast GB :** ● bedandbreakfast.com ●

Colocation pour étudiants

On trouve des locations à la semaine très correctes et à des prix intéressants pour Londres. Téléphonez à la 1ʳᵉ heure, car il y a beaucoup de demandes. Vous pouvez aussi passer gratuitement votre annonce. Une autre solution consiste à scruter les petites annonces, notamment dans les bureaux de tabac. Bon tuyau, la colocation ! Infos sur ● flatshare.com ● intolondon.com/flatshare ● studios92.com ●

acorn-london.co.uk ● Attention, pas moins de 7 jours et pas plus de 6 mois. Mais rencontres sympas en perspective, ambiance *L'Auberge espagnole* version anglaise !

Location d'appartements privés

■ **Guest Ready:** ▯ *(+44) 2038-683-401.* ● *guestready.com* ● C'est une société de conciergerie qui gère une centaine de propriétés à louer dans la capitale anglaise. On vous accueille directement sur place à l'arrivée, et on vous retrouve à la fin du séjour. Équipe dynamique qui parle français. Hyper efficace. Services et disponibilité pendant tout le séjour garantis.

■ **Phileas Frog :** *90, rue Nollet, 75017 Paris.* ☎ *01-45-22-60-00.* ● *travel-solutions.fr* ● Ⓜ *Brochant.* Propose différents types de logements à louer ou à partager (chambres, studios, appartements) en zones 1 et 2 du métro londonien, ou chez l'habitant en zones 1, 2, 3 et 4. Uniquement pour des séjours de 1 semaine à 1 an. Réserve également des chambres d'hôtel (catégories 1 à 3) à partir de 2 nuits.

■ **Bedycasa.com :** ● *bedycasa.com* ● *BedyCasa* offre une manière différente de voyager plus authentique et plus économique. *BedyCasa,* c'est aussi un label communautaire, une assurance et un service client 7 j./7 gratuit.

Les hôtels de chaîne

Ce n'est pas dans notre habitude de vous conseiller ce type d'hébergement. Ces hôtels se ressemblent tous, ou presque, de Londres à Honolulu. Mais ils sont soumis à des règles de confort standard, ce qui n'est pas un luxe à Londres ! Bien sûr, il faut y mettre le prix : rien au-dessous de 80 £ – à part dans les *Travelodge* ou *Premier Inn* en s'y prenant à l'avance – et les tarifs évoluent en fonction de la période et du taux de remplissage. Voici les coordonnées de chaînes qui proposent quelques adresses intéressantes, parfois incroyablement bien situées de surcroît :

■ **Travelodge :** *résas sur Internet.* ● *travelodge.co.uk* ● Notre préféré. Pas cher si on réserve tôt, chambres spacieuses, propres et pimpantes. On en cite quelques-uns dans nos pages.
■ **Premier Inn :** ● *premierinn.com* ●

■ **Best Western :** ● *bestwestern.fr* ●
■ **Comfort Inn :** ● *comfort-inn.com* ●
■ **Ibis :** ● *ibishotel.com* ●
■ **Express by Holiday Inn :** ● *hiexpress.com* ●

LANGUE

Pour vous aider à communiquer, n'oubliez pas notre **Guide de conversation du routard en anglais.**

Politesse

bonjour (le matin)	*good morning ou hello*
bonjour (l'après-midi)	*good afternoon ou hello*
bonsoir	*good evening*
bonne nuit	*good night*
au revoir	*goodbye ou bye*
s'il vous plaît	*please*
merci	*thank you ou thanks*
pardon	*sorry*

Expressions courantes

je ne comprends pas	*I don't understand*
pouvez-vous répéter ?	*can you repeat ?*

pouvez-vous expliquer ?	*can you explain ?*
où ?	*where ?*
quand ?	*at what time ? when ?*

Vie pratique

pouvez-vous m'indiquer comment aller à... ?	*could you tell me the way to... ?*
poste	*post office*
office de tourisme	*tourist office*
banque	*bank*

Transports

navette	*shuttle*
métro	*subway, underground, tube*
gare	*train station*
taxi	*cab, taxi*
aéroport	*airport*

Argent

combien ?	*how much ? (singulier)*
	how many ? (pluriel)
trop cher	*too expensive*
payer	*to pay*

À l'hôtel et au restaurant

auberge de jeunesse	*youth hostel*
lit bébé	*baby cot*
lits superposés	*bunk beds*
boire	*to drink*
manger	*to eat*
dormir	*to sleep*
plus	*more*
eau plate/du robinet/gazeuse	*still water/tap water/sparkling water*
café/thé	*coffee (black coffee)/tea*
lait	*milk*
pain	*bread*
froid/chaud	*cold/hot*
saignant/à point/bien cuit	*rare/medium/well done*

Nombres

un	*one*
deux	*two*
trois	*three*
quatre	*four*
cinq	*five*
six	*six*
sept	*seven*
huit	*eight*
neuf	*nine*
dix	*ten*
onze	*eleven*
douze	*twelve*

LIVRES DE ROUTE

– *Une autre histoire de Londres,* de Boris Johnson (Robert Laffont, 2013, 337 p.). L'ancien tonitruant maire de Londres, qui s'est fait élire en poussant son slogan « Votez conservateur, votre femme aura des gros seins ! », n'est pas à un paradoxe près ! Il le prouve avec cette histoire originale de la ville, racontée à travers ses personnages clés, comme Shakespeare ou Churchill, ou d'autres moins célèbres.

– *Sourires de loup,* de Zadie Smith (Gallimard, coll. « Folio », 2003, 738 p.). Un 1er roman foisonnant qui mêle les destins croisés de familles londoniennes contemporaines, celle d'Alfred Archibal Jones, marié à une exubérante Jamaï-caine, et de Samad Miah Iqubal, Indien musulman. Récit truculent entre aventures rocambolesques et choc des cultures, jouant sur tous les registres de la langue anglaise. Il a reçu entre autres, le *Guardian First Book Award*.

– *Ces corps vils,* d'Evelyn Waugh (10/18, n° 1538, 1930, 279 p.). Dans le quar-tier Mayfair des années 1920, un petit groupe d'aristocrates vit dans la frivolité. Intrigues amoureuses, couples qui se cherchent sans se trouver. On s'amuse beaucoup, même si parfois il y a des victimes, des exclus.

– *Sept mers et treize rivières,* de Monica Ali (10/18, n° 3885, 2006, 580 p.). Un Londres bigarré, à travers les yeux de Nazeen, jeune Bangladaise venue rejoindre son époux plus âgé et découvrir la vie occidentale.

– *L'Amant anglais,* de Laura Wilson (Albin Michel, 2005, 371 p. et Livre de Poche Policier, n° 37244, 448 p.). Un roman effrayant ! Quatre meurtres. Des destins qui s'entrecroisent : Renée la prostituée, Lucy la secrétaire et Jim de la *Royal Air Force*. Le tout dans l'atmosphère londonienne de la Seconde Guerre mondiale. Par l'une des prêtresses anglaises du thriller.

– *Harry Potter,* de J. K. Rowling (Gallimard Jeunesse). Les aventures de ce malicieux apprenti sorcier, aujourd'hui star mondiale, se sont achevées avec le 7e volume. De son enfance tristoune chez son méchant oncle dans une banlieue anglaise à sa « scolarité » fantasque au collège Poudlard, on suit avec jubilation les joies et les peines du petit Harry. L'univers fantastique empreint de réalité *so British* décrit par Rowling changera votre regard sur Londres en le teintant d'espièglerie !

– *Journal d'un écrivain,* de Virginia Woolf (10/18, n° 3225, 1953, 576 p.). Le jour-nal de Virginia Woolf est à la fois le témoignage d'un grand écrivain sur la littéra-ture et un document irremplaçable sur l'Angleterre de l'entre-deux-guerres, sur la vie sociale et culturelle de Londres et, en particulier, du quartier de Bloomsbury, haut lieu de l'intelligentsia britannique.

– *Salaam London,* de Tarquin Hall (Gallimard, coll. « Folio », 496 p.). Après quel-ques années de vadrouille, un journaliste rentre à Londres. Avec son budget, il ne peut s'offrir qu'un taudis réduit à Brick Lane, dans l'East End. Là, c'est une foule bigarrée qu'il découvre. Portraits de femmes et d'hommes qui font Londres aujourd'hui, terriblement exquis, avec tout l'humour anglais.

– *Guignol's Band I et II,* de Louis-Ferdinand Céline (Gallimard, coll. « Folio », n° 2112, 1944 et 1964, 736 p.). Que peut faire Ferdinand à Londres en 1915, alors que la guerre fait rage de l'autre côté du *Channel* ? Il a trouvé refuge auprès de la faune interlope de Leicester Square. Ce livre, qui grouille de trouvailles stylistiques, est un hymne lyrique au grand port que Céline adorait, pour avoir bien connu lui-même ce demi-monde londonien.

– *Londres,* de Peter Ackroyd (Stock, coll. « Mots Étrangers », 2003, 984 p.). Voilà un ouvrage qu'on consultera avant ou après le voyage (près de 1 000 pages !), mais un livre très original : c'est tout bonnement la biographie de Londres, de ses origines à nos jours, avec ses transformations architecturales et ses frasques de la vie quotidienne.

– *La Rose pourpre et le lys,* de Michel Faber (Points-Seuil, 2 tomes, 480 p. et 576 p.). Une somme pour plonger au cœur du Londres victorien, où l'on suit Sugar, une jeune prostituée, et son homme, William. Mœurs, gouaille et passions toutes anglaises.

– **Soho à la dérive,** de Colin Wilson (Gallimard, coll. « Folio », n° 1307, 1961, 288 p.). À la fin des années 1950, le jeune Preston s'installe à Londres pour écrire le livre qui lui apportera gloire et fortune : erreur typique et que bien d'autres ont commise ! Ses rêves ne résistent pas longtemps aux filles et aux bistrots, compagnons de la dèche. Il croise une foule de personnages sympathiques et bigarrés.

– **Les Aventures d'Oliver Twist,** de Charles Dickens (Livre de Poche, n° 21003, 740 p.). Dickens est sans doute le plus populaire des écrivains anglais. Au fil de ses 40 livres, il se fit le pourfendeur de l'injustice sociale. Entre espoir et désillusions, ce récit plein d'humour nous invite à suivre le jeune Oliver Twist dans le Londres de la canaille et des fripouilles au XIXe s.

B.D.

– **Panique à Londres,** de Pétillon (Albin Michel, 2004, 56 p.). Une B.D. où deux *Frenchies* débarquent à Londres pour souligner les légendaires différences franco-anglaises. Truculent, avec la reine *herself* en *guest star* !

– **La Marque jaune,** d'Edgar Pierre Jacobs (Blake et Mortimer, n° 6, 1994, 70 p.). La terreur s'abat sur la City ! Olrik, le génie du mal, transmué en un pathétique pantin par le maléfique Dr Septimus, signe ses crimes d'une énigmatique « marque jaune », dans un Londres des années 1950 minutieusement reconstitué. À la poursuite de leurs éternels adversaires, Blake et Mortimer, plus *British* que nature, entraînent le lecteur dans une époustouflante aventure fantastico-politique. Ce chef-d'œuvre de la B.D. classique est un monument de précision. De Scotland Yard à Park Lane, de la Tour de Londres aux sinistres docks de la Tamise, pas un détail ne manque pour retracer ces itinéraires. À lire absolument.

LONDRES GRATUIT

Bonne nouvelle ! Si Londres est chère, elle vous fait quand même un beau cadeau : *tous les grands musées nationaux sont gratuits.* À vous la National Gallery et la National Portrait Gallery, le British Museum, le Victoria & Albert Museum, la Tate Britain, la Tate Modern, le Natural History Museum, le Science Museum, la Wallace Collection...

Autres sites gratuits : Theatre Museum, The Photographers' Gallery, Saint Margaret's Church, Westminster Abbey lors de la messe du dimanche à 15h (tenue correcte exigée), Westminster Cathedral, National Army Museum, Sir John Soane's Museum, Old Curiosity Shop, Saint Bartholomew Church, Museum of London, Whitechapel Art Gallery, Bethnal Green Museum of Childhood, Imperial War Museum, Southwark Cathedral, Saatchi Gallery. À Greenwich : The Queen's House, National Maritime Museum, The Old Royal Naval College.

– Et puis toutes les balades, les marchés, les quartiers ouverts à vos yeux écarquillés, sans débourser un penny !

– Il existe un *pass* très intéressant pour les sites royaux (sinon très chers), voir sur le site de *Historic Royal Palaces* : ● *hrp.org.uk* ● Pratique si vous avez l'intention d'enchaîner les visites. À partir de 52 £ par adulte et 80 £ pour 2 ; forfait Famille. Il permet un accès illimité pendant 1 an aux sites suivants : Kensington Palace, Hampton Court Palace, Tower of London, Banqueting House et Kew Palace.

– Réductions en téléphonant avant ou en réservant sur Internet pour de nombreux sites, dont the Tower of London, l'horriblement cher Madame Tussauds, la tour du *Shard* ou le Coca-Cola London Eye. Prix « cassés » à partir de 15h chez Madame Tussauds. On trouve aussi des guichets dans les aéroports, qui proposent des tickets à prix réduits. Et en plus, ça évite de faire la queue sur place !

– Pour les voyageurs venus avec l'Eurostar, profitez du programme **Eurostar 2 for 1.** Voir les modalités dans « Comment y aller ? En train ». Pour plein d'expos, dans de grands musées, vous payez une entrée pour deux. Bien vu !

– Ne pas oublier le *London Pass* (voir plus loin le chapitre « Infos pratiques sur place », rubrique « Infos touristiques. Centres d'information »), qui octroie quelques réductions sympathiques.

POIDS ET MESURES

Même si la Grande-Bretagne est maintenant *metric*, nos difficultés sont loin d'être résolues. L'ancien système, totalement abscons, continue à nous poser de sérieux problèmes, notamment en ce qui concerne les distances et les superficies.

ET COMBIEN MESURE UNE VERGE ?

La verge (yard en anglais) servait d'unité de longueur dans tout l'Empire britannique. Elle était énorme puisqu'elle correspondait, dit-on, à la distance entre le nez du roi Henry Ier et le bout de sa main, quand elle était bien raide (91 cm quand même !).

Longueur

– 1 pouce = 1 *inch* = 2,54 cm.
– 1 pied = 1 *foot* = 12 *inches* = 30,48 cm.
– 1 *yard* = 3 *feet* = 91,44 cm.
– 1 *mile* = 1 609 m (pour convertir les kilomètres en *miles,* multiplier par 0,62).

Superficie

– 1 *square foot* = 929 cm^2.
– 1 *acre* = 0,404 ha.
– 1 *square mile* = 2,589 km^2.

Poids

– 1 *ounce* = 1 *oz* = 28,35 g.
– 1 *pound* (livre) = 1 *lb* (libra) = 0,454 kg.
– 1 *store* = 6,348 kg.

Températures

Le Fahrenheit n'a pas été terrassé par la réforme. Trop compliqué d'expliquer ici les correspondances. Sachez qu'à 32 °F il gèle, à 77 °F il fait 25 °C et à 100 °F vous pouvez aller vous coucher pour soigner votre fièvre !

POSTE

– *Prix du timbre pour la France :* 90 p.
– *Ouverture des bureaux de poste :* lun-ven 9h-17h et sam 9h-12h30. Fermé dim. Seule la *Trafalgar Square Post Office* (24-28 William IVth St, London WC2N 4DL ; ☎ 084-722-33-44) est ouverte du lundi au vendredi de 8h30 à 18h30 et le samedi de 9h à 17h30. ● *royalmail. com* ●

L'ORIGINE DES CARTES DE VŒUX

Albert, l'époux de la reine Victoria, était ignoré par l'aristocratie anglaise : il n'avait pas de quartiers de noblesse. Pour Noël, il pensa à envoyer des cartes de vœux, obligeant les nobles à lui répondre. Tout cela fut possible grâce à l'invention du timbre-poste, qui naquit en 1840, en Grande-Bretagne.

– **Poste restante :** voici ce qu'il faut écrire sur la lettre : le nom du destinataire et la mention « Poste restante » et, en dessous, l'adresse de la *Trafalgar Square Post Office,* mentionnée plus haut. Gratuit. Conserve les lettres pendant 1 mois. Apporter une pièce d'identité pour tout retrait. Cette méthode s'applique à pratiquement toutes les postes du royaume tant que vous en connaissez l'adresse.

POURBOIRE

La coutume veut que le client laisse 12,5 % de pourboire dans un restaurant. Ne dérogez pas à cette règle quasi légale. Un oubli vous ferait passer pour un grossier personnage. Bien sûr, si le service est mauvais, vous pouvez réduire cette somme, mais il faut alors faire part de vos remarques au responsable. De toute façon, la plupart des restaurants ont pris l'habitude d'inclure systématiquement le service dans l'addition (12,5 à 15 %). C'est finalement beaucoup plus simple. De même, la règle des 10 % vaut dans les taxis.

SANTÉ

Voir aussi la rubrique « Urgences » plus loin.
Avec les transports et l'éducation, la santé publique est le secteur le plus touché par les années de thatchérisme. C'est un des gros chantiers actuels du gouvernement britannique. En termes de qualité, les soins dispensés par les institutions hospitalières sont loin d'égaler ceux que l'on peut recevoir sur le continent. Sans compter les délais extensibles à l'infini avant d'espérer décrocher une place pour une consultation ! C'est pourquoi les Anglais sont de plus en plus nombreux à prendre l'avion ou le train pour venir se faire soigner en temps et en heure sur le continent.
Les urgences de nuit dans les hôpitaux sont, bien entendu, gratuites. On vous donnera gratuitement les médicaments nécessaires pour tenir jusqu'au lendemain, ainsi qu'une ordonnance pour aller chercher le reste dans une pharmacie.
L'Angleterre est fortement touchée par les oreillons et la rougeole, maladie dont elle détient le record européen ; les épidémies qui apparaissent un peu partout sont liées à un déficit vaccinal : vérifiez que vous avez bien eu les deux injections de vaccin (faites habituellement dans l'enfance) ; si ce n'est pas le cas, mettez-vous impérativement à jour avant de partir.
Enfin, si vous vous faites mordre par un chien, vous n'avez aucun

> ### SANG BLEU
>
> *À cause de mariages consanguins, la reine Victoria, qui régna sur le plus grand empire au monde, propagea l'hémophilie dans une partie des cours européennes... Son 8e enfant fut atteint par la maladie et deux de ses filles étaient porteuses du gène. L'une épousa le tsar Nicolas II, et leur fils, héritier des Romanov, fut lui aussi hémophile.*

risque de rage, les îles Britanniques étant un des rares pays officiellement indemnes de cette maladie. Autrement, la méningite à méningocoque C est un grave problème de santé publique : de vastes campagnes de vaccination ont eu lieu dans toute la Grande-Bretagne avec grand succès. Si vous devez séjourner longtemps dans ce pays, nous vous recommandons de vous faire vacciner. Attention enfin à la pollution, le fameux smog, certes en diminution mais parfois très mal supporté par les malades respiratoires, asthmatiques en particulier.

SITES INTERNET ET APPLICATIONS SMARTPHONES

Pratique

● *routard.com* ● Le site de voyage n° 1, avec plus de 800 000 membres et plusieurs millions d'internautes chaque mois. Pour s'inspirer et s'organiser, près de 300 guides destinations actualisés, avec les infos pratiques, les incontournables et les dernières actus, ainsi que les reportages terrain et idées week-end de la rédaction. Partagez vos expériences avec la communauté de voyageurs : forums de discussion avec avis et bons plans, carnets de route et photos de voyage. Enfin, vous trouverez tout pour vos vols, hébergements, voitures et activités, sans oublier notre sélection de bons plans, pour réserver votre voyage au meilleur prix.

● *ici-londres.com* ● En français. Le magazine (gratuit !) des Français à Londres. Un incontournable, aussi bien pour toutes les adresses de la vie quotidienne (s'installer, vivre, déménager et toutes les formalités pratiques, l'annuaire pro pour connaître tous les spécialistes scolaires, santé, finance), les loisirs, les dernières boutiques tendance, l'actualité de la communauté française, mais aussi pour toutes les petites annonces (emploi, famille, logement). Hyper pratique !

● *visitlondon.com* ● Le site officiel du tourisme de Londres, en anglais ou en français. Pas mal d'infos pratiques (les bons plans pas chers, les horaires d'ouverture, etc.), hélas pas toujours mises à jour.

● *news.bbc.co.uk/weather* ● On ne vous y reprendra plus : entre ciré ou chemise à fleurs, toujours vous saurez ! Visibilité à 5 jours.

● *londonpass.com* ● La carte sésame, assez chère, pour pénétrer dans 1 001 lieux à tarif réduit. Possibilité d'achat sur le site. Faites quand même vos calculs avant en fonction de ce que vous désirez voir, car les grands musées sont gratuits.

● *londonmacadam.com* ● En français. Des tuyaux, des infos pour travailler, faire du sport, sortir, vivre à Londres, etc.

● *laboutiquedutrain.com* ● L'idéal pour réserver vos tickets de métro ou encore une comédie musicale. Des réductions pour les routards à la réservation, ne pas hésiter à les demander.

Transports

– *Citymapper :* application à télécharger sur votre smartphone. L'idéal pour planifier ses itinéraires avec horaires de bus, métro et train en temps réel.

● *tfl.gov.uk* ● Des plans de métro, de bus, et des points de départ des navettes sur la Tamise. Également les prix des différentes cartes de transport. Et le programme des lignes fermées pour travaux (ça arrive souvent !).

● *megabus.com* ● Le site *low-cost* des bus qui relient Londres au reste de l'Angleterre, à des prix défiant toute concurrence. En anglais.

● *nationalexpress.com* ● Tous les transports par bus, à prix très avantageux, avec les grandes compagnies nationales.

● *rail.co.uk* ● Le site des différentes compagnies de chemins de fer. Même s'ils sont peu fiables et souvent en retard.

Loisirs

● *officiallondontheatre.co.uk* ● Le site officiel pour le théâtre. Incontournable. Achat en ligne possible, en lien avec *TKTS* qui propose à son guichet des places à moitié prix (voir dans la partie « Hommes, culture, environnement » la rubrique « Spectacles et sorties »).

● *londontheatre.co.uk* ● Toute l'actualité théâtrale de la capitale, y compris pour les comédies musicales. Horaires, lieux, places à acheter et disponibilités. Tout aussi incontournable.

● *designmynight.com/london* ● et application sur smartphone *DesignMyNight.* Ultra-complet, ce site recense un nombre incroyable de bars, pubs, clubs et événements tout au long de l'année. Tarifs réduits pour les concerts et spectacles de dernière minute, infos sur les films, festivals, etc. Possibilité de faire une sélection par dates, quartiers, types de lieux et d'événements. Incontournable !

● *filmlondon.org.uk* ● Où Bridget Jones embrasse-t-elle Mark Darcy ? Où se trouve cet étrange building (le « Cornichon ») de *Basic Instinct 2* ? Tous les lieux de tournage à Londres.

TÉLÉPHONE – INTERNET

– Les numéros en 0800 et 0808 sont gratuits, ceux en 084, 087, 09 et 118 sont surtaxés.

Vous remarquerez qu'il existe deux types de **cabines publiques.** La plupart appartiennent à *BT (British Telecom)* et acceptent les cartes téléphoniques vendues par *BT.* Certaines prennent les pièces et les cartes de paiement. Pour les appels interna-

> ### TOUT FOUT LE CAMP !
>
> *Le téléphone portable tue les célèbres cabines téléphoniques rouges. Elles font désormais partie du patrimoine historique. Ainsi, les mairies peuvent les louer à* British Telecom *: 500 £ quand elles fonctionnent et... moitié prix si elles ne sont plus en état de marche.*

tionaux et interurbains, préférer les autres cabines, en général de couleur orange, exploitées par *Interphone.* Elles acceptent les cartes dont il faut gratter le numéro et les cartes de paiement. Les premières sont en vente dans les kiosques à journaux, les tabacs et les magasins de souvenirs (on voit le sigle dans la vitrine). C'est le moyen le moins cher d'appeler l'étranger.

– **Pour téléphoner en France en PCV** *(reverse-charge call)* de n'importe quelle cabine, mettre 10 p pour la tonalité, puis composer le ☎ *0500-89-00-33* : on obtient directement un opérateur de *France Télécom.* Attention, ce service est très pratique, mais il faut savoir qu'il en coûtera à votre correspondant un minimum de 3 mn de communication, plus un forfait de 7,40 €.

– Pour téléphoner d'un endroit à un autre en Angleterre, il faut avoir l'*area code* (indicatif) précédé du 0. Pour l'obtenir, composer le ☎ *192* (appel gratuit à partir des cabines) afin d'être renseigné par l'opératrice. Le code et le numéro de téléphone sont épelés chiffre par chiffre, et le zéro se prononce « o » comme la lettre. Ainsi 20 se dira « *two o* » et non « *twenty* ».

– **Grande-Bretagne → France :** 00 + 33 + numéro du correspondant (à 9 chiffres, sans le 0 initial).

– **France → Grande-Bretagne** (de gratuit à environ 0,22 €/mn selon votre opérateur) **:** 00 (tonalité) + 44 + indicatif de la ville (mais sans le 0, qui n'est utilisé que pour les liaisons à l'intérieur de la Grande-Bretagne) + numéro du correspondant.

– **Renseignements internationaux :** ☎ *153.*

Le téléphone portable en voyage

Depuis juin 2017, un voyageur européen titulaire d'un forfait dans son pays d'origine peut utiliser son téléphone mobile *au tarif national* dans les 27 pays de l'Union européenne, sans craindre de voir flamber sa facture. Des plafonds sont néanmoins fixés par les opérateurs pour éviter les excès... Cet accord avantageux signé entre l'UE et ses opérateurs télécoms concerne aussi la consommation de **données internet 3G ou 4G,** dont le volume utilisable sans surcoût dépend du prix du forfait national (se renseigner). Par ailleurs, si le voyageur réside plusieurs mois en dehors de son pays, des frais peuvent lui être prélevés...

Dans ces pays donc, plus besoin d'acheter une carte SIM locale pour diminuer ses frais.

La connexion internet en voyage

En Angleterre et donc à Londres, de plus en plus d'hôtels, de restos, de bars, et mêmes certains espaces publics disposent du wifi gratuit. Mieux que la connexion 3G et 4G qui peut entrainer des frais en usage intensif, le wifi permet aussi de profiter d'un débit parfois supérieur.

Une fois connecté au wifi, vous avez accès à tous les services de la *téléphonie par internet. Whatsapp, Messenger* (la messagerie de *Facebook*), *Viber, Skype,* permettent d'appeler, d'envoyer des messages, des photos et des vidéos aux quatre coins de la planète, sans frais. Il suffit de télécharger – gratuitement – l'une de ces applis sur son smartphone. Elle détecte automatiquement dans votre liste de contacts ceux qui utilisent la même appli.

Urgence : en cas de perte ou de vol de votre téléphone portable

Suspendre aussitôt sa ligne permet d'éviter de douloureuses surprises au retour du voyage ! Voici les numéros des quatre opérateurs français, accessibles depuis la France et l'étranger :

– **Free :** *depuis la France :* ☎ *3244 ; depuis l'étranger :* ▤ *+ 33-1-78-56-95-60.*
– **Orange :** *depuis la France :* ☎ *0800-100-740 ; depuis l'étranger :* ▤ *+ 33-969-39-39-00.*

– **SFR :** *depuis la France :* ☎ *1023 ; depuis l'étranger :* ▤ *+ 33-6-1000-1023.*
– **Bouygues Télécom :** *depuis la France comme depuis l'étranger :* ▤ *+ 33-800-29-1000.*

Vous pouvez aussi demander la suspension de votre ligne depuis le site internet de votre opérateur.

Avant de partir, notez (ailleurs que dans votre téléphone portable !) votre numéro IMEI utile, pour bloquer à distance l'accès à votre téléphone en cas de perte ou de vol. Comment avoir ce numéro ? Il suffit de taper sur votre clavier *#06# puis reportez-vous au site ● *mobilevole-mobilebloque.fr* ●

TRAVAILLER À LONDRES

Pour ceux que la capitale anglaise a séduits et qui voudraient rester un peu plus longtemps afin d'améliorer leur accent en gagnant quelques pennies, voici des conseils pour bien s'installer. Déjà, jetez un œil à l'excellent *Ici Londres* (● *ici-londres.com* ●), un magazine gratuit disponible dans toutes les adresses de la communauté française installée à Londres (toutes les boulangeries *Paul,* notamment) et un site internet très utile quand on débarque dans la capitale anglaise. Permet de trouver un carnet d'adresses de spécialistes (déménagement, santé, scolarité) et des petites annonces pour trouver un job rapidement. Un autre bon site à consulter également : ● *studylondon.ac.uk* ●

Les papiers

Les restrictions à venir avec l'adoption du Brexit, et la sortie de l'Union européenne, risquent de perturber l'entrée sur le territoire britannique. Étant européen, pour l'instant, seule une carte d'identité (ou un passeport) en cours de validité vous sera demandée pour séjourner et travailler en Angleterre.

Les ressortissants vivant hors de l'Union européenne devront, quant à eux, obtenir visa et permis de travail. Se renseigner à l'ambassade de Grande-Bretagne du pays d'origine avant de partir.

Et mes valises, j'en fais quoi ?

Lorsqu'on part pour quelques mois, voire pour plus longtemps, on a forcément besoin d'un peu plus d'affaires. Problème : on a du mal à se séparer de ses chaussures préférées, de la jupe offerte par Tatie ou du pull fétiche de la communion... Comment faire un choix ? Ou ne pas en faire... Du coup, on emporte plein de choses et on fait appel à un groupeur en transport international, qui peut aussi faire fonction d'emballeur. ● *mytrucktoshare.com* ●, ☎ *01-76-50-35-04 (en France)*.
Ce service porte-à-porte se présente sous la forme d'une formule de groupage et s'adresse exclusivement aux particuliers. *My Truck to Share* offre chaque semaine la possibilité d'effectuer des envois colis et de procéder à des déménagements entre Londres et la France. En partageant le service avec d'autres utilisateurs, vous réduisez ainsi les coûts de transport et bénéficiez d'une solution abordable, simple et fiable. Attention à ne pas oublier de régler les questions d'assurances : pensez à être couvert tous risques, à prendre les coordonnées de l'agent d'assurances local pour les avaries, etc.
■ *AGS Paris :* ☎ *01-40-80-20-20.* ● *ags-demenagement.com* ●

Maintenant, au boulot !

Chaque année, des dizaines de milliers de Français se rendent en Grande-Bretagne pour se lancer à la recherche de jobs ou de stages. Si, là-bas, le pourcentage de chômage est quasi 2 fois moins élevé qu'en France, la concurrence est rude ! Vous ne tomberez pas immédiatement sur le super job, mais en revanche, vous trouverez sans problème un petit boulot de serveur dans un bar, un resto ou une sandwicherie. Les **salaires** ne sont pas élevés : 7 £ brut de l'heure. Mais l'impôt est directement prélevé à la source... Tentez votre chance, les parcours atypiques sont bien mieux considérés qu'en France. Très important : n'oubliez pas d'emporter quelques **lettres de recommandation** (si possible en anglais) de vos anciens employeurs. Cela ne donnera qu'un peu plus de relief à votre candidature.
Pour vous aider dans vos recherches :

■ Consultez l'**Espace Emploi international,** émanant du Pôle Emploi : 48, bd de la Bastille, 75012 Paris. ☎ 01-53-02-25-50. ● pole-emploi-international. fr ● Ⓜ Bastille. Lun-jeu 9h-17h et ven 9h-12h. Pour les annonces et les renseignements d'ordre social.
■ Vous pouvez vous adresser, une fois à Londres, aux **job centres,** équivalents de notre Pôle Emploi, qui sont gérés par le ministère du Travail britannique. Les services sont gratuits. Liste complète sur ● jobseekers.direct.gov.uk ●
– Autre possibilité, consulter la **presse** : le *Loot* (● loot.com ●) le mercredi, ou l'*Evening Standard* tous les soirs, par exemple. N'hésitez pas à éplucher

également *The Guardian, The Independent, The Daily Telegraph, The Sunday Times, The Observer, The Overseas Job Express, TNT, Ici Londres* (● ici-londres. com ●), *Metro* ou encore *Bonjour ! Londres* et ● londonmacadam.com ●
– De nombreuses offres sont disponibles sur **Internet.** Voici *THE* sites : ● jobs.ac.uk ● totaljobs.com ● jobsite. co.uk ●
– Si vous cherchez un stage à Londres, vous pouvez vous adresser au **British Council** (● britishcouncil.fr ●) ou au **Centre français Charles-Péguy** (voir plus loin le chapitre « Infos pratiques sur place », rubrique « Infos touristiques. Centres d'information »).

Et la santé dans tout ça ?

Une question qu'on oublie facilement. Votre job en poche, vous devez et pouvez demander une attestation de travail à votre employeur (même avant de décrocher un contrat définitif). Vous devez ensuite vous rendre au *Department of Social Security* ou à la *Benefit Agency* (● dwp.gov.uk ●) de votre lieu de résidence pour obtenir un numéro de Sécurité sociale *(National Insurance Number)*. Une fois encore, en attendant votre numéro définitif, demandez un numéro temporaire, ce qui vous permettra d'être moins prélevé sur votre salaire et d'avoir aussi accès, en cas de besoin, aux urgences anglaises sans payer. Bien se renseigner avant votre départ, au consulat de France à Londres (voir plus loin le chapitre « Infos pratiques sur place », rubrique « Infos touristiques »).

Pour dormir, on fait comment ?

Plusieurs possibilités s'offrent à vous. Tout d'abord, si vous souhaitez louer un appartement, sachez que les loyers sont TRÈS chers et que le délai pour en trouver un est de 2 à 3 semaines. Galère !

Ici, on paie en général son loyer d'avance, très souvent à la semaine (d'où un turnover plus important qu'en France), un dépôt de garantie est exigé (en moyenne 6 semaines) et les baux ne vont pas plus loin que 1 an.

La majorité des locations se font en meublé. Pour trouver votre bonheur, et si vous n'avez pas de relations à Londres, vous pouvez consulter les agences immobilières des quartiers qui vous intéressent, ainsi que les petites annonces sur les journaux et sur le Web. Pensez aussi à la colocation *(flat sharing),* beaucoup plus développée à Londres que chez nous, l'idéal étant de trouver des *flatmates* (coloc) anglais, bien sûr ! N'oubliez pas ● *routard.com* ● : des petites annonces, des forums pour échanger vos tuyaux, et tout ça gratuit ! On compte aussi quelques sites spécialisés dans ce domaine : ● *spareroom.co.uk* ● *gumtree.com* ● *ici-londres.com* ● *intolondon.com/flatshare* ●

Enfin, certaines adresses « Bon marché » du guide peuvent aussi vous dépanner en attendant de trouver votre *home, sweet home.*

Et mon compte en banque, alors ?

Ouvrir un compte en banque en Angleterre se révèle assez compliqué. On demande beaucoup de garanties. Il est plus facile d'ouvrir un compte épargne *(savings account)* qu'un compte courant qui donne droit à une carte de paiement. Tout d'abord, vous aurez besoin d'une pièce d'identité – de préférence votre passeport –, mais aussi d'une lettre de votre banque en France et d'une attestation du lieu de résidence à Londres (une facture de téléphone suffit, ou même une lettre de votre hôtel). Enfin, on peut vous demander une attestation de votre employeur, ce qui facilite souvent l'ouverture du compte. En fait, les modalités peuvent différer d'une banque à l'autre ; certaines sont moins exigeantes. Oubliez vite les banques françaises, qui ne s'occupent que des grandes entreprises. Quelques grandes banques anglaises auxquelles vous pouvez vous adresser : *Barclays, Lloyds, Midlands...*

En Angleterre, il existe 2 types de cartes de paiement : la carte de débit *(debit card)*, avec laquelle le débit est immédiat, et la carte de paiement *(credit card,* logique !), qui permet un débit différé. Petit truc : lorsque vous retirez de l'argent liquide à un distributeur, veillez à utiliser ceux des agences affiliées à votre banque (sinon, on pourrait vous prélever une commission !).

Comment garder le contact *(keep in touch)* ?

En Grande-Bretagne, les opérateurs proposent l'équivalent de nos portables à carte du type *Pay as you talk* ou des cartes prépayées. Tous les kiosquiers proposent des cartes téléphoniques prépayées assez avantageuses, utilisables partout. Enfin, n'oubliez pas les vertus du Net pour joindre vos proches. Avec des applications comme Skype, Viber, WhatsApp, Facetime, c'est pas cher, et on garde le contact facilement aussi. Maintenant, c'est à vous de jouer...

De toute façon, vous ne serez pas tout(e) seul(e), plus de 300 000 Français vivent au Royaume-Uni, résidant en majorité à Londres et dans ses environs. Ce qui en fait la plus grosse communauté d'expats hors de l'Hexagone. D'ailleurs, vous le remarquerez vite dans le métro ou dans certains quartiers du sud-ouest de

Londres. C'est une communauté relativement jeune (la moyenne d'âge est de 30 ans), très hétérogène sur le plan économique et social. Selon leurs moyens, les Français de Londres habitent – pour les plus aisés (souvent des expats de grosses boîtes internationales) – dans le quartier de South Kensington, près du très prestigieux lycée français de Londres Charles-de-Gaulle, ou bien quelques stations de métro plus loin, dans les quartiers plus modestes de Hammersmith et Fulham. Il suffit pour s'en convaincre de voir le nombre de marques ou de boutiques françaises (boulangeries, librairies...) implantées dans ces quartiers. Cette implantation se traduit aussi dans les commerces anglais qui vendent quelques produits français (camembert...). Voilà qui devrait vous rassurer si vous aviez peur d'être isolé !

URGENCES

> ☎ **112 :** voici le numéro d'urgence commun à la France et à tous les pays de l'UE, à composer en cas d'accident, agression ou détresse. Il permet de se faire localiser et aider en français, tout en améliorant les délais d'intervention des services de secours.

■ **Services de secours :** ☎ 999 (appel gratuit).

■ **NHS :** ☎ 111 ou 0845-46-47 (appel gratuit). Pour obtenir 24h/24 des infos médicales urgentes, comme connaître l'adresse de l'hôpital ou du service de santé le plus proche de chez soi et le plus adapté au problème.

■ **Dispensaire français** (centre 2, K11, **7**) : 184 Hammersmith Rd, W6 7DJ. ☎ 020-8222-8822. ● dispensairefrancais.org.uk ● ⓜ Hammersmith. Lun-jeu 9h-17h, ven 9h-16h Sur rdv. Inscription : 10 £ pour l'année en cours, puis seulement 10 £ par consultation. Pour les premiers soins. Accueil compétent et dévoué. D'ailleurs, en cas de gros pépins financiers, ne pas hésiter à y aller quand même. On essaiera toujours de trouver une solution adaptée. Pas de service de radiologie, donc si nécessaire, il faudra passer par le privé et les frais seront à votre charge.

■ **Charing Cross Hospital** (hors centre 2 par K11, **8**) : Fulham Palace Rd, W6. ☎ 020-3311-1234. ⓜ Hammersmith.

■ **Eastman Dental Hospital :** 256 Gray's Inn Rd, WC1X 8LD. ☎ 020-3456-7899. ⓜ King's Cross. Lun-ven 9h-17h. Soins dentaires. Pas besoin de rendez-vous. Ou appeler le **Dental Emergency Care Service** (tlj 24h/24 ; ☎ 020-8748-9365) qui saura vous indiquer un dentiste.

■ **Bliss Chemist :** 50-56 Willesden Lane, NW6 7SX. ☎ 0207-624-8000. 9h-22h.

■ **Boots Pharmacy :** 44-46 Regent St, W1B 5RA. ☎ 020-7734-6126. ● boots. com ● ⓜ Piccadilly Circus. Lun-jeu 8h-23h, ven-sam 9h-minuit, dim 12h30-18h30. Situé sur Piccadilly Circus, pratique pour ses horaires d'ouverture. De nombreux autres Boots dans Londres, notamment sur Oxford Street et à Covent Garden.

– Attention, les services d'urgences sont très engorgés et les pharmacies de garde n'ouvrent que pendant 1h le dimanche et les jours fériés. Donc, bien planifier sa maladie !

INFOS PRATIQUES SUR PLACE

> • Pour se repérer, voir le plan d'ensemble
> et le plan du métro détachables, en fin de guide.

ARRIVÉE EN EUROSTAR

L'Eurostar vous amène directement dans le centre de Londres, dans l'impressionnante gare de Saint Pancras *(plan d'ensemble, F1),* avec sa jolie structure métallique ouverte sur le ciel.

– Service de réservations d'hôtels (payant) à l'arrivée, au rez-de-chaussée, à côté des départs, ouvert de 7h à 23h (22h30 le dimanche).

– Comptoir d'infos touristiques, ouvert en principe tous les jours de 7h15 à 20h (ferme plus tôt les dimanche et jours fériés).

– Services de change, distributeurs de billets également.

– Service de consigne *(Left Luggage),* ouvert de 6h à 22h ; de 7h à 22h le dimanche. Assez cher.

– Plein de boutiques : *Marks and Spencer* ou *Fortnum & Mason* pour acheter des victuailles *typically British* avant de repartir, le marchand de jouets *Hamleys,* une boutique *Cath Kidston...*

– Pour gagner le centre de Londres : bah, vous y êtes ! Très facile de vous connecter au reste de la ville, en taxi ou, plus économique, en métro. Vous êtes à la station King's Cross Saint Pancras, en liaison avec les lignes Victoria, Piccadilly, Northern, Circle, Metropolitan, et Hammersmith & City. Possibilité d'acheter sur place votre titre de transport pour votre séjour (voir « Transports » pour les différentes cartes et tarifs).

ARRIVÉE AUX AÉROPORTS

Comment rejoindre le centre de Londres ?

De l'aéroport de London City (à 9 km du centre)

– *Informations :* ☎ 020-7646-0088. • londoncityairport.com •
Sa piste n'est accessible qu'aux appareils de gabarit moyen et se situe au bord de la Tamise, à 4,5 km de Canary Wharf, le centre d'affaires implanté dans le quartier des Docklands.

➢ **En DLR puis métro :** avec le *Docklands Light Railway (DLR)* jusqu'à Bank (ttes les 8-15 mn ; trajet en 22 mn), puis liaisons en métro. Prix : env 3 £ (zone 3).

De l'aéroport de Heathrow (à l'ouest, à 24 km du centre)

– Informations : ☎ 0844-335-1801. ● *heathrowairport.com* ●
Avant de choisir le métro ou le bus, sachez exactement où vous allez. Donc, un conseil : si vous n'avez pas réservé de chambre, passez vos coups de fil de l'aéroport. Le bureau *Underground-Airbus* vend tous les titres de transport ainsi que des *phone cards* (cartes téléphoniques).
➢ **En métro :** de loin la solution la plus pratique. Métro direct pour le centre de Londres par la Piccadilly Line (zone 6). 3 stations desservent l'aéroport : la 1re pour les terminaux 1 et 3 ; la 2e pour le terminal 4 ; et, enfin, la 3e pour le terminal 5. Départs ttes les 5-10 mn, env 5h (6h dim)-23h30/minuit depuis les terminaux 1 et 3 (quelques minutes avant pour le terminal 4 et le terminal 5). Durée : env 50 mn pour Piccadilly Circus. Achat du billet soit dans le terminal d'arrivée, soit dans le hall du métro. Prix : de 2,30 £ à 7,15 £ selon zones et horaires. De nuit, prendre le bus N9 pour rejoindre le centre-ville (ttes les 30 mn).
➢ **En train :** *Heathrow Express* (☎ 0845-600-1515 ; ● *heathrowexpress.com* ●), env 5h-minuit ; dans l'autre sens, 5h-23h40 ; 1 rame ttes les 15 mn. Plus rapide que le métro (15 mn de trajet depuis les terminaux 1 et 3, et moins de 25 mn depuis le terminal 5, le plus éloigné), mais plus cher. Prix : 22 à 25 £, 37 £ l'A/R, payable sur Internet, au guichet, voire dans la rame (pratique quand on est à la bourre, mais plus cher !). Arrivée à la gare de Paddington. Sinon, le *National Rail* (☎ 0345-604-1515 ; ● *heathrowconnect.com* ●) a également mis en place une liaison entre Heathrow et Paddington, ttes les 30 mn, env 5h-23h30. Plus lent (nombreux arrêts, env 25 mn des terminaux 1 et 3), mais meilleur marché : 10,30 £ (réduc moins de 15 ans).
➢ **En bus :** avec la compagnie *National Express* (☎ 08717-818-178 ; ● *natio nalexpress.com* ●). Liaisons ttes les 30 mn entre la gare de Victoria et Heathrow, 7h-23h env. À partir de 6 £. Liaisons également pour Gatwick. Compter 25 £. Env 1h15 de trajet.
➢ **En minibus :** avec *Heathrowshuttle* (☎ 0845-415-4268 ; ● *heathrowshuttle. com* ●). Le minibus vous conduit à votre hôtel ou auberge de jeunesse et vient vous y chercher pour le retour. Départ ttes les 30 mn. Résa sur Internet pour bénéficier des meilleurs tarifs (28 £/pers, à partir de 19 £/pers à 2, tarifs dégressifs).
➢ **En taxi :** env 70 £. Compter 35-40 mn pour rejoindre le centre.

Services

– Information Centre : terminaux 1, 2 et 3.
– Change : dans tous les terminaux. Ce ne sont pas des banques, ils pratiquent donc des taux frisant l'escroquerie.
– Consigne (Left Baggage) : ☎ 020-8759-3344. Terminaux 1-2, 5h-23h ; terminaux 2-5, 5h30-23h. Assez cher (7,50 £ par bagage de 0 à 3h et 12,50 £ de 3 à 24h).
– Objets trouvés (Lost Property) : consulter tout d'abord le site ● *mis singx.com* ●, puis téléphoner (☎ 844-824-3115, tlj 7h-19h) ou se rendre aux bureaux d'accueil du terminal 5. Service payant et cher.
– Où dormir dans une capsule ? Terminal 4, au *Yotel.* ● *yotel.com* ● Un concept original pour se reposer le temps d'une escale, à partir de 1h : des cabines mini avec wifi et de quoi faire une collation, à des tarifs avantageux.

De l'aéroport de Gatwick (au sud-ouest, à 45 km du centre)

– Informations : ☎ 0844-892-0322. ● *gatwickairport.com* ●
➢ **En train :** le *Gatwick Express* (☎ 0345-850-1530). Trains à 3h30 et 4h30, puis ttes les 15 mn, tlj 5h-0h30. Durée du trajet : 30 mn. Prix : env 19,90 £. Un poil

moins cher en prenant l'A/R (34,90 £). On peut acheter ses billets à l'avance sur Internet (petite réduc). Terminus à Victoria Station. On peut aussi prendre le train « normal » avec *South West Train*, pour faire Gatwick-Victoria Station, parfois moins cher. En moyenne, liaisons ttes les 10 mn (ttes les 30 mn le w-e). Vérifier tarifs et horaires avt le départ sur ● *nationalrail.co.uk* ● Un autre train « normal » vous conduit à London Bridge en 30 mn. Mêmes fréquences.

➤ *En bus :* un bus *National Express* (☎ 08717-818-178 ; ● *nationalexpress. com* ●), jusqu'à Victoria Station. Tarif : 8-12 £ selon horaires, moins cher en prenant l'A/R. 1 bus/h le mat pour un trajet de 1h30-2h. Guérite derrière la gare de Victoria pour l'achat des billets. Autre possibilité, l'*Easybus* (● *easybus.co.uk* ●) relie Gatwick à Earls Court/West Brompton en 1h env, mais aussi Victoria Station ou Waterloo. Tlj, 1 bus ttes les 20-40 mn. Résas à faire sur Internet ; plus c'est tôt, moins c'est cher.

➤ *En taxi :* compter 130 £ au moins.

Services

– **Consigne (Luggage storage) :** ☎ 012-9356-9900, à l'étage des arrivées. Compter 7,50 £/bagage de 0 à 3h et 12,50 £ pour 24h.
– **Objets trouvés (Lost Property) :**
☎ 012-9322-6720. Au terminal sud. Tlj 10h-16h. Payant !
– **Où dormir dans une capsule ?** Terminal sud, au *Yotel*. ● *yotel.com* ●

De l'aéroport de Stansted
(au nord-est, à 60 km du centre)

– **Informations :** ☎ 0844-335-1803. ● *stanstedairport.com* ●

➤ *En train :* Stansted Express (☎ 0345-600-7245 ; ● *stanstedexpress.com* ●). Liaison directe en 35 mn avec la station de métro Tottenham Hale (sur la Victoria Lane) et en 45 mn avec la gare de Liverpool Street Station (à l'est du centre, près de la City). 1ers trains à 5h30, puis 1 train ttes les 15-30 mn jusqu'à 0h30. Horaires légèrement différents le w-e. Prendre un A/R valable 1 mois (31 £), plus économique que 2 allers simples (19 £). Réduc sur Internet. Gratuit moins de 5 ans.

➤ *En bus :* service régulier et direct pour Victoria Coach Station (☎ 08717-818-178 ; ● *nationalexpress.com* ●). Ttes les 15-20 mn, 24h/24. Attention, pas toujours à l'heure. Durée du trajet : 1h45. Env 12 £. Autre solution : *Easybus* (● *easybus.co.uk* ●). Plus vous réservez tôt, moins c'est cher ! Mise à prix 2 £. Départs de Baker St ttes les 15 mn, tlj 24h/24.

➤ *En taxi :* beaucoup plus cher que les solutions précédentes, évidemment. Compter 175 £ pour 1-4 pers et 1h15 de trajet.

Services

– **Consigne (Left Luggage) :** en zone G. ☎ 0330-223-0893. Tlj 24h/24. Compter 10 £/bagage et pour 24h.
– **Objets trouvés (Lost Property) :** consulter tout d'abord le site
(● *missingx.com* ●), puis téléphoner (☎ 0345-600-7245, tlj 13h-17h) ou se rendre au bureau d'accueil en zone G. Service payant et cher.

De l'aéroport de Luton
(au nord-ouest, à 53 km du centre)

– **Informations :** ☎ 015-8240-5100. ● *london-luton.co.uk* ●

➤ *En bus :* le bus n° 757 de *Greenline* s'arrête à Oxford St, Hyde Park et Victoria Station. Résas et achats sur le site internet ● *greenline.co.uk* ● (attention, souvent plein au retour, et les chauffeurs sont intraitables ; réserver, c'est plus sûr !). Autre solution : avec *Easybus* (bays 10 et 11). ● *easybus.co.uk* ● Plus vous réservez tôt, moins c'est cher ! Passe par Baker St, Marble Arch (Oxford St), Victoria Station.

Départs ttes les 20 mn, tlj 24h/24. Enfin, *National Express* assure le service 24h/24 également (*bays* 4, 5 et 6). ☎ 08717-818-178. ● *nationalexpress.com* ●
➤ **En train :** *First Capital Connect* (☎ 0845-026-4700) et *East Midlands Trains* (☎ 0845-712-5678) vont jusqu'à Saint Pancras pour env 16 £. Départ ttes les 10 mn. Durée : 40 mn. Attention, à l'aller comme au retour, prévoir la navette (payante, 10 mn) entre le métro et l'aéroport ! Et les billets de train vendus à bord d'*EasyJet* ne sont pas d'un très bon rapport qualité-prix.
➤ **En taxi :** compter 150 £ et 60 mn de trajet.

Services

– **Consigne (Left Luggage) :** ☎ 015-8280-9174. 5 £/bagage pour 2h, 10 £ pour 24h.

– **Objets trouvés (Lost Property) :** ☎ 015-8280-9174.

De l'aéroport de Southend (à l'est, à 67 km du centre)

– **Informations :** ☎ 017-0253-8500. ● *southendairport.com* ●
➤ **En taxi :** compter environ 1h sans embouteillage.
➤ **En train depuis Liverpool Station :** 55 mn (Greater Anglia). Attention, ne pas confondre avec Stansted dans la précipitation.

Liaisons entre les aéroports

Des services d'autocars desservent les différents aéroports entre eux :
➤ **Heathrow-Gatwick :** 1h20 de trajet.
➤ **Heathrow-Stansted :** 1h30 de trajet.
➤ **Gatwick-Stansted :** 2h15 de trajet (ou 2 j. de cheval...).

S'ORIENTER DANS LONDRES

Le découpage par quartiers que vous trouverez dans ce guide procède à la fois d'une cohérence géographique et d'une homogénéité sociale. Mais, comme tout découpage, il est arbitraire, et certains coins auraient pu tout aussi bien glisser dans un autre ensemble de quartiers que ceux que nous avons choisis.
Partant du centre touristique, notre petit tour de Londres se poursuit par l'ouest et les quartiers chic du sud de Hyde Park, puis remonte vers le nord et progressivement se dirige vers l'est, pour finir avec la rive sud puis les villages un peu éloignés du centre, comme Greenwich et Hampstead.

Orientation et mode d'emploi de la ville

Attention, la ville est énorme, bien plus vaste qu'une capitale comme Paris, même si cela ne se voit pas sur une carte. Question d'échelle ! Les quartiers sont éclatés, les centres d'intérêt éloignés les uns des autres. L'agglomération s'étale sur quelque 1 200 km², contre 120 pour Paris. Quelques conseils :
– quand vous avez choisi de *visiter un quartier*, exploitez-en toutes les richesses dans la même journée plutôt que d'y revenir 3 fois dans la semaine. Chaque coin possède ses particularités. Par exemple, Brick Lane et Petticoat Lane Mark se visitent le dimanche, le jour du marché, avant d'aller se « culturer » un peu à la Whitechapel Art Gallery ! Et ainsi de suite. ***Pour préparer votre visite, pensez à relever les jours et horaires de fermeture des musées et des lieux publics.***
– Pour les *restos*, allez de préférence au plus près, car les distances sont longues. De même pour les pubs. Tous les quartiers en abritent de formidables.
– Vous aurez remarqué que toutes les adresses à Londres sont suivies de lettres et de chiffres (exemple : SW1, N10, etc.). Ces indications renseignent sur la position

géographique du district dans lequel se trouve la rue. SW : South West ; N : North ; WC : West Central ; et ainsi de suite. Tout cela serait idéal si les chiffres avaient la même logique. Il n'en est rien. En gros, plus le chiffre accompagnant la lettre est important, plus on est loin du centre ! Il est donc indispensable de vous procurer une carte de Londres, la bible des Anglais étant le *London A-Z* qui décline toute une gamme de plans de Londres et de sa périphérie. Existe en version mini. Vraiment très pratique. Sachez que la plupart des stations de métro éditent de petits plans du quartier (très clairs et gratuits !). Il suffit de demander « *a street map* » au guichet.

INFOS TOURISTIQUES

Centres d'information

ⓘ *City of London Tourist Information Centre (plan d'ensemble, H3) :* St Paul's Churchyard, EC4M 8BX. ☎ 020-7606-3030. • *visitlondon.com* • Ⓜ St Paul's. Tte l'année, lun-sam 9h30-17h30, dim 10h-16h. Fermé 25-26 déc et ouv seulement 11h-17h 1er janv. Vente de billets de spectacles et de certains sites ou attractions touristiques, documentation générale gratuite, comme le très pratique *London Planner,* ainsi que quelques documents payants. Achats du *London Pass* également pour des réductions sur les sites à voir. Demander le plan des bus de la ville *(London buses),* indispensable.

ⓘ *Tourist Information Centres :* ☎ 0870-156-6366. • *visitlondon.com* • Ils ne s'occupent que de Londres. Le principal est cité plus haut, mais on en trouve un peu partout à Londres, notamment à la gare de King's Cross Saint Pancras, à l'aéroport de Heathrow, dans les stations de métro de Piccadilly Circus et Liverpool St, à Holborn, etc. Tous les *TIC* possèdent un service payant de réservation d'hôtels, *B & B* et auberges de jeunesse (AJ). Commission assez faible pour les AJ, plus élevée pour les *B & B.* En haute saison, ça vaut la peine.

■ *Centre français Charles-Péguy (plan East End, A2) :* 28 Brunswick Pl, N1 6DZ. ☎ 0207-014-5230. • *cei-london.com* • Ⓜ Old St. Lun 14h-16h30, mar-jeu 10h-12h30 et 14h-16h30, ven 10h-12h30 (au tél, lun-ven 9h-18h). Dans les locaux du Centre d'échanges internationaux, un endroit sympa où l'on aide les jeunes expatriés à Londres à trouver un job, un séjour au pair, un hébergement. Donne aussi des renseignements sur la Sécu, les contrats de travail, les modalités pour ouvrir un compte bancaire, les cours de langue... Fournit des listes d'appartements à partager, de *B & B* et toutes sortes d'infos pratiques. Borne internet, photocopieuses, fax, etc. Pour obtenir tout cela, il faut prendre la carte du centre *(60 £, valable 1 an),* avoir entre 18 et 30 ans et le projet de résider au moins 2 mois à Londres.

Ambassades et consulat

■ *Consulat de France (plan d'ensemble, A6, 4) :* 21 Cromwell Rd, SW7 2EN. En face du Natural History Museum. Service des visas : 6 A Cromwell Pl, dans la rue perpendiculaire à Cromwell Rd sur le côté du bâtiment. ☎ 020-7073-1200 ou 0845-7300-118. • *ambafrance-uk.org* • Ⓜ South Kensington. Lun-jeu 9h30-12h et 14h-16h, ven 9h30-12h ; sur rdv, accueil jusqu'à 16h. Service culturel : 23 Cromwell Rd. Le consulat peut vous assister juridiquement en cas de problème. C'est là notamment qu'il faut se rendre en cas de perte de papiers d'identité.

■ *Ambassade de France (plan d'ensemble, C5, 3) :* 58 Knightsbridge, SW1X 7JT. ☎ 020-7073-1000. • *ambafrance-uk.org* • Ⓜ Knightsbridge. Non accessible au public.

■ *Ambassade de Belgique (plan d'ensemble, C5, 5) :* 17 Grosvenor Crescent, SW1X 7EE. ☎ 020-7470-3700. En cas d'urgence seulement : 🗎 077-1070-3639. • *diplomatie.be/londonfr* • Ⓜ Hyde Park Corner. Lun-ven 9h-13h pour les visas.

■ *Ambassade de Suisse (plan d'ensemble, C3, 6) :* 16-18 Montague Pl, W1H 2BQ. ☎ 020-7616-6000. • *eda.admin.ch/london* • Ⓜ Baker St. Lun-ven 9h-12h.

Santé

Voir les rubriques « Santé » et « Urgences » dans « Londres utile » en début de guide.

Magazine et site internet

Ici Londres (● *ici-londres.com* ●), un magazine des Français de Londres.

Gratuit. Disponible dans toutes les adresses de la communauté française (toutes les boulangeries *Paul*, notamment) ou en ligne. Une mine d'infos pratiques pour vivre à Londres, du déménagement aux démarches administratives, en passant par les derniers bons plans shopping, l'actu de la communauté et des adresses inédites.

SE DÉPLACER

Certaines rames fonctionnent 24h/24 le week-end. Sinon, elles ouvrent vers 5h le matin, et ferment entre 23h et 1h.
Le bus et le métro restent les moyens idéaux pour se déplacer à Londres. Le trajet unique est toutefois hors de prix, en particulier le métro ; il est donc vivement conseillé de faire l'acquisition d'une carte avec un forfait que l'on recharge à volonté. Réduction pour les enfants de moins de 16 ans, et transports gratuits pour les moins de 11 ans. Enfin, réductions conséquentes avec l'indispensable *Visitor Oyster Card*.
Procurez-vous dès votre arrivée le plan du métro (Tube Map) **et celui des lignes de bus** (London buses).
Attention : il n'y a pas de tarif unique pour le métro : le prix du ticket varie en fonction de votre point de départ et de votre point d'arrivée. Ils sont aussi variables selon les heures pleines ou creuses. Les tarifs que nous indiquons sont ceux en vigueur en 2017. Et ça augmente chaque année !

Visitor Oyster Card

Mais qu'est-ce que c'est, cette « carte-huître » ? En fait, il s'agit simplement d'une carte à puce prépayée de la somme souhaitée pour les transports urbains (métro, bus, *DLR* et tram), qu'il faut passer devant un lecteur de carte jaune à chaque trajet.
Attention, il faut **valider la carte à l'entrée du métro ET à la sortie** ! Le prix des trajets de métro varie en fonction des horaires (*off peak/peak* ; heures creuses, heures de pointe). C'est très fluctuant. Vous serez débité du montant au prix de la période (en gros, en journée, c'est le plus cher ; la nuit, moins cher) et de la zone où vous vous déplacez (en gros, le plus souvent, dans le centre historique, zones 1-2). Si vous oubliez de faire valider votre carte à la sortie, le tarif maximum sera appliqué. Dans les bus, en revanche, on ne valide qu'à l'entrée. Un tuyau : les heures de pointe s'appliquent du lundi au vendredi de 6h30 à 9h30 et de 16h à 19h. Durant ces heures, soit vous acceptez de payer plus cher, soit vous devez attendre !

Comment se la procurer ?

D'abord, on se procure cette carte en échange d'un *deposit* de 3 £, puis on la crédite tant qu'on veut. En gros, on paie moins cher avec l'*Oyster Card*. De plus, un plafond journalier en fonction du nombre de trajets ne dépasse jamais le billet *One-Day Travelcard* et on voyage tant qu'on veut, gratuitement, même si le plafond est atteint. Pas mal ! Et dès que votre carte est vide, vous la recréditez d'autant que vous voulez, soit sur Internet, soit dans certains points presse, soit encore directement au guichet. Enfin, s'il vous reste du crédit à la fin de votre séjour, vous pouvez le récupérer en espèces dans les 48h après la dernière utilisation.

Pour **se procurer la carte avant de partir** : ● visitbritainshop.com ● ou ● tfl.gov.uk ● Autrement, disponible dans le métro, dans les gares, aux aéroports et même à bord de l'Eurostar (voiture bar-buffet), dans le Gatwick Express, le Stansted Express. L'*Oyster Card* est aussi utilisable pour les cartes saisonnières (la **Travelcard** à la semaine, au mois, que vous mettez sur votre *Oyster Card*) et, dans ce cas-là, elle est offerte. Dès que ce laps de temps est imparti, hop ! on recrédite sa carte. Plus pratique, l'*Oyster Card* permet aussi d'obtenir certains avantages (réductions sur certains sites).
En cas de perte ou de vol : ☎ 0343-222-1234 ; ● tfl.gov.uk ● On bloque votre compte et on vous le recrédite sur une autre carte *Oyster*.

Billets spéciaux

Ce sont des titres de transport cartonnés, à l'ancienne. Peu pratiques, ils tendent à disparaître surtout depuis que l'*Oyster Card* est acceptée sur le *National Rail*.
– **One-Day Travelcard :** à partir de 12,70 £.
– **7-Day Travelcard :** *Travelcard* valable à partir de la date d'émission. De 34,10 £ pour les zones 1-2 à 62,30 £ pour 6 zones.
– Si vous avez besoin d'un ticket particulier pour vous éloigner du centre de Londres, pensez à préciser au guichetier le titre de transport dont vous disposez déjà, car vous ne paierez que le complément.

Le métro (*underground* ou *Tube*)

Il existe depuis 1863, c'est **le plus vieux du monde** (150 ans en 2013), et il compte 270 stations, 11 lignes et 6 zones concentriques. Le métro de Londres est très cher comparativement à celui des autres capitales européennes. Il y a des chances pour que la grande majorité de vos déplacements se fasse dans la zone 1, zone 2 à la rigueur. Vérifiez sur le plan dans quelle zone et dans quelle direction cardinale se trouve votre station d'arrivée. Dans les couloirs, les destinations sont regroupées selon la direction à prendre : *northbound* pour le nord, *southbound* pour le sud, etc.
Le métro démarre à 5h du lundi au vendredi. Les lignes Central, Victoria, Jubilee, Northern et Piccadilly sont ouvertes toute la nuit les vendredi et samedi soir. Les dernières rames passent entre 23h et 1h. L'heure du dernier métro est affichée aux guichets de vente des billets. Attention : les dernières rames du dimanche soir circulent plus tôt qu'en semaine.
Le métro londonien a la réputation d'être un peu plus difficile à utiliser, car d'un même quai partent des métros allant dans diverses directions. Pas de panique, il suffit d'être attentif et de bien vérifier la destination de la rame et le temps d'attente sur les panneaux indicateurs suspendus au-dessus du quai. De plus, dans les stations, il y a de nombreux employés pour renseigner. En outre, dans les rames, une voix annonce la station suivante et les connexions.
– Noter que le plan du métro indique les stations aménagées pour les **personnes à mobilité réduite.**
– **Objets trouvés (Lost Property) :** rens au ☎ 0343-222-1234 ou au Lost Property Office, 200 Baker St, NW1 5RZ. Lun-ven 8h30-16h.
– **Pour plus d'infos :** ● tfl.gov.uk/tube ●

The Docklands Light Railway (DLR) et Overground

Ce sont les trains aériens de banlieue. Ils circulent à partir de Bank ou Tower Gateway (près de la station Tower Hill). Mêmes prix que pour le métro. Des billets *DLR* + bateau **Rail River Rover** permettent de profiter en même temps des joies de la Tamise (pour retourner dans le centre-ville, par exemple). L'*Overground,* en orange sur les plans, ligne à ciel ouvert et quasi suspendue, dessert l'Est londonien, l'extrême Nord et court vers l'est.

Le bus

Le bus est meilleur marché et bien plus sympa que le métro. Si vous voulez admirer au mieux le paysage, montez au 1er étage.

Demander dans n'importe quel métro ou à l'office de tourisme un plan du réseau de bus *(London buses)*. Achat des billets et cartes dans les stations de métro ou dans un *ticket stop* (ces derniers sont pointés sur les *street maps*). Le tarif du ticket de bus (aller simple) est de 2,40 £ et de 1,50 £ avec la carte *Oyster.*

Bon à savoir, si, en montant dans le bus, vous découvrez que votre *Oyster* n'est plus créditée, vous avez droit à un dernier trajet gratis... afin de rejoindre un point de vente ! *No stress.*

– **Bus rouges :** pour Londres seulement.

– **Bus verts :** pour Londres et la banlieue.

Les bus les plus intéressants pour découvrir le Londres touristique sont ceux des lignes *n*os *11, 15 et 38.* Quelques grandes lignes de bus desservant la ville et la banlieue fonctionnent toute la nuit. Ils fonctionnent de minuit à 6h, partent tous de Trafalgar Square et arborent un « N » (pour *Night*) devant le numéro. Environ un bus par heure. Même prix qu'en journée.

Le bateau

On peut prendre le bateau comme on prend le bus... En réalité, le principe existait depuis longtemps, puisque plusieurs compagnies se proposaient (et proposent toujours) de vous emmener sur la Tamise, tout en vous déposant au pied de chaque monument ou site. Ce qui change un peu aujourd'hui, c'est que plusieurs d'entre elles se sont rapprochées des transports londoniens et proposent des tarifs assez attractifs. En ce qui concerne The Thames Clippers, le ticket à la journée *(roamer)* permet de naviguer à volonté à partir de 9h. Compter 18,50 £ par adulte (réduc enfants et forfait famille) ; réduc avec la *Travelcard* ou en réservant en ligne. Il existe aussi un ticket pour qui veut effectuer un trajet unique (pour rejoindre, par exemple, la Tour de Londres depuis le London Eye). Ce ticket coûte 8,70 £. Réduc sur Internet et sur l'application pour smartphones. Ceux qui possèdent l'*Oyster Card* ont également droit à une ristourne. Départ toutes les 15 mn environ. Plus d'infos sur ● *thamesclippers.com* ● *tfl.gov.uk* ●

Le taxi (*taxi* ou *cab*) et les VTC

🚕 Aussi chers qu'en France mais bien plus pratiques, car on en trouve partout (pas de borne de taxis, ils se prennent partout) et ils acceptent jusqu'à 5 personnes ! Incontournables aussi quand vous sortez de boîte et qu'il n'y a plus que quelques bus de nuit et aucun métro avant l'aurore. Les contacts avec le chauffeur sont limités, une vitre souvent aux trois quarts fermée le séparant des passagers. On communique par un système d'hygiaphone. Les taxis sont libres quand le signal jaune « *For hire* » est allumé. Habituellement, on laisse 10 % de pourboire. La plupart des taxis sont équipés de rampe d'accès pour chaises roulantes ou poussettes.

Vous pouvez également utiliser les *minicabs,* mais on vous le déconseille. Ce sont des taxis travaillant avec des agences privées, assez rudimentaires, localisés généralement près des *Tube stations* (stations de métro). Assez mal organisés mais intéressants dans certains endroits. Prix de la course à négocier. On peut les prendre pour l'aéroport (moins cher qu'un taxi classique si l'on sait négocier). Mais attention, arnaques fréquentes, ces taxis semi-clandestins baladent facilement le touriste qui ne connaît pas bien la ville. Autre arnaque possible, le taxi commandé auprès de l'hôtel qui s'avère être, à l'arrivée, un chauffeur privé qu'il connaît bien » : bien se mettre d'accord sur le montant du trajet, soi-disant « forfaitaire ».

– **Appel de taxi :** Dial a Cab, ☎ 020-7253-5000. ● *dialacab.co.uk* ● **Radio Taxis**, ● *gett.com/radiotaxis/* ● **Computer Cabs**, ☎ 020-7908-0271. ● *computercab.*

co.uk ● *Pour les* minicabs, *une des compagnies les plus sérieuses* est **Addison Lee,** ☎ 020-7387-8888. ● addisonlee.com ● **Lady Cabs,** *qui n'emploie que des chauffeurs femmes,* ☎ 020-7272-3300.

– **Si vous avez perdu quelque chose dans un taxi :** *appelez* **Lost Property,** ☎ 0845-330-9882, *ou allez au* **Lost Property Office,** *200 Baker St, NW1 5RZ. Lun-ven 8h30-16h.*

– Enfin, n'oubliez pas **Uber.** Si vous avez l'appli téléchargée sur votre smartphone, hyper facile de se déplacer par ce moyen.

Bicyclettes et scooters

Le *Visitor Centre* édite des brochures (gratuites) proposant des circuits pour la balade, mais aussi la liste des pistes cyclables protégées. Elles sont encore peu nombreuses et circuler à vélo dans Londres relève toujours du parcours du combattant, mais le réseau s'étend de plus en plus.

Si vous venez avec votre scooter, les formalités d'entrée sont les mêmes que pour un véhicule, c'est-à-dire :

– un permis de conduire national, international ou britannique ;

– une carte verte d'assurance que votre compagnie peut vous délivrer ;

– une immatriculation, même pour les moins de 50 cm^3. Des pneus de première qualité sont indispensables et la loi exige des freins en parfait état. Les règlements concernant l'éclairage sont également stricts. Pour les scooters, le port du casque est OBLIGATOIRE.

Location de vélos

Depuis 2008, 750 points de retour et 11 000 Santanders Cycles rouge et argent, vite surnommés les « Boris Bikes » en raison de l'enthousiasme du précédent maire de Londres, Boris Johnson, sont à disposition. On peut aujourd'hui louer son vélo à chaque coin de rue ou presque. Il suffit de payer un droit d'accès à la location (2 £ pour 24h, 10 £ pour 7 jours et 90 £ pour 1 an), puis la location elle-même. En deçà de 30 mn, c'est gratuit ; ensuite, c'est 2 £ pour 30 mn, 4 £ pour 1h, etc. Toutes les transactions peuvent se faire aux bornes près des points de retour, via votre carte de paiement. La mairie entend donc miser sur le vélo et espère une augmentation de 400 % d'ici à 2025 ! À suivre... Pour plus d'infos : ☎ *0343-222-6666.* ● *tfl.gov.uk/modes/cycling/santanders-cycles* ●

Si vous êtes en voiture

À moins de vouloir visiter le reste du pays, on vous déconseille fortement de venir à Londres en voiture !

– Vous devez être en possession de votre permis de conduire national, de la carte grise, de la carte verte d'assurance. Si vous louez une voiture (21 ans minimum, en général), il vous faudra la plupart du temps un permis international.

– **Taxe** depuis février 2003 pour les véhicules circulant dans le centre-ville entre 7h et 18h sauf le week-end, les jours entre Noël et le Jour de l'an et les vacances anglaises : 11,50 £ à verser par jour (14 £ le lendemain, à partir de minuit). Système de « scannérisation » de vos plaques minéralogiques par caméra (plus de 700 dans le centre) dans toutes les zones marquées d'un grand « C » comme *Congestion charge* ». Des zones de plus en plus nombreuses chaque année ! Paiement sur Internet (● *tfl.gov.uk/roadusers/congestioncharging/default. aspx* ●), sur les bornes bleues avec un « C » rouge (dans les stations-service, par exemple), dans certains points presse avec le même logo, par courrier, par téléphone (☎ *0343-222-2222 depuis l'Angleterre, ou* ☎ *00-44-207-649-9122 depuis la France*).

– Attention, on roule à gauche (fallait-il le rappeler ?), et la priorité à droite n'existe pas : donc, à chaque carrefour, un stop ou des lignes peintes sur la chaussée indiquent qui a la priorité.

SE DÉPLACER | 83

– Aux ronds-points *(roundabouts),* à prendre dans le sens des aiguilles d'une montre, les automobilistes déjà engagés sont prioritaires.
– Les piétons engagés sont toujours prioritaires. Faites-y particulièrement attention, ainsi qu'aux **pelican crossings,** visuels et sonores, et aux **zebra crossings,** signalés par des boules jaunes lumineuses.
– Pour les véhicules équipés de GPL, dur, dur de trouver des stations équipées (uniquement en dehors du centre). Et les systèmes de remplissage sont incompatibles ! À éviter. De manière générale, il n'y a que 2 types de pompes, essence ou diesel.
– On ne badine pas avec les limitations de vitesse :
➢ en ville : 30 miles (48 km/h) ;
➢ sur la route : 60 miles (97 km/h) ;
➢ sur les autoroutes *(motorways)* et routes à 2 voies séparées *(dual carriageways)* : 70 miles (113 km/h).
– Le port de la ceinture de sécurité est obligatoire à l'avant et à l'arrière.
– ATTENTION AUX *CLAMPS* : ce sont ces mâchoires jaune vif que l'on referme sur vos roues si vous êtes mal garé. On voudrait bien vous expliquer comment les éviter à coup sûr, mais même les Anglais ne s'y retrouvent pas. En gros, 2 lignes jaunes le long d'un trottoir veulent dire : « Interdiction formelle de stationner ». Une seule ligne jaune permet de stationner à certaines heures (en règle générale, le soir et le dimanche, parfois le samedi). Gare aux *resident permits,* places en apparence autorisées et gratuites mais réservées aux résidents du quartier (et qui ont l'autocollant ad hoc sur le pare-brise ; impossible de s'en procurer, on a essayé). Dans ce dernier cas, des panneaux explicatifs doivent se trouver sur le trottoir. Les *clamps* sont placés par des sociétés privées qui se paient sur les amendes, donc il ne faut même pas essayer de leur inspirer de la pitié. L'adresse et le téléphone des *clampers* sont inscrits sur un autocollant qu'ils collent sur votre pare-brise. Diseleur que votre voiture est « *ponded* ». Ils vous indiqueront les moyens d'accès pour parvenir jusqu'à la fourrière. Il vous suffira de payer l'amende (souvent chère, plus de 150 £). Vous pourrez hurler aussi fort que vous le voudrez, ils ont l'habitude et sont intraitables. Mais votre problème n'est pas réglé pour autant, car on va vous promettre de « déclamper » dans les 4h, et vous avez intérêt à rester près de votre voiture parce qu'à peine « déclampée », elle peut être à nouveau « reclampée » par une autre patrouille, le circuit recommence et il vous faudra payer à nouveau... *so fun !* Reste que vous pouvez aussi vous retrouver sans véhicule : il sera alors garé dans la même fourrière. Mêmes procédures.
– La meilleure solution pour se garer reste **l'emplacement de parcmètre,** horriblement cher dans le centre mais abordable en périphérie. De plus, c'est gratuit la nuit. Ou encore les parkings payants, pas donnés non plus, surtout ceux situés près des stations de métro (liste sur ● *tfl.gov.uk/modes/driving/tube-station-car-parks* ●). En effet, de plus en plus de touristes garent leur voiture en périphérie de la capitale, et prennent un train pour rejoindre le cœur de Londres dans la journée. Par exemple, si vous arrivez de Folkestone ou de Dover sur la M 20 (grande autoroute desservant Londres), vous pouvez vous arrêter juste avant, à Greenwich par exemple, et prendre une *Travelcard* vite rentabilisée. Moins d'angoisse et moins de stress !

Location de voitures

■ **BSP Auto :** ☎ 01-43-46-20-74 *(tlj).* ● bsp-auto.com ● Les prix proposés sont attractifs et comprennent le kilométrage illimité et les assurances. *BSP Auto* vous propose exclusivement les grandes compagnies de location sur place, vous assurant un très bon niveau de services. Les plus : vous ne payez votre location que 5 jours avant le départ. Remise spéciale de 5 % aux lecteurs de ce guide avec le code « ROUT19 ».
Et aussi :
■ **Hertz :** ☎ 01-41-91-95-25 *(0,35 €/ mn).* ● hertz.com ●
■ **Europcar :** ☎ 0825-358-358 *(0,15 €/ mn).* ● europcar.fr ●
■ **Avis :** ☎ 0821-230-760 *(0,15 €/mn).* ● avis.fr ●

Consignes, objets trouvés

– **Consignes (Left Luggage) :** toutes les grandes gares possédaient des consignes automatiques mais, à cause des nouvelles normes de sécurité dues aux éventuelles menaces terroristes, elles sont désormais fermées. Reste la solution des consignes manuelles, où les bagages sont passés aux rayons X. On vous signale aussi que la plupart des musées acceptent les sacs peu volumineux (pas de valise ni de sac à dos encombrant donc). Si vous êtes peu chargé, c'est sans doute la solution la plus économique et la plus pratique.

– **Objets trouvés (Lost Property) :** rens au ☎ 0343-222-1234 ou au Lost Property Office, 200 Baker St, NW1 5RZ. Lun-ven 8h30-16h.

– **Objets trouvés Eurostar :** à Londres, ☎ 00-44 (0)8448-22-44-11, et à Paris, ● objets-trouves-sncf.com/fr ●

VISITES GUIDÉES

À pied

Plusieurs sociétés proposent des balades (walks) commentées en v.o. dans Londres. Voir leurs coordonnées dans le chapitre « Hommes, culture, environnement », rubrique « Patrimoine culturel. Monuments et balades ».

En bus

■ **Original London Sightseeing Tour :** ☎ 020-8877- 1722. ● theoriginaltour. com ● Tlj : départs ttes les 20 mn 8h30-17h15 (Yellow Route), 17h30 (Orange Route) et 17h30 (Blue Route). Compter 32 £/pers ; réduc sur Internet. Pour visiter Londres en bus à impériale découvert. Sympa. Plusieurs circuits, dont 2 avec les commentaires français. Durée : 2h15, mais ticket valable 24h. Départs des différents arrêts : Piccadilly Circus, the National Gallery, Trafalgar Square, Buckingham Palace, Westminster Abbey, Saint Paul's Cathedral, Tower Bridge et bien d'autres encore. Offre gratuitement les transports sur la Tamise et des visites guidées.

■ **Big Bus Company :** ☎ 020-7808-6753. ● bigbustours.com ● Départs ttes les 15-30 mn de Green Park et de Victoria. Tlj : en été 8h30-17h/18h ; en hiver 8h30-16h30. Compter 30 £ ; réduc. Sinon, 38 £ et le 2e j. est offert (à certains moments de l'année, vérifier !) ; réduc. Sinon, ticket vendu à bord plein tarif. Il comprend également une croisière sur la Tamise et 3 circuits à pied. Blue Route (commentaires en français), ou Red Route, d'une durée de 1 à 2h. Billets valables 24h, ce qui permet de monter et de descendre du bus quand on veut, et 48h en hiver (pratique !). Propose aussi un parcours nocturne.

À vélo

■ **London Bicycle Tour Co. :** ☎ 020-7928-6838 ou 6898 (réparation). ● londonbicycle.com ● Départ tlj à 10h30 et 11h. Rdv au 1 A Gabriel's Wharf, 56, Upper Ground, SE1. Ⓜ Blackfriars. Durée : env 3h. Compter 24,95 £ pour le parcours et 20 £/j. pour la loc du vélo

(possibilité de louer à l'heure : 3,50 £). L'Est londonien coûte 28,50 £ et dure 3h30. Tlj à 14h (à 12h, hiver mar jeu et w-e seulement). Visites du Centre, de l'Est et de l'Ouest londonien. Se renseigner pour les horaires. Guide français possible, résa obligatoire.

En taxi

■ **Black Taxi Tours of London :** ☎ 020-7935-9363 et 07956-384-124. ● blacktaxitours.co.uk ● Tours de 2h pour 1-5 pers. Visite de jour

(8h-18h) : 150 £ par taxi. Visite de nuit (18h-minuit) : 160 £. Heure supplémentaire : 75 £ et 5 £ de plus les w-e et j. fériés. CB refusées. Possibilité de réserver par e-mail.
■ *Karma Kabs :* ☏ 07970-998-248.

● *karmakabs.com* ● « Le voyage est plus important que la destination » : telle est la devise de ces taxis (des *Ambassadors* modèle 1950) roses, jaunes, rouges, décorés façon Bollywood !

En bateau

Une façon originale et rapide pour visiter la ville. Une balade de 2h sur la Tamise permet de découvrir Londres sans se fatiguer. Choisir un jour où il y a du soleil, c'est quand même plus sympa.

■ *Infos sur tous les circuits possibles auprès de London River Services :* ☏ *0343-222-1234.* ● *tfl.gov.uk/modes/river/* ● *Avr-oct, départs de Westminster Pier 10h30-16h30, voire 18h (départs supplémentaires à la belle saison et même des croisières de nuit en juil-août ; horaires plus restreints le reste de l'année). Circuits variés sur la* Tamise avec, en principe, arrêts aux principaux points touristiques entre Hampton Court Pier et Thames Barrier. Les départs se font entre de Greenwich, Tower Bridge, London Bridge, Embankment, Waterloo ou Westminster (Westminster étant l'embarcadère principal).

Plusieurs compagnies se partagent le gâteau. Toutes ne proposant pas de commentaires à bord, renseignez-vous bien avant. Une seule va jusqu'à Thames Barrier (*Thames River Service* ; voir plus loin dans le chapitre « Les autres quartiers de Londres »). Une des balades les plus appréciées est celle vers Greenwich, même si, honnêtement, la balade en bateau est inégale et ne vaut le coup que si vous avez un but de visite à l'arrivée. Après Tower Bridge, la traversée du quartier des docks est longuette, même en faisant marcher son imagination pour se représenter l'activité intense qui devait régner ici au temps du commerce avec les Indes et de la splendeur de l'Empire britannique. Compter 12,50 £ et 2h pour un aller-retour Westminster-Greenwich (réduction avec l'*Oyster Card* ou la *Freedom Pass*). Sinon, d'autres balades possibles : Saint Katharines-Greenwich et Circular Cruise. Sachez aussi que des billets combinés sont proposés lorsque vous vous rendez aux London Eye, London Dungeon et Madame Tussauds. Plus de renseignements au pied du London Eye, embarcadère pour les balades en bateau, du plus traditionnel au plus sportif (dans une sorte de hors-bord à hélices !).

En voiture amphibie (toujours plus fort !)

■ *London Duck Tours :* juste derrière le *London Eye.* ☏ *020-7928-3132.* ● *londonducktours.co.uk* ● *Durée : 1h15. Prix : 27 £ pour un adulte (29 £ pour le James Bond Tour) ; réduc (heureusement !). Tlj sauf 24-26 déc,* 31 déc et 1ᵉʳ janv. Dans un véhicule amphibie, vous parcourez la Tamise et certaines rues de Londres, sur le thème de James Bond ou des pirates. Les enfants adorent !

LE CENTRE TOURISTIQUE
SOHO, PICCADILLY, COVENT GARDEN ET OXFORD CIRCUS

- Pour se repérer, voir le plan d'ensemble et le centre 1 détachables en fin de guide.

Cœur attractif de la ville, ce grand centre de Londres regroupe en son sein les célèbres quartiers de Soho, Piccadilly, Covent Garden, Oxford Circus... Vos pas vous y mèneront inévitablement, car on y trouve la National Gallery et beaucoup d'autres musées prestigieux. C'est aussi là que se concentrent théâtres, restos, bars, boutiques... Avec le très emblématique mur publicitaire de Piccadilly Circus qui vante, de jour comme de nuit, les mérites de grandes marques mondiales. En constant développement, c'est un véritable miroir aux alouettes qui happe la plupart des appareils photo des touristes. Une vraie balade énergisante pour découvrir le Londres *by night* du côté du West End, là où sont joués tous les grands spectacles de la capitale ! Ce quartier fut autrefois le lieu où s'est éveillée l'avant-garde culturelle ; il a évidemment perdu son âme bohème, mais on continue à le fréquenter assidûment pour son animation trépidante, de jour comme de nuit. À voir au moins une fois !

Où dormir ?

Le centre touristique n'offre pas de bonnes adresses bon marché et le confort n'est pas toujours au rendez-vous : mieux vaut résider dans les quartiers limitrophes. Voici toutefois notre sélection pour ceux qui tiennent à profiter de l'effervescence de Soho et de Piccadilly.

Location d'appartements privés

🏠 **Guest Ready** est une société de conciergerie proposant une centaine d'appartements à louer dans toute la capitale et donc le centre touristique. Équipe sympa, qui parle français, à votre écoute pendant tout votre séjour. • *guestready.com/fr/* • 🖥 *(+44) 2038-683-401.*

Studios et appartements

🏠 ***Citadines Trafalgar Square*** *(centre 1, F4, 45) :* 18-21 Northumberland Ave, WC2N 5EA. ☎ 020-7766-3700 et 800-376-38-98 *(n° gratuit).* • *trafalgar@citadines.com* • *citadines.com* • Ⓜ *Charing Cross* ou *Embankment. Env 140-450 £ pour*

2-6 pers. Réduc à la sem et sur Internet. Situé stratégiquement entre Piccadilly Circus, Covent Garden et Big Ben, cet hôtel-résidence haut de gamme propose près de 200 studios et appartements modernes, nickel et de très bon confort (TV écran plat et chaîne hi-fi dans le salon, cuisine équipée, clim...). Petit déj et service de chambre en supplément à la demande. Pas franchement donné, mais idéal pour les familles.

🛏 **The Nadler Soho** (centre 1, E3, **70**) : 10 Carlisle St, W1D 3BR. ☎ 020-3697-3697. ● soho.info@nadlerhotels.com ● thenadler.com/soho.shtml ● Doubles 220-330 £. Petit déj en chambre pour 1 £ ou au Pain Quotidien. Ambiance résolument contemporaine pour cet établissement entre hôtel et appartement. Teintes sombres des moquettes, carrelages noirs des salles de bains et mobilier fonctionnel. Chambres pas bien grandes mais tout confort avec plein de petites attentions comme la kitchenette d'appoint (frigo et microondes), une machine Nespresso et des réducs dans les restos voisins. Et on est en plein cœur de l'animation. Bon accueil.

De bon marché à prix moyens (moins de 90 £ / 105 €)

🛏 **Oxford Street Youth Hostel** (YHA ; centre 1, E3, **50**) : 14 Noel St, W1F 8GJ. ☎ 0345-371-9133. ● oxfordst@yha.org.uk ● yha.org.uk ● Ⓜ Oxford Circus. Réception au 3e étage. Compter 20-35 £/pers en dortoir non mixte de 3-4 lits. Doubles ou twin sans sdb 49-85 £. Petit déj en sus ; cuisine à dispo. Cette AJ en plein centre touristique arbore des couleurs pop et acidulées sur 3 étages (avec ascenseur !). Chambres nickel, moquette épaisse, lits superposés et couettes, placards et point d'eau. Salles de bains à partager. Cuisine bien équipée pour vos petits plats. Hyper propre. Propose des excursions, des billets de spectacles (le mercredi seulement) à prix négociés et des tours thématiques de la ville gratuits (en anglais et espagnol).

Personnel jovial et serviable. Un super plan dans le centre !

🛏 **Hub by Premier Inn Covent Garden** (centre 1, F4, **108**) : 110 Saint Martin's Lane, WC2N 4BA. ☎ 033-3321-3104. ● hubhotels.co.uk ● Ⓜ Leicester Square ou Charing Cross. ♿ Doubles 69-189 £. Une chaîne d'établissements ultramodernes et design. Les chambres standard, petites, disposent déjà de tout le confort : TV écran plat, bureau amovible, rangements sous le lit, salle de bains nickel, variateur de lumière et chauffage, clim, branchements pour vos appareils électroniques... Les autres, un peu plus chères, bénéficient de plus d'espace (certaines accessibles aux fauteuils roulants). Déco contemporaine très réussie et espaces communs lumineux. En prime, une petite épicerie fine et un coin cafétéria pour prendre un bon petit déj ou un snack, à base de produits locaux. Le tout situé juste derrière la National Gallery et au cœur du quartier des théâtres. Un vrai bon plan pour les routards 2.0 !

🛏 **High Holborn Residence** (centre 1, F3, **124**) : 178 High Holborn, WC1V 7AA. ☎ 020-7107-5737 et 020-7955-7676 (central de résa). ● high.holborn@lse.ac.uk ● lsevacations.co.uk ● Ⓜ Holborn. Ouv de mi-août à fin sept principalement, quelques logements tte l'année. Résa obligatoire. Doubles avec sdb commune à partir de 89 £, 111 £ avec sdb incluse ; petit déj continental inclus. Promos sur Internet. À 10 mn de Covent Garden, une résidence universitaire moderne, bien tenue et surveillée 24h/24. Chambres petites, sans charme, mais confortables et fonctionnelles. Cuisine à dispo à chaque étage, salle de jeux et machines à laver. Personnel accueillant et copieux petit déj-buffet inclus. Pas le grand luxe mais idéalement situé et d'un bon rapport qualité-prix.

🛏 **Travelodge Covent Garden** (centre 1, F3, **112**) : 10 Drury Lane, High Holborn, WC2B 5RE. ☎ 08-719-848-484 (central de résa). ● travelodge.co.uk ● Ⓜ Holborn ou Tottenham Court Rd. Prix variables selon jour et période, doubles env 80-200 £ ; réduc sur Internet. Dans un énorme bâtiment sans charme mais fonctionnel et impeccable, une ribambelle de chambres modernes, rénovées dans un style contemporain. Simples et agréables, dotées de petites salles de bains bien tenues. Chambres familiales également. Petit déj en supplément dans la cafétéria (mais plein d'autres cafés dans le coin). Un bon rapport qualité-prix.

Plus chic
(90-120 £ / 105-140 €)

🏠 *The Z Hotels (centre 1, E3, 159)* : 17 Moor St, W1D 5AP. ☎ 020-3551-3701. ● soho@thezhotels.com ● thezhotels. com ● Doubles 70-250 £ (le moins cher le dim). Pas de petit déj. On passerait presque devant sans l'apercevoir. Bâtiment tout en hauteur, qui cache bien son jeu à l'intérieur, autour d'une cour et d'escaliers dans tous les sens ! On vient ici surtout pour la position très centrale, au cœur de l'animation de Soho, et pour le rapport qualité-prix. Des chambres riquiqui (on tient à peine à 2 debout !), avec ou sans fenêtre, mais modernes et bien aménagées. En outre, la maison est fière de proposer des matelas faits en Angleterre.

🏠 *Premier Inn Leicester Square (centre 1, E4, 151)* : 1 Leicester Pl, WC2H 7BP. ☎ 0871-527-9334 (0,13 £/ mn + coût de l'opérateur). ● premie rinn.com ● Doubles 96 (dim seule-ment)-203 £ pour 1-4 pers, sans petit déj. On ne peut plus central, au cœur de l'animation non-stop, mais extra calme grâce au quadruple vitrage et au « quiet time » imposé de 22h à 7h. D'ailleurs, cet hôtel de chaîne récent rembourse les clients qui ont mal dormi ! Plus de 80 chambres au confort standard, de différentes tailles. Parties communes modernes et chaleureuses, la réception est au 2e étage (avec ascenseur). En réservant tôt, on peut profiter de prix assez avantageux.

Très chic
(plus de 120 £ / 140 €)

🏠 *Dean Street Townhouse (centre 1, E3, 55)* : 69-71 Dean St, W1D 3SE. ☎ 020-7434-1775. ● deanstreettownhouse.com ● Ⓜ Tot-tenham Court Rd. Doubles 120-450 £, sans petit déj. En plein cœur de Soho, un boutique-hôtel idéal pour les amou-reux (pas de twin ou familiale), au style « vintage moderne », tellement anglais. Toutes les chambres, une quaran-taine, ont une déco chaleureuse, des plus petites (les « placards à balais », manquent pas d'humour !) aux plus chères, terriblement décadentes avec baignoire sabot dans le salon et « rain shower ». On adore ! Plein de petites marques d'attention, produits Cow-shed, biscuits maison et capotes... anglaises, of course ! Resto très couru au rez-de-chaussée. Accueil très pro.

🏠 *Hotel Henrietta (centre 1, F4, 81)* : 14-15 Henrietta St, WC2E 8QG. ☎ 020-3794-5313. ● henriettahotel. com ● Ⓜ Covent Garden. Doubles à partir de 215 £. Une vingtaine de chambres accessibles par le charmant bar-lobby-bistrot. Déco très élégante aux teintes poudrées, digne d'une bou-tique de macarons. Un vrai cocon en plein cœur de Covent Garden. Belles chambres, vastes et tout confort, natu-rellement. Accueil en français de sur-croît très souriant. Bar à cocktails pour finir la soirée.

Spécial coup de folie
(plus de 250 £ / 290 €)

🏠 *Saint Martin's Lane (centre 1, F4, 74)* : 45 Saint Martin's Lane, WC2N 4HX. ☎ 020-7300-5500 et 0800-4969-1770 (central de résa). ● stmartinslane.com ● Ⓜ Leicester Sq. Juste en face du théâtre Duke of York. Doubles et studios env 240-420 £ (taxes incluses). Réduc sur Internet. Du grand luxe avec Starck aux manettes, que les fans d'architecture moderne et de design apprécieront. Quelque 200 chambres et un véritable choc d'influences, entre baroque et esprit futuriste ! Une porte-tambour jaune fluo, un jeu d'échecs détonnant dans le non moins surprenant hall où sièges « molaires » de Starck côtoient sans vergogne bergères Louis XV. Fallait oser ! Chambres ultra-confort natu-rellement, dans un style minimaliste qui ne laisse pas indifférent. Larges baies vitrées du sol au plafond, certaines avec vue sur un microjardin, d'autres sur Londres, rien de moins ! Bar et resto cosy tout aussi élégants, et salle de sport complète pour qui voudrait garder la ligne. Et pour ceux qui auraient gagné au Loto, il y a même un penthouse de près de 100 m^2 avec vue panoramique sur la ville... à partir de 1 920 £ la nuit (oui !).

🛏 *Charlotte Street Hotel (centre 1, E3, 48)* : 15-17 Charlotte St, W1T IRJ. Ⓜ *Goodge St ou Tottenham Court Rd.* ☎ 020-7806-2000. ● charlotte@firmdale.com ● charlottestreethotel.com ● Doubles env 265-530 £, sans petit déj. Packages et réduc sur Internet.

Cet hôtel reprend tous les codes de la déco anglaise par Kit Kemp, en les mettant au goût du jour, très anglais. Déco unique dans chaque chambre, style Bloomsbury, très coloré, à dominante bleutée, avec rayures et fleurs à l'unisson. Certains trouveront cela un peu chargé, d'autres y verront une tradition toute britannique ici perpétuée. Grand confort. Salle de projection privée, œuvres d'art et objets design, bar et restaurant *Oscar* pour prendre l'*afternoon tea* (à partir de 26 £) ou profiter des week-ends *film club* (à partir de 40 £ avec repas). Vous n'aurez plus envie de sortir !

Où manger ?

Sur le pouce (moins de 10 £ / 12 €)

Pas mal de petites adresses pour se restaurer sur le pouce et à moindre coût. Un intérêt : dans les boutiques à emporter, les prix sont nets. On économise donc les 12,5 % de service (qu'il faut penser à rajouter à tous les prix, sous peine de mauvaises surprises !).

🍴 *Shake Shack (centre 1, F4, 138)* : 4, Market Building, Piazza, WC2E 8RD. Ⓜ *Covent Garden.* Lun-sam 11h-23h, dim 11h-22h30. Burgers à partir de 5,50 £. Une chaîne experte en burgers de qualité, avec produits locaux et carte assez courte (bon signe !). Propose quelques variantes, comme le hot dog ou sandwich à base de poulet. Rien pour se poser ou presque, mais on n'est pas venu pour ça !

🍴 |●| *Chick'n'Sours (centre 1, F3, 134)* : 1A Earlham St, London WC2H 9LL. ☎ 020-3198-4814. Ⓜ *Leicester Square.* Lun 17h-22h, mar-mer 12h-15h et 17h-22h, jeu-ven 12h-15h et 17h-22h30, sam 12h-22h30 et dim 12h-20h30. Plats 5-8 £. Soit on commande au rez-de-chaussée et on file, soit on se pose au sous-sol de ce resto spécialisé dans... le poulet frit. Et sous toutes ses formes, avec des accompagnements tous plus exotiques les uns que les autres. Pas de la grande

cuisine, mais de quoi se rassasier pour pas cher. Déco pop et sympa.

🍴 *Leon (centre 1, F4, 379)* : 73-76 Strand, WC2R 0DE. ☎ 020-7240-3070. Ⓜ *Embankment ou Charing Cross.* Lun-sam 7h (9h sam)-22h (23h jeu-ven) ; dim 11h-19h. Env 4-8 £. Un snack au cadre rétro très coloré, d'un excellent rapport qualité-prix. C'est bon, plutôt original et servi rapidement, avec le sourire. Bons petits déj, salades, *wraps,* burgers (à partir de 17h), etc. Également tout un choix de *lunch box* exotiques (thaïe, marocaine, mexicaine...), disponibles en version végétarienne et/ou sans gluten. Idéal pour un repas pré-théâtre bon et rapide, ou pour partir en balade avec sa *box.* Plein d'autres adresses à Londres, notamment au marché de Spitalfields et à l'entrée nord de Carnaby Street.

🍴 *Meat Market (centre 1, F4, 618)* : Jubilee Market Hall, Tavistock St, WC2E 8BE. ☎ 020-7240-4852. ● info@themeatmarket.co.uk ● Ⓜ *Covent Garden.* Tlj 11h30-23h (minuit ven-sam, 22h dim). Pas de résa. Env 8-15 £. L'escalier n'est pas très engageant, et la salle en longueur planquée à l'étage du marché fait plus dans le rugueux que dans le glamour... Mais les aficionados sont nombreux à investir les tables hautes en bois pour dévorer à toute heure les célèbres burgers de la maison. Leur spécialité : le *Dead Hippie burger,* bien épais et *juicy* à souhait (presque aussi bon qu'à New

York !). Hot dogs pas en reste. Quelques cocktails et alcools détonants pour les amateurs, et des milk-shakes pour les bouches en sucre. Impeccable pour une pause calorique sur fond de rock.

|●| ☂ **Princi** (centre 1, E3, **152**) : 135 Wardour St, W1F 0UT. ☎ 020-7478-8888. ● info@princi.com ● Ⓜ Tottenham Court Rd. Lun-sam 8h-minuit, dim 8h30-22h. Plats 4-13 £, pizzas 6-13 £. On aime cette grande salle assez classe, à prix mini avec musique en v.o. D'un côté, le resto, séparé par le four à pizzas où s'activent des *pizzaioli* attentionnés. De l'autre, de grandes tablées pour partager les merveilles de la vitrine, le long d'un mur de... robinets ouverts. *Focaccie* au thon, à la tomate, au jambon de Parme, à la mortadelle, parts de pizzas, pâtes, salades de légumes, et une série de desserts à se damner (tiramisù, tarte aux fraises, etc.). Un régal, pour les yeux et pour le ventre.

|●| ➤ **Golden Union** (centre 1, E3, **82**) : 38 Poland St, W1F 7LY. ☎ 020-7434-1933. Ⓜ Oxford Circus. Tlj 11h30-22h. Une adresse incontournable de Londres pour les fans de *fish & chips*. Tout le monde s'y retrouve, du balayeur à l'étudiant en passant par les habitués du quartier. Bien craquant et de quoi être calé pour la journée.

➤ **EAT** (plan d'ensemble, D3, **153**) : 319 Regent St, W1B 2HU. ☎ 020-7636-4144. Ⓜ Oxford Circus. Lun-ven 7h-20h, sam 8h30-18h30. Fermé dim. Sandwichs, salades et soupes soignés, avec beaucoup de légumes et de couleurs. Beaucoup d'autres adresses dans Londres, mais pas toujours possible de s'asseoir. Et ce qui n'est pas vendu le soir disparaît à jamais du rayon, promesse de la maison !

➤ **Pret A Manger** (centre 1, F4, **150**) : 62-65 Trafalgare Square, WC2N 5DS. ☎ 020-7932-5350. Ⓜ Charing Cross. Tlj 6h (7h30 sam-dim)-21h. Sandwichs aux recettes originales et exotiques, frais, à partir de produits de qualité et à prix très honnêtes. Également de bonnes soupes, des salades, des porridges pour le petit déj et du café bio. Plus de 100 autres *Pret* (prononcer « Prêt» à l'anglaise) dans Londres (dont la succursale de Saint Martin's Place, juste derrière Trafalgar Square, qui a l'avantage d'offrir une terrasse).

➤ |●| ☼ **Whole Foods Market** (centre 1, E4, **163**) : 20 Glasshouse St, W1B 5AR. ☎ 020-7406-3100. Ⓜ Piccadilly Circus. Lun-ven 7h30-22h, sam 9h-22h, dim 12h-18h (café ouv à partir de 10h). Compter 4-8 £. Grand supermarché bio où tout est vendu au détail. À l'étage, sandwichs, soupes, *burritos*, pizzas, sushis... à emporter ou sur place. Y a même une terrasse. Jus de fruits accommodés de 1 000 manières, *pies,* fromages anglais et spécialités de charcuterie. Une vraie caverne d'Ali Baba où l'on resterait des heures !

➤ |●| **Tom's Kitchen Deli** (centre 1, F-G4, **278**) : Strand, dans la Somerset House, au fond de la cour. ☎ 020-7845-4646. Ⓜ Temple ou Embankment. Tlj 8h (10h w-e et j. fériés)-18h. Env 5-9 £. C'est le *deli* du fameux chef Tom Aikens, qui officie dans le resto chic attenant. La qualité est à la hauteur de sa réputation : sandwichs originaux et savoureux, soupes délicieuses et comptoirs alignant de belles salades à composer soi-même et les propositions du jour. Impeccable pour une petite pause dans la jolie salle de poche (cadre frais, carrelage blanc, parquet et meubles bois clair) ou, mieux, sur la terrasse déployée dans le cadre unique de la cour d'honneur de la Somerset House. On adore !

Bon marché
(10-20 £ / 12-23 €)

|●| **The Attendant** (plan d'ensemble, D3, **184**) : 27A Foley St, W1W 6DY. ☎ 020-7580-3413. ● fitzrovia@the-attendant.com ● Ⓜ Goodge St. Lun-sam 7h30 (9h sam-dim)-17h30. Snacks et cakes à moins de 10 £. Envie d'une pause technique après avoir vidé les boutiques ? Descendez dans ces anciennes toilettes victoriennes qui ont trouvé un nouvel usage postérieur : un café on ne peut plus original où l'on s'attable aux antiques ex-urinoirs et où des serveurs ont piqué la place de la dame pipi. Très bien pour un *tea,* un *cake* ou une délicieuse salade *healthy.* En plus, l'addition ne vous soulagera que de quelques pounds !

|●| **Bone Daddies** (centre 1, E3-4, **140**) : 31 Peter St, W1F 0AR. ☎ 020-7287-8581. ● hello@bonedaddies.com ●

Ⓜ *Piccadilly Circus. Lun 12h-22h, mar-mer 12h-23h, jeu-sam 12h-23h30, dim 12h-21h30. Ramens 12-17 £.* Le créateur de cette enseigne, Ross Shonhan, ex-Zuma et Nobu, est un anglais fou de cuisine japonaise ou la rencontre dans l'assiette du rock anglais et du zen japonais ! Chaque *ramen* (nouilles, viande ou poisson, miso) offre un bouillon préparé avec soin, avec légumes tranchés à la main et nouilles faites maison. On vient ici déguster ces gros bols riches et savoureux qui vous requinquent sacrément. Cadre rock, tout noir et bois, avec tabourets en métal. Prévoir de l'attente mais ça tourne vite. D'autres adresses, à Victoria *(9 Sir Simon Milton Square)*, à Marylebone *(46-48 James St)*, ou Kensington *(Whole Foods Market, 63-97 Kensington High St)*. On adore !

|●| **Franx Continental Café** *(centre 1, F3, 130)* : 192 Shaftesbury Ave, WC2H 8JL. ☎ 020-7836-7989. Ⓜ Tottenham Court Rd. Tlj 7h-18h. Env 3,50-7,50 £.* Sorte de petit fast-food au cadre étriqué pas vraiment engageant, mais remarquablement bien approvisionné : salades, sandwichs frais, soupes, lasagnes et pâtes accommodées de diverses sauces... Plats du jour au tableau noir. Sert aussi des petits déj, notamment le classique *full English breakfast,* et un bon café. Une poignée de tables pour consommer sur place (toujours plein de ce fait). Sans prétention, mais correct et à prix riquiqui, avec un bout de terrasse. Accueil souriant.

|●| **Hummus Bros** *(centre 1, E3, 195)* : 88 Wardour St, W1F 0TH. ☎ 020-7734-1311. ● info@hbros.co.uk ● Ⓜ *Piccadilly Circus. Lun-ven 11h-22h, sam 12h-22h, dim 12h-21h. Plats 7-9 £.* Plein d'humour chez ces 2 copains de lycée qui rêvaient de partager un plat généreux plein de goût et suffisamment nourrissant. L'idée de l'« hummus bar » était née. Salle toute simple avec grandes tablées communes pour déguster une recette ancestrale, celle à base de pois chiches *(peas),* qu'accompagnent bœuf, poulet, avocat, etc. Un délice pour les végétariens comme pour les gourmands. *Give peas a chance !*

|●| **Viet Pho** *(centre 1, E3, 171)* : 34 Greek St, W1D 5DJ. ☎ 020-7494-9888. Ⓜ *Leicester Sq. Lun-jeu 12h-23h, ven-sam 12h-23h30. Fermé dim. Soupes et plats autour de 8 £.* Dans une petite salle proprette, tentez la soupe *phó*, remarquable. Le bouillon n'est pas trop gras et le pâte de riz est parfaitement cuite. La carte propose aussi quelques spécialités thaïlandaises. L'une des bonnes options en lisière de Chinatown. Service très aimable.

|●| **Mother Mash** *(centre 1, E3, 228)* : 26 Ganton St, W1F 7QZ. ☎ 020-7494-9644. Ⓜ *Oxford Circus. Tlj à partir de 8h30. Petits déj à partir de 7 £ ; formule repas autour de 9,50 £.* À 2 pas de Carnaby Street, une petite adresse à garder en tête pour ses horaires non-stop, ses prix doux et ses délicieuses saucisses-purée. Certes, le décor, très fonctionnel, n'incite pas à s'attarder. Mais ici, tout est préparé à la demande puisqu'on choisit d'abord sa saucisse (nature ou non...), puis sa purée (aux oignons, au cheddar...) jusqu'à sa texture, plus ou moins épaisse et, enfin, sa sauce. À la carte ! Simple et savoureux. Bon choix de *pies* également. Terrasse.

|●| **Govinda's** *(Rada Krishna Temple ; centre 1, E3, 155)* : 10 Soho St (à 20 m de l'angle avec Oxford St), W1D 3DL. ☎ 020-7440-5229. ● govindas@iskcon-london.org ● Ⓜ *Tottenham Court Rd. Tlj 12h-21h (16h dim). Plats 4-14 £.* Un self végétarien très bon marché, tenu par des Hare Krishna. Ambiance un peu *flower power,* ça va de soi. Très bonne cuisine, notamment les fameux *thalis,* ou plus simplement *pies,* salades et *veggie burger.* Bref, une sympathique adresse, simple et sans prétention, au rez-de-chaussée du temple !

|●| **Dishoom** *(centre 1, F3-4, 200)* : 12 Upper Saint Martin's Lane, WC2H 9FB. ☎ 020-7420-9320. Ⓜ *Leicester Sq ou Covent Garden. Lun-ven 8h-23h (minuit ven), sam 9h-minuit, dim 9h-23h. Plats env 8-12 £.* Très apprécié aussi pour ses petits déj, ce *Bombay Café* à l'ambiance bistrot élégant se veut un véritable lieu de vie, où l'on partage tous les repas de la journée. Cadre cosy et cuisine indienne relevée à souhait *(daal, chicken tikka* ou *biryani,* délicieux *naan* cuits au four *tandoor,* entre autres), tellement

fameuse qu'il faut prévoir une longue file d'attente (ou réserver sa table longtemps à l'avance) pour avoir la chance d'y goûter ! *Dishoom* a un succès fou, plusieurs adresses à Londres.

I●I ⇒ 🍴 Wahaca (centre 1, E3, **48**) : *19-23 Charlotte St, W1T 1RL. ☎ 020-7323-2342. ● charlottestreet@ wahaca.co.uk ● Tlj 12h-23h (22h dim). Plats 4-11 £, avantageux plats pour 2 pers 23-42 £.* Une chaîne qui met à l'honneur la cuisine mexicaine. *Burritos*, tacos, salades, tapas, faites votre choix, il y en a pour tous les goûts. Un régal ! Déco rafraîchissante et moderne. Au 1er étage, *mezcaleria*, autour d'un bar aux lignes métalliques superbes et la porte à côté, *deli* pour emporter son frichti. Bonne ambiance, copieux et savoureux. Et même une terrasse !

I●I Café in the Crypt (centre 1, F4) : *dans la crypte de Saint Martin-in-the-Fields ; entrée par l'ascenseur vitré attenant. ☎ 020-7766-1158. ● cafe@ smitf.org ● 🚇 Charing Cross. Lun-mar 8h-20h, mer 8h-22h30, jeu-sam 8h30 (9h sam)-21h, dim 11h-18h. Sandwichs et plats du jour env 4-12 £, breakfast 2-7,50 £ et afternoon tea 18 £.* Émouvant de se restaurer sous l'église qui livra l'une des plus belles versions du *Requiem* de Mozart. Sise dans une belle et vaste cave voûtée du XVIIIe s, cette cafétéria délicieusement décalée prend ses aises sur un dallage... de pierres tombales. Ça ne coupe pas l'appétit, car les petits déjeuners complets (jusqu'à 11h) ou bien les sandwichs, soupes, pâtes, salades et autres pâtisseries sont ultra-frais et appétissants (servis en demi-portions pour les enfants). Il faut attendre le printemps pour investir la grande terrasse qui occupe l'espace derrière le chevet de l'église jusqu'à la fin de l'été. Un must.

I●I Honest (centre 1, E3, **145**) : *4 Meard St, W1F 0EF. ☎ 020-3609-9524. ● hello@honestburgers.co.uk ● 🚇 Tottenham Court Rd ou Piccadilly Circus. Tlj 11h30-23h (22h dim). Compter 9-15 £.* Une petite adresse de poche qui ne désemplit pas. N'ayez pas peur de la file d'attente, turn-over rapide et on vous envoie un texto pour vous prévenir. On vient ici pour le seul plat à la carte : le burger qui se compose comme un Lego. On choisit sa viande ou végétarien, puis son accompagnement (frites maison croustillantes à souhait, stilton, etc.) et... on attend sa belle assiette en métal richement garnie. Cadre simple, du rock à tue-tête, un service adorable... Emballé, c'est pesé ! Pour être « honnête », certainement le meilleur burger de Londres. D'ailleurs d'autres *Honest* ont ouvert en ville.

De bon marché à prix moyens (moins de 25 £ / 31,50 €)

I●I Homeslice (centre 1, F3, **169**) : *13 Neal's Yard, WC2H 9DP. ☎ 020-3151-7488. ● nealsyard@homesli cepizza.co.uk ● 🚇 Covent Garden. À l'entrée d'une placette accessible par Shorts Gardens ou Monmouth St. Tlj 12h-23h. Env 4 £ la part ou 20 £ la pizza à partager.* Le four à bois en terre cuite n'a guère le temps de refroidir dans cette petite échoppe toujours bondée, où s'active une équipe dynamique tout sourire. Au coude à coude sur de grandes tables communes, la foule partage sans façons d'énormes pizzas dans une ambiance tonitruante. Seulement une dizaine au choix avec des *toppings* goûteux et originaux, comme celle aux oignons caramélisés, anchois et olives de Kalamata. On dévore le tout avec les doigts et on étanche sa soif avec du vin au compteur. L'une de nos adresses préférées, c'est dit ! D'ailleurs on en trouve 2 autres à Fitzrovia *(52 Wells St)* et Shoreditch *(374-378 Old St).*

I●I 🧒 Bill's (centre 1, E4, **223**) : *36-44 Brewer St, W1F 9TB. 🚇 Piccadilly Circus. ☎ 020-7287-8712. ● soho@ bills-email.co.uk ● Lun-jeu 8h-23h (23h30 jeu), ven 8h-minuit, sam 9h-minuit et dim 9h-22h30. Menus 12,95-15,95 £. Plats 9-22 £.* Ambiance grande maison de famille, avec vieux lustres et bougeoirs, tables dépareillées, canapés Chesterfield bien usés, comme le parquet et les piments oubliés pendus au plafond. Il règne une bonne ambiance derrière les grandes baies vitrées. Une adresse bienvenue pour de petits plats simples, servis généreusement (salades, burgers, moules-frites, *pies*). Service simple et efficace.

|●| Bodean's BBQ Smoke House (centre 1, E3, **305**) : 10 Poland St, W1F 8PZ. Ⓜ Oxford Circus. ☎ 020-7287-7575. ● soho@bodeansbbq. com ● Lun-sam 12h-23h (22h30 sam), dim 11h30-22h30. Plats 8-19 £. Pas de chichis ici, on vient célébrer la bonne viande cuite au barbecue en direct des USA. Des *ribs*, du poulet, de la dinde ou du porc, comme le rappelle l'enseigne au petit cochon. Et en sandwich, de préférence avec sauce et frites, servis dans une petite barquette en plastique. On commande au comptoir, on attend sur un tabouret que son numéro soit appelé et, ensuite, on mange avec les doigts, s'il vous plaît. Un régal ! Une autre salle au sous-sol, plus cosy. Terrasse aux beaux jours.

|●| The Rock and Sole Plaice (centre 1, F3, **182**) : 47 Endell St, WC2H 9AJ. ☎ 020-7836-3785. ● reservations@rockandsoleplaice. com ● Ⓜ Covent Garden. Lun-sam 12h-23h, dim 12h-22h. À partir de 4,50 £ à emporter, 6 £ sur place. Spécialiste du *fish & chips* depuis 1871, autant dire que ce *chippy* connaît son affaire. Effectivement, on n'est pas déçu par les poissons, tendres à l'intérieur et croustillants à souhait à l'extérieur, ni par la générosité des portions. Choix d'une demi-douzaine de poissons (également *calamars and chips*). Bons *fish cakes*. Clientèle nombreuse de curieux et de touristes, regroupés dans la toute petite salle carrelée, dans le sous-sol caverneux ou sur la terrasse ombragée. Typique et populaire donc, même si les prix sont plutôt élevés pour cette catégorie, et tous les extras (frites, *mushy peas*, etc.) en supplément.

|●| 👫 Ed's Easy Diner (centre 1, E3, **159**) : 12 Moor St, Old Compton St, W1D 5NG. ☎ 020-7434-4439. ● soho.manager@edseasydiner.com ● Ⓜ Leicester Sq. Lun-jeu 11h-23h (23h30 jeu) ; ven-sam 11h (12h sam)-minuit ; dim 12h-22h. Burgers 6-14 £. Petits déj à partir de 5,99 £. Les fans de *Happy days* vont être ravis ! Un vrai *dinner* à l'américaine des années 1950, avec de super burgers pour caler une fringale. Bonnes frites maison. On s'assoit autour du comptoir en zinc, et on sifflote sur un air de *Baby Love* en dégustant des milk-shakes renversants. D'autres *dinners* en ville mais, de toutes les manières, c'est cet *Ed's* qu'on préfère !

|●| Taro (centre 1, E4, **157**) : 59-61 Brewer St, W1F 9UW. ☎ 020-7734-5826. Ⓜ Piccadilly Circus. Lun-sam 12h-22h30 (23h ven-sam), dim 12h30-21h30. Plats 7-12 £. Resto de cuisine japonaise : sushis, nouilles et riz sautés, soupe de nouilles, *ramens*, bref, tout le monde y retrouve son plat préféré. Cuisine ouverte sur une petite salle simple tout en bois blond. Clientèle d'étudiants et de businessmen le midi.

|●| Mildred's (centre 1, E3, **160**) : 45, Lexington Rd, WF1 9AN. ☎ 020-7494-1634. ● soho@mildreds.co.uk ● Ⓜ Piccadilly Circus. Lun-sam 12h-23h. Plats 7-12 £. Si l'extérieur est bleu, l'intérieur est vert ! En poussant la porte de cette adorable devanture rétro, on a l'impression d'aller rendre visite à une vieille tante. Une aïeule un peu particulière, végétarienne, bio et dans le vent, chez qui il règne une ambiance de cantine. À tel point qu'on ne s'entend plus parler, même dans la grande salle du fond ! Salades, burgers, assiettes... Tout est délicieux, sain, pas trop cher et servi par un personnel aux petits oignons.

|●| 👫 Rossopomodoro (centre 1, F3, **192**) : 50-52 Monmouth St, WC2H 9EP. ☎ 020-7240-9095. ● covent@rosso pomodoro.co.uk ● Ⓜ Leicester Sq. Tlj 12h-23h (23h30 ven-sam et 22h dim). Pizzas env 7-15 £, menu déj 10,95 £ ; menus enfants 7-9 £. L'une des succursales d'une petite chaîne de restos italiens très connue à Londres. Grande salle moderne, colorée et agréable, quoiqu'un peu bruyante à l'heure du coup de feu. Les habitués viennent principalement pour les pizzas, fameuses et garnies de délicieux produits frais. Bons plats de pâtes également, salades, *bruschette* et *street food* typiquement napolitaine. En prime, service vif et souriant.

|●| Masala Zone (centre 1, E3, **161**) : 9 Marshall St, W1F 7ER. ☎ 020-7287-9966. ● soho@masalazone.com ● Ⓜ Piccadilly Circus ou Oxford Circus.

LE CENTRE TOURISTIQUE

Lun-sam 12h (12h30 sam)-23h ; dim 12h30-22h30. Plats 9-15 £. Une cantine indienne branchée, plébiscitée par bon nombre de jeunes (et moins jeunes) Londoniens. Bon *thali* (petit plateau métallique) avec différentes préparations de légumes et de différentes tailles. Convient à tous les appétits ! Grande salle sur différents niveaux, à la déco égayée de fresques naïves, célébrant une région différente de l'Inde dans chacune des adresses de cette enseigne. Pas de la grande gastronomie mais de quoi casser une graine saine pour pas cher. Assez animé et service rapide et souriant.

|●| *Bao (centre 1, E3, 137)* : 53 Lexington St, W1F 9AS. Ⓜ *Oxford Circus ou Piccadilly Circus. Pas de résa. Lun-mer 12h-15h et 17h30-22h, jeu 12h-15h et 17h30-22h30, ven-dim 12h-22h30 (17h dim).* Pas plus de 32 personnes dans cette échoppe grande comme un mouchoir de poche. On essaie de s'asseoir autour du bar de bois blond ou en vitrine, pour déguster le fameux *bao*, spécialité culinaire chinoise. Il s'agit d'un petit pain cuit à la vapeur, fourré au porc confit, au poulet, à l'agneau ou aux légumes. Tout est préparé sous vos yeux. Miam ! Prévoir de l'attente, surtout le week-end.

|●| *Wild Food Café (centre 1, F3, 169)* : 14 Neal's Yard, au 1er étage (placette accessible par Shorts Gardens ou Monmouth St), WC2H 9DP. ☎ 020-7419-2014. ● info@wildfoodcafe.com ● Ⓜ *Covent Garden. Mar-sam 11h30-20h, dim 11h30-18h. Plats env 6-15 £.* Dans un bel immeuble en brique à la façade couverte de plantes vertes, une salle claire et sobre organisée autour d'une cuisine ouverte, large comptoir et série de tables le long des fenêtres. Cuisine végétarienne issue de recettes glanées par les proprios au gré de leurs voyages. On retrouve tous les grands classiques, du *mezze* turc aux plats mexicains en passant par les falafels égyptiens, préparés essentiellement avec des ingrédients bio. Bons desserts.

|●| *The Punjab (centre 1, F3, 172)* : 80 Neal St, WC2H 9PA. ☎ 020-7836-9787. Ⓜ *Covent Garden ou Tottenham Court Rd. Tlj 12h-23h (22h dim). Résa conseillée. Env 11-16 £ le plat.* Derrière une large devanture bleue, un restaurant indien qui se démarque par son cadre agréable tout en boiserie. Cela explique en partie sa surprenante longévité (depuis 1946 !), mais c'est avant tout sa cuisine punjabi (région au nord de l'Inde), classique et pleine de saveurs, qui fidélise les amateurs. Parmi les spécialités, les tandooris, bien sûr, ou le *karahi paneer*, le tout arrosé de *mango lassi* et servi généreusement.

|●| *Banana Tree Indochina (centre 1, E3, 613)* : 103-109 Wardour St, W1F 0UQ. ☎ 020-7437-1351. ● soho@bananatree.co.uk ● Ⓜ *Leicester Sq. Tlj 12h-23h (1h ven-sam et 22h30 dim). Plats 9-15 £ ; combo set (avec riz, salade, chips) pour quelques pounds de plus. Lunch menus en sem 7-12 £.* Grandes tablées de béton brut, cuisine ouverte et décor industriel pour cette chaîne de restos dédiée aux marmites d'Asie du Sud-Est, de la Thaïlande avec son *pad thai* (nouilles sautées), à l'Indonésie avec son bœuf *rendang* cuit au lait de coco et curry, ou sa soupe *laksa* de Malaisie, sans oublier le Vietnam, le Cambodge, le Laos, etc. Un vrai voyage ! Bruyant mais revigorant.

Prix moyens (20-30 £ / 23-34 €)

|●| *Frenchie (centre 1, F4, 146)* : 16 Henrietta St, WC2E 8QH. ☎ 020-7836-4422. ● frenchiecoventgarden. com ● Ⓜ *Covent Garden. Tlj 12h-14h15 et 17h30-22h30. À la carte plats 15-20 £, à partir de 58 £ le soir, ou à la carte. LE BON PLAN : menu midi et pre-theatre menu (17h30/18h et 22h/22h15) 27-30 £.* Dans une salle toute en longueur, avec parquet et superbe comptoir en marbre, des tabourets et des banquettes aux teintes douces, voici l'adresse anglaise de Grégory Marchand. Ancien fidèle de Jamie Oliver, aux manettes de plusieurs adresses à Paris, le chef exécute ici une carte qui allie les poissons, les viandes et les légumes, en se jouant des alliances de goût surprenantes, toujours heureuses et jamais vues ailleurs. Une vraie belle expérience gustative. Pas mal de

people en salle également. Jetez un œil (discret !).

I●I The Clipstone *(plan d'ensemble, D3, 180) :* 5 Clipstone St, W1W 6BB. ☎ 020-7637-0871. ● info@clipstone restaurant.co.uk ● Ⓜ *Great Portland St et Warren St. Lun-sam 12h-14h30 et 18h-23h. Fermé dim. Plats 8-11 £.* Cadre très agréable avec grande cuisine ouverte sur une salle d'angle lumineuse, un vieux plancher qui craque, un bar à cocktails, des chaises d'écoliers... Cuisine savoureuse de petites portions, qui flirte avec la Méditerranée et l'Angleterre. Pain maison à trempouiller dans l'huile d'olive savoureuse en patientant : un régal ! La carte change régulièrement : cru, cuit, grillé, haché, tout y passe, comme les viandes, les poissons, les herbes, les pousses et autres trouvailles gustatives. Bon brunch également le samedi. Une belle découverte. Une autre adresse, dans le même esprit, plus cosy aussi : à 2 pas : *Portland,* 113 Great Portland St, ☎ 020-7436-3261, ● portlandres taurant.co.uk ●

I●I Barrafina *(centre 1, E3, 216) :* 26-27 Dean St, W1D 3LL. ☎ 020-7813-8016. ● info@barrafina.co.uk ● Ⓜ *Tottenham Court Rd. Lun-sam 12h-15h et 17h-23h, dim 13h-15h30 et 17h30-22h. Pas de résa. Plats 7-17 £.* La mode des bars à tapas a déferlé sur Londres pour notre plus grand plaisir ! Ici, on ne mange qu'autour du grand comptoir (pas de tables). Chaleureux comme tout, autant côté clients que serveurs. Pour l'apéro, quelques croquettes ou autres assiettes de charcuterie ibérique, et pour se sustenter, des plats en petite quantité, l'idéal pour goûter plusieurs spécialités (mais gaffe à l'addition !).

I●I Polpo *(centre 1, E3-4, 231) :* 41 Beak St, W1F 9SB. ☎ 020-7734-4479. Ⓜ *Oxford Circus. Lun-sam 11h30-23h, dim 11h30-22h. Pas de résa le soir (mieux vaut arriver tôt !). Cicchetti 3,20-4,50 £, menus 11-14 £ ; à la carte 20-30 £.* Dans une vieille bâtisse du XVIIIe s à peine redécorée, où Canaletto aurait pu séjourner un jour, une clientèle tendance vient célébrer la cuisine vénitienne sous des lampes à napperons. Les *cicchetti* (petites portions) et autres plats de poisson ou de viande font le succès de cette adresse qui ne désemplit pas. Service jeune et décontracté. Au sous-sol, *Campari Bar,* sous des voûtes sombres. Le succès est tel que *Polpo* étend désormais ses tentacules à travers Londres et toute l'Angleterre.

I●I Jamie's Italian Covent Garden *(centre 1, F3-4, 197) :* 11 Upper Saint Martin's Lane, WC2H 9FB. ☎ 020-3326-6390. ● covent@jamiesitalian. com ● Ⓜ *Leicester Sq ou Covent Garden. Tlj 11h30-22h30 (23h ven-sam). Pâtes 6,80-15 £ ; plats 10-23 £.* Jamie Oliver est une star « gastrocathodique » que l'on voit partout, sur tous les fronts et à toutes les sauces. Son bistrot italien propose une cuisine sans trop de complications, d'un bon rapport qualité-plaisir-prix. Cadre ludique de trattoria moderne, déco industrielle, chaleureuse et rétro à la fois. Plats du jour et cocktail de la semaine sur l'ardoise, grandes planches de charcuterie, *burger italiano* (énorme !), quelques fruits de mer et autres spécialités de la Botte. Service jovial et efficace, ambiance conviviale voire très bruyante en soirée ! Résa conseillée ou prévoir un peu d'attente.

– Même carte, même concept à *Jamie Oliver's Diner* (centre 1, E4, 197) : 17-19 Denman St, W1D 7HW. ☎ 020-3376-3391. Lun 11h30-22h30, jeu-sam 11h30-23h, dim 11h30-22h30. Menus 11,95-14,95 £. Dans un ancien pub réaménagé sur plusieurs étages. Ambiance du tonnerre. Prévoir de l'attente.

I●I Burger and Lobster *(plan d'ensemble, D4, 185) :* 29 Clarges St, W1J 7EF. ☎ 020-7409-1699. ● mayfair@burgerandlobster.com ● Ⓜ *Green Park. Lun-sam 12h-22h30 ; dim 12h-20h. Menus à partir de 22 £.* Burger ou homard, un point c'est tout, pour ne pas se prendre la tête avec le menu à tarif unique. Les indécis opteront pour le homard en hot dog. Pas bête ! C'est copieux dans tous les cas, marrant, efficace et on trifouille gaiement avec les doigts. Beaucoup de place, mais ça tombe bien, car il y a beaucoup de monde (pas de résa). Quant au niveau sonore, il est souvent digne d'un retour de criée. Staff jeune et frétillant. D'autres adresses

LE CENTRE TOURISTIQUE

à Londres, dans Soho : *36 Dean St, W1D 4PS UK,* ☎ *0207-432-4800 ; ou à Leicester Sq, 10 Wardour St, W1D 6QF UK,* ☎ *0203-205-8963.*

|●| *Le Bab (centre 1, E3-4, 229) :* dernier étage, Kingly Court, Carnaby St, *W1B 5PW.* ☎ *020-7439-9222.* ● *info@ eatlebab.com* ● Ⓜ *Oxford Circus. Lunsam 12h-15h et 18h-22h30, dim 13h-16h et 18h-21h. Plats 9-12 £.* Un décor méditerranéen, avec de belles céramiques d'Iznik, et des tables de bistrot à touche-touche. On sert ici un « kebab gourmet », dans une tortilla, avec des viandes marinées aux épices (attention, ça chauffe !), et des accompagnements variés (hoummous, purée de betteraves, de panais, etc.). Loin du kebab traditionnel, mais pas mauvais du tout ! Desserts tout aussi gourmands.

|●| *Bonnie Gull (centre 1, E3, 174) :* 22 Bateman St, W1D 3AN. ☎ *020-7734-6676.* ● *soho@bonniegull. com* ● Ⓜ *Tottenham Court Rd. Lunven 16h-minuit ; w-e 14h-minuit (22h dim). Plats 5-24 £.* Les fans de fruits de mer et de poissons se ruent sur cette adresse à la déco élégante, avec son grand bar de marbre. On se juche sur un tabouret ou en salle autour d'une table de bistrot pour une sole meunière, un tartare de maquereau, des huîtres ou un crabe avec sa petite sauce revigorante. C'est frais, simple et on s'en lèche encore les doigts !

|●| 🍷 *Ceviche (centre 1, E3, 612) :* 17 Frith St, W1D 4RG. Ⓜ *Leicester Sq ou Tottenham Court Rd.* ☎ *020-7292-2040.* ● *soho@cevicheuk.com* ● *Tlj 12h-23h30 (22h15 dim). Résa impérative. Compter 20-30 £.* C'est pas le Pérou, mais ça y ressemble ! Du moins, dans les assiettes et dans les verres... Au choix : grand comptoir en métal, tabourets, tôle ondulée au plafond, ou petite salle à l'arrière, presque intime, éclairée à la bougie. On vient ici pour déguster les spécialités à base de poisson cru, cuit dans une marinade de citron et autres merveilles de condiments, herbes et épices, sous forme de tapas bien relevées. 2-3 portions suffisent par personne. Un régal ! Avec un petit *pisco sour,* boisson nationale, pour faire passer. Ambiance *caliente* en fin de semaine. Parfait aussi pour boire un verre.

Une adresse à l'est : *2 Baldwin St,* ☎ *0203-327-9463.*

|●| *Sophie's Steakhouse (centre 1, E4, 242) :* 42-44 Great Windmill St, W1D 7NB. ☎ *020-7836-8836.* ● *soho@ sophiessteakhouse.com* ● Ⓜ *Piccadilly Circus. Tlj 12h-1h (23h dim). Theatre menu (12h-17h et après 22h) 15-18 £ ; burgers et plats à la carte 11-29 £.* On aime beaucoup cette grande brasserie conviviale avec ses coins et recoins, son éclairage tamisé et sa cuisine d'un bon rapport qualité-prix. Ici la viande est à l'honneur, mais on n'oublie pas les plats traditionnels anglais comme le *cottage pie* ou le *fish & chips.* Si les « top morceaux », style chateaubriand, restent chers, en revanche tous les « *classics* » sont abordables. Excellent *sunday roast beef* (de l'*Aberdeen angus* provenant de la ferme). Large choix de vins et cocktails. Service aimable et, gros avantage, des horaires étendus bien pratiques pour ceux qui envisagent de dîner après les spectacles.

|●| *Terroirs (centre 1, F4, 286) :* 5 William IV St, WC2N 4DW. ☎ *020-7036-0660.* ● *enquiries@terroirswinebar. com* ● Ⓜ *Charing Cross. Tlj sauf dim 12h-23h. Formules* small plates 8-15 £, *lunch au bar (jusqu'à 15h) 10 £ avec 1 verre de vin. Plats du jour 18-20 £. Vin au verre 4-10 £.* Beau succès pour ce bar à vins et resto à la fois, dans un cadre de brasserie chic ou dans une belle salle en sous-sol. Ici, on aime pousser le bouchon un peu loin : la cave ne recèle que des vins biodynamiques ou durables, principalement d'Italie, d'Espagne ou de France, voire d'Angleterre. Un concept bien dans l'air du temps, en adéquation avec une cuisine de saison simple et savoureuse, qui privilégie les petits producteurs : assiettes de fromages et de charcuterie ou plats du jour au rez-de-chaussée, spécialités françaises ou à tendance méditerranéenne au resto.

|●| *Sofra Mayfair (plan d'ensemble, D4, 178) :* 18 Shepherd St, W1J 7JG. ☎ *020-7493-3320.* Ⓜ *Green Park. Tlj 12h-minuit. Plats 5-26 £, menus 7,95-13,95 £.* Comme annoncé, vous serez accueilli par un « serveur souriant » et il vous sera servi de la « bonne nourriture » ! Une belle aubaine que ce restaurant turco-british. Le cadre élégant,

calme et feutré, les prix doux, la cuisine maison et le service aux petits soins ont suffi à fidéliser la clientèle chic du quartier. Résultat, ça fait le plein, mais l'on vous trouvera toujours une petite table, que ce soit dans la grande salle, la cave ou la petite salle intime à l'arrière. À la carte, délicieux tajine d'agneau au riz pilaf, brochettes, moussaka... Bon plan, certains plats sont à moitié prix après 21h !

|●| Bar Shu (centre 1, E3, **360**) : 28 Frith St, Soho, W1D 5LF. ☎ 020-7287-6688 ou 8822. ● info@barshurestaurant.co.uk ● Ⓜ Leicester Sq. Tlj 12h-23h (23h30 ven et sam). Plats 6-35 £. La devise de ce resto chinois est une citation de Mao : « Si tu ne manges pas de piment, tu ne seras pas un révolutionnaire »... De fait, la carte de spécialités du Yunnan et Sichuan a de quoi prendre d'assaut votre palais ! Mais libre à vous de piocher dans les plats moins épicés, qui restent parfumés en diable. Le cadre, assez intime, et la déco extrême-orientale mêlant objets traditionnels et affiches de propagande sont propices à une halte agréable.

|●| Copita (centre 1, E3, **167**) : 27 D'Arblay St, W1F 8EP. ☎ 020-7287-7797. ● info@copita.co.uk ● Ⓜ Oxford Circus ou Tottenham Court Rd. Service lun-ven 12h-16h et 5h30-22h30, sam 12h-22h30. Tapas 3-16 £. Ce resto est une réinterprétation gastronomique des bars à tapas. Cadre soigné, noir et métal, avec lampes de mineur et nombreux tabourets autour des tablées. Ambiance décontractée. 3-4 tapas suffisent. Petite terrasse aux beaux jours. Olé !

|●| Busaba Eathai (centre 1, E3, **152**) : 106-110 Wardour St, W1F 0TR. ☎ 020-7255-8686. ● soho.managers@busaba.com ● Ⓜ Oxford Circus ou Piccadilly Circus. Tlj 12h-23h (23h30 ven-sam, 22h30 dim). Plats 9-16,50 £. Une petite chaîne asiatique de qualité. Ici, la clientèle branchée se réunit autour de larges tables carrées en bois de 10 personnes, sous des lumières tamisées. Aucune intimité et bruyant, mais une déco sobre très réussie et, surtout, une excellente cuisine thaïlandaise à base de viandes grillées, poisson et fruits. On y trouve tous les classiques du Siam et plutôt bien tournés.

Attention, certains plats sont vraiment très épicés, même pour les palais aguerris... Plus sympa en soirée qu'au déjeuner ; en revanche, il faut souvent faire la queue, surtout le week-end : pas de résa !

|●| Sarastro (centre 1, F3, **282**) : 126 Drury Lane, WC2B 5SU. ☎ 020-7836-0101. ● info@sarastro-restaurant.com ● Ⓜ Covent Garden. Lun-ven 12h30-22h30 (dernière commande), sam 12h30-23h, dim 12h30-16h et 18h-22h. Résa conseillée. Formules pré-théâtre (Tenor Menu) 18-21 £. Sinon, plats à la carte env 15-27 £ et menus 33-37 £. Déco théâtrale délirante, barocorococo, composée d'un improbable patchwork de ballerines qui pendent aux lustres, de fresques et de moulures façon crème Chantilly... On peut même manger sur les galeries ! Cuisines méditerranéenne et turque correctes. Mais ce qui fait le succès de la maison, ce sont ses extravagants spectacles d'« opéra » du dimanche (midi et soir). Spectacle garanti, assuré par des artistes de la Royal Opera House. Sinon, les vendredi et samedi soir, l'ambiance est plutôt pop ou latino. À propos, mais vous le saviez peut-être, Sarastro est l'un des personnages de La Flûte enchantée.

|●| 👫 Tibits (centre 1, E4, **308**) : 12-14 Heddon St, W1B 4DA. ☎ 020-7584-4112. ● info@tibits.co.uk ● Ⓜ Piccadilly Circus. Lun-ven 9h-22h30 (minuit jeu-ven), w-e 11h30-minuit (22h30 dim). Plats à partir de 5 £. On aime bien cette ruelle en U, abritée de Regent Street. On y trouve plusieurs restaurants, dont ce végétarien suisse amusant, où l'on se sert autour d'un bateau-buffet (mais pas de poisson, on est dans un veggie). Cuisine appétissante et boissons fraîches ou chaudes (testez le gingembre chaud en hiver !), du jus de fruits pressés à la bière bio : plus de 40 plats différents, aux influences asiatiques, méditerranéennes et indiennes. On paie ensuite au poids. Pensez-y avant le 1er coup de fourchette ! Très bien pour manger rapide le midi ou pour prendre son petit déj. Le tout dans une déco tendance ou sur la grande tablée en terrasse.

|●| L'Artiste Musclé (plan d'ensemble, D4, **178**) : 1 Shepherd

Market, W1J 7PA. ☎ 020-7493-6150. Ⓜ Green Park. Tlj 12h-15h, 18h-23h. Fermé 25 déc-1er janv. Plats 13-16 £. Menus midi et soir 15-22 £. Dans un quartier piéton bourré de charme, avec pléthore de pubs et de petits restos qui empiètent largement sur la rue aux beaux jours. La table est réputée pour sa cuisine honnête et ses additions pas si musclées que ça. Décor de vieux bistrot parisien, avec ses plaques émaillées du *Routard* en devanture, et une carte faisant la part belle aux grands classiques de l'Hexagone. 2 petites salles, dont une au sous-sol (bruyante). Carte des vins honnête.

|●| *Petrocchi* (plan d'ensemble, D4, **187**) : 36 Albemarle St, W1S 4JE. ☎ 020-7493-2167. Ⓜ Bond St. Tlj 7h-11h et 11h30-15h30. Petits déj 4,50-7,50 £. Plats 7-23 £. Pas facile de bien manger sans se ruiner dans ce quartier ! Cette trattoria moderne et élégante, tenue par Francesca, saura vous satisfaire. Clientèle d'habitués des galeries voisines. Salle en enfilade avec un monumental lustre en verre. *Tramezzini* pour l'*aperitivo*, pâtes maison, viandes, fruits de mer et salades. Pas de pizza, mais des foccacias toastées. Accueil très prévenant.

|●| *Bocca di Lupo* (centre 1, E4, **277**) : 12 Archer St, W1D 7BB. ☎ 020-7734-2223. Ⓜ Piccadilly Circus. Service lun-sam 12h-15h, 17h-23h ; dim 12h-15h30, 17h-21h30. Plats 10-27 £. *Lunch* et *theater menu* : 10 £. Avis aux gastronomes amateurs de cuisine italienne, voici un « antre du loup » qui n'a rien de terrifiant, bien au contraire. Cadre élégant et soigné de brasserie moderne, long comptoir de marbre pour un plat rapide ou petite salle plus intime, décorée d'œuvres d'art contemporain. Cuisine rustique mais racée, célébrant la variété de produits et toutes les régions de la Botte. Possibilité de portions « tapas » pour multiplier les saveurs. Service de bon conseil. S'il vous reste une place pour une glace, voir *Gelupo*, juste en face en sortant, même maison.

|●| *Browns* (centre 1, F4, **188**) : 82-84 Saint Martin's Lane, WC2N 4AG. ☎ 020-7497-50-50. Ⓜ Leicester Sq. Lun-ven 8h-23h, sam 9h-minuit, dim 9h-22h30. Bar 23h (minuit jeu-sam).

Lunch 13-17 £. Plats 11-24 £. *Theater menus* (16h-19h et 21h30-22h30) 15-19 £. *Afternoon teas* 14h30-17h, 15 £ (min 2 pers). Grande brasserie cosy, une institution rétro et branchée à la fois, qui connaît toujours le même succès, notamment pour ses formules pré-théâtre efficaces et avantageuses. Long comptoir de cuivre pour les pressés, salle vaste, pas mal d'espaces différents. Cuisine de brasserie à l'anglaise, copieuse et correcte. Également petit déj, *afternoon teas* et *Sunday brunches*. Bref, ça ne désemplit pas !

|●| ☕ 🍴 *The Riding House Café* (plan d'ensemble, D3, **199**) : 43-51 Great Titchfield St, W1W 7PQ. ☎ 020-7927-0840. ● info@ridinghouse.cafe ● Lun-ven 7h30-23h30 (0h30 ven), sam 9h-0h30, dim et j. fériés 9h-18h. *Breakfasts* 4,50-15 £ (*résa* obligatoire le w-e !), plats 10-29 £. Un vrai lieu de vie que cette étape équestre ! Grande brasserie, avec sa partie resto et son long bar, ses tabourets de cuir, sa grande table centrale, ses petits coins avec ses fauteuils bien épais. On y passerait bien la journée ! Parfait pour le petit déj ou pour un repas en famille. Cuisine anglaise roborative, de qualité (belles pièces de viande des campagnes anglaises, cheeseburger...).

|●| *The Gay Hussar* (centre 1, E3, **193**) : 2 Greek St, W1D 4NB. ☎ 020-7437-0973. ● gayhussar@corushotels. com ● Ⓜ Tottenham Court Rd. Tlj sauf dim 12h15-14h30, 17h30-22h45. Résa conseillée. Le midi, formules 15-25 £ ; plats 11,50-23 £. *Pre-theatre menu* : 17,95 £. Branché, *The Gay Hussar* ? C'est vrai que le nom et le quartier pourraient prêter à confusion, mais ce vieux coucou a tout d'une pièce de musée... Plutôt *Old England* donc, avec ses lambris recouverts par une collection de dessins caricaturaux et ses rangées de livres, ses banquettes profondes et ses serveurs tirés à 4 épingles. Quant à la cuisine, elle est définitivement hongroise. Copieuse, savoureuse et appréciée des Londoniens depuis plus de 50 ans. Arrosée d'un bon tokay, et votre soirée sera à coup sûr réussie !

|●| *Yauatcha* (centre 1, E3, **144**) : 15-17 Broadwick St, W1F 0DL.

☎ 020-7494-8888. ● reservations@
yauatcha.com ● Ⓜ Leicester Sq. Lun-
sam 12h-22h (22h30 ven-sam), dim
12h-23h. Plats 10-31 £. Un resto de
cuisine chinoise assez élaborée, qui
joue ici la carte du design. Ambiance
lounge assez surprenante dans la
grande salle baignée de lumière bleue
et aux murs couverts de pots à thé.
Atmosphère plus classique et chaleureuse au sous-sol avec ses petites
niches remplies de bougies. La cuisine
y est fort réputée pour la fraîcheur des
produits et le soin apporté à la présentation. Les « shoppeuses » y accourent
aussi l'après-midi pour la version salon
de thé et pâtisseries... aussi belles que
savoureuses ! De vraies œuvres d'art !

l●l **Cecconi's** (plan d'ensemble, D4,
309) : 5 Burlington Gardens, W1S 3EP.
☎ 020-7434-1500. Ⓜ Piccadilly
Circus. Tlj 7h (8h le w-e)-1h (minuit
dim). Plats 12-34 £. Un italien chic
qui fait le plein en permanence. Les
serveurs s'affairent dans une joyeuse
ambiance de cantine, mais pas vraiment romantique. Certains préfèrent
s'installer à la bonne franquette autour
du bar central mais, à vrai dire, le but
du jeu est de trouver où s'asseoir
quand on n'a pas réservé. Délicieux
risotto, ravioles de crabe, osso-buco,
veal milanese et autres plats italiani-
sés... Terrasse aux beaux jours.

De prix moyens à très chic (20-40 £ et plus / 23-46 €)

l●l **Native** (centre 1, F3, **169**) : 3
Neal's Yard, WC2H 9DP. ☎ 0203-638-
8214. ● bookings@eatnative.co.uk ●
Ⓜ Covent Garden. Tlj sauf dim, 12h30-
14h, 17h-22h. Menus 20-25 £ le midi,
30-38 £ le soir. Le concept : « du sauvage, du fermier, du local ». Le décor :
quelques tables en sous-sol et une
déco assez minimaliste. Sans doute
pour mieux se concentrer sur la cuisine ; un total éblouissement... Des
produits anglais, en provenance exclusive des meilleurs producteurs, des
meilleures régions du Royaume-Uni.
Gibiers, poissons, viandes, légumes
sont savamment, artistiquement
travaillés, présentés... Le tout est
ultra-sophistiqué mais en aucun cas

chichiteux, tant les goûts et les textures
s'accordent avec évidence. Le déjeuner offre un rapport qualité-prix assez
bluffant. Dommage que les (délicieux)
vins (anglais) fassent autant grimper
l'addition.

l●l **The Guinea Grill** (plan d'ensemble,
D4, **166**) : 30 Bruton Pl, W1J 6NL.
☎ 020-7409-1728. ● guinea@youngs.
co.uk ● Ⓜ Bond St. Restauration tlj
sauf sam midi et dim soir. Résa indispensable. Plats 16-45 £ au resto, plats
de pub grub 6-14 £ le midi. Une brasserie chic qu'on transmet du bout des
lèvres, cachée dans une impasse ou,
plutôt, un mews, comme on dit ici.
D'un côté, le petit bar pour se mettre en
appétit ; de l'autre, les 2 salles du restaurant, au décor typiquement anglais
avec ses vieux tableaux champêtres
et ses nappes damassées. Au programme des réjouissances, un excellent steak and kidney pie. La maison est
fière de son appartenance au Scotch
Beef Club, autant dire des viandes
racées. Les fruits de mer ne sont pas
mal non plus.

l●l **Bentley's** (centre 1, E4, **162**) :
11-15 Swallow St, W1B 4DG. ☎ 020-
7734-4756. ● reservations@bentleys.
org ● Ⓜ Piccadilly Circus. Tlj ; service non-stop 11h30-23h (22h dim) à
l'Oyster Bar ; plats 20-58 £. Au Grill,
tlj sauf dim 12h-15h et 17h30-23h ;
plats 22-58 £ et menus lunch lun-
ven 29-36 £. Theater menu : 25-29 £.
Dans une petite ruelle à laquelle on
accède depuis Regent Street ou Piccadilly. Ouvert depuis 1916, c'est l'un des
tout premiers Oyster Bar de Londres.
De cette époque, il a conservé son joli
décor Arts & Crafts. L'une des meilleures adresses pour le poisson à Londres. Au resto Grill, plus guindé, nous
préférons l'ambiance moins formelle
du bar. Il permet de profiter du cadre
feutré, d'un service impeccable et de
plats anglais particulièrement soignés :
fish & chips (absolument remarquable),
poisson fumé et d'autres à partager...
Pianiste certains soirs.

l●l **Tom's Kitchen at Somerset
House** (centre 1, F-G4, **278**) : dans
Somerset House, Strand, WC2R 1LA.
☎ 020-7845-4646. ● tomskitchen@
somersethouse.org.uk ● Ⓜ Temple
ou Embankment. Lun-ven 12h-15h,

et lun-sam 18h-22h. Sam-dim brunch 10h-16h. Menu express et Pre-theatre (lun-ven 12h-15h et lun-sam 18h-19h) 20-24,50 £ ; plats 17-28 £. Bienvenue dans l'ancien palais des ducs de Somerset, édifié au XVIIIe s. C'est ici qu'est établie la brasserie moderne de Tom Aikens, chef rigoureux dans le choix de ses producteurs britanniques. Classiques de la gastronomie anglaise comme le *fish & chips* ou l'épaule d'agneau de 7h. Belles autres pièces de viande, l'un des dadas du chef. Brunch tout aussi généreux. Un peu cher tout de même, mais on vient aussi pour le cadre et la terrasse, qui ouvre aux beaux jours (généralement de Pâques à août). Vue superbe sur la Tamise ! Réservation plus que conseillée dans ce cas...

|●| Berners Tavern *(centre 1, E3, 154) :* 10 Berners St, W1T 3NP. ☎ 020-7908-7979. ● *bernerstavern@editionhotels. com* ● Ⓜ *Oxford Circus. Lun-ven 7h-23h, sam-dim 9h-minuit. Plats 15-39 £.* À l'intérieur de *The Edition,* hôtel du XIXe s extra branché, dont le hall vaut le coup d'œil en soi. Il permet d'accéder au resto, non moins impressionnant avec haut plafond chantilly et tableaux tapissant tous les recoins de murs. Entre le joyeux papotage général, le ballet des serveurs cravatés et la salsa des shakers au bar, une énergie folle se dégage de cette ancienne salle de bal, jusque dans l'assiette. Cuisine britannique tendance et parfaite imaginée par Jason Atherton, un étoilé du moment. On ne vient certes pas chercher l'intimité, mais c'est *the place* où prendre le pouls d'un Soho décidément vissé sur un ressort.

|●| Fera at Claridge's *(plan d'ensemble, D3-4, 215) :* Brook St, W1K 4HR. ☎ 020-7107-8888. ● *reservations@ feraatclaridges.co.uk* ● *Tlj 12h-14h, 18h30-22h. Menu 42 £ le midi, tlj même dim. Plats 30-46 £, menu dégustation 155 £ avec vins.* À vue la vie de palace ! Poussez les lourds rideaux rouges et vous voici chez Simon Rogan, un macaron ici, 2 dans le Lake District, ardent défenseur du terroir britannique. Il propose une cuisine éblouissante qu'on oserait qualifier d'abordable tant le lunch nous a séduits. Les gourmets ne regretteront

pas de secouer un peu leur tirelire. Le soir, c'est nettement plus cher. Le service est impeccable, le cadre somptueux mais en aucun cas guindé...

|●| Hawksmoor – Seven Dials *(centre 1, F3, 165) :* 11 Langley St, WC2H 9JG. ☎ 020-7420-9390. ● *sevendials@thehawksmoor.com* ● Ⓜ *Covent Garden. Tlj 12h-15h, 17h-22h30 (23h ven-sam, 21h30 dim). Résa conseillée. Plats env 15-50 £. Express menus (lun-sam jusqu'à 18h30 et après 22h) 25-28 £.* Si vous avez toujours voulu connaître le vrai bon goût du bœuf anglais, cette *steakhouse* chic et chère, élue parmi les 10 meilleurs restos de Londres par *Time Out* en 2015, est pour vous ! On s'engouffre avec plaisir dans cette immense salle en sous-sol de style bistrot, une ancienne brasserie, avec longue banquette ou tables plus intimes. Entrecôte, filet, T-bone, etc., cuits à la braise et d'une grande tendreté. Également un service au bar (meilleur marché), avec une carte de snacks, sandwichs et délicieux burgers. Plusieurs adresses à Londres : *notamment à Southwark (tt près du Borough Market), à Knightbridge, en plein cœur de la City, à Piccadilly ou encore à Spitalfields.*

|●| Rules *(centre 1, F4, 196) :* 35 Maiden Lane, WC2E 7LB. ☎ 020-7836-5314. ● *rules.co.uk* ● Ⓜ *Covent Garden. Tlj 12h-23h45 (22h45 dim). Résa conseillée, obligatoire le w-e. Plats env 21-43 £.* Cette vénérable institution datant de 1798 a reçu la visite des acteurs les plus célèbres (Clark Gable, Charlie Chaplin, Buster Keaton...) et de grands écrivains (Dickens, H.G. Wells, Graham Greene, John Le Carré...). Incroyable : 90 places et... 90 employés ! Aujourd'hui encore, les personnalités sont nombreuses à ne pas concevoir un séjour londonien sans une halte rituelle au *Rules,* autant pour son cadre immuable d'auberge cossue que pour l'accueil en chapeau haut de forme à l'entrée ou son excellente cuisine *British,* arrosée de savantes sauces sucrées-salées. La maison possède ses propres terres où le gibier abonde et où elle élève son cheptel de bœufs Galloway... En saison, c'est-à-dire du 12 août au 10 décembre, ne ratez pas le gibier et, en particulier, la *grouse*, volatile typiquement écossais qui fait le délice des Britanniques depuis des lustres... et dont la maison a fait sa spécialité. En prime, *cocktail bar* tout aussi prestigieux, pour prendre un verre dans un cadre mythique.

|●| **Simpson's in the Strand** (centre 1, F4, **189**) : 100 Strand, WC2R 0EW. ☎ 020-7420-2111. ● savoy@fairmont.com ● Ⓜ *Charing Cross* ou *Covent Garden. Lun-ven 12h-14h30, 17h-23h ; w-e 12h-23h (20h dim). Menus express et pré-théâtre (lun-ven jusqu'à 19h et sam midi) 26,50-32 £ ; plats env 19-42 £.* Une institution londonienne opérant depuis 1828. Fréquentée par de nombreuses personnalités, dont Dickens, Doyle et même... un certain Sherlock

Holmes ! Ce fut à l'origine un club d'échecs et une *coffee house*, appelé *The Grand Cigar Divan*. L'accès à la gent féminine fut la seule véritable révolution que connut l'établissement. Cadre magnifique, tout en boiseries. Service irréprochable. La cuisine est à l'image des lieux, pétrie de tradition. Les trolleys, ces chariots de viande qui ont fait la réputation de la maison, sont toujours de rigueur. Un serveur les pousse de table en table et découpe avec maestria, qui de l'aloyau, qui de la dinde ou du gigot. L'ensemble a de l'allure, la qualité est indéniable mais, plus que la cuisine, ce sont le cadre et l'atmosphère hors du temps qui justifient le déplacement.

Où prendre le petit déjeuner ?

🍴 **26 Grains** (centre 1, F3, **169**) : 1, Neal's Yard, WCZH 9DP. Ⓜ *Covent Garden. Lun-sam 8h (9h sam)-17h, dim 10h-16h.* Cette minuscule adresse est un grand coup de cœur ! S'inspirant d'une tradition scandinave associant 26 graines et épices, on s'y régale d'une cuisine plutôt végétarienne (mais pas que) aussi originale que savoureuse. Le porridge du matin au beurre frais, noisette, lait d'amande, pomme et cannelle nous a laissé un souvenir émouvant, ainsi que cet insolite et réconfortant lait d'avoine aux épices. Plaisir gourmand que l'on peut renouveler au déjeuner avec des soupes épaisses et des sandwichs frais et colorés. Une mini-terrasse suffit à doubler le nombre de places assises.

🍴 **Fabrique** (centre 1, F3, **111**) : 8 Earlham St, WC2H 9RY. ☎ 020-7240-1392. Ⓜ *Covent Garden. Lun-ven 8h-20h, w-e 9h30-18h30.* Cette jolie boulangerie suédoise propose, entre autres, de délicieux *buns* à la cardamome, que l'on peut déguster sur place (quelques tables et une grande banquette en bois). Déco agréable pour un réveil en douceur. Succès oblige, on en trouve plusieurs dans Londres (Hoxton, Notting Hill et Goodge St).

🍴 🥐 **Breakfast Club** (centre 1, E3, **176**) : 33 D'Arblay St, W1F 8EU.

☎ 020-7434-2571. ● emilio@lovetbc.com ● Ⓜ *Oxford Circus* ou *Tottenham Court Rd. Lun-sam 7h30 (8h sam)-22h, dim 8h-19h. Pas de résa. Plats, petit déj et brunch 7-12 £.* La déco a beaucoup de légèreté avec sur les murs des polaroïds des habitués et des dessins. Il n'en fallait pas plus pour attirer les étudiants et les joyeux bobos. Et pour les fidéliser, cocktails de fruits délicieux, breakfasts copieux et variés ou gros sandwichs à la commande. Super ambiance, un rien déglinguée. Prévoir une grande attente le week-end, mais résa possible.

🍴 **Simpson's in the Strand** (centre 1, F4, **189**) : 100 Strand, WC2R 0EW. ☎ 020-7836-9112. ● svy.simpsons@fairmont.com ● Ⓜ *Charing Cross* ou *Covent Garden. Petit déj en sem 7h15-10h30, complet à 12,50 £. (Voir plus haut « Où manger ? »)* Sans doute le meilleur plan pour profiter de ce décor majestueux !

🍴 Sans oublier nos adresses ouvertes dès potron-minet : **Dishoom** (breakfast 8h (9h w-e)-11h45 ; env 4-12 £), **Tom's Kitchen Deli** (porridge, croissant, bacon bap, etc., env 2-5 £), **Sherlock Holmes, The Coal Hole, Café in The Crypt, Franx Continental Café, The Riding House Café**... Voir également ci-dessous « Où prendre le thé ? ».

Où prendre le thé ou le café ?
Où faire une pause sucrée ?

L'*afternoon tea*, ce n'est pas seulement 2-3 gâteaux, mais bien un vrai repas en soi, composé de sandwichs, de jus de fruits ou de champagne, et de pâtisseries, notamment les *scones*, servis avec crème fouettée ou *clotted cream* et confiture de fraises... Une alternative au repas du midi ! Le plus déjanté est au *Sketch*, le plus traditionnel chez *Fortnum & Mason*, le plus m'as-tu-vu à la *Berners Tavern* du sublime *London Edition Hotel* (voir plus haut « Où manger ? »).

📨 *Monmouth Coffee Company* (centre 1, F3, *255*) : 27 Monmouth St, WC2H 9EU. ☎ 020-7232-3010. ● beans@monmouthcoffee.co.uk ● Ⓜ Covent Garden ou Tottenham Court Rd. Lun-sam 8h-18h30 sauf j. fériés. Comment ne pas succomber à l'odeur inimitable du grain de café fraîchement moulu dans cette charmante échoppe où le comptoir couvert de pâtisseries et autres douceurs sont comme un coup de grâce pour les gourmands ? Au tableau noir, les crus de café du mois et du jour. Seulement quelques tables réparties dans des box au fond de la minuscule salle pour ceux qui souhaitent déguster sur place. Une autre adresse au Borough Market, plus grande et tout aussi sympa.

📨 *The Sketch* (plan d'ensemble, D3-4, *272*) : 9 Conduit St, W1S 2XG. ☎ 0870-7659-4500. ● info@sketch. london ● Ⓜ Bond St. Lun-ven 7h-2h, sam 8h-2h, dim 8h-minuit. Tea 11h30-16h. Résa obligatoire (surtout pdt la Fashion Week !). Afternoon tea 58 £ (72 £ avec du champ'). C'est le *jet-set tea* par excellence, un salon de thé installé dans l'ancien siège social de Dior. Plus branché, tu meurs : les montages et les œuvres d'art exposés sont très design, la déco ambiance maison de poupée, à moins que ce ne soit celle d'un dessin animé. Baroque et décalé dans les moindres recoins, jusqu'aux toilettes qui méritent assurément une petite visite. Quant aux divins gâteaux du chef, inspiré par Pierre Gagnaire, ils combleront les plus réticents au

changement. Attention, ne pas venir en tongs.

📨 *Tap Coffee Nº 193* (centre 1, E3, *376*) : 193 Wardour St, W1F 8ZF. ● richard@tapcoffee.co.uk ● Ⓜ Tottenham Court Rd. Lun-ven 8h-19h, sam 10h-18h, dim 11h-18h. La brûlerie se situe tout au fond, mais les bonnes odeurs de café torréfié débordent sur le trottoir ! Idéal pour un petit noir serré ou un beau cappuccino, à accompagner d'une bonne pâtisserie. Cadre minimaliste mais chaleureux. Difficile de s'y faire une place.

📨 *Crosstown Doughnut & Coffee Bar* (centre 1, E3, *235*) : 4 Broadwick St. ☎ 020-7734-8873. ● soho@ crosstowndoughnuts.com ● Ⓜ Oxford Circus ou Tottenham Court Rd. Lun-jeu 8h-22h, ven 8h-23h, sam 9h-23h et dim 9h-20h. Petite échoppe qui propose d'excellents beignets et *donuts* très colorés et bien remplis de confiture. Des parfums très surprenants pour certains (abricot-lavande, chocolat noir-piment, betterave-thym-citron), et d'autres plus classiques mais non moins délicieux.

📨 *Richoux* (centre 1, E4, *364*) : 172 Piccadilly, W1J 9EJ. ☎ 020-7493-2204. ● info@richoux.co.uk ● Ⓜ Green Park ou Piccadilly Circus. Lun-sam 9h-10h30, dim 9h-23h. Afternoon tea 19,50 £. Une institution in-dé-bou-lon-nable, française à l'origine, en 1909, mais devenue *so British* avec le temps. Façade rouge pimpante, décor d'époque avec tapisseries à fleurs, lustres et alcôves pour se raconter des secrets. Pas donné quand même !

📨 *Maison Bertaux* (centre 1, E3, *313*) : 28 Greek St, W1D 5DQ. ☎ 020-7437-6007. Ⓜ Tottenham Court Rd ou Leicester Sq. Tlj 8h30-23h (19h dim). L'autre institution française du quartier, une des plus anciennes pâtisseries de Londres, établie en 1871 ! Les nostalgiques du café-croissant y trouveront leur bonheur, les pressés peuvent y avaler un snack et les plus gourmands un saint-honoré (spécialité maison) ou une tartelette aux fruits frais (pas donnés)... Sublime *mixed fruit cheesecake* ! Cadre franchement rétro, voire un brin kitsch ; petite salle à l'étage qui accueille des expos temporaires. Le must : les quelques tables en terrasse.

🍦 **Scoop** *(centre 1, F3, 251)* : *40 Shorts Gardens, WC2H 9AB.* ☎ 020-7240-7086. ● *info@scoopgelato.com* ● Ⓜ *Covent Garden. Juin-août, tlj 12h-minuit ; sept-mai, lun-jeu 14h-22h30, ven-sam 12h-23h30, dim 12h-22h30. Env 4 £ le cornet 2 parfums.* Une vraie *gelateria,* authentique glacier à l'italienne. On y vient non pas pour son cadre, neutre, mais pour son savoir-faire indiscutable : produits frais et de 1re qualité (certains ingrédients proviennent directement d'Italie), pas de gluten, de colorant ni de conservateur, et un tour de main permettant d'aligner plus de 20 glaces onctueuses et savoureuses. Incontournable, même l'hiver ! *2 autres adresses à South Kensington (16 Old Brompton Rd) et à Knightbridge (Harvey Nichols, 5e étage).*

🍽 **Mômo** *(centre 1, E4, 308)* : *23-25 Heddon St, W1B 4BH.* ☎ 020-7434-4040. ● *info@momoresto.com* ● Ⓜ *Piccadilly Circus. Tlj 12h (11h le w-e)-1h (minuit dim). Afternoon teas à partir de 25 £. Plats 14-31 £.* Pour qui voudrait fumer la chicha en terrasse (chauffée), derrière un rideau de verdure, ou prendre un thé accompagné de pâtisseries orientales. À l'intérieur, luxueux décor de souk marocain. Très agréable pour tester le délicieux cocktail *Mômo* (avec ou sans alcool) et grignoter une pâtisserie. Fait aussi resto avec, au menu, couscous et tajines évidemment.

🍽 **The RA Grand Café** *(centre 1, E4, 550)* : *The Royal Academy, Burlington House, Piccadilly W1J 0BD.* ☎ 020-7300-5608. Ⓜ *Piccadilly Circus.* À l'intérieur de la Royal Academy of Arts, à gauche derrière l'escalier central. *Tlj 10h-18h (22h ven). Tartes env 6-7 £.* Géré par *Peyton & Byrne,* restaurateur-traiteur-pâtissier *so British,* et décoré par Tom Dixon, l'un des grands designers tout aussi anglais. On y est accueilli par des statues sous vitrines, et on y mange sous des voûtes peintes par des artistes du XXe s et sous des luminaires aussi originaux qu'esthétiques. Rapport qualité-prix pas extraextra, mais parfait pour une *treacle tart* ou un thé l'après-midi. Pourquoi pas ?

Café pour... les enfants !

👶 **Rainforest Café** *(centre 1, E4, 183)* : *20 Shaftesbury Ave, W1D 7EU.* ☎ 020-7434-3111. Ⓜ *Piccadilly Circus. Tlj 12h (11h30 le w-e)-22h (22h30 sam).* Bienvenue dans l'univers impénétrable de la jungle ! Perroquets et animaux automates sont ici chez eux. Bruits mystérieux, fausse pluie, mare aux offrandes (pour les œuvres de charité !), chaises en forme de zèbre... Les enfants adorent. Parfait pour prendre un verre entre 2 boutiques. En revanche, éviter le resto.

Où boire un verre ?

Pubs

🍺 **Lamb and Flag** *(centre 1, F4, 399)* : *33 Rose St, WC2E 9EB.* ☎ 020-7497-9504. ● *lambandflag@fullers.co.uk* ● Ⓜ *Covent Garden. Dans la ruelle reliant Garrick St à Floral St. Lun-sam 11h-23h, dim 12h-22h30.* Un must ! Vieux de plus de 250 ans. Construit en 1638. 1re référence comme pub en 1772 sous le nom de *Coopers Arms.* Il prit le nom de *Lamb and Flag* en 1833 et n'a jamais désempli depuis. Le pub favori de Dickens. Au XIXe s, il acquit le surnom de *The Bucket of Blood* (« Le Seau de Sang ») à cause des bagarres à poings nus qui s'y déroulaient. Les seules « bagarres » aujourd'hui, c'est pour réussir à commander sa pinte ! Délicieuse atmosphère de vieille taverne, avec son parquet buriné, son comptoir patiné et ses verres dépolis. Salle à l'étage tout aussi conviviale. En hiver, un bon feu crépite dans l'âtre. Propose un large choix de sandwichs, plats de pub et snacks à prix raisonnables. Aux beaux jours, tout le monde se retrouve dehors, un verre à la main !

🍷 **The French House** *(centre 1, E3, 359)* : *49 Dean St, W1D 5BG.*

☎ *020-7437-2799 et 2477.* ● *contact@ frenchhousesoho.com* ● Ⓜ *Leicester Sq. Tlj 12h-23h (22h30 dim).* Bar food *lun-ven jusqu'à 15h30.* Murs patinés de vieux bar de province mâtiné de pub à l'anglaise, doublé des inévitables stores estampillés *Canard-Duchêne*. La devise du lieu ? « Si tu bois pour oublier, paie pour commencer ! » Même le général de Gaulle est venu trinquer ici (il s'agissait d'un lieu de réunion de la Résistance française pendant la Seconde Guerre mondiale !). Ambiance au coude-à-coude, c'est convivial ! Une valeur sûre à Soho depuis des décennies, plébiscitée par les locaux et les touristes de passage. À l'étage, une salle tout aussi chaleureuse, où l'on peut siffler sa pinte assis. Ouf !

🍸 ***Sherlock Holmes*** *(centre 1, F4, 352) :* 10 *Northumberland St, WC2N 5DB.* ☎ *020-7930-2644.* ● *7967@greeneking.co.uk* ● Ⓜ *Charing Cross. Tlj 10h-23h (minuit).* Fait aussi resto en continu jusqu'à 22h (sandwich env 7 £ et plats 10-15 £). Plus qu'un bar, plus qu'un musée, ce pub typique est un véritable lieu de pèlerinage pour les fans de Holmes. Plusieurs objets personnels de Conan Doyle ont été rapatriés dans les murs (dont un vieux revolver). Résultat, tout rappelle le célèbre détective, de la collection de dessins et gravures à la reconstitution amusante de son cabinet de travail au 1er étage, avec le mannequin du héros en pleine réflexion. Beau bar en acajou et *beer garden*.

🍸 ***The Salisbury*** *(centre 1, F4, 353) :* 90 *Saint Martin's Lane, WC2N 4AP.* ☎ *020-7836-5863.* Ⓜ *Leicester Sq. Lun-sam 11h-23h (minuit ven-sam), dim 11h-22h30.* Cuisine 11h-22h) ; sandwichs env 6-7 £, plats 10-16 £. L'un des pubs victoriens les mieux préservés de Londres, bâti en 1898. Certes, l'atmosphère à la Oscar Wilde s'est dissipée depuis longtemps (on y propose désormais des *afternoon teas*), mais les vitres ciselées, les boiseries et plafonds sculptés n'ont guère bougé... Superbe façade ouvragée, l'une des plus belles de Londres, parfois utilisée comme décor de film. L'enseigne représente le marquis de Salisbury qui fut 3 fois Premier ministre de 1885 à 1902. On retrouve son blason entre 2 angelots au-dessus de la porte (sa famille fut un temps proprio du pub). Ici, pas d'écran télé (« *Official Sports Free Pub* ») ; seule invitée, la bonne humeur de rigueur, alimentée par les bières bien tirées et une cuisine honorable de pub.

🍸 ***The Toucan Bar*** *(centre 1, E3, 356) :* 19 *Carlisle St, W1D 3BY.* ☎ *020-7437-4123.* Ⓜ *Leicester Sq ou Tottenham Court Rd. Tlj sauf dim 11h (13h'sam)-23h.* Quelques notes celtiques résonnent dans cette petite rue de Soho. Noir comme la Guinness et déjà patiné comme une vieille taverne, ce pub de poche n'a rien à envier à ses homologues irlandais. Les nombreux adeptes de la mousse celtique l'envahissent chaque soir, débordant largement dans la rue pour glaner un brin d'espace vital. Quand ce ne sont pas les amateurs de whisky venus écluser l'une des 30 sortes proposées... Et pour se sustenter, *Irish sausages* naturellement !

🍸 ***The Coal Hole*** *(centre 1, F4, 354) :* 91-92 *Strand, WC2R 0DW.* ☎ *020-7379-9883.* Ⓜ *Charing Cross ou Covent Garden. Tlj 10h-23h (23h30 jeu, minuit ven-sam).* Fréquenté à l'origine par les rouleurs de charbon, il devint ensuite un *Song and Supper Club*, pub où les gens étaient encouragés à chanter. Pub centenaire accueillant aujourd'hui les employés du quartier. Pas évident, dans ces conditions, de s'insérer dans la foule aux heures de pointe. Il conserve une bonne part de sa déco fantaisiste de 1904, à l'image d'une frise kitsch à souhait aux nymphes girondes, d'éléments Art nouveau et d'une superbe cheminée ouvragée. Haut de plafond ; monter dans la mezzanine pour avoir une belle vue d'ensemble. Si la cuisine ne mérite pas qu'on s'y attarde, les bières y possèdent en revanche une grande réputation.

🍸 ***Waxy O'Connor's*** *(centre 1, E4, 363) :* 14-16 *Rupert St, W1D 6DD.* ☎ *020-7287-0255.* Ⓜ *Piccadilly Circus. Tlj 12h-23h30 (minuit ven-sam, 23h dim).* Plus on avance, plus on s'enfonce dans les entrailles de ce pub irlandais tentaculaire totalement insolite avec sa déco de chapelle gothique où on trouve même un arbre ! L'endroit ne manque pas de fidèles en tout cas, surtout les soirs de musique. À faire au moins une fois pour goûter le *craic* irlandais comme on dit sur l'île voisine (en décrypté, l'ambiance surchauffée). Prévoir de l'attente le week-end.

Y Brewdog *(centre 1, E3, 357)* **:** 21 Poland St, W1F 8QG. ☎ 020-7287-8029. Ⓜ Oxford Circus. Tlj 12h-23h30 (minuit ven-sam, 22h30 dim). Bières à partir de 4,50 £. Bienvenue chez les addicts de la mousse. Ici, pas d'effort sur la déco, on zyeute plutôt la sélection savante des 20 et quelques bières du moment affichées derrière le comptoir et servies à la tireuse. On peut goûter avant. Attention toutefois au rapport quantité-prix pour ne pas se faire arnaquer. Clientèle volubile qui sait ce qu'elle veut et vide les pintes en refaisant le monde. Au sous-sol, même topo, et bizarrement les bières sont moins chères !

Bars à vins et cocktails

Y Cahoots *(centre 1, E3-4, 229)* **:** 13 Kingly Court, W1B 5PG. ☎ 020-7352-6200. ● cahoots-london.com ● Ⓜ Oxford Circus ou Piccadilly Circus. Lun-mer 17h-1h ; jeu-sam 16h (13h sam)-3h (2h jeu) ; dim 15h-minuit. Cocktails env 10-16 £. Suivre les fléchages « All the trains ». Un de ces bars cachés complètement loufoques. D'abord on s'inscrit par téléphone ou par mail. Après, un chef de gare vous accueille sur place en haut des marches avant de vous conduire dans cette (fausse) station de métro d'après-guerre désaffectée, transformée en bar à cocktails. Très vite, vous voilà avec une feuille de chou en main, datée de l'époque : vous tenez la carte des (excellents) cocktails. Au bar, dans un vieux wagon ou sous des lustres brinquebalants, super ambiance.

Y Opium *(centre 1, E4, 370)* **:** The Jade Door, 15-16 Gerrard St, W1D 6JE. ☎ 20-7734-7276. ● reservations@opiumchinatown.com ● Ⓜ Leicester Sq. Lun-mar 17h-1h, mer 17h-2h, jeu-sam 17h-3h, dim 17h-minuit. Fermé fêtes de Noël. En plein cœur de Chinatown, un bar caché sur 2 étages. Montrez patte blanche ou réservez votre venue. Chaude ambiance, lumières tamisées et carte des cocktails variée. Les habitués des lieux optent pour l'*Opium #6* : tequila, cactus, piment, gingembre et *oolong tea*. Pour se sustenter, des *dim sum*, des petites bouchées vapeur garnies.

Y Gordon's Wine Bar *(centre 1, F4, 350)* **:** 47 Villiers St, WC2N 6NE. ☎ 020-7930-1408. ● info@gordonswinebar.com ● Ⓜ Charing Cross. Lun-sam 11h-23h, dim 12h-22h. Verres de vin à partir de 5,50 £ et bouteilles à partir de 20 £. Planches et tapas env 5,75-18,50 £ ; plats (le midi seulement) 10,50-12,95 £. Amateur de bons vins, cette adresse fondée en 1890 est un must ! Les boiseries séculaires et les briques hâlées ne mentent pas, ce dédale de caves voûtées très sombres et basses de plafond, éclairées à la bougie, a bien vieilli dans son jus, à l'instar des meilleurs crus. À l'ardoise, les vins de la vieille Europe et du Nouveau Monde. Il fut un temps où cette atmosphère intime stimulait Rudyard Kipling, à l'époque locataire de la maison. Tandis que Vivien Leigh et Sir Lawrence Olivier y puisaient quelques forces entre 2 représentations au *Player's Theatre* voisin. Bonne sélection de fromages et leur accord complice proposé avec le vin (le stilton avec du porto, un classique british !). Quelques plats chauds proposés le midi et des tapas en soirée, ainsi que le traditionnel *Sunday roast* (sélection de viande de bœuf, agneau, poulet et porc) servis avec purée, légumes et *Yorkshire pudding*... le dimanche. Également une terrasse disposée dans une ruelle piétonne pour les beaux jours.

Y Antidote Wine Bar *(centre 1, E3, 367)* **:** 12 A Newburgh St, W1F 7RR. ☎ 020-7287-8488. ● contact@antidotewinebar.com ● Ⓜ Oxford Circus. Bar tlj sauf dim 12h-23h non-stop. Plats 7-21 £, menu dégustation le soir 40 £ (plus 30 £ avec les vins). Dans une petite rue perpendiculaire à Carnaby Street, un adorable troquet avec son comptoir pour écluser quelques gorgeons en bonne compagnie. Resto à l'étage pour une cuisine fraîche et de saison à base de charcuterie et de fromage. Une carte des vins au verre pensée habilement, faisant la part belle à ceux de l'Hexagone et aux vins bio... Terrasse prise d'assaut le soir.

Mr Fogg's (plan d'ensemble, D4, **461**) : 15 Bruton Lane, W1J 6JD. ☎ 020-2036-0608. • residence@mr-foggs.com • mr-foggs.com • Lun-mer 17h01-1h01, jeu-ven 16h01-1h01, sam 13h01-2h01, dim 15h01-12h01. Résa obligatoire ! Boissons 16-20 £ ; afternoon teas le w-e à partir de 38 £ (avec gin ou champagne). Bienvenue dans l'antre du fameux Phileas Fogg, aventurier et « bon viveur », comme l'annonce la devanture de cet immeuble sombre, dans une rue peu fréquentée. Car vous voici dans un speakeasy, l'un de ces bars prohibés, comme autrefois. Ici, il s'agit de montrer patte blanche, de faire la queue, ou d'avoir fait sa réservation au préalable... Une fois la porte franchie, c'est à un véritable voyage qu'on vous invite, avec cette montgolfière échouée dans un coin de ce grand et vaste club très privé, aux allures de cabinet de curiosités. Un rêve de gosse, loufoque à souhait. Dans les toilettes, on en apprend des vertes et des pas mûres sur cette époque victorienne, diablement bien mise en scène ici.

Cellar Door (centre 1, F4, **298**) : Zero Aldwych, WC2E 7DN. ☎ 020-7240-8848. • angel@cellardoor.biz • Lun-ven 16h-1h ; sam 18h-5h et dim 16h-1h. Résa conseillée. Cocktails env 11-13 £ ; shots 4-9 £. Très en vogue à Londres, ce petit bar intime est situé en sous-sol, dans d'anciennes toilettes publiques. Accès par un escalier sur le trottoir du Strand, qui mène à une jolie salle décorée dans les tons rouge et bordeaux, dans un esprit cabaret allemand des années 1930 ou speakeasy new-yorkais. Malgré l'exiguïté des lieux (60 personnes max), on ne se sent pas à l'étroit sur les banquettes et tabourets alignés le long de murs capitonnés de velours. Spectacles variés : burlesque les vendredi et samedi, projection de films le dimanche, open mic et piano-bar les autres soirs. Ensuite un DJ assure l'animation jusqu'à la fermeture, parfois dans une chaude ambiance.

L'American Bar du Savoy Hotel (centre 1, F4, **189**) : 100 Strand, WC2R 0EW. ☎ 020-7836-4343. Ⓜ Temple ou Embankment. Lun-sam 11h30-minuit (pianiste 18h-22h30), dim 12h-minuit. Cocktails 16-50 £, voire 600-5 000 £ pour les mélanges les plus rares ! Bar intime dans un cadre Art déco, fondé en 1903. Plus de 40 cocktails maison, pas forcément inscrits sur la carte qui change selon les saisons, comme le Moonwalk, créé en hommage aux premiers hommes sur la Lune, qui le burent à leur retour sur Terre. Ou encore, l'historique Hanky Panky, inventé par la première bartender. Personnel extra. Autre bar dans l'hôtel, le Beaufort, charmant mais moins cosy.

Experimental Cocktail Club (centre 1, E4, **370**) : 13A Gerrard St, W1D 5PS. • reservation@chinatownecc.com • Ⓜ Leicester Sq. Lun-sam 18h-3h, dim 18h-minuit. Cocktails 10-12 £. Entrée : 5 £ après 23h. DJ mer-sam à partir de 21h, live music mar. Ne cherchez pas d'enseigne, il n'y en a pas. Repérez juste les 2 petits restos chinois du rez-de-chaussée, Far East et Four Seasons. Une porte noire entre les deux. C'est le Graal pour accéder au bar le plus recherché de la capitale. Encore faut-il avoir réservé par e-mail et passer le cerbère de l'entrée ! Mais caressez-le dans le sens du poil, il ne mord pas. Chaque soir, clientèle pour moitié réservée, pour moitié spontanée. Une fois à l'étage, vous êtes plongé dans un petit décor sur 2 niveaux, fait de miroirs, grands panneaux de scènes oniriques chinoises, avec vieux plafonds vermoulus et mur en brique. Vintage et moderne à la fois. Cocktails extraordinaires, avec certaines créations et infusions maison audacieuses et envoûtantes. Pas facile d'y entrer, mais on comprend vite pourquoi !

IceBar (centre 1, E4, **308**) : 31-33 Heddon St, W1B 4BN. ☎ 020-7478-8910. • icebarlondon.com • Ⓜ Piccadilly Circus. Horaires variables, du début d'apm à 21h30 dim-lun, plus tard le reste de la sem. Droit d'entrée à partir de 14,50 £ selon heure et conso (comprise). Réduc sur Internet. Autre bar aux horaires un peu plus larges (entrée gratuite, sauf soirée spéciale). Un bout de Laponie en plein cœur de Londres. L'IceBar, c'est un bar tout en glace (importée de Suède !), qui est changée tous les ans. Et v'lan, c'est la banquise qui trinque ! Par - 5 °C toute l'année, on enfile sa doudoune, ses moufles (tout est prêté par la maison), et c'est parti pour 40 mn de frissons garantis (temps maximal imparti), un verre creusé dans la glace à la main. Clientèle de yuppies londoniens, assis sur des cubes glacés ou se trémoussant en musique. Pour se réchauffer et prolonger la soirée, direction le restaurant-bar tout ce qu'il y a de plus *lounge* et classique mais nettement plus adapté pour conter fleurette.

🍸 *Augustus Harris* (centre 1, F3-4, 384) : 33 Catherine St, WC2B 5JT. ● contact@augustusharris.com ● Ⓜ Covent Garden. Lun 17h-23h, mar-sam 12h-23h. Petit bar sympa sur le modèle des *bacari* de Venise, pour boire un verre et grignoter un morceau avant d'aller au théâtre (ou après !). Pas mal de vins et de cocktails italiens à la carte, et une petite cuisine de bar où gorgonzola, *bresaola*, et autres produits de la Botte sont à l'honneur. Bons *crostini* et planches de fromage ou charcuterie fine. Mais qui était Augustus Harris ? Tout simplement le patron du théâtre d'en face, dont la statue vous observe en sortant. Ciao Augustus !

🍸 Voir aussi *Terroirs* (centre 1, F4, 286), décrit plus haut dans « Où manger ? ».

Concerts rock, jazz, blues...

🎵 *Station de métro Piccadilly Circus* (centre 1, E4) *et Tottenham Court Road* (centre 1, E3) : en bas de l'un des escalators, au 2ᵉ sous-sol de la station de métro. L'administration du métro londonien met un point d'honneur à sélectionner les musiciens qui se produisent au pied de l'escalator. Ça vaut le coup de s'arrêter sur cette « micro-scène » alternative, car on peut y faire de belles découvertes, et en plus, l'acoustique est bonne ! Pop, rock, folk, classique, il y en aura pour tous les goûts. Et si l'artiste vous a plu, n'oubliez pas son chapeau !

🎵 *The Social* (plan d'ensemble, D3, 360) : voir la rubrique « Spécial noctambules ». Petite scène alternative.

🎵 *Ronnie Scott's Club* (centre 1, E3, 450) : 47 Frith St, W1D 4HT. ☎ 020-7439-0747. ● ronniescotts@ronnies cotts.co.uk ● ronniescotts.co.uk ● Ⓜ Leicester Sq ou Piccadilly Circus. Tlj à partir de 18h plus Sunday lunch jazz 12h-16h. Résa conseillée. Entrée : à partir de 10 £. Attention pour les places les moins chères, on n'est vraiment pas bien placé... Malgré la mort de Ronnie Scott, grand saxophoniste et fondateur de ce temple du jazz, le lieu garde toute sa magie. C'est un club de jazz comme dans les films : tables rondes, lumière rase et une petite scène dans le fond. Malgré le prix des consommations, ça ne désemplit jamais. Même si le nom affiché dehors ne vous dit rien, on vous recommande vivement d'entrer. C'est là que Jimi Hendrix fit sa dernière apparition sur scène, juste avant sa mort. 2 shows chaque soir : le 1ᵉʳ vers 20h30. Mais, en principe, l'ambiance est vraiment à point vers 22h. Bars et resto pour patienter. À ne pas manquer.

🎵 *Ain't Nothin'But... Blues Bar* (centre 1, E3, 228) : 20 Kingly St, W1B 5PZ. ☎ 020-7287-0514. ● aintnb93@ gmail.com ● aintnothinbut.co.uk ● Ⓜ Oxford Circus. Dans une rue parallèle à Regent St, dans le prolongement d'Argyll St. Ouvre souvent à 17h en sem, 15h le w-e. Droit d'entrée ven-sam après 20h30, 5 £ (sinon c'est gratuit). Jam session w-e 16h-20h. Programme en vitrine. Pre-theater menu : 6 £. Arriver tôt pour une place assise. Un bar tout dédié au blues des origines. Les groupes s'enchaînent toutes les 2h. Difficile alors de se frayer un chemin dans la foule des fans. La bière coule à flots. Ambiance garantie.

🎵 *100 Club* (centre 1, E3, 451) : 100 Oxford St, W1D 1LL. ☎ 020-7636-0933. ● the100club.co.uk ● Ⓜ Tottenham Court Rd. Souvent à partir de 19h30, mais horaires et programme variables. Entrée : 8-20 £ selon groupe ; parfois moins cher (notamment sur Internet). L'un des plus vieux clubs londoniens, longtemps réputé pour ses prestigieux concerts. On y croise moins de grosses pointures, mais ses concerts de jazz garantissent toujours de bonnes soirées. Ambiance chaleureuse et consos comme dans un pub.

♪ *Jazz @ Pizza Express* (centre 1, E3, **485**) : 10 Dean St, W1D 3RW. ☎ 020-7439-4962. Programme en vitrine ou sur ● pizzaexpresslive.com ● Ⓜ Tottenham Court Rd. Résa conseillée. Entrée : à partir de 10 £, pizza non comprise. La célèbre chaîne est non seulement spécialisée dans les pizzas, mais aussi dans la musique. Plusieurs salles présentent des groupes de jazz ou de blues tous les soirs. Très bonne programmation ; des pointures mondiales viennent y jouer.

♪ *Jazz After Dark* (centre 1, E3, **484**) : 9 Greek St, W1D 4DQ. ☎ 020-7734-0545. ● jazzafterdark@btconnect. com ● jazzafterdark.co.uk ● Ⓜ Tottenham Court Rd. Mar-sam 14h-2h (3h ven-sam). Musique à partir de 21h ou 22h30. Entrée : 5 £ en sem et 15 £ ven-sam ; réduc si vous dînez sur place. Menu 12,95 £ et une carte pour les grosses faims. Pre-theatre menu : 12,95 £. Concerts de jazz de haute volée, à savourer sans retenue dans une atmosphère *old school* sombre à souhait. C'est là qu'Amy Winehouse a fait ses débuts : une expo lui est consacrée dans l'alcôve où elle composait ses chansons et elle est désormais au menu, avec son « assiette » préférée ou encore « son » cocktail... *Back to Black* ! Rien de très inventif sur le plan culinaire, mais l'ensemble est tout à fait honnête et on ne vient pas vraiment pour ça.

♪ *The Borderline* (centre 1, E3, **455**) : Orange Yard, Manette St, W1D 4JB. ☎ 020-3871-7777. ● borderline.london.com ● Ⓜ Tottenham Court Rd. Depuis Greek St, passer sous un porche pour trouver l'entrée dans un recoin de Manette St. Entrée : concerts 5-30 £, night-club 5-10 £. 2 en 1 dans ce repaire underground pas touristique pour un penny : commencez par les *gigues* à 19h, soit 4 à 5 concerts rock ou autre par semaine, des nouvelles têtes le plus souvent. À partir de 23h, c'est la déchaîne sur la piste de danse !

Concerts classiques et théâtre

♪ *English National Opera* (ENO ; centre 1, F4) : London Coliseum, Saint Martin's Lane, WC2N 4ES. ☎ 020-7845-9300. ● eno.org ● Ⓜ Charing Cross ou Leicester Sq. L'*ENO* a une politique plus démocratique que son royal concurrent : les 1ers prix sont abordables et les mises en scène pas du tout élitistes. Petit *warning* pour les puristes : on y chante exclusivement en anglais ! Et on y danse aussi. Visite possible des coulisses : un autre monde !

♪ *Royal Opera House* (centre 1, F3) : Covent Garden, WC2E 9DD. ☎ 020-7304-4000. ● roh.org.uk ● Ⓜ Covent Garden. Réserver 2-3 mois avt, pour avoir les meilleures places au meilleur prix (debout pour les moins chères). LA salle prestigieuse de Londres où passent les vedettes internationales. Prix en conséquence. Demander les *returned tickets*, tickets du jour invendus. Organise des visites guidées de l'opéra, un vrai dédale ! Superbe foyer pour boire ou dîner avant le spectacle ou pendant l'entracte ; prix corrects (également un resto plus chic sur résa uniquement). En été (de mai à juillet), certains opéras sont diffusés sur écrans géants à Trafalgar Square et autres lieux emblématiques du centre. Programme sur le site.

∞ *Saint Martin's Theatre* (centre 1, F3) : West St, Cambridge Circus, WC2H 9NZ. ☎ 020-7836-1443. ● the-mousetrap.co.uk ● Ⓜ Leicester Sq. Construit en 1916, il a conservé son cadre plein de charme. Un record à signaler : il joue la même pièce – The Mousetrap (La Souricière), d'Agatha Christie – depuis plus de 60 ans (mieux que La Cantatrice chauve au théâtre de La Huchette à Paris !) à 19h30 du lundi au samedi ; séances supplémentaires mardi à 15h et samedi à 16h. Allez-y, c'est drôle comme tout.

∞ *Soho Theatre* (centre 1, E3) : 21 Dean St, W1D 3NE. ☎ 020-7478-0100. ● sohotheatre.com ● Ⓜ Leicester Sq. L'avant-garde londonienne et théâtrale se retrouve sur cette scène expérimentale du *West End*. Comédies, tragédies, drames, tout y passe. Que de jeunes talents invités à résidence. Belle initiative. Au rez-de-chaussée, un café-bar-resto pour se sustenter entre 2 pièces.

Spécial noctambules

On estime à 100 000 le nombre de piétons arpentant les rues de Soho les vendredi et samedi soir ! Faut le voir pour le croire... Prévoir un gros budget, car même la vie nocturne à Londres est chère. Préférez les *venues* (mi-bars, mi-boîtes), plus sympas et où l'on fait d'agréables rencontres en musique.

🎇 **Heaven** (centre 1, F4, **486**) : The Arches, Villiers St, Charing Cross, WC2N 6NG. ☎ 0844-847-2351 (ticket line). ● heaven-live.co.uk.com ● Ⓜ Charing Cross ou Embankment. Lun et jeu-sam 23h-4h ou 5h. Entrée payante. Située dans le tunnel qui passe sous la gare, la 1re boîte gay de Londres a vu passer Madonna, Lady Gaga ou encore Björk, et est toujours aussi connue : plusieurs bars et *dance floors* pris d'assaut lors de chaque soirée à thème (*popcorn* lundi et G-A-Y du jeudi au samedi). Les files d'attente du samedi sont légendaires, tout comme la sélection, pas toujours tendre à l'entrée...

🎇 **G-A-Y** (centre 1, E3, **328**) : 30 Old Compton St, W1D 4UR. ☎ 020-7494-2756. Ⓜ Leicester Sq ou Covent Garden. Tlj 12h-minuit. Très fréquenté le w-e. Entrée payante ou non. Un célèbre bar-club gay et lesbien branchouille qui embrase toujours la ville. De nombreuses stars de la pop s'y retrouvent encore. C'est vrai que ça pulse sec. En outre, tout le monde y est le bienvenu. C'est rose, c'est mauve, c'est tamisé comme il faut, et le niveau sonore... est proche de la rupture. Connu aussi pour ses *afters* endiablés !

🍸🎇♪ **100 Wardour Street** (centre 1, E3, **323**) : 100 Wardour St, W1F 0TN. ☎ 020-7314-4000. Ⓜ Piccadilly Circus. Lun 10h30-22h, mar-mer 10h30-2h, jeu-sam 10h30-3h. Fermé dim. En plein cœur de Soho, à l'emplacement du mythique *Marquee Club*. Un grand club pour écouter de la musique live (funk, Motown, dance, pop, etc. demander le programme), boire un verre et grignoter (canapés Chesterfield très

confortables, grand bar) et pour danser. Prévoir un peu d'attente le week-end.

🍸 **The O'Bar** (centre 1, E3-4, **355**) : 83-85 Wardour St (à l'angle de Brewer St), W1D 6QE. ☎ 020-7434-9413. ● obarsoho.com ● Ⓜ Piccadilly Circus ou Leicester Sq. Happy hours *en fin de journée*. Situé en plein cœur de Soho, un vaste bar branché étiré sur 3 étages : piste de danse enflammée par un DJ au sous-sol, un *lounge bar* cosy à l'étage et le bar principal pris d'assaut pendant les *happy hours* sous d'immenses lustres à pampilles ou des banquettes en skaï baroques. Surchargé le week-end.

🍸🎇 **The Village** (centre 1, E3-4, **355**) : 81 Wardour St, W1D 6QD. ☎ 020-7478-0530. ● village-soho.co.uk ● Ⓜ Leicester Sq ou Piccadilly Circus. Tlj à partir de 17h. L'un des principaux spots du circuit gay londonien. Ambiance tout ce qu'il y a de plus branché, avec DJs aux commandes tous les soirs et shows de *go-go dancers* les jeudi, vendredi et samedi soir. Salle plus intime à l'étage, sorte de boudoir tamisé pour se raconter des petits secrets.

🍸🎇 **The Social** (plan d'ensemble, D3, **360**) : 5 Little Portland St, W1W 7JD. ☎ 020-7636-4992. ● carl@thesocial.com ● thesocial.com ● Ⓜ Oxford Circus. Lun-jeu 15h-minuit (1h jeu), ven 12h30-1h, sam 18h-1h. Entrée parfois payante. Plutôt pépère pendant la journée, avec sa déco rétro *seventies* et ses banquettes rondes en skaï marron, ce bar-boîte sur 2 niveaux sort les griffes dès la nuit tombée : les meilleurs DJs remplissent l'espace de décibels survoltés, aussitôt happés par une foule frémissante de jeunes Londoniens *trendy*. On a même vu les Chemical Brothers aux platines ! C'est aussi une bonne scène alternative comme on l'aime, où se produisent de jeunes groupes un peu déjantés !

🍸🎇 **Bar Italia** (centre 1, E3, **328**) : 22 Frith St, W1D4RF. ☎ 020-7437-4520. Ⓜ Piccadilly Circus ou Leicester Sq. Tlj 24h/24. C'est au petit matin qu'il faut prendre un cappuccino dans ce minuscule snack indéboulonnable. Sandwichs et pâtisseries fort appétissants. Rendez-vous nocturne bien connu de tous les *clubbers* de Londres.

Shopping

Les grandes artères commerçantes

Même si l'on a tendance à lui préférer les quartiers de King's Road ou de High Kensington Street (plus tranquilles et plus charmants), *Oxford Street* (centre 1, E-F3) reste encore et toujours le centre névralgique et stratégique du shopping londonien. Allez donc rôder du côté de chez **Marks and Spencer, TopShop, Selfridges, House of Fraser, John Lewis.** C'est dans ces grands magasins que vous trouverez votre bonheur. Tout autour de *Carnaby Street,* quelques créateurs (aussi mobiles que la mode est versatile) sont venus s'y réinstaller. Sans oublier quelques grandes marques franchisées (surtout fringues et chaussures). Et tout ce dont vous rêvez !

Vêtements et chaussures

✿ **Primark Marble Arch** (plan d'ensemble, C3, **606**) : 499-517 Oxford St, W1C 2QQ. ☎ 020-7495-0420. Ⓜ Marble Arch. Lun-sam 8h-22h, dim 11h30-18h. Sur 2 étages, mode femmes, hommes, enfants. Fringues, accessoires pas chers du tout et très sympas. Beaucoup de monde. Allez, on fait un pari : sûr que vous aussi vous repartirez avec votre sac en kraft et quelques achats dans votre besace !

✿ Et comme vous en redemandez encore, à l'autre extrémité de la rue, **Primark Tottenham Court Rd** vous accueille dans un espace encore plus grand ! 14-28 Oxford St & 3 Tottenham Court Rd, W1D 1AU. ☎ 020-7580-5510. Ⓜ Tottenham Court Rd. Lun-sam 8h-22h, dim 12h-18h. Mêmes recettes et mêmes sacs en kraft.

✿ **Burberry** (centre 1, E4) : 121 Regent St, W1B 4TB. ☎ 0207-80-68-904. ● burberry.com ● Lun-sam 10h-21h, dim 11h30-18h. La marque fondée en 1856 par Thomas Burberry est devenue iconique, symbole de l'élégance britannique. Prisé des militaires, des aventuriers puis des fashionistas, le célèbre *trench coat* se décline désormais en plusieurs couleurs et même... en dentelle ! Cette boutique aménagée dans un ancien théâtre est la plus grande au monde. Hors de prix, cela va sans dire...

✿ **Hunter Boots Store** (centre 1, E4) : 83-85 Regent St, W1B 4EW. ☎ 020-7287-2999. ● hunterboots. com ● Lun-sam 10h-20h, dim 12h-18h. Accessoire indispensable pour jouer au *gentleman farmer,* la paire de bottes en caoutchouc Hunter ! Choix inégalable de modèles, du plus classique au plus déjanté... 100 % *British* !

✿ **Abercrombie & Fitch** (plan d'ensemble, D-E4) : 7 Burlington Gardens, W1S 3ES. ☎ 0844-412-5750. Ⓜ Piccadilly Circus. Lun-sam 10h-20h, dim 12h-18h. En sortant, à gauche, dans Savile Row, Abercrombie Kids. Le temple de la fringue américaine s'est établi au cœur de Londres dans un bâtiment cossu aux impressionnants volumes, qui vaut la visite en soi.

✿ **Anthropologie** (centre 1, E4) : 158 Regent St, W1B 5SW. ☎ 020-7529-9800. Ⓜ Piccadilly Circus. Lun-sam 10h-20h (19h sam), dim 12h-18h. Boutique « vintage moderne », très bobo. Pas donné, mais jolies pièces et décor extra. De bonnes idées pour la déco. Autres adresses aux 131-141 King's Rd, SW3 4PW. ☎ 020-7349-3110 et 33-34 Marylebone High St, W1U 4PT. ☎ 020-7486-9858.

✿ **Supreme** (centre 1, E3, **246**) : 2-3 Peter St, W1F 0AA. ☎ 020-7437-0493. ● supremenewyork.com ● Ⓜ Piccadilly Circus. Lun-sam 11h-19h, dim 12h-18h. Les fans de *sneakers, street wear* et tout simplement de la marque new-yorkaise font la queue des heures devant la seule adresse en Europe ! Casquettes, vestes, tee shirts et baskets.

⚜ *Victoria's Secret* (plan d'ensemble, D4) : 111 New Bond St, W1S 1DP. ☎ 020-7318-1740. ● victoriassecret. com ● Lun-sam 10h-21h, dim 12h-18h. Pas moins de 3 étages de guê-pières (qui ne piquent pas les yeux masculins), dentelles aguichantes et autres dessous féminins ! Avec toutes les nouveautés de la marque de lingerie anglaise.

⚜ *Pop Boutique* (centre 1, F4) : 30 Shorts Gardens, WC2H 9PX. ☎ 020-7836-9819. ● pop-boutique.com ● Ⓜ Covent Garden. Lun-sam 11h (10h30 ven)-19h (18h jeu), dim 12h-18h. Une ambiance très rétro *seventies* pour cette boutique de vêtements et objets vintage, avec aussi une sélection de vinyles.

⚜ *Vivienne Westwood* (plan d'ensemble, D4) : 44 Conduit St, W1S 2YL. ☎ 020-7439-1109. Ⓜ Oxford Circus. Lun-sam 10h-18h (19h jeu), dim 12h-17h. La vieille bou-tique *World's End* affiche toujours son horloge qui remonte le temps au 430 King's Road, mais c'est dans cette boutique de soldes que le faux-cul côtoie le T-shirt imprimé peinture et les chaussures à semelles insen-sées. Fins de séries à prix parfois très abordables. Boutique pour hommes au n° 18.

⚜ *Agent Provocateur* (centre 1, E3) : 6 Broadwick St, W1F 8HL. ☎ 020-7439-0229. Ⓜ Oxford Circus ou Tottenham Court Rd. Lun-sam 11h-19h, dim 12h-17h. Digne fils de sa maman, Vivienne Westwood, et de son papa, Malcolm McLaren, Joseph Corre a conçu une boutique de linge-rie glamour, sexy-rétro (dessous des années 1950) où se bousculent les top models et le monde de la mode de passage à Londres. Pour voir et être vu. Rien de bien provocant tou-tefois, malgré une devanture rouge censée accrocher le regard. Sinon, juste à côté, *Crosstown Doughnut & Coffee Bar* (centre 1, E3, *235* ; lun-jeu 8h-22h, ven 8h-23h, sam 9h-23h, dim 9h-20h ; ● crosstowndoughnuts. com ●), une boulangerie-pâtisserie délicieuse. Moins glamour, mais plus gourmand. Voir « Où prendre le thé ou le café ? Où faire une pause sucrée ? ».

⚜ *Size ?* (centr... naby St, W1F... 4016. Ⓜ Oxford... 10h-20h30, dim ... branchées, mais ... res de sport exce... série limitée. On ... pour y brancher s... mais sympa.

⚜ *Irregular Choice* (centre 1, E3) : 35 Carnaby St, W1F 7DP. ☎ 020-7494-4811. Ⓜ Oxford Circus. Lun-sam 10h-20h, dim 11h-19h. Des chaussures que vous n'auriez même pas imaginées, aux formes et couleurs totalement déjantées. Boutique à mi-chemin entre le monde d'Alice au pays des mer-veilles, celui d'un manga kitsch et d'un magasin de bonbons acidulés. Allez-y rien que pour la vitrine.

Disques et DVD

⚜ *FOPP* (centre 1, F3) : 1 Earlham St, WC2H 9LL. ☎ 0333-32-38-418. ● fopp.com ● Ⓜ Leicester Sq. À l'angle de Shaftesbury Ave. Lun-mer 10h-22h, jeu-sam 10h-23h, dim 12h-18h30. Sur 3 niveaux, une vaste boutique de dis-ques, livres et DVD (zone 2, peuvent être visionnés en France). Promos régulières et prix plancher pour les vieux classiques.

⚜ *Reckless Records* (centre 1, E3) : 30 Berwick St, W1F 8RH. ☎ 020-7437-4271. ● reckless.co.uk ● Ⓜ Oxford Circus. Tlj 10h-19h. Une des bonnes adresses pour les occasions de CD et de vinyles. Vaste choix et tous les styles, du rock à la techno, sans oublier les incontournables classiques des *sixties* et des *seventies*.

⚜ *Sister Ray* (centre 1, E3) : 75 Ber-wick St, W1F 8TG. ☎ 020-7734-3297. ● sisterray.co.uk ● Ⓜ Oxford Circus. Lun-sam 10h-20h, dim 12h-18h. Immense boutique et très bonne sélec-tion de CD et vinyles anciens et fraî-chement arrivés dans les bacs. Même maison à Shoreditch.

⚜ *Sounds of the Universe* (centre 1, E3) : 7 Broadwick St, W1F 0DA. ☎ 020-7734-3430. ● soundsoftheu niverse.com ● Ⓜ Oxford Circus. Lun-sam 10h-19h30, dim 11h30-17h30. Hip-hop, house et ethnique, à défaut d'être universel.

hatchard's (centre 1, E4) : 187 Piccadilly, W1J 9LE. ☎ 020-7439-9921. ● hatchards.co.uk ● Ⓜ Piccadilly Circus. À 200 m du métro. Lun-sam 9h30-20h, dim 12h-18h30. S'il n'y en a qu'une à voir, c'est celle-ci : LA librairie anglaise par excellence, sur plusieurs étages, ayant pignon sur rue depuis 1797. Le nec plus ultra ? Repartir, pour le même prix, avec une édition signée (signed copy) par l'auteur de son bouquin préféré. Belle section complète d'ouvrages militaires (entre autres) et une autre de livres sur Churchill et la royauté ! Sans compter le jardinage, les chiens, etc. Succursale à la gare de King's Cross.

Gosh ! (centre 1, E3) : 1 Berwick St, W1F 0DR. ☎ 02-07-43-70-187. ● goshlondon.com ● Ⓜ Oxford Circus. Tlj 10h30-19h. Pour les dingues de B.D. et comics américains. Excellent choix et nombreuses raretés. On y trouve aussi de la B.D. européenne, dans des éditions parfois introuvables chez nous.

Foyles (centre 1, E3) : 107 Charing Cross Rd, WC2. ☎ 020-7434-1574. ● foyles.co.uk ● Ⓜ Leicester Sq. Lun-sam 9h30-21h, dim 11h30-18h. Dans un cadre moderne et lumineux, on trouve absolument tous les genres de livres, ainsi que des partitions. Une ville dans la ville. Café branché dans tous les sens du terme au 5e étage.

Waterstone's Booksellers (centre 1, E4) : The Grand Building, Trafalgar Sq, WC2N 5EJ. ☎ 020-7839-4411. ● waterstones.com ● Ⓜ Charing Cross. Sous les arcades à l'angle de Northumberland Ave et The Strand. Lun-sam 9h-21h, dim 12h-18h. Grande librairie de la célèbre chaîne, sur plusieurs niveaux, proposant un choix intéressant dans tous les domaines.

Stanfords (centre 1, E4) : 12-14 Long Acre, WC2E 9LP. ☎ 020-7836-1321. ● stanfords.co.uk ● Ⓜ Leicester Square ou Covent Garden. Lun-sam 9h-20h, dim 11h30-18h. LA librairie spécialisée dans le voyage, établie ici depuis plus de 100 ans. Incroyable sélection de cartes du monde entier, ainsi que des guides et beaux livres.

Fromage et autres douceurs

Neal's Yard Dairy (centre 1, F3) : 17 Shorts Gardens, WC2H 9AT. ☎ 020-7240-5700. ● nealsyarddairy.co.uk ● Ⓜ Covent Garden. Lun-sam 10h-19h. C'est le fromager incontournable de Londres pour qui souhaite découvrir le meilleur des îles britanniques. On conseille aux sceptiques d'entrer dans cette magnifique boutique où les vieux cheddars s'affinent aux côtés de stiltons crémeux à souhait... Sur une ardoise sont écrits l'âge et l'origine de ces joyaux, mais les fromagers prennent volontiers le temps de vous en expliquer les caractéristiques, et surtout de vous faire goûter ! On y trouve les célèbres Cashel Blue Cheese et Stinking Bishop (« l'évêque qui pue »)... Autres adresses à Borough Market : tlj sauf dim, 9h (8h sam)-18h ; et à Bermondsey (sur le marché de Dockley Rd, sam seulement 9h-14h).

Prestat (centre 1, E4) : 14 Princes Arcade, SW1Y 6DS. ☎ 020-7494-33-72 ● prestat.co.uk ● Ⓜ Piccadilly Circus ou Green Park. Lun-ven 9h30-18h, sam 10h-17h, dim 11h-16h30. Le plus vieux chocolatier d'Angleterre, pas moins, fondé en 1902 par un... Français, Antoine Dufour. La boutique vaut déjà le coup d'œil : véritable bonbonnière rose et bleu, assortie aux chapeaux de la reine, une cliente fidèle ! Le packaging est kitsch et superbe, à l'image des lieux. Les chocolats sont aussi fameux, en particulier la spécialité, les truffes.

Charbonnel et Walker (plan d'ensemble, D4) : 28 Old Bond St, à l'entrée de Royal Arcade. ☎ 020-7318-2075. ● charbonnel.co.uk ● Ⓜ Green Park. Lun-sam 9h30-18h30, dim 12h-17h. Un autre fournisseur officiel de chocolats pour la reine, décidément bien gourmande. Emballages hyper classe et vitrine à croquer depuis 1875. Dommage, c'est plutôt cher !

Les boutiques ultra-spécialisées

On trouve à Londres des magasins inimaginables ailleurs, spécialisés dans tout et n'importe quoi. Un régal.

La plupart se trouvent dans le centre, notamment à Covent Garden. Neal Street et Shorts Gardens sont des rues pleines de magasins spécialisés.

⊛ ⚒ *Hamley's* (centre 1, E4, 607) : 188-196 Regent St, W1B 5BT. ☎ 0371-704-1977. • hamleys.com • Ⓜ Oxford Circus. Lun-ven 10h-21h, sam 9h30-21h, dim 12h-18h. Un fabuleux royaume de 5 étages, le plus grand du monde dans son genre, où les vendeurs sont totalement déchaînés et où vous trouverez les jouets les plus traditionnels (l'ours Paddington) comme les plus révolutionnaires, les plus chers comme les meilleur marché. Il y a même un rayon *Build a Bear workshop,* pour fabriquer le nounours de ses rêves (et un resto pour patienter), une section Lego et une collection de petites voitures à faire perdre la tête aux petits et aux grands enfants. Attention, les prix sont en général bien plus élevés qu'ailleurs. Toute petite annexe à la gare de Saint Pancras.

⊛ *Cath Kidston* (centre 1, E4, 609) : 178-180 Piccadilly, W1J 9ER. ☎ 020-7499-9895. • cathkidston.com • Ⓜ Piccadilly Circus. Lun-sam 10h-20h, dim 12h-18h. Si Laura Ashley avait une petite fille, elle s'appellerait sans doute Cath Kidston ! Une boutique avec plein de fleurs partout, des mugs aux housses d'ordinateur portable en passant par les sacs et autres vêtements colorés. Très *British,* très *girly. Voir aussi 28-32 Shelton St* à Covent Garden (centre 1, F3, 609). Lun-sam 10h-19h, dim 12h-18h. Boutiques également à la gare de Saint Pancras, sur Portobello Rd, Sloane Square, etc.

⊛ ⚒ *M & M's World* (centre 1, E4) : 1 Swiss Court, WC2H 7DG. ☎ 020-7025-7171. Ⓜ Leicester Sq et Piccadilly Circus. Lun-sam 10h-minuit, dim 12h-18h30. Fermé j. fériés. Pas moins de 4 étages consacrés à la célèbre friandise chocolatée sur Leicester Sp ! Outre la variété de *M & M's* vendus au poids, moult produits dérivés, du mug au T-shirt en passant par le rideau de douche ou la laisse pour chien ! On y croise aussi la voiture de James Bond ou les Beatles sur Abbey Road... version *M & M's* ! Du *merchandising* pur sucre, à prix salés.

⊛ *Apple Store* (plan d'ensemble, D3) : 235 Regent St, W1B 2EL. ☎ 020-7153-9000. • apple.com/uk • Ⓜ Oxford Circus. Lun-ven 10h-21h, sam 10h-20h, dim 12h-18h. Le bastion local tout blanc des adeptes du grand constructeur à la petite pomme. Des Mac du sol au plafond, sur différents niveaux, répartis selon différents secteurs : cinéma, musique, Internet (accès gratuit, notamment en wifi !)... et même un *I Pod Bar* et un espace conseils *(The Genius Bar)* pour résoudre les problèmes techniques. Car, même chez Apple, les petits pépins, c'est pas toujours de la tarte ! *Une autre adresse à Covent Garden, sous les arcades centrales (centre 1, F3) lun-sam 10h-20h, dim 12h-18h.*

⊛ *Penhaligon's* (centre 1, E4) : 125 Regent St, W1B 4HT. ☎ 020-7434-2608. Lun-mar 10h-19h, mer-sam 10h-20h, dim 11h30-18h30. William Henry Penhaligon était l'ancien barbier de la Cour et parfumeur de la reine Victoria. La 1re senteur de la maison est *Hammam Bouquet* (1872), toujours disponible. *D'autres boutiques ttes proches dans Burlington Arcade ou à Covent Garden.*

⊛ ⚒ *Tintin Shop* (centre 1, F3-4) : 34 Floral St, WC2E 9DJ. ☎ 020-7836-1131. • thetintinshop.uk.com • Ⓜ Covent Garden. Lun-sam 10h30-17h30, dim 12h-16h. Tout sur Tintin, son fidèle compagnon Snowy (Milou !) et le professeur Calculus. On y trouve vêtements, stylos, figurines, toutes les voitures utilisées dans les histoires en miniature et, bien sûr, les B.D. en anglais (chères). On apprend ainsi que « Mille millions de mille sabords ! » se traduit par « *Blue blistering barnacles !* ».

⊛ *The Tea House* (centre 1, F3) : 15 Neal St, WC2H 9PU. ☎ 020-7240-7539. • theteahouseltd.com • Ⓜ Covent Garden. Lun-mer 10h-19h, jeu-sam 10h-20h, dim et j. fériés 11h-19h. Des chinois aux indiens, des japonais aux russes, plus de 100 variétés de thés et tisanes à des prix raisonnables. Plein de théières originales, de belles boîtes métalliques, toutes sortes de gadgets rigolos...

⊛ *Magma* (centre 1, F3) : 29 Shorts Gardens, WC2H 9AP. ☎ 020-7240-7970. • magma-shop.com • Ⓜ Covent

LE CENTRE TOURISTIQUE

Garden. *Lun-sam 11h-19h, dim 11h-18h.* Une boutique de gadgets farfelus qu'on adore. Plein d'idées déco ou cadeaux ! Une autre boutique à Clerkenwell *(117-119 Clerkenwell Rd ; lun-sam 11h-19h).*

🌸 *Lillywhites (centre 1, E4) :* 24-36 Regent St, sur Piccadilly Circus, SW1Y 4QF. ☎ 0844-332-5602. ● lillywhites.co.uk ● Ⓜ Piccadilly Circus. *Lun-sam 10h-21h (22h ven), sam 9h30-22h, dim 12h-18h.* Considéré par certains comme le meilleur magasin d'articles de sport au monde.

🌸 🎎 *Forbidden Planet (centre 1, F3) :* 179 Shaftesbury Ave, WC2H 8JR. ☎ 020-7420-3666. ● forbiddenplanet.com ● Ⓜ Tottenham Court Rd. *À l'angle de Neal St. Lun-mar 10h-19h, mer et ven-sam 10h-19h30, jeu jusqu'à 20h et dim 12h-18h.* Une boutique mythique pour les fans de Mr Spock, *Star Wars* ou le *Seigneur des anneaux.* Figurines, vidéos, livres, B.D., collectors et objets divers tout droit sortis des séries cultes de la TV et du cinéma. Organise régulièrement des séances de dédicaces avec des comédiens ou des auteurs de romans S-F.

🌸 *James Purdey and Sons (plan d'ensemble, C-D4) :* 57-58 South Audley St, W1K 2ED. ☎ 020-7499-1801. ● purdey.com ● Ⓜ Marble Arch ou Bond St. *Lun-ven 10h-18h30, sam 10h-18h. Fermé dim et j. fériés.* Tout l'art de la chasse, de l'arme à la tenue, pour hommes, femmes et enfants. Une institution londonienne depuis 1814 (1 an avant Waterloo !).

🌸 🎎 *Benjamin Pollock's Toyshop (centre 1, F4) :* 44 The Market, Covent Garden, WC2E 8RF. ☎ 020-7379-7866. ● pollocks-coventgarden.co.uk ● Ⓜ Covent Garden. *Lun-sam 10h30-18h (18h30 jeu-sam), dim 11h-18h.* Dans une allée du marché couvert, repérez la porte discrète de cette échoppe cachée à l'étage de 2 boutiques chic. Minithéâtres en carton, services à thé en porcelaine, boîtes à musique, marionnettes... Plein de jouets rétros, des peluches, poupées et une foultitude d'objets amusants.

🌸 Grande concentration de magasins de guitares, basses, synthés, etc., sur **Denmark Street** *(centre 1, E3),* une rue parallèle à St Giles High Street,

WC2. Ⓜ *Tottenham Court Rd.* Une rue mythique pour les amateurs de rock : ici se sont fournis tous les grands noms des *sixties* et des *seventies.*

Les boutiques chères et incontournables

🌸 🍴 *Fortnum & Mason (centre 1, E4) :* 181 Piccadilly, W1A 1ER. ☎ 020-7734-8040. ● fortnumandmason.co.uk ● Ⓜ Piccadilly Circus ou Green Park. *Lun-sam 10h-20h, dim 11h30-18h.* Ce magasin de luxe est une véritable institution. D'atmosphère conviviale, il est décoré avec un goût et un raffinement poussés à l'extrême : lustres en cristal, rayonnages en bois à l'ancienne et moquettes épaisses. Quant aux vendeurs, ils portent fièrement leur uniforme. Faste inégalé au grand rayon alimentation et traiteur au sous-sol, qui fait depuis le XVIIIe s la réputation de cette épicerie fine. On y trouve (presque) de tout. Au rez-de-chaussée, thés en vrac et en sachets, considérés comme les meilleurs par des générations d'Anglais, marmelades fruitées, chocolats et pâtisseries pour les gourmets. Étages tout aussi précieux, consacrés aux arts de la table et autres plaisirs raffinés. À chaque niveau, son restaurant ou *tearoom,* où l'on peut prendre un *afternoon tea* (à partir de 24,50 £), une glace ou un repas, mais en y mettant le prix...

🌸 *Liberty (plan d'ensemble, D3) :* Great Marlborough St, W1B 5AH (donne sur Regent St). ☎ 020-7734-1234. ● liberty.co.uk ● Ⓜ Oxford Circus. *Lun-sam 10h-20h, dim 12h-18h.* Tout le monde a entendu parler de ce grand magasin de luxe, sa superbe façade néo-Tudor hérissée de gargouilles, son bâti en bois, son escalier d'époque et surtout le style qu'il a imposé au monde entier. La créativité de son mobilier et de ses tissus a influencé le mouvement Art nouveau au début du siècle passé. Spécialisé dans les produits haut de gamme, ce magasin est évidemment hors de prix. Ça vaut en tout cas le coup d'y aller, en visant les soldes ou juste pour le plaisir des yeux. Une salle est consacrée aux fins de séries *(clearance).* En attendant, tous les créateurs se battent pour y accrocher ne serait-ce que quelques cintres. Vivienne Westwood, Dries Van Noten... avec souvent quelques pièces « collector » en Liberty, spécialement créées pour la maison. Au rayon ameublement, tout là-haut, on trouve des rideaux vraiment superbes. C'est l'occasion d'admirer la charpente de plus près.

🕸 *Paul Smith* (centre 1, F3-4) : 40-44 Floral St, WC2E 9TB. ☎ 020-7379-7133. Ⓜ Covent Garden. Lun-mer 10h30-18h30, jeu-ven 10h30-19h, sam 10h-19h, dim 12h30-17h30. Paul Smith est connu pour ses étonnants mariages de chic britannique et d'imprimés colorés, presque kitsch. D'autres boutiques accolées sur Floral Street : femmes, hommes, chaussures et *PS by Paul Smith* (Covent Garden, 9-11 Langley Ct ; ☎ 020-7257-8946 ; lun-mer 10h30-18h30, jeu-ven 10h30-19h, sam 10h-19h, dim 12h30-17h30), si vous souhaitez faire customiser vos jeans. *So British !*

Marché

🍖 *Berwick Street Market* (centre 1, E3) : Berwick St, W1 (une petite rue descendant d'Oxford St). Ⓜ Oxford Circus. Lun-sam 8h-18h env. Situé au cœur de Soho, cerné de boîtes de strip-tease et de boutiques de CD d'occasion, ce petit marché de fruits et légumes est très animé et pas cher. On y trouve aussi des baguettes de pain (oui, oui ! de vraies baguettes !) et de petites crêpes pour manger sur le pouce entre 2 boutiques.

Galeries et musées

🚶🚶🚶 👫 *National Gallery* (centre 1, E-F4) : Trafalgar Sq, WC2N 5DN. ☎ 020-7747-2885. ● nationalgallery.org.uk ● Ⓜ Charing Cross. Tlj 10h-18h (21h ven). Fermé 1er janv et 24-26 déc. GRATUIT (sauf expos temporaires), plan 1 £. **Bon plan : 2 entrées pour le prix d'une aux expos temporaires sur présentation de votre billet d'Eurostar.** Attention, pas de bagages volumineux au vestiaire (payant). Audioguides en français (4 £ ; réduc) et application à télécharger sur vos smartphones avec les chefs-d'œuvre expliqués. Compter au moins 5h de visite. Agréable cafétéria au sous-sol du bâtiment principal et resto plutôt chic dans l'aile Sainsbury. L'un des plus beaux musées de peinture au monde, avec plus de 2 300 toiles datant de 1250 à 1900. Toutes les grandes écoles occidentales sont donc représentées, tandis que l'essentiel de la peinture moderne a été confié à la Tate Modern. Attention, certaines œuvres décrites ici peuvent ne pas être visibles, en prêt ou en roulement.

Nos conseils
– Prendre le plan du musée (*floor plan*, 1 £) à l'entrée. **Tout se trouve au même niveau, à savoir le level 2, et le musée est organisé en 4 sections, identifiées par des couleurs.**
– Manque de temps ? Avant la visite, reportez-vous au site internet pour en savoir davantage sur 30 artistes ou 30 tableaux emblématiques. Puis suivez les exposés éclair de 10 mn sur un tableau (*tlj à 16h*). Ou aperçu général guidé et gratuit de 1h en anglais (*tlj à 11h30 et 14h30*). Rendez-vous dans le foyer de l'aile Sainsbury. Enfin, miniparcours téléchargeables gratuitement sur Internet.
– On peut également consulter le système multimédia du musée (nombreux espaces baptisés *ArtStart*) et se faire imprimer une visite guidée thématique concoctée selon ses goûts. Pratique !

Du XIIIe au XVe s, aile Sainsbury (Sainsbury Wing, section bleue) : début de la Renaissance
Œuvres de l'école italienne du gothique tardif et du début de la Renaissance, notamment allemande et flamande.

– **Salles 51 à 53 :** touchante *Vierge à l'Enfant* d'Arezzo datant de 1263, aux scènes très imagées, et primitifs italiens. Voir le magnifique *diptyque de Wilton (salle 53)*, exécuté à la fin du XIVe s dans un style gothique très décoratif.

Un *Couronnement de la Vierge* provenant d'un retable florentin, de Lorenzo Monaco, majestueux et coloré, presque pastel. Comparer les madones de Masaccio et de Gentile da Fabriano, peintes à la même époque.

– **Salle 54 :** le Florentin Paolo Uccello est superbement représenté, notamment avec la *Bataille de San Romano* (vers 1440, commissionnée par les Médicis). Comme de nombreux artistes de la Renaissance, il a bien maîtrisé la perspective et le raccourci audacieux (à l'image du cavalier mort en bas de la toile), principalement grâce à toutes ces lances cassées au sol qui donnent le point de fuite. Du même peintre, ne pas rater *L'Annonciation* et *Les Sept Saints* de Filippo Lippi, aux visages toujours aussi gracieux.

– **Salle 56,** Van Eyck nous fait entrer dans l'intérieur intime des *Époux Arnolfini* (1434). Un rendu très précis des couleurs (joli vert de la robe de madame) lui permet, par exemple, de peindre le tableau en abyme dans le miroir du fond. Sur ce même miroir, on distingue, en plus du couple, les silhouettes de 2 personnages : Van Eyck s'est probablement représenté. Superbe portrait d'un *Homme au turban*, vraisemblablement un autoportrait. Il a beaucoup influencé ses compatriotes Van der Weyden (*Madeleine lisant*) et Petrus Christus (*Portrait d'un jeune homme*, réalisé vers 1450).

– **Salles 57 et 58 :** florilège d'œuvres d'artistes florentins (Filippino Lippi, di Cosimo, del Verrocchio...), parmi lesquelles on distingue le *Martyre de saint Sébastien,* d'Antonio et Piero del Pollaiulo (environ 1475), avec 6 arbalétriers et archers qui adoptent 3 poses différentes, vues sous un angle différent, soulignant la perspective du paysage en arrière-plan. Remarquer aussi *Vénus et Mars* de Botticelli (1485). Mars, dieu de la Guerre, est vaincu par l'Amour... La conque à son oreille symbolise la naissance de Vénus, issue de la mer.

– La **salle 59** est consacrée à Crivelli, artiste atypique connu pour ses incrustations d'éléments de bois et de gemmes qui donnent du relief à la peinture.

– **Salle 60 :** les écoles de Sienne et de Pérouse avec, comme chefs de file, le Pérugin, Matteo di Giovanni et plusieurs chefs-d'œuvre de Raphaël dont une *Crucifixion, Sainte Catherine d'Alexandrie* et *La Vierge aux œillets (The Madonna of the Pinks)*. Noter la peau joliment colorée de l'Enfant et le voile transparent, ainsi que le plissé des tissus, remarquables. L'ensemble s'inspire de Léonard de Vinci.

– **Salles 61 et 62 :** écoles de Mantoue et Venise vers 1500 avec un intrigant monochrome de Mantegna (1505), *Introduction du culte de Cybèle à Rome*. Cette frise « à l'antique » donne l'illusion d'avoir été sculptée sur du marbre coloré. De Bellini, le *Portrait du doge Loredan,* incarnation austère de la dignité du pouvoir. Quant au fameux *Saint Jérôme dans son ermitage* (1475), d'Antonello de Messine, il a longtemps été attribué à Van Eyck en raison de l'influence flamande qui le caractérise.

– **Salle 63 :** renaissance flamande. Plusieurs œuvres dont Hans Memling, dont le triptyque représentant la *Vierge à l'Enfant*. Comme souvent, le donateur (Sir Donne, un nom prédestiné !) s'est fait représenter, agenouillé en prière. Impressionnant *Saint Michel triomphant du diable* (1468), de Bartolomé Bermejo, aux airs futuristes.

– **Salles 64 et 65 :** les écoles allemande et autrichienne avec les œuvres de Stephan Lochner et le maître de Liesborn. Également un très fin *Portrait du père* de Dürer (1497).

– **Salle 66 :** pour conclure, ne pas rater la sombre *Vierge au rocher* de Léonard de Vinci ou la réinterprétation de l'Immaculée Conception.

XVIe s (section pourpre) : haute Renaissance et maniérisme
Une section riche en œuvres de la Renaissance italienne (écoles florentine, vénitienne et de l'Italie du Nord), flamande et allemande.

.– La **salle 4,** l'une des plus belles du musée, célèbre la Renaissance allemande, bien représentée avec Hans Holbein le Jeune, peintre officiel d'Henri VIII. On y trouve son tableau le plus connu, *Les Ambassadeurs* (1533), peint sur bois. Sur une étagère, des symboles des nouveaux savoirs de la Renaissance. Pourtant, quelque chose cloche : une des cordes du luth a sauté (signe de la discorde politique et religieuse en Europe), et, au pied des personnages, plane une menace sous la forme d'une tache incongrue. C'est une anamorphose : une forme tordue par

l'élongation de la perspective. En se déplaçant sur les côtés, on découvre ce que l'on ne veut regarder en face : la Mort, représentée par un crâne... On ne ferait pas mieux avec Photoshop ! Quelques œuvres remarquables de Cranach l'Ancien, notamment l'étrange *Plainte de Cupidon à Vénus* (environ 1525) ou encore les œuvres de Cranach l'Ancien, *Sainte Geneviève*, en vert éclatant, avec, à la main, la bougie qui se rallume, ainsi que les symboles de l'alpha et l'oméga sur son pendentif. Quant à *Sainte Apolline*, en rouge flamboyant, elle tient une tenaille, celle qui servit... à lui arracher les dents !

– *Salle 5 :* les amateurs de Renaissance flamande seront plus que comblés.

– *Salle 7 :* toute petite salle essentiellement consacrée au Florentin Jacopo Pontormo. Œuvres de palais représentant des scènes de l'Ancien Testament et de la vie de Joseph.

– *Salle 8 :* 2 toiles inachevées de Michel-Ange. De Bronzino, une *Allégorie de Vénus et Cupidon* (environ 1545), vraiment coquine,

offerte par Côme de Médicis à François Ier.

– *Salles 9 à 12 :* l'école de Venise, avec une superbe *Famille de Darius devant Alexandre le Grand* (1565) de Véronèse, l'une de ses grandes toiles mythologiques, là où il peut le mieux s'exprimer. Noter le cheval fantomatique en arrière-plan. Voir aussi quelques compositions remarquables du Greco. La salle 11 est consacrée à Joachim Beuckelaer (environ 1570) et sa représentation des 4 éléments : l'eau, la terre, le feu et l'air. Les gosses apprécient particulièrement les choux-fleurs... mais seulement en peinture ! Salle 12, galerie de portraits de Moroni (1520-1579), Bordone (1500-1571) et Lorenzo Lotto (1480-1556). Captivante *Lucrèce* de ce dernier.

– *Salle 14 :* école flamande du XVIe s. De Jan Gossaert, un *Couple âgé*, empreint d'émotion et de résignation. Dans les autres œuvres exposées, c'est davantage son sens du détail, de la composition, ses couleurs chatoyantes qui frappent, notamment dans son extraordinaire *Adoration des mages*.

XVIIe s (section orange) : l'époque baroque

– *Salle 15 :* petite entorse à la chronologie, on y trouve 2 peintures de l'Anglais Turner (XIXe s) qui répondent à 2 tableaux du peintre paysagiste français Claude Lorrain (XVIIe s), celui-ci ayant fortement influencé l'œuvre du maître anglais.

– *Salles 18 à 21* (qui porte le nom d'Yves Saint Laurent) *:* en travaux lors de notre passage. On y trouve souvent des peintres français comme Simon Vouet, Pierre Mignard, Le Nain, Philippe de Champaigne, Poussin ou encore Claude Lorrain.

– **Salles 23 à 26 :** on découvre des Rembrandt, dont cette terrible femme jugée pour adultère. L'artiste portait sur les gens et les choses un regard à la fois tendre et sans concession. C'est particulièrement évident dans son magnifique *Autoportrait à l'âge de 63 ans*.

– **Salle 30 :** l'école espagnole et les œuvres de Murillo, pleines de candeur (ses enfants sont craquants). Plusieurs Velázquez, dont un portrait de Philippe IV et *La Toilette de Vénus*, plutôt osé pour l'Espagne de l'époque, où l'Inquisition sévissait encore.

– **Salle 31 :** consacrée à Van Dyck. Magnifiques portraits de Cour, dont l'infortuné *Charles Ier à cheval* (il sera décapité pendant la guerre civile).

– **Salles 32 et 37 :** les Italiens Caravage, Guercino, Carrache (salle 37)...

Du XVIIIᵉ au XXᵉ s (section verte) : le rococo et la peinture après 1800, l'impressionnisme et le postimpressionnisme

– **Salle 33 :** peintres français du XVIIIᵉ s. Autoportrait lumineux (bien qu'à l'ombre !) d'Élisabeth-Louise Vigée-Lebrun, des œuvres de Chardin, Pierre Peyron, Greuze, Vernet, Nattier, Boucher, Watteau... De Drouais, imposante *Madame de Pompadour* et ses joues roses, accordées à son élégante robe fleurie.

– **Salle 34 :** plusieurs Turner qui annoncent de façon évidente l'impressionnisme, mais aussi l'abstraction. La lumière, décomposée à l'extrême, devient l'objet même du tableau. Toute l'Angleterre a défilé au moins une fois devant l'une de ses toiles les plus fameuses, *The Fighting Temeraire*. La scène représente l'ultime voyage de ce navire mythique de Nelson, remorqué par un vapeur pour être démantelé dans un chantier naval. Portraits de Gainsborough et de Reynolds. Paysages anglais par Constable, l'autre grand peintre anglais du XVIIIᵉ s, dont la *Charrette de foin* (repérer les paysans à l'ouvrage dans les champs tout là-bas).

– **Salle 35 :** Hogarth, Stubbs, et plusieurs portraits des filles de Gainsborough (l'album photos de l'époque). À noter aussi, une série désopilante de 6 tableaux par Hogarth, *Mariage à la mode* : une B.D. avant l'heure, pleine de rebondissements !

– Dans la rotonde **(salle 36)** : 4 portraits de la seconde moitié du XVIIIᵉ s, dont des Reynolds.

– **Salles 38 à 40 :** les Italiens du XVIIIᵉ s, dont plusieurs Canaletto, avec, comme toujours, ses ravissantes vues de Venise, les fameuses *vedute* que les cours européennes s'arrachaient. Pour nous changer, on trouve aussi quelques vues londoniennes. D'autres Vénitiens comme Tiepolo (salle 40), quelques jolis Longhi (incongru *Rhinocéros*, salle 39) et Guardi, mais aussi des portraits de Goya (salle 39).

– **Salles 41 à 46 :** Manet, Monet et les impressionnistes, des chefs-d'œuvre à en perdre la tête ! On est tout de suite attiré par cette *Exécution de Maximilien* par Manet (salle 41), en 4 morceaux et toile apparente. À la mort du peintre, on la découpa ! Heureusement, Degas recolla les morceaux. On trouve aussi Pissarro et Seurat, dont les célèbres *Baigneurs à Asnières*, contraste saisissant entre nature bucolique et paysage industriel.

Mais les foules se précipitent pour le légendaire *Tournesols*

LE TUBE DU SIÈCLE

Autrefois, les paysagistes réalisaient des croquis in situ, mais finalisaient leur toile en atelier, faute de pouvoir conserver les couleurs (un mélange instable de pigments et de liants). Tout change au milieu du XIXᵉ s avec l'invention du tube de peinture en étain. Les artistes peuvent enfin transporter les couleurs et réaliser leur œuvre en pleine nature en laissant libre cours à leur imagination. Une révolution qui favorisera la naissance de l'impressionnisme !

de Van Gogh (salle 43) et leurs jaunes en folie, avant de découvrir *Les Fermes à Auvers*, l'un de ses derniers tableaux, puis le venteux *Champ de blé avec cyprès* et *La Chaise*.

Nombreux chefs-d'œuvre de Cézanne également, parmi lesquels se démarquent les fameuses *Grandes Baigneuses,* tableau peint au tournant du siècle. De Degas, gracieuses *Danseuses de ballet.*
– Pour découvrir la suite du XXe s, il faudra se rendre à la Tate Modern.

🏃🏃🏃 🕺 ***National Portrait Gallery*** *(centre 1, E-F4) :* Saint Martin's Pl ; dans le prolongement de la National Gallery, à l'arrière. ☎ 020-7321-0055. ● npg.org.uk ● Ⓜ Charing Cross ou Leicester Sq. ♿ Tlj 10h-18h (21h jeu-ven). Fermé 24-26 déc. GRATUIT *(sauf expos temporaires).* **Bon plan : 2 entrées pour le prix d'une aux expos temporaires sur présentation de votre billet d'Eurostar.** *Audioguide vidéo en français (payant) et application pour smartphone à télécharger. Mignonne cafétéria au sous-sol et resto chic à l'étage (vue vraiment splendide, mais cher). Propose des animations jeu et ven soir (parfois payantes).*

Nos conseils
– Sur le plan, repérez les tableaux à ne pas manquer (une petite dizaine) ainsi que les suggestions de visite en 30 mn, 1h et 2h ou plus.
– À la *mezzanine* du hall d'entrée, de nombreux ordinateurs permettent d'accéder à *Portrait Explorer,* un système multimédia offrant la possibilité d'imprimer des parcours personnalisés ou bien de se documenter sur les œuvres.
– À la boutique, possibilité d'imprimer son portrait préféré sur un tee-shirt, à choisir parmi 75 000 œuvres ! Pour info, les cartes postales les plus vendues sont celles représentant Paul McCartney, Richard III, la reine Elizabeth II, l'acteur Benedict Cumberbatch...

La visite
Avec en expo plus de 1 000 portraits (couvrant 500 ans) sur les 250 000 en réserve, cette galerie est l'une des plus complètes au monde. Tous les hommes et les femmes ayant compté dans l'histoire du royaume se doivent d'être représentés ici, sous quelque forme que ce soit : peinture, sculpture, photo et dessin (en incluant la caricature, dans laquelle les Britanniques excellent), sans oublier la vidéo ! Beaucoup de portraits des différentes familles royales (des Tudors à Kate), d'hommes et femmes politiques (Churchill, Margaret Thatcher...), d'artistes (les sœurs Brontë, Shakespeare, Helen Mirren, Judi Dench, la M de James Bond...), mais aussi de sportifs, de chercheurs et d'explorateurs, de musiciens ou d'architectes (Zaha Hadid par exemple). Idéal pour mettre un visage sur un nom célèbre ou vice versa, biographies à l'appui. Les portraitistes font également partie du gratin : Reynolds, Gainsborough, Graham Sutherland, David Hockney et même cet incorrigible mondain d'Andy Warhol, qui signe un superbe portrait de la reine. Si vous vous intéressez surtout au XXe s, rendez-vous à la *Contemporary Portraits (niveau 1).* Les amateurs de photo ne manqueront pas non plus les prestigieuses expos temporaires.

🏃🏃 ***Somerset House*** *(plan d'ensemble et centre 1, F-G4) :* Somerset House, Strand, WC2. ☎ 020-7845-4600. ● somersethouse.org.uk ● Ⓜ Charing Cross, Temple ou Covent Garden. Édifié à partir de 1775, ce vaste édifice georgien se déploie entre le Strand et la Tamise, à l'emplacement de l'ancien palais des ducs de Somerset. Ses ailes enserrent une belle cour intérieure restaurée avec goût, où les Londoniens aiment à flâner en paix parmi les jets d'eau... à moins qu'ils ne se laissent tenter par les joies du patinage l'hiver venu ! Conçus à l'origine pour accueillir des bâtiments administratifs, les salons sont aujourd'hui entièrement dévolus à la culture. La *Somerset House* accueille des expositions temporaires, gratuites ou non, de grande envergure, mais abrite surtout la prestigieuse Courtauld Gallery. On y trouve aussi le resto et deli *Tom's Kitchen* (voir plus haut « Où manger ? »).

🏃🏃 ***Courtauld Gallery*** *(plan d'ensemble et centre 1, F-G4) :* Somerset House, Strand, WC2. ☎ 020-3947-7777 ● courtauld.ac.uk ● Tlj (sauf 25-26 déc), 10h-18h *(dernière entrée à 17h30). Entrée : 8 £ (selon les expos temporaires, incluses dans le billet) ; gratuit pour les étudiants, les possesseurs du* London Pass *et les moins de 18 ans.* Extraordinaire collection de peintures provenant principalement de la donation Courtauld, enrichie depuis par diverses donations.

– En guise de mise en bouche, la petite salle du rez-de-chaussée rassemble les maîtres du Moyen Âge et de la Renaissance italienne et flamande, comme Fra Angelico ou Antonio Vivarini. On apprécie notamment le triptyque de Bernardo Daddi (1338), magnifique exemple de tabernacle portable.

– Le 1er étage abrite les collections de tableaux depuis la fin de la Renaissance jusqu'aux périodes impressionnistes et postimpressionnistes, le tout d'une prodigieuse richesse !

On commence la visite avec les peintres des XVIe, XVIIe et XVIIIe s. Voir, par exemple, la curieuse *Sainte Trinité* de Botticelli (1493), dans une composition se préoccupant peu des perspectives. Également un *Adam et Ève* très naturaliste de Cranach, où lion et héron se côtoient au pied de rougeoyantes pommes, auxquelles on n'aurait pas résisté ! On ne se lasse pas d'admirer les toiles de Rubens, comme cette *Descente de Croix.*

Puis vient la collection moderne qui vaut à elle seule le déplacement. Observez notamment le jeu des couleurs d'un *Automne à Argenteuil* de Monet. Puis accordez votre attention à Renoir, Sisley, Gauguin, Van Gogh et Pissarro. Parmi les postimpressionnistes, Cézanne est le mieux représenté avec notamment *Le Lac d'Annecy* et les *Joueurs de cartes.* Notez aussi cette version tardive du *Déjeuner sur l'herbe* de Manet (1867). Toujours de Manet, arrêt obligatoire pour admirer le saisissant *Bar des Folies-Bergère,* aussi pétillant qu'une coupe de champagne malgré le regard perdu de la serveuse, si seule au milieu de la foule.

– Les réjouissances continuent au dernier étage. Des toiles de Derain, Matisse, Vlaminck, Braque, Dufy, Modigliani, Degas, Bonnard... Et de nombreux Kandinsky. Levez la tête, les plafonds sont superbes également !

– Pour clore la visite, la Courtauld Gallery présente différentes petites expositions temporaires de qualité.

🍴 ⌖ Agréable cafétéria avec terrasse et boutique sur place.

🍴 *Cleopatra's Needle (centre 1, F4) :* Victoria Embankment. Ⓜ *Charing Cross.* Au bord de la Tamise, le long des jardins de Victoria Embankment, c'est le plus vieux monument de Londres ! Un obélisque de granit datant de 1485 av. J.-C., dont le frère jumeau se trouve à Central Park, à New York. Il fut offert à l'Angleterre par le vice-roi d'Égypte en 1819, mais il fallut attendre près de 60 ans avant de lui trouver une place de choix à Londres. Il fut érigé en 1878, au-dessus d'une « capsule temporelle » contenant des objets d'époque (journaux, horaires de trains, épingles à cheveux, photos, etc.).

🍴🍴🍴 *Royal Academy of Arts (centre 1, E4) :* Burlington House, Piccadilly, W1J 0BD. ☎ 020-7300-8090. ● royalacademy.org.uk ● Ⓜ *Piccadilly Circus ou Green Park. Tlj 10h-18h (22h ven) pour les expos ; John Madejski Fine Rooms seulement en visite guidée (jeu-sam à 12h, GRATUIT, compter 1h). Entrée payante pour certaines expos (12-18 £).* **Bon plan : 2 entrées pour le prix d'une aux expos temporaires sur présentation de votre billet d'Eurostar.** Prestigieuse institution fondée en 1768 pour favoriser le développement des arts plastiques, la Royal Academy of Arts a acquis depuis lors une réputation

---

ALLO ?

Giles Gilbert Scott (1880-1960), à qui l'on doit l'édifice de la Tate Modern, est aussi l'inventeur de la fameuse cabine téléphonique rouge, dite « K2 », durant l'entre-deux-guerres. Le prototype en bois est visible sous les arches à l'entrée de la Royal Academy of Arts, derrière les grilles, face à l'une des copies (il n'en reste que quelques dizaines aujourd'hui). Elles fonctionnent toujours.

internationale et est installée dans un bâtiment à sa mesure, une énorme bâtisse de style palladien. Elle est soumise à l'autorité de la reine et gérée par un comité de 50 académiciens, tous peintres, sculpteurs, graveurs ou architectes. Le peintre Reynolds en fut le premier président, et Gainsborough l'un des membres fondateurs. Appartenir à cette académie était un privilège rare, et de nombreux artistes anglais sont grâce à cela passés dans l'*Establishment*. L'académie possède une école d'art renommée, qui fut créée sur le modèle de l'École française des beaux-arts.

Le grand événement estival qui ponctue, depuis plus de 225 ans, la vie culturelle de la capitale est la *Summer Exhibition*, le grand salon d'art contemporain. L'académie accueille le reste de l'année des expositions temporaires de grande qualité. Il est également possible de voir une sélection des *diploma works* exposée dans les superbes *Fine Rooms* du XVIIIᵉ s. Car depuis l'origine, les académiciens sont obligés de faire don de l'une de leurs œuvres, condition nécessaire à l'obtention du diplôme. Toiles de Turner, Constable, Gainsborough, Reynolds, Waterhouse... Profitez-en pour jeter un coup d'œil au bâtiment : les plafonds ornés de fresques valent le détour. Faites aussi un tour par le restaurant, à gauche, derrière l'escalier d'entrée (voir « Où prendre le thé ? » plus haut).

🎭🚶 *London Transport Museum* (centre 1, F4) : The Piazza, Covent Garden, WC2E 7BB. ☎ 020-7379-6344. ● ltmuseum.co.uk ● Ⓜ Covent Garden. *Juste derrière le marché central. Tlj 10h-18h (dernière entrée à 17h15). Entrée : 17,50 £ ; réduc ; gratuit moins de 18 ans. Café et boutique sur place.*

On est accueilli par un plan de métro imaginaire de 6 grandes villes choisies dans le monde, dont Paris (cherchez bien), connectées les unes aux autres. Puis rendez-vous au 2ᵉ étage pour redescendre progressivement en suivant un parcours chronologique dans ce vaste musée qui a pour vocation de retracer l'histoire des moyens de transport londoniens depuis 1800. Trains, bateaux, diligences, tramways, autobus, *Tube* et vélos y sont tous présentés avec la manière et en détail. Au 1ᵉʳ étage, des trains à vapeur grandeur nature. On peut même s'asseoir sur les banquettes. Au rez-de-chaussée, tout sur la construction du métro londonien, et la mise en service des premières rames (dans lesquelles on peut – là encore – prendre place). Elles étaient alors conçues sans fenêtres... pour éviter toute peur de la vitesse ! Notez que le métro londonien, le plus vieux du monde, a fêté ses 150 ans en 2013.

Dans une des vitrines, le 1ᵉʳ plan imaginé par Harry Beck en 1933, au design toujours utilisé.

🎭 *The Photographers' Gallery* (centre 1, E3) : 16-18 Ramillies St, W1F 7LW. ☎ 020-7087-9300. ● thephotographersgallery.org.uk ● Ⓜ Oxford St. *Lun-sam 10h-18h (20h jeu), dim 11h-18h. GRATUIT avt 12h, 4 £ après (2,50 £ si résa en ligne).* Galeries proposant des expos temporaires de photos de très bonne tenue. Accueille également une excellente librairie et un café-galerie agréable. Organise fréquemment des débats avec des photographes.

🎭 *Handel & Hendrix in London* (plan d'ensemble, D3) : 25 Brook St, W1K 4HB. ☎ 020-7495-1685. ● handelhendrix.org ● Ⓜ Bond St. *Lun-sam 11h-18h ; dernière entrée à 17h. Entrée : Handel et Hendrix 10 £ ; réduc. Réserver pour Hendrix (visites par petits groupes).* Un duo peu banal puisque ces 2 musiciens ont vécu dans cette modeste maison géorgienne, mais pas en même temps, que les choses soient claires !

CHIFFRE DE MALHEUR

Entre 1969 et 1971, plusieurs idoles du rock et du jazz sont mortes à l'âge de 27 ans : Brian Jones, Janis Joplin, Jim Morrison... Jimi Hendrix, décédé à Londres en 1970, fait partie du triste palmarès. Quand Kurt Cobain cassa sa pipe au même âge en 1994, on commença à parler du « club des 27 », que viendra rejoindre Amy Winehouse en 2011. Un curieux coup du sort.

Georg Friedrich Haendel, le plus anglais des Allemands, y passa 36 ans de 1723 à sa mort. On se demande comment il a pu y composer, quasiment dans la pénombre et sans luxe débordant, *Le Messie, Water Music* et la plupart de ses autres chefs-d'œuvre. Plus guère de mobilier sur les 2 étages, mais beaucoup à écouter, des concerts réguliers, des manuscrits et des expos temporaires. Passons par-dessus les siècles et retrouvons, dans un tout autre registre, le génie de la gratte qui emménagea un étage encore au-dessus à la fin des années 1960. On peut visiter les 3 pièces de l'appartement de Jimi Hendrix depuis 2016, au grand bonheur de ses fans.

Monuments et balades

Le Londres commerçant : Piccadilly, Mayfair et Oxford Street

Cette balade décevra les fanas de bonnes affaires et réjouira les lécheurs de vitrines. Dans la plupart des boutiques de Piccadilly et Mayfair, le moindre petit plaisir est une grande folie ! Autant se contenter d'un regard de sociologue devant ces devantures luxueuses.

↟ Piccadilly Circus *(centre 1, E4)* : il suffit d'y passer, comme plus de 34 autres millions de piétons à l'année (c'est inscrit sur un mur !), pour dire que l'on a vu Londres. Cette place bruyante aux panneaux publicitaires tapageurs est connue dans le monde entier. On est loin de l'œuvre initiale de l'architecte John Nash, qui conçut au début du XIXe s, à la demande du prince-régent et

> ### HAUT LES COLS
>
> *Saviez-vous que Piccadilly vient du mot pickadil, qui désignait au XVIIe s une sorte de col amidonné, assez haut, en vogue chez les jeunes aristocrates ? Un maître tailleur du coin, Robert Baker, s'en était fait une spécialité dans sa demeure appelée Piccadilly Hall, bien sûr ! Le nom est resté.*

futur George IV, l'aménagement d'un axe triomphal reliant du sud au nord le Mall à Regent's Park en passant par Piccadilly Circus et Regent Street. Aujourd'hui, les néons des centres commerciaux, le brouhaha des taxis et des autobus ont eu raison de l'élégance des façades de stuc blanc. Mais la nuit, la magie opère ! L'ange d'aluminium surplombant la fontaine a été baptisé « Éros » par les Londoniens. Il symbolise, en fait, l'ange de la charité chrétienne, en souvenir du comte de Shaftesbury, qui se préoccupa au siècle dernier du sort de la classe ouvrière. Autrefois pointé vers Shaftesbury Avenue, où habitait le fameux comte, Éros a été déplacé pendant la Seconde Guerre mondiale carrément dans l'autre sens. Tout simplement pour indiquer le Dorset où habitait sur la fin de sa vie le pieux homme ! Ne manquez pas non plus l'autre fontaine emblématique de la place avec ses 4 chevaux en pleine course.

↟ The Quadrant *(centre 1, E4)* **:** cette grande courbe élégante dans **Regent Street** part de Piccadilly Circus et fut construite par Nash pour séparer l'aristocratie de Mayfair de la plèbe de Soho. La galerie du même nom et l'ensemble de la rue abritent des boutiques de mode chic et clinquantes comme le fameux grand magasin *Liberty* et sa façade Tudor. Les belles façades blanches de 1820 ont été refaites au début du XXe s de manière fidèle.

↟↟ Sur Piccadilly (la rue qui part du *Circus*), ne manquez pas **Hatchard's,** la plus belle librairie de Londres et aussi la plus ancienne (ouverte en 1797). Lord Byron fréquenta cet ancien club littéraire, et tous les grands auteurs viennent y dédicacer leur opus. Son propriétaire, Mr Hatchard, était un fervent partisan du combat contre l'esclavage, et les discussions à l'arrière de la boutique y étaient houleuses.

Ne ratez pas non plus **Fortnum & Mason,** la porte à côté, qu'il faut avoir vu au moins une fois dans sa vie de consommateur (voir plus haut « Shopping »).

🎭🎭 **Saint James's Church** *(centre 1, E4)* **:** 197 Piccadilly, W1. ● sjp.org.uk ● Ⓜ *Piccadilly Circus. Petit marché alimentaire lun-mar 11h-17h et artisanal mer-sam 10h-18h.* Petite église anglicane à l'arrière d'un jardin accueillant. Bien qu'elle ait été en partie reconstruite après la Seconde Guerre mondiale, vous aurez reconnu la touche inimitable de notre ami Christopher Wren (1684), l'architecte de Saint Paul's Cathedral. Nef à voûte large en berceau sur des colonnes corinthiennes. Autel sculpté par Gibbons. Au-dessus des tribunes, buffet d'orgue résolument baroque.

🎭 **Les façades de Piccadilly** *(centre 1, E4)* **:** au n° 203, immeuble moderne de la librairie *Waterstone's* où l'emploi du verre tranche avec les autres édifices de l'avenue. Non loin, *Burlington House,* le plus vieil édifice de Piccadilly, bâti au XVIIe s et remanié au XVIIIe s à la mode palladienne, redécouverte un siècle plus tard après que l'architecte Inigo Jones a importé le style néoclassique d'Italie. Propriété du gouvernement britannique, il fut loué au siècle dernier à la fameuse Royal Academy of Arts pour une durée de 999 ans et un loyer symbolique (voir plus haut « Galeries et musées »).

🎭 Au n° 173 de Piccadilly, **Burlington Arcade,** prolongée en face par **Piccadilly Arcade,** est un superbe passage du XIXe s bordé de petites boutiques chic et personnalisées, qui perpétuent le bon goût *British.*

🎭 En sortant de Burlington Arcade, prendre à gauche **Old Bond Street** *(plan d'ensemble, D-E4)* suivie par **New Bond Street,** l'artère principale de Mayfair. Voici le cœur de l'un des quartiers les plus chic de Londres, si ce n'est LE plus chic. Rien à envier à l'élégance parisienne du faubourg Saint-Honoré ! Son nom vient du propriétaire des terres au XVIe s, Sir Thomas Bond. Boutiques de l'époque victorienne, parmi lesquelles antiquaires, galeries d'art, bijoutiers et magasins de mode. Au niveau du n° 15, statues originales de Churchill et Roosevelt devisant tout simplement... sur un banc. Ces statues ont été offertes en 1995 par les commerçants de la rue pour célébrer les 50 ans de paix en Europe.

Au n° 35, **Sotheby's,** l'une des salles des ventes les plus célèbres du monde. Londres est devenue ces dernières années la capitale mondiale de l'art, tant pour le volume que pour le montant des ventes qui battent à chaque fois de nouveaux records et atteignent des prix astronomiques, bien loin, malheureusement, de toute considération artistique.

LES *BEADLES* N'AIMENT PAS LA MUSIQUE !

Lord George Cavendish aimait passer du temps dans son jardin. Oui mais voilà, on lui jetait toutes sortes de détritus par-dessus les murs, des coquilles d'huîtres aux bouteilles vides en passant par... des chats morts. Il décida donc de construire Burlington Arcade, une voie privée de petites échoppes chics qui soumet les piétons à un règlement strict, datant du XIXe s. L'application est surveillée par les Beadles, la plus vieille patrouille de police d'Angleterre. Vous les verrez circuler en tenue so chic ! Il est interdit de siffler, de chanter et de jouer de la musique !

OBJET BIEN TROUVÉ

Si vous vous placez devant la devanture de Sotheby's, au 35 New Bond Street, vous verrez en façade une sculpture égyptienne. Il s'agit de Sekhmet (c'est marqué dessus !), une représentation de la déesse égyptienne à tête de lion. C'est une statue originale, qui date de 1320 av. J.-C. Elle est l'emblème de la maison Sotheby's depuis 1880. Elle avait été vendue aux enchères 40 £.

LE CENTRE TOURISTIQUE

🍴🚶 Possibilité de prolonger vers l'ouest de Piccadilly, direction **Green Park** (couvert de jonquilles aux beaux jours), pour le très luxueux **London Ritz.** Ouvert en 1906, cet hôtel fut le premier où les femmes célibataires pouvaient venir se loger ou tout simplement prendre un thé sans être accompagnées. Il fut construit par les mêmes architectes que son homologue parisien. Le salon de thé reste toujours très prisé mais hors de prix. On continue avec l'une de nos places préférées, **Shepherd Market.** Placettes, rue marchande, vieux cordonnier, fleuriste, chocolatier et une ambiance à la *Oliver Twist. So cute !*

🚶 Vers le nord, New Bond Street débouche sur **Oxford Street** *(plan d'ensemble, D-E3),* la rue commerçante la plus longue de Londres. Faites vos emplettes le long des 2,5 km de magasins ; plus abordable que tout ce que vous venez de voir. Vous y trouverez *Marks & Spencer* et les grandes chaînes anglaises, comme *Primark, River Island, TopShop, The Body Shop, Urban Outfitters* et d'autres qu'on ne trouve pas encore en France comme l'incontournable *Ann Summer,* célèbre pour sa lingerie coquine. De manière générale, la confection hommes et femmes est bien représentée. Au niveau d'Orchard Street, voir la grande façade du début du XXᵉ s de *Selfridges,* plus haut de gamme. Le samedi, grande cohue sur les trottoirs.

Le Londres branché : Soho et Covent Garden

Avant-gardistes, tribus alternatives et bobos hipster désertent ces quartiers pour d'autres (Camden Town et Islington, Shoreditch et Hackney, etc.). Toujours est-il que Soho, Covent Garden et leur périphérie constituent encore, et depuis belle lurette, le centre de la vie nocturne londonienne. Normal, puisqu'on y trouve une concentration étonnante de théâtres (ceux du

> ### LE MARCHÉ DU COUVENT
>
> *Covent Garden est un lieu chargé d'histoire : comme son nom l'indique, ici se trouvaient les jardins d'un couvent. Les moines, pour se faire un peu d'argent de poche, vendaient les produits de leur potager : d'où l'habitude que prirent les Londoniens de venir y acheter leurs légumes...*

fameux West End), de cinémas, de restos et pubs historiques, ainsi que bon nombre de clubs et de boîtes de nuit toujours en vogue. Sans conteste les quartiers les plus animés le soir, notamment aux carrefours stratégiques : Piccadilly Circus et Leicester Square. Pour le touriste, le choc principal d'une balade dans ces quartiers bondés est bien souvent occasionné par l'incroyable contraste des genres qui se côtoient ici : du jeune bourgeois aux rabatteurs de cabarets, les yuppies sortant du théâtre, les groupes d'amis en goguette le samedi soir, les gays excentriques d'Old Compton Street, les Chinois de Gerrard Street, etc. Un joyeux mélange et une animation qui créent une ambiance électrique, diablement dynamisante !

🚶🚶🚶 *Soho (centre 1, E3-4) :* un peu l'équivalent de Pigalle à Paris. C'est pourtant l'un des plus petits quartiers de Londres, délimité au nord par Oxford Street, au sud par Shaftesbury Avenue, à l'ouest par Regent Street et à l'est par Charing Cross Road. Il y a 300 ans débarquèrent des réfugiés venus de toute l'Europe, dont pas mal de protestants français, puis des royalistes chassés par la Révolution. La plupart d'entre eux firent ce que font en général les expatriés : ouvrir des bars, des cafés et des restaurants. Parmi les plus célèbres exilés à Soho : Karl Marx, qui échoua dans Dean Street et y resta 5 ans. Mozart y passa aussi un petit moment, très exactement au 21 Frith Street, ainsi que Canaletto (Beak Street). Le quartier regroupe quelques sex-shops et les bars gays (Old Compton Street). Mais s'assagirait-il ? Les boutiques de mode tendance grappillent ruelle après ruelle. C'est là l'autre pendant de Soho, qui s'est rendu célèbre grâce à la mode : à l'ouest du quartier se trouve **Carnaby Street,** associée dans la mythologie des *sixties* au *swinging London,* puisqu'ici furent lancées les modes vestimentaires qui fascinèrent nos mamans. Carnaby Street retrouve aujourd'hui ses quartiers : les grandes marques de mode s'y précipitent et **Kingly Court** au centre avec ses restos attire plein de touristes. Tout près, au 7 Broadwick Street, Brian Jones recruta 2 jeunes gars, Mick Jagger et Keith Richards, pour « monter » un petit groupe qui allait devenir grand, *The Rolling Stones.* Plus à l'est, le Soho des musiciens, avec ses clubs rock mythiques (voir « Concerts rock, jazz, blues... »), ses soldeurs de disques, ses vendeurs d'instruments et les bureaux de quelques éditeurs de musique.

À voir aussi, **Leicester Square** et **Leicester Place** (angle nord-est). Autour de cette place et dans les rues voisines, souvent animée par des fêtes foraines et repaire des cinévores, vécurent, entre autres, Newton et Charlie Chaplin (sur Leicester Place). Au centre, on peut voir la statue de Shakespeare. À l'un des angles, au nord-ouest, superbe hôtel *W,* imaginé par le studio Concrete. Enfin, n'oublions pas le quartier des théâtres, le West End, pas-

SAINT COCTEAU

Au niveau du n° 5 de Leicester Place, pénétrez dans la petite église toute ronde de Notre-Dame-de-France. Au fond, à gauche, vous apercevrez des fresques de l'Annonciation, de la Crucifixion et de l'Assomption à la sensualité prononcée : elles sont l'œuvre de Jean Cocteau, qui les exécuta en 1960 en une semaine, en parlant à voix haute à ses personnages.

sage obligé pour tout artiste anglais, dans le secteur Shaftesbury-Charing Cross. Quelques beaux spécimens de bâtiments typiquement victoriens.

🎔🎔🎔 🕺 Vous voudrez, bien évidemment, voir à quoi ressemble **Chinatown** *(centre 1, E4 ;* Ⓜ *Leicester Sq),* célèbre enclave chinoise qui mérite assurément le détour. Quelques rues à peine, en bas de Wardour Street, autour de Gerrard Street. Le grand portail un peu kitsch qui marque la frontière vient tout droit de Shanghai et les lampions rouges qui ornent les rues manifestent de cette volonté farouche de maintenir quoi qu'il arrive la culture et les traditions chinoises. Les inscriptions, y compris les noms de rues, sont en chinois. Depuis 1973, le Nouvel An chinois y est fêté en grande pompe, attirant les touristes plus nombreux chaque année. On est loin du ghetto sordide de la première heure. L'arrivée en « nombre » au début du siècle dernier (imaginez, ils étaient 400 à 500 Chinois en 1913 !) alimenta les pires fantasmes et rumeurs, tous liés à l'opium, au crime... Au lendemain du grand *Blitz,* on relogea la communauté chinoise dans ce petit coin de Soho traditionnellement dévolu aux Italiens. En 1984, le sud de Soho devint officiellement Chinatown et se vit reconnaître une existence juridique et administrative propre. C'est aujourd'hui l'un des quartiers les plus visités. Y venir surtout le matin, au moment des livraisons de marchandises : on se croirait (presque) au cœur de Pékin.

🎔🎔🎔 **Covent Garden** *(centre 1, F3-4) :* à l'est de Soho. Boutiques ouv lun-sam env 10h-19h, dim 11h-16h. Marché de petit artisanat sam mat.

Si Soho évoque Pigalle, Covent Garden fait vraiment penser aux Halles. Ça tombe bien : l'histoire est identique ! Au XVIIᵉ s, le comte Russell, nouveau propriétaire du terrain, décida d'en confier le réaménagement à un grand

LE SQUARE DE VÉNUS

Après le grand incendie de Londres en 1666, les vendeurs de rue furent concentrés sur la piazza de Covent Garden, qui devint la plus importante place commerciale du pays. Les tavernes et cafés se développèrent très vite autour du marché, tout comme le commerce sexuel... On dit que chaque maison – ou presque – abritait une maison close.

architecte. S'inspirant, entre autres, de la place Royale de Paris (actuelle place des Vosges), celui-ci créa ainsi... le 1er square londonien. Mais le Grand Incendie de 1666 fit disparaître la *piazza* et ses beaux bâtiments, qui influencèrent tant l'architecture de la ville. Le marché ayant prospéré, on construisit la halle au début du XIXe s.

Les halles de Covent Garden, devenues trop petites, ont dû déménager à la fin des années 1970. Les Anglais ont eu la bonne idée de conserver la structure, à savoir la grande verrière qui faisait tout le charme des lieux. On y a installé des artisans, des petits commerces et des restaurateurs. C'est sûr, c'est moins pittoresque que le marché aux fruits et légumes d'antan, immortalisé à l'écran dans *My Fair Lady.* Hyper touristique, il avait perdu beaucoup de son attrait tant les boutiques et les étals offraient aux yeux des marchandises bidons et bas de gamme. Récemment, des boutiques de luxe ont investi les lieux (Chanel, Dior, Burberry...), ce que l'on peut tout aussi bien regretter ; il n'empêche que cette montée en gamme redonne élégance et cachet à ce beau bâtiment de pierre et de verre.

Le marché aux fleurs, lui, a cédé la place au *London Transport Museum* (voir « Galeries et musées »). Le quartier conserve cependant une atmosphère plaisante et très animée, notamment dans les rues commerçantes comme *Neal Street,* ou *Neal's Yard,* placette colorée accessible par Shorts Gardens, avec d'autres enseignes plus luxueuses comme *Chanel.*

Quant à « *Covent Garden* », le terme désigne aussi bien la *Royal Opera House* qui se cache dans un recoin de la place (voir plus haut « Concerts classiques et théâtre »)... Un must sur la *to do list* ! Avec un peu de chance, vous aurez droit à un petit récital gratuit, car il n'est pas rare que des chanteurs lyriques viennent pousser la voix dans les allées inférieures du marché.

🐱🐱 *Savoy Hotel (centre 1, F4) :* Strand, WC2R 0EU. ☎ 020-7836-4343. Ⓜ *Temple ou Embankment.* L'un des palaces mythiques de la planète, temple du style édouardien et Art déco. Construit en 1889 pour le compte de l'agent de théâtre Richard d'Oyly Carte afin d'y loger ses stars de la scène, ce palace a été le témoin d'instants de vie culturelle. Pensez donc : Monet y a peint de sa chambre certaines vues sur la Tamise ; Oscar Wilde y retrouvait son amant ; Marlene

CHAT ALORS !

En 1898, un riche magnat sud-africain donna un repas au Savoy. Au dernier moment, un convive annula et l'assemblée se retrouva 13 à table. Quelques jours plus tard, on retrouva l'hôte mort ! Pour éviter que cela ne se reproduise, la direction du Savoy commanda un chat noir (!), Kaspar, dans le style Art déco, « invité » à siéger lors de tels repas placés sous le coup du sort. Il existe toujours.

Dietrich exigeait d'être accueillie avec 12 roses et une bouteille de Dom Pérignon ; Queen Mum avait toujours sa bouteille de champagne doux au frais ; Lady Di y venait prendre le thé ; y furent inventées la pêche Melba pour la célèbre cantatrice Nelly Melba et la boisson *dry martini* à l'*American Bar* où venait jouer Frank Sinatra. On peut aujourd'hui encore y boire un cocktail rare (voir « Où boire un verre ? ») ou juste pousser le tambour de la porte d'entrée pour le plaisir des yeux...

PIMLICO (VICTORIA), WESTMINSTER ET SAINT JAMES'S PARK

> • Pour se repérer, voir le plan d'ensemble et le centre 1 détachables
> en fin de guide.

Les quartiers de Pimlico, Westminster et de Saint James's Park appartiennent à la City of Westminster, berceau de l'aristocratie et des institutions britanniques. La reine y réside, et c'est un peu plus à l'est de son palais que se trouve l'abbaye de Westminster, haut lieu religieux où les monarques se passent de tête en tête la couronne royale.

Ce n'est évidemment pas dans ces quartiers que vous assouvirez vos pulsions festives, mais quelques étapes incontournables d'un voyage à Londres vous y mèneront forcément. En caricaturant, on pourrait résumer l'animation au trafic de cars touristiques, à la relève

POURQUOI « WESTMINSTER » ?

Le nom de Westminster trouve ses racines chez des Normands francophones qui nommèrent le lieu Ouest-Moutier, c'est-à-dire le « monastère de l'Ouest ». Ce qui donna Westminster.

de la garde et aux quintes de toux de la famille royale. La partie la plus résidentielle du quartier, autour d'Ebury Street, abrite de nombreuses demeures de stars de l'écran et de la littérature. Même Mozart y a vécu, au n° 180, et a composé là sa première symphonie.

Où dormir ?

La plupart des adresses sont situées autour des stations de métro Pimlico, Victoria et Sloane Square. Quant à Ebury Street, elle est connue pour regrouper en enfilade de nombreux hôtels assez bon marché. Rien de vraiment inoubliable dans cette catégorie, mais le quartier est central et tranquille.

Studios et appartements

🏠 **The Studios @82 et B & B Belgravia** *(plan d'ensemble, D6, 59) :* 64-66 Ebury St, SW1W 9QD. ☎ 020-7259-8570. ● *info@bb-belgravia.com* ● *bb-belgravia.com* ● Ⓜ *Victoria. À partir de 136 £ la nuit pour 2, petit déj continental compris, et jusqu'à 293 £ la nuit pour 5 pers. Réduc sur le site internet (souvent en hiver).* Dans une jolie petite rue, studios bien équipés et bien décorés, même si les kitchenettes ne permettent pas vraiment de se faire un repas (micro-ondes et réfrigérateur seulement). Possibilité de louer des vélos.
🏠 **The Georgian House Hotel** *(plan d'ensemble, D6, 52) :* 35-39 Saint

George's Dr, SW1V 4DG. ☎ 020-7834-1438. ● reception@georgianhouseho tel.co.uk ● Appartements pour 6 pers 179-260 £. Voir dans la rubrique « Très chic ».

De très bon marché à bon marché (moins de 50 £ / 58 €)

🛏 *Easy Hotel* (plan d'ensemble, D6, **56**) : 34-40 Belgrave Rd, SW1V 1RG. ☎ 020-7834-1379. ● enquiries.vic toria@easyhotel.com ● easyhotel. com ● Ⓜ Victoria. Résa sur Internet, mais rien ne vous empêche de passer directement. Doubles 29-150 £ sans ou avec fenêtre ; familiales. Plus vous réservez tôt, moins c'est cher ! Le prix d'appel est censé vous faire tourner la tête et oublier quantité de petits détails qui, en temps normal, vous chiffonneraient. Comme l'absence de fenêtre dans certaines chambres ou leur surface, réduite au strict minimum. Confort rudimentaire donc, déco minimaliste, cabines de douche compactes et intégrées... Pour finir, attention aux suppléments payants : télé, wifi, ménage, etc.

🛏 *Astor's Victoria Hostel* (plan d'ensemble, E6, **53**) : 71 Belgrave Rd, SW1V 2BG. ☎ 020-7834-3077. ● vic toria@astorhostels.com ● astorho stels.com ● Ⓜ Pimlico. Ouv 24h/24. Lits 18-30 £ selon dortoir (4-8 lits) et saison. Doubles 60-100 £ selon saison. Petit déj continental pour 1 £ (au profit d'une ONG). Une adresse conviviale, réservée aux 18-35 ans. Dès l'entrée, petit salon, canapés et *lounge* hyper confortable, pour mater des films sur Netflix. Au sous-sol, 2 vastes cuisines. Dortoirs classiques (avec des couettes) et ensemble bien tenu. Personnel jeune, souvent des globe-trotters se refaisant une santé financière entre 2 voyages. Une adresse parfaite pour jeunes routards et étudiants, à l'image des soirées à thème fraternelles et repas communs. En revanche, oubliez la chambre double, rapport qualité-prix nul. Accueil hélas en dents de scie.

Plus chic (90-120 £ / 105-140 €)

🛏 *Luna Simone Hotel* (plan d'ensemble, E6, **57**) : 47-49 Belgrave Rd, SW1V 2BB. ☎ 020-7834-5897. ● stay@lunasimonehotel.com ● lunasimonehotel.com ● Ⓜ Pimlico. Fermé 25 déc-1er janv. Doubles 99-151 £, English breakfast inclus (jusqu'à 9h). Familiales 155-245 £. Tenu par la même famille depuis 3 générations, cet hôtel pimpant d'une quarantaine de chambres avec beaucoup de caractère, est situé sur un large boulevard qui n'en manque pas non plus. Accueil souriant et pro, petites chambres agréables et hyper fonctionnelles, avec moquettes épaisses, à la déco fraîche et très standard. Entretien impeccable de l'ensemble.

🛏 *Premier Inn Victoria* (plan d'ensemble, D6, **42**) : 55 Gillingham St, SW1V 1PS. ☎ 0871-527-8680. ● premierinn.com ● Ⓜ Victoria. ♿ Chambres 70-203 £, sans ou avec petit déj (à partir de 7,95 £). Une centaine de chambres dans un imposant immeuble en brique rouge. Toutes les chambres de cette chaîne sont identiques, confortables, avec literie digne de ce nom et propreté assurée. Sofa pour les enfants. Réserver à l'avance pour bénéficier des promos.

Très chic (plus de 120 £ / 140 €)

🛏 *The Georgian House Hotel* (plan d'ensemble, D6, **52**) : 35-39 Saint George's Dr, SW1V 4DG. ☎ 020-7834-1438. ● reception@georgianhouse hotel.co.uk ● georgianhousehotel. co.uk ● Ⓜ Victoria ou Pimlico. Doubles 134-244 £, petit déj fermier complet inclus. Apparts 6 pers 200-300 £. Un élégant hôtel tout confort et à la déco joyeusement contemporaine, où la toile de Jouy côtoie allègrement des lignes graphiques noires, blanches et grises. Les chambres sont plutôt mignonnes et soignées, le plancher craque comme une vénérable ossature. Salle de petit déj pimpante et colorée. Les fans d'Harry Potter ne manqueront pas de dormir dans l'une des 4 **Wizard Chambers**, à l'ambiance toute poudlardienne à partir de 239 £. L'équipe de l'hôtel est très sympathique. Notre meilleur rapport qualité-prix dans le quartier.

The Belgrave (plan d'ensemble, E6, **85**) : 80-86 Belgrave Rd, SW1V 2BJ. ☎ 020-7828-8661. ● info@the-belgrave.com ● the-belgrave.com ● Ⓜ Pimlico. À mi-chemin entre la Tate et Victoria Station (en marchant un peu). Doubles 120-180 £, petit déj compris. La réception tape-à-l'œil donne le ton avec son comptoir en marbre. Ici, on fait dans les tons rouge, vert et pourpre. Style moderne et confortable, malgré les défauts d'insonorisation parfois. Plus de 70 chambres de toutes tailles avec réfrigérateur, même dans les standard, et machine à expresso à disposition. Accueil pro.

B & B Belgravia (plan d'ensemble, D6, **59**) : 64-66 Ebury St, SW1W 9QD. ☎ 020-7259-8570. ● info@bb-belgravia.com ● bb-belgravia.com ● Ⓜ Victoria. Doubles 126-168 £ ; familiales ; petit déj anglais compris. Dans une rue résidentielle, un B & B à la déco très contemporaine, où les architectes d'intérieur se sont manifestement fait plaisir. Salon équipé de matériel high-tech, insolite passerelle en verre pour rejoindre la salle du petit déj. Les chambres sont spacieuses et claires (sauf pour celles du sous-sol), même 3 familiales. Petite cour-jardin à l'arrière et, pour ne rien gâcher, vélos en libre-service. Très belle adresse.

The Nadler Victoria (plan d'ensemble, D5, **106**) : 10 Palace Pl, SW1E 5BW. ☎ 020-3540-8800. ● victoria.info@nadlerhotels.com ● nadlerhotels.com ● Ⓜ Victoria ou St James's Park. Doubles 125-300 £, petit déj en sus. Le dernier-né de cette minichaîne hôtelière de standing est quasiment un voisin de Buckingham. Toujours le même concept : des tonalités reposantes dans la déco (inspirées d'une boîte à cigares !), des chambres tout confort et minimalistes et surtout toutes sortes d'attentions comme ces kitchenettes et machines à expresso partout. Tout ce qu'il faut pour se restaurer à proximité. Le petit déj avec la reine n'est pas inclus dans la prestation, mais vous êtes aux premières loges pour la relève de la garde.

Eccleston Square Hotel (plan d'ensemble, D6, **40**) : 37 Eccleston Sq, SW1V 1PB. ☎ 020-8068-1011. ● stay@ecclestonsquarehotel.com ● ecclestonsquarehotel.com ● Ⓜ Victoria. Doubles 170-300 £, petit déj en sus. Un cocon urbain que cette demeure georgienne transformée en hôtel high-tech sans rompre le charme de l'ancien. Tablettes, ciné en 3D dans la chambre, enceintes dernier cri, connectique à gogo et gadgets à tous les étages, comme les vitres de la salle de bains qui s'opacifient. La maison n'a pas lésiné non plus sur la décoration, avec ce lustre de Murano dès l'accueil et les chambres douillettes et confortables, jusqu'au petit spray sur l'oreiller pour faire de beaux rêves. Avec le bar et le resto, l'ensemble est cosy et classe à la fois.

Où manger ?

Sur le pouce (moins de 10 £ / 12 €)

Relish (plan d'ensemble, E-F6, **181**) : 8 John Islip St, SW1P 4PY. ☎ 020-7828-0628. Ⓜ Pimlico. Lun-ven 7h30-15h30 (15h ven). Sandwich et bagel env 3-5 £. Pas de w-c ! Petite boutique à l'angle de Ponsonby et John Islip, grande comme un mouchoir de poche... mais plus active qu'une ruche. Chaque midi, la foule assiège cette échoppe pour ses énormes sandwichs préparés à la commande avec toutes sortes de pains et de bons produits frais appétissants. Bons petits déj variés et délicieux jus de fruits artisanaux. Idéal pour se restaurer avant ou après la Tate Britain. À déguster relishieusement !

Gastronomia Italia (plan d'ensemble, E6, **194**) : 8 Upper Tachbrook St, SW1V 1SH. ☎ 020-7834-2767. Ⓜ Victoria. Tlj sauf dim 9h-18h (17h sam). Sandwichs et plats 2-5 £. Avec son store aux couleurs de l'Italie, cette épicerie charmante et un peu bric-à-brac attire chaque midi les inconditionnels de produits de la péninsule. Sandwichs à composer soi-même : 5 sortes d'olives, 2 fois plus de fromages, de charcuterie, etc. Une paire de tables en terrasse pour déguster, le nez au vent, des *espressi* divins, ou de grandes tablées à l'intérieur.

🖘 🍴 *Cafétéria de l'ICA* (Institute of Contemporary Arts ; centre 1, E4) : The Mall, SW1Y 5AH. Ⓜ Charing Cross. Mar-dim 12h-15h et 18h-22h. Accès 1 £. On y mange d'excellents sandwichs et de copieuses salades, en compagnie d'artistes et autres intellos révisant leurs classiques. L'ambiance est studieuse et propice aux échanges culturels. Cadre moderne convaincant et clair. Une bonne mise en condition pour la visite...

🍴 🖘 *The Seafresh Fish Restaurant* (plan d'ensemble, E6, 207) : voir aussi, plus loin, rubrique « Bon marché ». Autour de 10-12 £. Le comptoir ventes à emporter propose des *fish & chips* croustillants et des *jacket potatoes*. Pratique et pas cher.

🖘 🍴 *The Green Café* (plan d'ensemble, D6, 208) : 16 Eccleston St, SW1W 9LT. ☎ 020-7730-5304. Ⓜ Victoria. Lun-ven seulement 6h-15h. Petit déj 6-8 £. C'est tout petit, ça n'a pas d'allure et c'est toujours plein. Forcément ! L'adresse est connue comme le loup blanc pour ses omelettes épaisses, ses *English breakfasts*, ses sandwichs minute et même ses spécialités végétariennes. Et ça dure depuis 1955 ! Accueil sympa.

🍴 *Tomtom Mess Hall* (plan d'ensemble, D6, 208) : 14 Eccleston St, SW1W 9LT. ☎ 020-7730-1845. ● messhall@tomtom.co.uk ● Ⓜ Victoria. Lun-mar 8h-21h, mer-ven 8h-23h, fermé w-e. Petit déj env 5-10 £ ; plats 5-15 £. Une petite adresse toute simple, à 2 pas de la gare, pour s'envoyer vite fait bien fait un petit déjeuner, un sandwich, une soupe ou une pâtisserie. Cadre minimaliste et propret.

🍴 🏃 *St James's Park* (plan d'ensemble, E5, 311) : Saint James's Park, SW1A 2BJ. ☎ 0207-839-1149. ● stja messpark@benugo.com ● Ⓜ Saint James's Park. Lun-sam 8h-16h, dim 9h-16h. Bar, café, *tearoom*... Cet établissement multifonction, au cœur même du parc Saint James, s'avère une adresse bien pratique à toute heure de la journée, dans un quartier plutôt désert dans ce rayon. Un genre de cafétéria élégante, à l'architecture de bois bien intégrée à son environnement.

Bon marché (10-20 £ / 12-23 €)

🍴 *Regency Café* (plan d'ensemble, E6, 186) : 17-19 Regency St, SW1P 4BY. ☎ 020-7821-6596. Ⓜ Pimlico ou Saint James's Park. Lun-ven 7h-14h30, 16h-19h15 ; sam 7h-12h (petit déj seulement). Plats 3-6 £. Voici l'une de nos adresses coup de cœur ! De l'extérieur, on pourrait croire à une peinture dans le goût d'Edward Hopper. Rien ne semble avoir bougé depuis des décennies, les tables en formica, les photos de boxe et surtout l'ambiance où l'ouvrier de chantier côtoie l'étudiant et l'employé de bureau du coin. La carte est toute britannique et propose une excellente cuisine roborative dans le genre saucisse, *black pudding* et crumble à la *custard*. Quelques plats pour les végétariens et un large choix de snacks et sandwichs. On commande au comptoir puis, quand c'est prêt, le serveur, la serveuse ou le tonitruant proprio, Marco Schiaretta, vous hèle d'une voix de stentor. Attention, ça réveille !

🍴 *The Cellarium* (plan d'ensemble, F5, 142) : 20 Dean's Yard, SW1P 3PA ; à la sortie de Westminster Abbey. ☎ 020-7222-0516. ● westmins terabbey@benugo.com ● Ⓜ Westminster. Lun-ven 8h-18h (19h30 mer), sam 9h-17h et dim 10h-16h. Menus 17-20 £. Afternoon tea 17,50 £. Histoire de reprendre ses esprits (saints). Au cœur du cloître du XIIIe s et des caves de l'abbaye. De quoi perpétuer l'hospitalité des moines d'antan ! Cuisine simple (quiche, salade, *pies*, saucisses, steaks) mais de qualité. Propose aussi des *Sunday roasts* (12,95 £) pour fêter le jour du Seigneur et quelques douceurs pour le goûter. Cadre spectaculaire. Bon accueil.

|●| **The Morpeth Arms** (plan d'ensemble, F6, **143**) : 58 Millbank, SW1P 4RW. ☎ 020-7834-6442. ● morpetharms@youngs.co.uk ● Ⓜ Pimlico ou Vauxhall. Lun-sam 11h-23h, dim 12h-22h30 (dernier service 21h). Plats 13-24 £. À 2 pas de la Tate Britain. Un pub anglais construit au-dessus des couloirs qui menaient au cachot de Millbank. Pas la peine de se faire prier aujourd'hui, pour un plat anglais traditionnel (fish & chips, saucisses, pies) ou plus classique (burgers, salades). Idéal pour le Sunday roast du dimanche. Bonnes bières, cadre sympa.

|●| ⇒ **The Seafresh Fish Restaurant** (plan d'ensemble, E6, **207**) : 80-81 Wilton Rd, SW1V 1DL. ☎ 020-7828-0747. Ⓜ Victoria. Lun-ven 12h-15h, 17h-22h30 ; sam 12h-22h30. Plats 10-33 £. Derrière ce cadre de brasserie marine impersonnel se cache l'une des plus vieilles enseignes de la capitale londonienne. C'est l'as du fish & chips depuis 1965, réalisé dans les règles de l'art et toujours à partir de produits de grande fraîcheur, mais aussi selon l'arrivage des crabes, calamars, gambas, crevettes, etc. Simple et sans esbroufe.

De prix moyens à très chic (à partir de 20 £ / 23 €)

|●| **Boisdale** (plan d'ensemble, D6, **411**) : 15 Eccleston St, SW1W 9LX.
☎ 020-7730-6922. ● info@boisdale.co.uk ● Ⓜ Victoria. Lun-ven 12h-1h, sam 18h-1h. Plats 7-23 £ au bar, 16-40 £ au resto. On roule les « r » dans ce pub écossais pur jus et très chic, où les clients sont souvent des members. Tartan sur les chaises, vieux tapis et parquets cirés confèrent aux lieux une atmosphère chaleureuse. Bar, menu de bonne tenue (haggis, hareng, gibier, saumon des Highlands, bœuf d'Aberdeen, etc.), mais on vient surtout le soir pour les concerts de jazz des années 1930, 1940, 1950... Sélection savante de single malt, cela va de soi, cigares au menu et une terrasse tout là-haut pour déguster son barreau de chaise.

|●| **Hard Rock Cafe** (plan d'ensemble, D5, **149**) : 150 Old Park Lane, SW1K 1QZ. ☎ 020-7514-1700. Ⓜ Hyde Park Corner. Tlj 11h30 (11h sam)-0h30 (1h ven-sam ; 22h30 dim). Les rock addicts ne manqueront pas le pèlerinage au 1er Hard Rock Cafe du monde (1971), tapissé des guitares de célébrités. Registre grosse batterie à la carte avec des hamburgers et plats américains pas mauvais, en portions de cow-boys. Boutique en face (ferme plus tôt que le resto) dans une ancienne banque et the vaults, un musée (gratuit) de poche dans les coffres-forts où les plus fétichistes s'arracheront les vêtements devant la dernière guitare de Jimi Hendrix ou les dessous de Madonna.

Où boire un verre ? Où écouter de la musique ?

♵ **Clarence** (centre 1, F4, **315**) : 53 Whitehall, SW1A 2HP. ☎ 020-7930-4808. ● theclarence@geronimo-inns.co.uk ● Ⓜ Charing Cross. Lun-sam 11h-23h, dim et j. fériés 12h-22h30. Snacks et plats all day 4-25 £. Vieux pub avec ses bow-windows et ses vénérables boiseries relooké avec des chapeaux melon en guise d'éclairage et la relève de la garde en tapisserie ! Ambiance du tonnerre à l'heure de l'apéro ou du rugby : une bonne halte dans ce quartier pauvre en adresses pour se requinquer.

♵ **St Stephen's Tavern** (plan d'ensemble, F5, **314**) : 10 Bridge St, SW11 2JR.
☎ 020-7925-2286. ● ststephenstavern.london@hall-woodhouse.co.uk ● Ⓜ Westminster. Lun-sam 10h-23h30, dim 10h-22h30. Un pub traditionnel datant de 1873, le plus proche situé juste en face du Parlement. Il distille une bière renommée du Dorset, la Hall and Woodhouse, et a vu passer tous les grands noms de la politique britannique. Aujourd'hui encore, les députés et journalistes en ont fait leur QG, d'autant que la cuisine y est de qualité. Aux heures stratégiques, l'ambiance est surchauffée et vraiment conviviale. Et si vous entendez une cloche, c'est pour signaler à l'assemblée l'heure des votes, 8 minutes avant !

PIMLICO, WESTMINSTER ET SAINT JAMES'S PARK

▼ *The Red Lion* *(plan d'ensemble, F5, 204) :* 48 Parliament St, SW1A 2NH. ☎ 020-7930-5826. ● *redlionwestminster@fullers.co.uk* ● ⓂWestminster. Lun-ven 8h-23h ; ferme à 21h le w-e. Détonnant un peu parmi les buildings imposants, un de ces pubs historiques, déjà fréquenté au XVᵉ s, dont nombre de parlementaires et premiers ministres ont poussé la porte jusqu'à aujourd'hui.

Même Dickens figure au palmarès. *Pies* maison en cas de fringale.

▼ ♪ *Boisdale* *(plan d'ensemble, D6, 411) :* 15 Eccleston St, SW1W 9LX. Voir « Où manger ? ». Concerts ts les soirs sauf dim, à partir de 22h (et piano lun-ven 18h30-21h30) ; rajouter 6 £ (avt 22h et sur guest list),12 £ après 22h. Concerts de jazz des années 1930, 1940, 1950...

Galeries et musées

🏃🏃🏃 🕍 *Tate Britain* *(plan d'ensemble, F6) :* Millbank, SW1P 4RG. ☎ 020-7887-8888. ● *tate.org.uk* ● Ⓜ Pimlico. *Bon à savoir : un bateau payant (le Tate Boat) relie la Tate Britain à la Tate Modern. Tlj départ ttes les 40-45 mn ; 1ᵉʳ vers 10h, dernier vers 17h (19h le w-e). Prix : 8,30 £ ; réduc (notamment avec la carte de transport) et forfait famille. Musée tlj 10h-18h. Fermé 24-26 déc. GRATUIT (expos temporaires payantes). **Bon plan : 2 entrées pour le prix d'une aux expos temporaires sur présentation de votre billet d'Eurostar.** Visites guidées gratuites et thématiques en anglais (à 11h, 12h, 14h et 15h), plus des 10 mn walks autour d'une œuvre à 13h ven et dim. Télécharger la « Tate App » sur votre smartphone pour une découverte insolite du musée. Grande cafétéria et un resto plus chic orné de fresques.*

L'un des grands musées de Londres. Sa particularité est de regrouper plus de 500 ans de créations britanniques, de 1500 à nos jours, tout sur le même niveau *(main floor)* avec des salles chronologiques, pratique ! La Tate Britain consacre ses galeries à des artistes comme Turner, Gainsborough, Constable, Henry Moore, Hockney, Gormley, les préraphaélites... On y verra également des artistes moins emblématiques mais qui remportent un franc succès pour leurs compositions éminemment britanniques. Les collections tournent très régulièrement, et ce que vous verrez ne représente qu'une partie du fonds du musée. Lors de votre visite, munissez-vous du plan *(1 £)*. Expositions temporaires toujours très populaires et d'excellente qualité.

– ***Turner Collection :*** dans une aile dédiée, plusieurs salles sont réservées à Joseph Mallord William Turner (1775-1851), l'un des plus grands et prolifiques peintres anglais (né et mort à Londres). Le musée possède près de 300 huiles, aquarelles et dessins (sans compter les 300 carnets de voyage), exposés par roulement, qui illustrent l'immense talent de ce maître de la lumière, largement précurseur des impressionnistes. En 1843, avec ses personnages effacés, ses jets de couleurs pastel, ses taches jaunes et bleues qui semblent gommer toute réalité, Turner est indiscutablement visionnaire. Quelle révolution après l'académisme de ses périodes anglaise et romaine ! On peut également apprécier toute la fougue romantique de ses débuts : scènes mythologiques, paysages fantastiques et grandioses, où l'orage gronde, la mer est déchaînée et l'homme menacé. Que de tourments chez ce peintre obsédé par les ciels torturés et les soleils éclatants ! À l'âge de 30 ans, il possédait sa propre galerie et, dans son atelier, passait d'une toile à l'autre avec un même pinceau pour n'utiliser qu'une couleur à la fois ! À sa mort, il laissa ainsi quantité de toiles inachevées. Mais il finit isolé de ses contemporains, livrant des œuvres aussi belles que dépouillées, incomprises des critiques.

✷ ***Boutiques du musée :*** *tlj 10h-18h. Entrée libre.* Cadeaux estampillés « Tate », du sac à la tasse, en passant par des bouquins et de la papeterie.

🍴 En sortant, si vous longez la Tamise vers l'est, vous verrez de l'autre côté un immense bâtiment des années 1990, près du pont de Vauxhall, qui ressemble terriblement à un Lego géant, en brique et verre. Ce n'est rien moins que le ***siège*** *du MI6,* le temple du renseignement secret britannique, qu'on a pu voir exploser dans le James Bond *Skyfall* avec Daniel Craig.

🕯 *The Queen's Gallery (plan d'ensemble, D5)* **:** à Buckingham Palace, Buckingham Palace Rd, SW1A 1AA. ☎ 020-7766-7300. ● *royalcollection.org.uk* ● Ⓜ *Victoria, Green Park ou Hyde Park Corner.* ♿ *Entrée à gauche du palais. Tlj 10h-17h30 (mi-juil à fin sept, 9h30-17h30) ; dernière admission à 16h15. Fermé entre chaque exposition (vérifier le site internet) et 25-26 déc. Entrée : 11 £ ; réduc.* Ne vous attendez pas à visiter le palais de Buckingham. Seuls les gardiens en livrée, disponibles et courtois, vous rappelleront que vous êtes chez la reine. La galerie, à taille humaine, est située dans l'ancienne chapelle privée, qui fut gravement endommagée par les bombardements allemands de 1940 à 1944. Elle présente *les œuvres d'art de la vaste collection royale* selon les expositions thématiques, renouvelées régulièrement. Chaque jour, présentation gratuite (10 mn) d'une œuvre à 12h et 15h.

🕯 *Royal Mews (plan d'ensemble, D5)* **:** à Buckingham Palace, Buckingham Palace Rd, SW1A 1AA. ☎ 020-7766-7300. ● *royalcollection.org.uk* ● Ⓜ *Victoria, Green Park ou Hyde Park Corner. À côté de la Queen's Gallery. De début fév à fin mars et en nov, lun-sam 10h-16h ; de fin mars à fin oct, tlj 10h-17h (dernière admission 45 mn avt fermeture). Fermé déc-janv et quelques j. en avr, mai et juin (et en cas de visite officielle). Entrée : 11 £ ; réduc.* Tous ces carrosses rutilants que l'on sort les jours de flonflon officiel et ces voitures à larges vitres derrière lesquelles la reine salue mollement de la main, il leur faut bien un entrepôt. C'est ici, dans les écuries royales, qu'ils sont bichonnés. Il est vrai que le « Gold State Coach » de 1762, tiré par 8 chevaux, a fière allure, même si, paraît-il, on n'y est pas trop à son aise. Sachez que 2 fois par jour, le postier délivre le courrier à Buckingham, Saint James's Palace et Clarence House... en calèche. La grande classe, sans parler du bilan carbone quasi nul !

🕯🕯 *Churchill War Rooms (plan d'ensemble, E-F5)* **:** Clive Steps, King Charles St, SW1A 2AQ. ☎ 020-7416-5000. ● *iwm.org.uk* ● Ⓜ *Westminster. Tlj 9h30-18h, dernière admission à 17h. Fermé 24-26 déc. Entrée : 21 £ (18,90 £ en ligne) ; réduc. Audioguide en français compris. Pour des raisons de sécurité, pas de vestiaire. Compter au moins 2h de visite. Cafétéria.*

Un 10 Downing Street underground *!*
Cachée sous des bâtiments administratifs et protégée des bombes par une couche de béton et de métal, cette casemate inattendue, de dimension impressionnante, servit de PC à Churchill et à ses conseillers militaires. Ce labyrinthe d'une trentaine de salles surprend avant tout par son confort simple. D'autant qu'ils vinrent s'enterrer ici pendant près de 5 ans, du grand *Blitz* d'août 1940 à la reddition japonaise en 1945. Dès l'entrée, au sous-sol, une bombe allemande de 250 kg replace dans le contexte. Ce n'était pas virtuel !
Comme certains ne remontaient que très rarement à la surface, il fallait bien que la vie s'organise. C'est ainsi que l'on visite les fameux cabinets de guerre, comme le *Transatlantic Telephone Room* d'où Churchill communiquait directement avec Roosevelt, les salles des cartes

POMME DE DISCORDE

Alan Turing, mathématicien de génie longtemps trop méconnu et mis à l'honneur dans le film Imitation Game, *eut une action décisive sur la victoire contre les nazis : il cassa le code secret* Enigma, *la machine qui cryptait les messages allemands. Il est le père de l'informatique moderne. Mais Alan était homosexuel, et on le condamna en 1952 à un traitement aux hormones féminines. Il devint impuissant et se suicida en avalant une pomme empoisonnée au cyanure. On dit que la pomme croquée, logo d'Apple, serait un hommage au grand homme.*

(maps rooms) où l'on suivait les opérations sur tous les fronts à l'aide d'épingles et de fils de laine colorés, les salles de radio, les postes de garde, etc. Le gouvernement de coalition, restreint, ne comptait alors que 8 membres. Mais on découvre surtout le volet plus intime du bunker, avec la chambre de Churchill, celle de sa femme Clementine juste à côté de la salle de réunion, la cuisine, la salle à manger... On a presque l'impression qu'ils vont bientôt revenir. Pas mal de détails amusants, comme la petite phrase de la reine Victoria, affichée dans la salle du Conseil : « Les possibilités de défaite ne nous intéressent pas. Elles n'existent pas ! » Des mannequins prêtent vie à l'ensemble et un audioguide fort bien fait nous conte mille anecdotes.

Churchill Museum
Au cœur de la visite, ce musée dans le musée s'intéresse à ce personnage décidément hors du commun. Churchill connut toutes les grandes mutations de la fin du XIXe et du XXe s, du premier téléphone à la conquête spatiale, et fut tout à la fois officier de l'armée, journaliste, historien, politicien, peintre, écrivain nobélisé... Si le musée a tendance à lui donner le beau rôle, au fil des écrans et des vitrines d'une grande richesse iconographique, on découvre un personnage fascinant, tout en nuances, contradictions et paradoxes (un Anglais, quoi !).

Sir Winston Leonard Spencer-Churchill (1874-1965) était fils d'un lord anglais et d'une riche héritière américaine. Il fut fait prisonnier en 1899. Son évasion le rendit mondialement célèbre et lui permit de se faire élire député. Voilà pour le côté rocambolesque. Mais ce conservateur radical, qui prêchait l'ordre public, est aussi à l'origine de nombreuses lois sociales visant à diminuer la précarité, tout en s'opposant fermement au démantèlement des colonies.

EXCENTRICITÉ BRITANNIQUE ?

Churchill gérait son image avec un génie rare. Son cigare (qu'il mâchonnait !), ses tenues excentriques et ses peignoirs exotiques font désormais partie du mythe, tout comme son incorrigible habitude de recevoir ses collaborateurs au lit ou son penchant pour le champagne Pol Roger. Il alla même jusqu'à organiser ses propres funérailles nationales, sous le nom de code « Operation Hope Not ». Et apprit à son perroquet à insulter... Adolf Hitler !

On lui reprochait souvent de jouer les Cassandre. Ainsi, il fut l'un des rares à alerter le monde du danger que représentait Hitler. Malheureusement, la suite des événements lui donna raison, et Neville Chamberlain, le Premier ministre anglais, dut se résigner à l'appeler au gouvernement comme premier lord de l'Amirauté. Quelques jours plus tard, il lui céda même sa place ! L'Histoire fit de cet homme providentiel un héros de légende. « I am a war person », se justifie cet homme de guerre, n'arrêtait-il pas de dire.

Cette immense popularité ne l'empêcha pas de perdre les élections en 1945. Personnage extrêmement controversé, il connut ensuite une longue traversée du désert, qu'il consacra à la littérature (prix Nobel pour son œuvre en 1953). Mais il continua à prendre ouvertement position et à jouer les agitateurs publics, tout en continuant à boire du champagne Pol Roger et à peindre à Madère. Il fut finalement réélu en 1951. Il consacra la fin de sa vie à vouloir mettre un terme à la guerre froide. Il mourut en 1965, laissant une Europe plus divisée que jamais. Les vidéos de la cérémonie de transfert de son cercueil par la Tamise devant une foule silencieuse rappellent l'attachement du peuple à son héros.

– La porte à côté du musée est le *HM Treasury,* l'équivalent de notre ministère de l'Économie et des Finances. Bien gardé !

🏹 🚶 ***Household Cavalry Museum*** *(centre 1, F4) :* Horse Guards, Whitehall, SW1A 2AX. ☎ 020-7930-3070. ● *householdcavalrymuseum.co.uk* ● Ⓜ Westminster. Tlj 10h-18h (17h nov-mars). Fermé 24-26 déc. Dernière admission 45 mn avt fermeture. Entrée : 8 £, audioguide en français compris ; réduc. En complément des changements de la garde qui se déroulent sur le terre-plein, ce modeste musée rappelle le rôle de la cavalerie dans l'histoire de la Grande-Bretagne, depuis sa création en 1660 par Charles II. Costumes (que l'on peut essayer), écrans tactiles et film sur la revue des troupes par la reine en juin *(Trooping the colour)*. Mais le petit plus, ce sont ces box aux parois de verre, par lesquelles on peut voir les chevaux en live, dans leur élément ! Venir si possible après 16h, quand ils rentrent au bercail.

Monuments et balades

Le Londres politique : Trafalgar Square, Whitehall et Westminster

Cette balade rassemble quelques incontournables du tourisme londonien. Été comme hiver, vous ne serez pas seul à vous extasier devant l'uniforme des *Horse Guards* ou les sculptures funéraires de l'abbaye de Westminster. Quartier des ministères, du Parlement et de la résidence du Premier ministre, son importance dans le fonctionnement des institutions de la monarchie britannique se retrouve dans la solennité de l'architecture, presque exclusivement composée d'imposantes façades blanches à l'antique, agrémentées de tourelles dans le meilleur des cas.

🚶🚶 ♪ *Saint Martin-in-the-Fields Church* (centre 1, F4) : Trafalgar Sq, WC2. ● stmartin-in-the-fields.org ● Ⓜ Charing Cross ou Leicester Sq. Lun-ven 8h30-18h, sam 9h-18h. Église baroque construite en 1726, donnant directement sur la place la plus célèbre de Londres. Portique corinthien particulièrement pesant et clocher effilé à base carrée. À l'intérieur, péristyle corinthien sous un plafond en ellipse orné de stucs. À gauche du chœur, les armes royales au-dessus de la loge réservée à la famille royale rappellent que nous sommes dans l'église paroissiale de Buckingham Palace. Aujourd'hui, elle sert également de centre d'accueil pour les SDF *(homeless)*. L'Academy of Saint Martin-in-the-Fields est réputée mondialement pour son orchestre et sa chorale d'une grande qualité. On peut voir répéter le chœur et écouter des chants liturgiques les mercredi matin et dimanche après-midi (sauf en août). Régulièrement, le soir à 19h30, concerts payants de musique classique ou baroque (large répertoire). L'église est alors éclairée à la bougie ! Sinon, des concerts gratuits à 13h certains jours. – Dans la crypte, le *Brass Rubbing Centre* (littéralement, « décalquage du laiton »). *Lun-mar 10h-18h, mer-sam 10h-19h45, dim 11h30-17h.* Voici un passe-temps très prisé des Britanniques qui s'amusent à reproduire des plaques cuivrées du Moyen Âge pour orner leurs cheminées. *À partir de 4,50 £, matériel fourni.* – Voir aussi le *Café in the Crypt* (Centre touristique, « Où manger ? Bon marché »).

🚶🚶🚶 *Trafalgar Square* (centre 1, E-F4) : en plein milieu de Trafalgar Square se dresse la *célèbre colonne de Nelson,* élevée à la mémoire du plus grand amiral de l'histoire britannique. Ce marin génial fit boire la tasse à l'armada franco-espagnole lors de la bataille navale de Trafalgar en 1805, au large des côtes espagnoles. Cette défaite napoléonienne mémorable sauva l'Angleterre et lui laissa la suprématie sur les mers. La mort de Nelson à l'issue des combats en fit à tout jamais un héros de légende. Les bas-reliefs du piédestal ont été coulés dans le bronze des canons français. Les *lions au pied de la colonne de Nelson* sont l'œuvre d'Edwin Landseer, qui était le peintre préféré de la reine Victoria. Un peintre ? Pour des sculptures ? Eh oui, Landseer ne pouvait rien refuser à la reine. On attendit donc que des lions du zoo meurent pour que Landseer apprenne la sculpture d'après ces modèles grandeur nature. Bientôt, ses voisins commencèrent à se plaindre de l'odeur des bêtes en putréfaction. C'est qu'il faut du temps pour réaliser de telles œuvres... À sa mort, Landseer demanda à être enterré avec une des peaux en souvenir. À croire qu'il avait aimé ça !

PIMLICO, WESTMINSTER ET SAINT JAMES'S PARK

La renommée de la place lui vient non pas de sa beauté, avec sa colonne, ses lions et ses fontaines (certaines à eau potable, pratique pour remplir sa gourde !), mais plutôt en raison de sa situation centrale, à l'intersection du Mall royal, du quartier des ministères et des centres culturels de West End. C'est d'ailleurs ici qu'est établi le **kilomètre 0** (ou « mile » !), point de repère pour le calcul des différents kilométrages à travers le pays. La place est prise d'assaut par les touristes, et les manifestants les jours de revendication. Quant aux pigeons, qui ont pourtant contribué à l'image de la place, ils ont été quasiment tous bannis ! À Noël, la Norvège offre un gigantesque sapin pour remercier la Grande-Bretagne de son aide contre l'ennemi nazi pendant la guerre. Si vous y êtes autour de la 1re semaine de décembre, ne pas manquer la cérémonie d'illumination du sapin (voir « Fêtes et jours fériés » dans « Londres utile »).

La place fut construite entre 1820 et 1840 selon les plans de l'architecte **John Nash,** qui aménagea le vaste quartier résidentiel s'étendant au nord jusqu'à Regent's Park. Plus que tout, la façade antique de la National Gallery, qui borde la place au nord, lui donne de l'allure. Beau point photo sous le portique du musée avec vue sur l'horloge Big Ben. Au départ de la place, la première façade bordant Whitehall est l'ancienne Amirauté, du XVIIIe s.

GARDE À (TOUTE PETITE) VUE

Sur la place de Trafalgar Square, à l'angle sud-est, au pied de la statue de Sir Henry Havelock, vous remarquerez une petite guérite sans personne à l'intérieur. Il s'agit du plus petit commissariat (ou de la plus petite prison) d'Angleterre. On y tient à peine à deux ! À l'intérieur, une ligne téléphonique permet de contacter Scotland Yard. Be careful !

En face, **Great Scotland Yard** donna son surnom à la fameuse police londonienne. Son état-major y résida jusqu'à la fin du siècle dernier, avant d'emménager sur Victoria Street, dans un bâtiment moderne. Une rue plus loin, énorme masse blanche du *ministère de la Défense* terminée par de multiples tourelles et coupoles.

🍴 **Banqueting House** *(centre 1, F4) :* Whitehall, SW1. ☎ 020-3166-6154. ● hrp. org.uk ● Ⓜ *Westminster, Embankment ou Charing Cross. En face de la caserne des Horse Guards. Tlj 10h-17h (dernière admission à 16h30) ; ouv jusqu'à 13h en cas d'événement spécial (assez fréquent, se renseigner). Fermé les j. fériés, ainsi que 24 déc-1er janv. Entrée : 5,50 £ ; réduc ; gratuit moins de 16 ans. Bon plan : on vous rappelle l'existence d'un pass annuel qui permet un accès illimité pdt 1 an aux sites de Banqueting House, Kensington Palace, Hampton Court Palace, Tower of London et Kew Palace : à partir de 52 £ par adulte ; forfait famille. Audioguide de 20 mn en anglais inclus (le demander) et film d'introduction à la visite, tous deux un peu enluquets.*

La visite se résume à la splendide salle de banquets du 1er étage, seule rescapée de l'incendie de 1698 qui détruisit le palais royal de Whitehall. Cette immense résidence royale s'étendait alors de Saint James's Park à la Tamise et de Charing Cross à Westminster Bridge. Le rôle initial de la Banqueting House a été maintenu, puisqu'elle sert aujourd'hui encore de lieu de réceptions. L'endroit est chargé d'histoire et intimement lié à la monarchie anglaise. Henri VIII y mourut, Elizabeth Ire y résida avant d'être emprisonnée à la Tour de Londres, puis James Ier (Jacques Ier), roi absolutiste à l'origine de l'union des royaumes d'Écosse et d'Angleterre, y festoya. Dans un autre registre, son fils Charles Ier monta sur l'échafaud dressé pour l'occasion près de la porte d'entrée de la salle, et avec lui, 6 siècles de monarchie furent décapités. Vive la République ! Mais pas pour longtemps...

L'architecture du début du XVIIe s dans le style palladien est due à Inigo Jones, inspiré par un voyage en Italie. Superposition de 2 ordres, comme sur la façade extérieure : ionique au 1er niveau et corinthien au-dessus. Remarquez que les colonnes sont encastrées dans les murs pour gagner de l'espace et que la galerie est soutenue par des corbeaux. Le clou est bien sûr le plafond à caissons, peint par Rubens en 1629, qui tranche dans cet intérieur plutôt classique. Des scènes allégoriques hautes en couleur rendent un hommage complaisant au règne de James Ier et à sa sagesse.

🎋 *Institute of Contemporary Arts* (ICA ; centre 1, E4) : The Mall, SW1Y 5AH. ☎ 020-7930-3647. ● ica.org.uk ● Ⓜ Charing Cross ou Piccadilly Circus. Entrée discrète sur la droite du Mall, avec Trafalgar Sq dans le dos. Ne pas confondre avec un hall d'expos de peinture qui se trouve juste avt. Expos tlj sauf lun 11h-21h, le bâtiment ferme à 23h. Entrée : 1 £. Galeries d'expositions temporaires d'art contemporain. Cinémathèque, théâtre, librairie et conférences accordant une grande place aux thèmes les moins habituels. À la pointe de l'avant-garde artistique anglaise et internationale. L'accès intellectuel n'est pas toujours évident, mais c'est une bonne raison pour papoter avec les visiteurs ou le personnel de l'*Institute*. Un café-bar également pour une pause plus prosaïque (voir « Où manger ? Sur le pouce »).

🎋 🎋 *Caserne des Horse Guards* (centre 1, F4) : caserne de la cavalerie royale avec sa façade du XVIIIe s dans le style palladien. Côté Whitehall, l'entrée est gardée par 2 beaux spécimens d'une impassibilité exemplaire. Petite cérémonie pour la fermeture des box des chevaux (à 16h) et remplacement de 2 chevaux toutes les heures (10h-15h), mais le plus inté-

> ## VIVE LE SYNTHÉTIQUE !
>
> *Les bonnets de la garde royale sont faits de poils d'ours canadien. Il faut d'ailleurs un ours entier pour fabriquer un seul bonnet. Pas très correct. Les amis des animaux ont beau manifester, rien n'y fait. Et la reine qui prétend aimer les animaux...*

ressant est la relève de la garde, de l'autre côté du porche, sur le terre-plein (tlj à 11h, dim à 10h ; y être un peu avt et vérifier les horaires, soumis à changements). Toutefois, spectacle franchement longuet et action limitée, même si ça se passe avec des chevaux. L'essentiel des opérations se résume à un dialogue (inaudible) entre les 2 officiers. Bref, beaucoup moins spectaculaire que le *Changing of the Guard* à Buckingham Palace. Le 2e samedi de juin, après l'anniversaire... officiel de la reine (le 6 juin), célébration en grande pompe de cet événement (Trooping the Colour), visible le long du Mall. Pour en savoir plus, vous pouvez rendre visite au *Household Cavalry Museum,* sur le terre-plein (voir plus haut « Galeries et musées »).

🎋 Attenante à la caserne des *Horse Guards,* la façade palladienne du *Cabinet Office* longe fièrement Whitehall. Derrière siègent les ministères des Finances, du Commonwealth, des Affaires étrangères et de l'Intérieur. Dans les sous-sols, le *Churchill War Rooms* (voir plus haut « Galeries et musées »). Devant l'entrée du musée, monument en hommage aux 202 victimes des attentats

> ## ÉCHEC ET MAT
>
> *Le ministre de l'Économie est appelé en Angleterre « chancelier de l'Echiquier » car, depuis le Xe s, les rois de Normandie faisaient leurs comptes sur une table à carreaux noirs et blancs. La table ressemblait effectivement à celle d'un jeu d'échecs. L'expression est restée.*

à Bali (Indonésie) en 2002. Bordant le Cabinet Office, *Downing Street* (plan d'ensemble, F5) n'aurait été qu'une triste impasse bordée de maisons georgiennes si George II n'avait pas décidé en 1735 d'en faire le « Matignon anglais ». Le Premier ministre habite au n° 10 et le chancelier de l'Échiquier au n° 11. L'accès est interdit au public et surveillé en permanence par des *bobbies* (agents de police). Plus bas, les voitures contournent le *Cénotaphe* érigé au milieu de la chaussée à la mémoire des victimes des 2 dernières guerres. Le 2e dimanche de novembre, le jour du Souvenir, la reine le fleurit.

⚔⚔⚔ Vue mythique sur la longue façade jaune du Parlement depuis ***Westminster Bridge*** *(plan d'ensemble, F5)*. Magnifique de nuit. Par temps de brouillard, vous retrouverez la lumière que Monet a décomposée dans sa série de toiles ayant pour thème la Tamise, dont le fameux *Pont de Westminster* et le *Parlement de Londres*.

⊚ **⚔⚔⚔** ***Houses of Parliament et l'horloge Big Ben*** *(plan d'ensemble, F5)* : Bridge St. ☎ 020-7219-4114. ● *parliament.uk* ● Ⓜ *Westminster*. Lun-jeu, possibilité d'accéder aux débats des chambres (celle des Communes est plus intéressante). GRATUIT. Pour assister aux autres débats, faire la queue (prévoir 1h-2h d'attente). Autrement, visites guidées payantes (1h15) 28 £ ou audioguidées 20 £ ; réduc. Résa obligatoire (calendrier en ligne – compliqué par les séances parlementaires). La visite de l'Elisabeth Tower et de Big Ben (gratuite) est réservée aux résidents.

Appelé aussi pour des raisons historiques le palais de Westminster, c'est une preuve flagrante du goût de l'architecture victorienne pour l'art du pastiche. Cette énorme bâtisse de style néogothique n'en est pas moins un chef-d'œuvre. Les mêmes motifs architecturaux sont répétés sur chaque fenêtre, tandis que les tours coupent, de-ci, de-là, l'horizontalité de la longue façade côté Tamise. L'architecte s'est inspiré de la chapelle Henri VII de l'abbaye de Westminster, qui a sublimé en Angleterre le gothique flamboyant. L'histoire du palais de Westminster est liée à la monarchie anglaise et aux incendies qui l'ont ravagé. Avant de devenir le siège du Parlement, il fut la résidence royale principale à partir du XIᵉ s jusqu'à ce qu'il brûle presque entièrement en 1513. Plutôt que d'entreprendre des travaux coûteux, Henri VIII le rénova sommairement et préféra l'abandonner pour s'installer non loin de là, dans le palais de Whitehall.

Vos papiers, s'il vous plaît !
En 1605, Guy Fawkes, partisan catholique adepte des méthodes expéditives, projeta de faire sauter le Parlement et, avec lui, le roi Jacques Iᵉʳ, lors de la cérémonie d'ouverture de la session. La *conspiration des Poudres* fut démasquée à temps. Aujourd'hui, plus par tradition que par peur d'un régicide, on fouille solennellement les sous-sols du palais avant chaque début de session. C'est ce même Guy Fawkes qui inspira le masque de V dans *V pour Vendetta*, porté aujourd'hui par les Indignés du monde entier !

Après un vaste incendie en 1834, le Parlement fut reconstruit dans un style Tudor médiéval où le classique se mêle au tarabiscoté. En tout cas, la pierre possède une superbe couleur jaune orangé. L'image la plus célèbre est la tour de ***Big Ben***, évidemment.

À l'opposé de Big Ben, ***Victoria Tower***, bien plus imposante, qui abrite les Archives nationales. Le drapeau britannique flotte au sommet lorsque le Parlement est en séance. Chaque année, mi-octobre, Sa Majesté la reine entre par cette tour pour prononcer son discours d'ouverture.

> ## ROCK AROUND THE CLOCK !
>
> *Big Ben ne désigne pas la tour mais la grosse cloche de 13 t qui sonne toutes les 15 mn. Elle se règle chaque année en posant un penny sur le mécanisme si elle avance et en en enlevant un si elle retarde ! Technique ô combien efficace, puisque le système ne connut sa première (petite) panne qu'en 1976... soit près de 120 ans après sa mise en service. Quant à son nom, il viendrait du fonctionnaire qui installa la cloche, le désormais célèbre Benjamin Ben.*

Si vous avez la chance de pouvoir entrer dans le Parlement, voici ce que vous pourrez voir :

Westminster Hall
Partie la plus ancienne du palais, datant de l'époque de Guillaume le Conquérant (XIᵉ s), épargnée par les incendies. Superbe charpente en chêne du XIVᵉ s. Entre les XIIIᵉ et XIXᵉ s siégèrent dans cette salle la Cour de justice et les

tribunaux. Charles Ier y fut condamné à mort, tandis que Cromwell y fut pro-
clamé lord-protecteur. Après la Restauration, la tête de Charles Ier se balança
pendant 23 ans au bout d'une pique sur le toit de la salle. On y condamna
également Guy Fawkes pour son coup manqué et Thomas More, lord-chancelier sous Henri VIII, qui refusa de reconnaître son roi comme chef de l'Église
anglicane.

Chambre des communes
Elle accueille sur ses bancs capitonnés de cuir vert les *members of Parliament,* les
membres du gouvernement à droite et l'opposition à gauche. Elle fut reconstruite
en l'état dans l'après-guerre, après sa destruction par une bombe allemande. Lors
des séances, la masse d'armes du président du Parlement est posée sur la table
entre les 2 tribunes, comme symbole du pouvoir parlementaire. La ligne rouge
entre les 2 parties ne doit pas être franchie. Elle aurait été tracée à l'origine à...
coups d'épée !

Chambre des lords
Somptueuse salle lambrissée construite dans le style gothique en même temps
que le bâtiment. Dans la 2de chambre du Parlement, qui sert également de Cour
suprême de justice, siègent les pairs, qui disposent d'un titre de noblesse. Elle est
présidée par le fameux lord-chancelier, également ministre de la Justice. La reine
s'assoit une fois par an sur le trône pour annoncer dans son discours les directives
politiques, qui lui ont d'ailleurs été dictées par le Premier ministre.

Les Bourgeois de Calais *(plan d'ensemble, F5) :* statues au pied de la
House of Parliament, dans le jardin **Victoria Tower Gardens,** le long de la Tamise.
En 1347, afin de sauver la vie des Calaisiens alors assiégés, 6 notables de la ville
se rendirent à Édouard III pour être exécutés. La corde au cou et les clés de la ville
à la main, ils se présentèrent devant le monarque. L'histoire raconte que l'épouse
de ce dernier (une Française !) le supplia de leur laisser la vie sauve. Il se plia aux
doléances de sa femme, mais Calais passa bel et bien à la couronne d'Angleterre,
et ce jusqu'au XVIe s.
La pierre claire du Parlement est une toile de fond idéale, sur laquelle se détache
parfaitement ce tirage original (l'un des 13) des *Bourgeois de Calais.* Le contraste
est saisissant, et on ressent bien toute la pesanteur de l'emplacement de cette
pièce monumentale de Rodin.

Westminster Abbey *(plan d'ensemble, F5) : Parliament Sq, SW1P 3PA.*
☎ 020-7222-5152. ● *westminster-abbey.org ● Ⓜ Westminster. Entrée par la porte
nord. Attention, longue attente en période d'affluence (opter pour les paiements
par CB, plus rapides) et horaires très changeants selon l'activité de l'abbaye (vérifier avt de venir). En théorie, lun-ven 9h30-16h30 (19h mer), sam 9h30-15h30 ;
ferme 1h plus tôt en hiver. Dernier ticket 1h avt fermeture. Fermé aux touristes
dim et fêtes, mais l'entrée est gratuite pour la messe (evensong) de 15h le w-e et
17h en sem : dans ce cas, tenue plus que correcte exigée. Entrée hors de prix :
22 £ (20 £ en ligne) ; réduc ; forfait famille. **Le bon plan : réserver sur Internet,
plus rapide une fois sur place et nombreuses réducs.** Audioguide (bien conçu,
1h30) et brochure en français inclus. Pour manger, The Cellarium (voir plus haut
« Où manger ? »).*

Un peu d'histoire
Magnifique abbaye où sont enterrés plus de 3 500 des hommes et femmes les
plus illustres d'Angleterre et où se font couronner les rois et les reines depuis
Guillaume le Conquérant. Les derniers monarques à y avoir été enterrés sont
George II et son épouse, en 1760. Depuis, les membres de la famille royale sont
inhumés à Windsor. Foisonnement de sculptures, de plaques commémoratives,
de gisants et de sépultures royales qui résument l'histoire du pays. Le nombre de
pierres tombales est tel qu'il est impossible de ne pas marcher dessus. En quelque sorte, la basilique Saint-Denis (avant la Révolution !), Notre-Dame de Paris

PIMLICO, WESTMINSTER ET SAINT JAMES'S PARK

et le Panthéon réunis. L'église originelle fut fondée au XIe s sur les restes d'un monastère bénédictin, le « monastère de l'Ouest ». Elle fut reconstruite 2 siècles plus tard par Henri III et remaniée maintes fois. Il serait difficile de s'extasier devant la façade principale, pas vraiment élégante. La plus belle façade est celle du transept nord, près de Saint Margaret's Church, avec sa grande rosace et ses nombreux arcs-boutants.

DÉSHABILLER PIERRE POUR HABILLER PAUL

Le nom exact de l'abbaye de Westminster est « église collégiale de Saint-Pierre ». Au Moyen Âge, les paroisses continuaient à réclamer les subsides du roi Saint-Pierre un peu plus que les autres... En guise de punition, les subsides de Saint-Pierre furent transférés à la cathédrale Saint-Paul. D'où l'expression !

Galeries du jubilé de diamant de la reine (triforium)
Pour célébrer les 60 ans de règne d'Elizabeth II, des galeries à 20 m du sol, jamais ouvertes depuis 700 ans, présentent au public les trésors de l'abbaye.

Le transept nord (entrée)
Le « coin des hommes d'État », rempli de statues pompeuses de politiciens célèbres. Puis, en remontant vers la nef, une pensée pour les musiciens (Purcell, Elgar, Britten...) et les scientifiques (Newton, Darwin, entre autres).

La nef (nave)
Grandiose, dans le style gothique flamboyant, avec de hautes voûtes nervurées et des piliers en marbre. La perspective est coupée par un beau jubé doré, mais la longueur et surtout la hauteur de l'édifice sont impressionnantes. Hommage aux premiers ministres. À côté, tombe du Soldat inconnu, entouré de coquelicots en plastique, symbole des soldats britanniques tombés sur les champs de bataille.

Le sanctuaire (sacrarium)
Au-delà du chœur *(quire)*, entre les transepts, s'ouvre le sanctuaire, lieu des couronnements (une quarantaine en tout) et funérailles royales, orné de stalles en bois, d'un dallage du XIIIe s dit « de Cosmati » et d'un spectaculaire maître-autel doré du XIXe s. Songez qu'en 1953, 8 200 invités assistèrent au couronnement d'Elizabeth II.

Le déambulatoire
En faisant le tour du sanctuaire par derrière, on trouve une profusion de chapelles et de gisants, certains dans leurs couleurs d'origine.

La chapelle Henri VII (Lady Chapel)
Une véritable église dans l'église. Tournez tout de suite à gauche pour admirer le bas côté droit où reposent, sous un seul gisant, les cousines ennemies Elizabeth Ire et Marie Tudor (Mary Ire). Au fond, dans le « coin des Innocents », tombeaux disposés à l'envers des 2 enfants d'Édouard IV, assassinés par leur oncle Richard III dans la Tour de Londres. Par un jeu de miroirs, on aperçoit le visage sépulcral de l'un des enfants.

LE COMBAT DES REINES

Elizabeth Ire, reine d'Angleterre, détestait sa cousine Marie Stuart, reine d'Écosse (Queen of Scots). Complots, espions et prisons résument leurs relations. La première fit décapiter la seconde. Les gisants des cousines rivales se retrouvent aujourd'hui face à face dans la chapelle Henri VII. Cocasse !

Brrr... On revient sur ses pas et on pénètre ensuite dans la nef de la chapelle (le clou de la visite !) par des portes en bronze. Voûtes dignes d'une chapelle royale. Elles semblent dessinées dans du tissu et sont le plus bel exemple du style gothique perpendiculaire, qui s'est développé au cours du XVe s à partir du gothique flamboyant, uniquement en Angleterre. Les lignes verticales et horizontales sont mises en relief : les nervures des hauts piliers éclatent en éventail au niveau des voûtes et se ramifient pour se rejoindre en de lourdes clés pendantes. Les étendards et les casques finissent de nous éblouir. Heureusement, des miroirs permettent d'admirer tout cela sans tomber à la renverse ! Derrière l'autel, tombeau d'Henri VII et d'Elizabeth d'York (bien gardé). Dans les chapelles rayonnantes, tombes des souverains Tudors et Stuarts. La chapelle centrale est dédiée à la *Royal Air Force*. À son entrée, une dalle rappelle qu'à l'origine, Cromwell fut enterré à cet endroit. Son corps fut exhumé, pendu et décapité au moment de la Restauration, 2 ans plus tard.

Le tombeau d'Édouard le Confesseur (shrine of Saint Edward the Confessor)
Il ne se visite pas. Célèbre pour la châsse en bois du XIII⁰ s contenant les cendres d'Édouard le Confesseur, saint et roi (1043-1065), sur laquelle il reste des fragments de mosaïque, côté intérieur (non visibles donc).

Le transept sud et le coin des poètes (Poets' Corner)
Dédié aux poètes et aux écrivains anglais (et aussi à quelques musiciens, dont Haendel) : 40 sont enterrés ici, en plus des 60 plaques commémoratives. Sous vos pieds, Charles Dickens, Rudyard Kipling, Shakespeare, Jane Austen...

Le cloître de Westminster Abbey (The Cloisters)
Il date du XI⁰ s et des plaques commémoratives recouvrent les murs. La plus curieuse fut apposée en 1986 par *British Aerospace* à la mémoire d'Edmund Halley pour le retour de sa fameuse comète. Un peu plus loin, au sol, voir celle dédiée à Muzio Clementi, l'inventeur du piano-forte.

La salle capitulaire (Chapter House)
Magnifique salle octogonale de 20 m de diamètre, construite au XIII⁰ s. On peut y admirer des vestiges de fresques datant de 1400, bien mal en point, ainsi qu'un petit échantillon de pavements médiévaux sous le tapis. Mais le must reste le pilier central d'où partent les nervures des voûtes. Sublimissime.

La chambre de la Pyxide (Pyx Chamber)

Située dans l'ancienne sacristie d'Édouard le Confesseur. Au XIII⁰ s, elle devint salle du trésor royal (la pyxide est un réceptacle dans lequel est conservé l'argent). La lourde double porte à l'entrée date de 1303. Un peu plus loin, jeter un œil au *College Garden* et son minicloître, paisible avec sa fontaine centrale.

🏃 Traverser Lambeth Bridge. En face, les 2 tours crénelées en brique rouge marquent l'entrée de **Lambeth Palace** (plan d'ensemble, F6), résidence des archevêques de Canterbury depuis

> ## PIERRE DE DISCORDE
>
> *En sortant, sous le trône du couronnement* (Coronation Chair), *toujours utilisé depuis 1308, repérez l'emplacement – vide – de la pierre de Scone rapportée d'Écosse en 1296 pour marquer la domination anglaise sur cette partie du royaume. Cette pierre (de 150 kg tout de même) fut volée par 4 étudiants écossais en 1950 et rapatriée à Londres 1 an plus tard. Mais elle fut restituée à l'Écosse, officiellement cette fois-ci, en 1996, à la condition qu'elle soit renvoyée symboliquement pour le prochain couronnement !*

le XIII⁰ s, construit en face du palais de Westminster. Il a gardé de l'époque son aspect Tudor moyenâgeux. Il ne se visite pas, mais on peut le contourner et flâner dans les superbes jardins archiépiscopaux. Ou alors, suivre les berges de la Tamise.

Le Londres royal : Saint James's

Le quartier aristocratique de Saint James's s'est épanoui pendant la Restauration, lorsque Charles II s'installa à Saint James's Palace avec tout le faste de sa cour. Les courtisans ont suivi le roi et se sont fait bâtir de belles demeures. Nombre

PIMLICO, WESTMINSTER ET SAINT JAMES'S PARK

d'entre elles ont été reconstruites au XIXᵉ s, mais l'élégance de ces rues tranquilles a traversé les siècles et les crises, maintenue entre autres par les fameux clubs si fermés qui font la solidité des traditions anglaises.

🐾 De Trafalgar Square, passer sous l'**Admiralty Arch,** un monument triomphal en arc de cercle, à la gloire de la reine Victoria. Ici débute le **Mall** (centre 1, E4). Les processions royales passent inévitablement par cette avenue rectiligne, en partant de Buckingham Palace. À gauche, longue façade néoclassique de Carlton House Terrace, construite par John Nash au début du XIXᵉ s. Aussi austère que le Mall. Il créa ce nouveau style d'habitation formée d'un ensemble de maisons juxtaposées et unifiées par une couche de stuc. Trop blanc à notre goût ! Cet édifice comprenait à l'origine le palais du prince-régent. Ne pas manquer non plus cette excroissance architecturale tout en rondeurs, au début de Horse Guards Parade : la **citadelle de l'Old Admiralty,** construite durant la Seconde Guerre mondiale. Ses fondations iraient à plus de 9 m sous terre. Le toit, lui, ferait plus de 6 m d'épaisseur. C'est ici que devait se replier le gouvernement en cas d'assaut allemand. Top secret !

🐾 Entre les bâtiments du Mall, un escalier conduit à Waterloo Place, ornée de la **colonne du duc d'York** et de la **statue d'Édouard VII,** fils de Victoria qui attendit longtemps pour régner sur le pays. Au pied de la statue du duc d'York, au niveau du nᵒ 9 de Carlton House, se trouve un arbre. À son pied, une petite sépulture blanche, où il est écrit « Giro, ein treuer Begleiter, Februar 1934 » : un « compagnon fidèle » qui n'était autre que le chien de Léopold von Hoesh, ambassadeur d'Allemagne à l'heure où le nazisme gagnait l'Europe, contre lequel von Hoesh cherchait à lutter en vain. Il mourut en 1936 et fut remplacé par Ribbentrop. La tombe du chien est toujours là !

Voici le début de l'axe triomphal dessiné par Nash, qui relie Carlton House à Regent's Park. À gauche, au nᵒ 4 de Carlton Gardens, le général de Gaulle organisa le mouvement de résistance des Forces françaises libres et lança, le 18 juin 1940, son célèbre appel diffusé sur la BBC. En face, la **statue en bronze du général** rappelle l'événement. Chaque année à cette date, les représentants diplomatiques français se réunissent pour lire le texte intégral du général.

VAUT MIEUX DEUX FOIS QU'UNE

Souvent on parle de l'appel du 18 juin 1940 du général de Gaulle. Sauf qu'il n'y a pas eu d'enregistrement de l'appel du 18 Juin, contrairement au texte du 22 juin, avec lequel on le confond souvent... Le 18 Juin n'était qu'un appel dans les journaux. Le 22, cet appel, légèrement différent du 18, sera multidiffusé et... enregistré. C'est celui du 22 auquel on fait le plus souvent référence et qu'on entend tout le temps.

🐾 Retour un peu plus haut sur **Pall Mall** (centre 1, E4), la rue des clubs privés les plus sélects de Londres. Il en existe une trentaine aujourd'hui. Les plus célèbres sont l'Atheneaum Club à l'angle de Waterloo Place, le Traveller's Club au nᵒ 106 et le Royal Automobile Club au nᵒ 89. Inutile de préciser que l'admission est réservée aux « gentlemen » et souvent très sélective. Mais on peut quand même en visiter quelques-uns : n'hésitez pas à frapper à la porte, on ne sait jamais... Pall Mall dérive de « paille maille », l'ancêtre du croquet, auquel jouait ici la cour de Charles II. Les coffee houses et les chocolate houses, qui sont apparues au XVIIᵉ s avec l'importation des premiers grains de café et de cacao, sont les ancêtres de ces clubs où l'on parle politique, art, littérature et où l'on échange des potins dans un confort extrême.

🐾 Dans **Mason's Yard.** C'est dans cette rue, à l'Indian Art Gallery, qu'un couple célèbre allait se rencontrer : John et Yoko, bien sûr !

🐾🐾🐾 Prendre en face Duke of York Street et tourner à gauche dans **Jermyn Street** (centre 1, E4), bordée de boutiques raffinées. Des magasins de mode pour hommes, des antiquaires, le célèbre fromager *Paxton and Whitfield (n° 93),* où l'on trouve aussi bien le meilleur des stiltons qu'un bon munster vosgien fait à point, le parfumeur *Floris* avec son décor d'herboristerie et le maître ès cigares *Davidoff* (n° 35), à l'angle de Saint James's Street. Piccadilly est tout près, pour les lécheurs de vitrines. Tourner à gauche dans **Saint James's Street** *(centre 1, E4),* une autre rue distinguée du quartier. Elle abrite les plus vieilles boutiques de Londres, qui se sont fait une solide réputation depuis le XVIIe s en fournissant la Cour. La plupart ont gardé leur allure de vieille échoppe, comme la cave à vins *Berry Brothers & Rudd* au n° 3 (depuis le XVIIe s !), le chapelier *Lock* (n° 6), le vendeur de cigares *Dunhill's* (n° 48) ou le bottier *Lobb* (n° 88). Également quelques clubs très sélects.

À gauche, au n° 8 de King's Street, **Christie's** (● christies.com ●). L'une des 3 salles des ventes aux enchères les plus renommées, avec *Sotheby's* et *Drouot.* C'est là qu'il faut acheter votre Rubens.

🕯 **Saint James's Palace et Clarence House** *(centre 1, E4) :* au bout de Saint James's St. Ⓜ *Saint James's Park.* Façade anachronique de Saint James's Palace *(ne se visite pas)* avec ses tours octogonales crénelées et son horloge. Henri VIII fit construire ce palais pour sa 2e femme, Ann Boleyn, au milieu du XVIe s. C'est l'un des derniers représentants du style Tudor, et sa proximité avec des édifices plus récents ajoute au pittoresque de son allure médiévale. Après la destruction du palais de Whitehall lors de l'incendie de 1698, Saint James's Palace devint la résidence officielle du souverain jusqu'à ce que Victoria emménageât à Buckingham en 1820. Il fut maintes fois agrandi au cours des règnes. Contournez-le en prenant à gauche la tranquille Cleveland Row, puis Queen's Walk à gauche, qui longe Green Park. Les résidences du XIXe s qui bordent le Mall et appartiennent au palais sont *Lancaster House,* servant de résidence officielle aux invités du gouvernement, et *Clarence House,* encore une œuvre de Nash. Autrefois habitée par la reine mère, c'est aujourd'hui la résidence du prince Charles et de Camilla. Visite guidée possible en août seulement *(45 mn ; 10,30 £/pers ; ● royalcollection. uk/visit/clarence-house ●).*

🕯🕯🕯 🚶 **Buckingham Palace** *(plan d'ensemble, D5) :* Ⓜ *Victoria.* Devant le mémorial dédié à la reine Victoria s'étend l'immense palais servant de résidence officielle au souverain. Victoria fut la 1re reine à y dormir. L'édifice date du XVIIIe s et fut remanié par Nash dans le style néoclassique. Le drapeau royal au-dessus de la façade vous informe de la présence de la reine dans le palais. La bannière personnelle de Sa Gracieuse Majesté est divisée en 3 : une harpe pour l'Irlande, un lion rampant pour l'Écosse et, sur l'autre moitié, 3 lions d'or sur fond rouge symbolisant l'Angleterre. Pour les grandes occasions, la reine salue le peuple du balcon central. *Visite (avec audioguide) seulement de fin juil à fin sept, tlj 9h30-17h15 (16h15 fin sept). Entrée : 24 £. Prévoir 2h30. Billet jumelé avec la Queen's Gallery et les Royal Mews : 42,30 £ ; réduc. Sans compter les Exclusive Evening Tours, visites en fin de journée à 17h30 et 18h de fin mars à début mai (80 £/pers), avec champagne (mais pas avec la reine !), pris d'assaut. Résas sur le site ● royalcol lection.org.uk ●*

Pas question de voir les 600 pièces, dont seulement quelques-unes sont dévolues à l'usage personnel de la famille royale. Seules une vingtaine d'entre elles (les *State Rooms)* sont ouvertes au public, ainsi qu'une petite partie des jardins *(accès aux jardins privés de la reine lors des garden highlights tours, sur résa, voir plus haut).* La *Queen's Gallery* et les écuries royales se visitent aussi, lire plus haut « Galeries et musées ». Le

UN FAN CULOTTÉ !

Obsédé par la reine Victoria (quand elle était jeune !), Edward Jones s'introduisit dès l'âge de 14 ans à Buckingham Palace pour lui chiper des sous-vêtements. La 3e fois, on décida de l'envoyer en Australie pour l'éloigner définitivement de la reine.

prix d'entrée est exorbitant, car il doit servir à la restauration du château de Windsor... La valeur architecturale du palais n'étant pas proportionnelle à son prestige,
autant combiner la balade pour arriver à 11h30 et assister à la relève de la garde
*(Changing of the Guard). Tlj avr-fin juil, puis en principe les j. impairs et le dim le
reste de l'année.*
À noter : la relève n'a pas lieu les jours de trèèèèès mauvais temps. Cérémonie
longuette (environ 45 mn)... mais en musique ! Très folklorique et pas franchement
palpitant, même si le répertoire a été remis au goût du jour (on peut reconnaître
certains morceaux des Beatles). Pour vérifier les horaires soumis à de sérieuses
variations, rendez-vous sur le site ● *changing-the-guard.com* ●

🎥 🕺 *Saint James's Park (plan d'ensemble, E4-5) :* ☎ *0300-061-2350.* ● *royal
parks.org.uk* ● Le plus ancien des parcs royaux, puisqu'il date d'Henri VIII. Il fut
aménagé sur un terrain marécageux. Au XVIIIᵉ s, Le Nôtre, le jardinier de Versailles,
en fit un jardin à la française selon les vœux de Charles II. Le concept passa
de mode dans l'Angleterre romantique du XIXᵉ s, et l'inévitable Nash le remania
à l'anglaise, tel qu'il est aujourd'hui. Voir les berges bucoliques du lac artificiel
peuplé de palmipèdes, dont des pélicans (depuis 1664 !) nourris tous les jours
à 14h30. On les a toutefois vus gober des pigeons en plein vol ! Aux abords, les
conifères se mêlent aux feuillus. Des dizaines d'écureuils batifolent. Du pont, vous
aurez la meilleure vue possible sur Buckingham Palace. *Queen Anne's Gate* rappelle cette jeune reine qui fut 17 fois enceinte au XVIIIᵉ s, sans pour autant avoir de
descendants. Pour les enfants, juste à l'angle droit du jardin en venant de Buckingham Palace, petite aire de jeux avec des balançoires et un bac à sable. Pour couronner le tout, café bien agréable, *St James's Park* (voir « Où manger ? »). Miam !

🎥 🕺 *Westminster Cathedral (plan d'ensemble, E5-6) :* 42 Francis St, SW1P 1QW.
☎ *020-7798-9055.* ● *westminstercathedral.org.uk* ● Ⓜ *Victoria. Tlj 8h-19h, mais
accès restreint pdt les services le w-e.*
En 1850, le *Catholic Emancipation Act* rétablit la hiérarchie cléricale de l'Église
catholique romaine. Il fallait donc une cathédrale pour l'évêque de Westminster.
Sa construction commença en 1895 dans un style byzantin primitif, plus rentable
et rapide que le néogothique. Le résultat est pour le moins imposant : le colossal
édifice en appareillage de brique et de pierre est surmonté d'un campanile de
100 m de haut, tandis que la nef est à ce jour la plus large de Grande-Bretagne et
arbore un *Christ en Croix* époustouflant de grandeur et de majesté. Des variétés
de marbre du monde entier recouvrent les murs intérieurs, comme dans la nef centrale, où le marbre provient des mêmes carrières que celui de la basilique Sainte-
Sophie à Istanbul. Cette teinte bleutée et les voûtes sombres forcent le respect,
tandis que les luminaires invitent à un certain recueillement.
Belles mosaïques dans les *chapelles du Saint-Sacrement* et *de Sainte-Marie.*
Jeanne d'Arc est représentée dans le transept nord (pas banal en Angleterre !).
À noter qu'il est possible de grimper dans le campanile pour admirer les toits de
Londres *(tlj 9h30-17h, jusqu'à 18h w-e et j. fériés ; 6 £, réduc)* ou d'accéder à la
salle du trésor *(5 £, réduc).* Au sous-sol, on peut aussi déjeuner pour quelques
pounds. Juste en face, un centre commercial et d'affaires futuriste qui tranche
avec l'ensemble. C'est ça aussi Londres !

BROMPTON, CHELSEA ET SOUTH KENSINGTON

• Pour se repérer, voir le plan d'ensemble et le centre 2 détachables en fin de guide.

Résidentiel, commerçant, luxueux, snob et « bohème-chic », autant d'adjectifs qui collent parfaitement à ces quartiers situés entre Hyde Park et la Tamise. La balade ravira aussi bien les fanas d'architectures georgienne et victorienne, les amateurs de musées mastodontes que les adeptes du lèche-vitrines et autres flâneurs en tout genre. Nous, on a un petit faible pour Chelsea, ses petites rues aux maisons basses et parfois colorées et ses boutiques branchées. South Kensington est aussi le quartier surnommé « Froggies Valley », ou le coin des « mangeurs de cuisses de grenouilles » ! En effet, vous entendrez très souvent parler français, autour du lycée français Charles-de-Gaulle, sans oublier de prendre *Ici Londres,* le magazine des expats français, et faire le plein de livres... français à *La Page,* à 2 pas de la station de métro South Kensington.

ET L'ANGLETERRE INVENTA LA MINIJUPE

En 1965, Mary Quant imagina la minijupe... pour courir plus facilement après le bus, disait-elle. Sa boutique Bazaar, à Chelsea, fut vite célèbre dans le monde entier. L'Angleterre puritaine tressaillait. La jeunesse avait enfin son style et ses icônes. A cause de cette nouvelle mode, sœur Fiorella, chargée de vérifier la tenue des fidèles à Saint-Pierre de Rome, démissionna pour dépression nerveuse.

Où dormir ?

Location d'appartements privés

🏠 **Guest Ready** est une société de conciergerie proposant une centaine d'appartements à louer dans toute la capitale et donc dans l'ouest de Londres. Équipe sympa, qui parle français, à votre écoute pendant tout votre séjour. ● *https://www.guestready.com/fr/* ● 📱 *(+44) 2038-683-401.*

Studios et appartements

🏠 **Citadines South Kensington** (centre 2, M11, **136**) : 25-35 A Gloucester Rd, SW7 4PL. ☎ 020-7543-7878. Résas en France : ☎ 0825-333-332.

● *kensington@citadines.com* ●
Ⓜ *Gloucester Rd. Petit studio à partir de 120 £, jusqu'à 360 £ la nuit selon nombre d'occupants (1-4 pers). Petit déj possible. Moins cher à la sem et sur le site web.* Studios et mini-appartements confortables ; idéal si vous voyagez en famille. Les logements sont agréables, avec mobilier en bois clair et tonalités chaleureuses. Salle de sport, laverie (payante). Une adresse bien située (notamment pour les grands musées de l'Ouest londonien), qui présente un très bon niveau de confort (changement de draps tous les 6 jours).

Très bon marché
(moins de 35 £ / 41 €)

🛏 **LHA, Halpin House** *(plan d'ensemble, A6, 131)* : *97 Queen's Gate, SW7 5AB.* ☎ *020-3740-9808.* ● *halpin@lhalondon.com* ● *lhalondon.com/halpin-house/* ● Ⓜ *South Kensington ou Gloucester Rd. Résa conseillée. Lits en dortoirs de 2-4 pers (non mixtes) 25,50-30 £, dégressif. Pas de petit déj.* Pas bien pimpante de l'extérieur, mais le confort général est correct. Cette vaste pension a bien choisi son emplacement, dans une rue victorienne très cossue à 2 pas des grands musées. Très fonctionnelle, elle aligne plusieurs dizaines de chambres rustico-basiques, traditionnellement louées aux étudiants au long cours... mais qui se révèlent impeccables pour de courts séjours. Sanitaires communs assez propres. Et même une salle de sport !

🛏 **Meininger** *(plan d'ensemble, A6, 46)* : *65-67 Queen's Gate, SW7 5JS.* ☎ *020-3318-1407.* ● *qg@meininger-hotels.com* ● *meininger-hotels.com* ● Ⓜ *Gloucester Rd ou South Kensington. Lits en dortoirs (mixtes ou pour filles seulement) de 4-12 pers à partir de 19 £. Doubles à partir de 78 £ ; petit déj continental en plus.* Moderne et très centrale, aux portes des grands musées, cette AJ toute pimpante de 4 étages (ascenseur) draine beaucoup de groupes de tous âges. Pas des plus calmes donc, dans un carrefour très passager, mais bon confort et surtout une ambiance scout qui devrait rappeler des souvenirs à certains.

Pour profiter du panorama, grande terrasse sur le toit. Au fait, la statue à l'entrée, c'est Baden-Powell, le père du scoutisme.

Prix moyens
(50-90 £ / 58-105 €)

🛏 **Oakley Hotel** *(plan d'ensemble, B7, 61)* : *73 Oakley St, SW3 5HF.* ☎ *020-7352-5599.* ● *millenhotels@gmail.com* ● *oakleyhotel.com* ● Ⓜ *South Kensington ou Sloane Sq. En plein cœur de Chelsea mais loin du métro. Prendre l'un des nombreux bus qui empruntent King's Rd (le n° 11, par exemple, qui vient de Victoria). Doubles 75-95 £ sans ou avec sdb, petit déj traditionnel inclus. Familiales.* Petit hôtel d'une douzaine de chambres, à l'atmosphère détendue, tenu par des jeunes, mais surtout l'un des rares du quartier à prix à peu près abordables. Les chambres sont meublées à l'ancienne, plutôt romantiques lorsqu'elles sont dotées d'un lit à baldaquin, sinon nettement plus simples. Certaines d'entre elles ainsi que les communs sont assez vieillissants, mais l'ensemble reste propre. Double vitrage. Cuisine à disposition et salon TV commun très cosy. Plus proche d'un *B & B* que d'un hôtel, en définitive. Très, très bon accueil.

Très chic
(plus de 120 £ / 140 €)

🛏 **Myhotel Chelsea** *(plan d'ensemble, B6, 109)* : *35 Ixworth Pl, SW3 3QX.* ☎ *020-7225-7500.* ● *chelsea@myhotels.com* ● *myhotels.com* ● Ⓜ *South Kensington. Doubles 120-200 £, petit déj en sus. Promos et différents w-e à thème sur Internet.* Dans un immeuble en brique ; les chambres (une cinquantaine) sont calmes, spacieuses, confortables et gentiment décorées. Voilà un hôtel qui joue la carte du design et du glamour. Déco plus ou moins classique, plus ou moins folle selon la catégorie, avec des lits encore plus grands que grands dans les chambres les plus chères. Ceux qui aiment l'exotisme s'offriront la luxueuse suite thaïe ou la « Geisha » (on vous laisse imaginer)...

Une folie, on vous prévient ! Petit déjeuner servi au bar-resto-café végétarien attenant. Charmant accueil.

🏠 **Number Sixteen** (plan d'ensemble, A-B6, **111**) : 16 Sumner Pl, SW7 3EG. ☎ 020-7589-5232. ● sixteen@firmdale.com ● numbersixteenhotel.co.uk ● Ⓜ South Kensington. Doubles 290-420 £ ; petit déj inclus ou non. Une quarantaine de chambres contemporaines superbes, réparties dans 4 maisons réunies. Pas la moindre faute de goût, le décor, réalisé avec finesse et intelligence par l'architecte d'intérieur Kit Kemp, change dans chaque chambre. Mais la vraie cerise sur le gâteau, c'est la véranda pour le breakfast, le repas, voire l'afternoon tea (22 £), donnant sur un jardin luxuriant. Très bon accueil. Une adresse de charme pour un moment unique. Autre adresse, moins charming peut-être, tout près de Harrods et de Hyde Park, **Knightsbridge Hotel** : 10 Beaufort Gardens, SW3 IPT. ☎ 020-7584-6300. ● knightsbridge@firmdale.com ● knightsbridgehotel.com ●

🏠 **The Exhibitionist** (plan d'ensemble, A6, **62**) : 8-10 Queensberry Pl, SW7 2EA. ☎ 020-7915-0000. ● theexhibitionisthotel.com ● Doubles 150-300 £, grosses réducs sur Internet. Dès le hall d'entrée, on en prend plein les yeux. Une vraie galerie d'art avec œuvres d'artistes à tous les étages, autour d'une couleur : bleu au 1er, rouge au 2e, vert au 3e et orange au 4e. Les chambres, bien que tout confort, sont un peu plus classiques, mais toutes différentes (demander à visiter avant) avec déco toujours aussi loufoque et iPad à disposition. Resto et bar. Accueil sympa.

🏠 **Aster House** (plan d'ensemble, A-B6, **111**) : 3 Sumner Pl, SW7 3EE. ☎ 020-7581-5888. ● asterhouse@gmail.com ● asterhouse.com ● Ⓜ South Kensington. Doubles 120-300 £, petit déj-buffet compris (ouf !). Ce B & B de charme d'une dizaine de chambres et de suites cache bien son jeu. De l'extérieur, cossu, on ne s'attend pas à la délicieuse « orangerie » (en français dans le texte) envahie de plantes vertes, où est servi le breakfast. Et ce n'est pas tout ! Car derrière la maison se cache un adorable jardinet, où il fait bon lézarder en surveillant les canards du bassin. Quant aux chambres, elles sont à l'image de la maison : cosy, élégantes, fleuries, bref, britanniques ! Excellent accueil.

🏠 **The Beaufort** (plan d'ensemble, B5, **63**) : 33 Beaufort Gardens, Knightsbridge, SW3 1PP. ☎ 020-7584-5252. ● reservations@thebeaufort.co.uk ● thebeaufort.co.uk ● Ⓜ Knightsbridge. Doubles 200-340 £, suites également. Petit déj non inclus mais afternoon cream tea offert. Pour les routards les plus exigeants. Une trentaine de chambres joliment meublées, quoique petites. Ambiance résolument moderne dans les tons crème et brun. Le tout dans une rue cossue très calme. Point de chute idéal pour ceux qui envisagent de dévaliser les rayons de Harrods, juste à côté. Accueil attentionné.

Où manger ?

Dans ces quartiers, pas mal de pubs, de restos étrangers, et quelques snacks qui proposent des lunchs de qualité à prix modique. Les adresses chic se concentrent autour de South Kensington et du V & A Museum, tandis qu'à Chelsea, les petits bars et les restos animés jouent au coude à coude sur King's Road. On y trouve la plupart des franchises, bien pratiques à l'heure du breakfast ou du lunch.

Sur le pouce (moins de 10 £ / 12 €)

🍴 I●I **Duke of York Fine Food Market** (plan d'ensemble, C6, **551**) : sam 10h-16h, sur Duke of York Sq. Ⓜ Sloane Sq. Créé à l'origine par la fameuse épicerie Partridges (voir « Shopping »). Un marché haut de gamme, biologique et fermier, avec

BROMPTON, CHELSEA ET SOUTH KENSINGTON

quantité de stands proposant des plats à emporter. *Pies*, fromages, charcuterie, crêpes, cuisine asiatique, etc. On emballe le tout et on file manger debout, allongé, en tailleur, accroupi, entre amis, autour de la Saatchi Gallery. Bon enfant !

🥢 |●| **Jakobs** *(centre 2, M10, 243)* : 20 Gloucester Rd, SW7 4RB. ☎ 020-7581-9292. Ⓜ *Gloucester Rd. Tlj 8h-23h. Plats env 5-14 £ ; moins cher en take-away. En fin de sem, dîners-concerts live en fin de journée.* Resto végétarien et bio d'excellente qualité, tendance cuisine méditerranéenne. Passer commande avant de prendre place dans l'une des petites salles joliment décorées, ou dans le fond sous l'agréable verrière. À savourer avec un jus de fruits frais (*yummy*, le pomme-betterave !) ou un thé oriental. Et si c'est complet, on peut emporter le tout au Kensington Park voisin !

🥢 |●| 🕴 **Carluccio's** *(plan d'ensemble, B6, 212)* : voir un peu plus loin. Compter env 4 £. Une grande épicerie italienne qui bien propose de généreux sandwichs bien garnis. Si vous mangez sur place, attention, c'est très bruyant aux heures de pointe.

De très bon marché à bon marché (moins de 20 £ / 23 €)

|●| **Queen's Arms** *(plan d'ensemble, A5, 554)* : 130 Queen's Gate Mews, SW7 5QL. ☎ 020-7823-9293. Ⓜ *South Kensington. Tlj à partir de midi. Plats, sandwichs et burgers 11-15 £. Lun-ven avt 18h, 2 plats 12 £.* Notre adresse chouchoute du coin ! Un pub pas si ancien qu'il en a l'air, dans un paisible quartier résidentiel dépourvu en adresses pour se restaurer. L'avantage : pas loin des musées et à l'écart des grands axes. Les musiciens du conservatoire royal voisin connaissent bien le filon ! Bières extra et cuisine traditionnelle soignée, *sustainable* dans la mesure du possible.

|●| **Ceru** *(plan d'ensemble, A6, 284)* : 7-9 Bute St, SW7 3EY. ☎ 020-3195-3001. ● *info@cerurestaurants.com* ● Ⓜ *South Kensington. Lun-ven 12h-23h, sam 11h-23h, dim 11h-22h. Plats*

5-11,50 £. Un kaléidoscope de couleurs pour célébrer la cuisine du Levant, de la Turquie à Israël en passant par Chypre et le Liban. Décor moderne et pimpant, sur tabourets ou autour de petites tablées. Du bleu céruléen (ça vient de là !), du jaune, du rose, du rouge, et des plats copieux dans l'assiette qui fleurent bon la Méditerranée. Des légumes à foison, des viandes marinées et épicées (plus de 20 sortes !), mais aussi des boissons maison (la limonade change tous les jours). Et si vous passez par là pour l'*afternoon tea (19 £/pers)*, à vous *labneh* (fromage frais), tarte au citron, baklava et thé ! Excellent accueil. Terrasse.

|●| 🥢 **Fernandez and Wells** *(plan d'ensemble, B6, 210)* : 8 Exhibition Rd, SW7 2HF. ☎ 020-7589-7473. Ⓜ *South Kensington. Tlj 8h-23h (20h dim). Plats 4-13 £.* Une belle devanture toute noire et un grand comptoir où sont exposées les victuailles du jour. On pioche. Sandwichs, soupes, tartes, salades, mais pas n'importe lesquels ! On craque notamment pour le sandwich au *black pudding*, l'une des spécialités de la maison, avec le jus d'orange sanguine. Du bon produit, pour des en-cas gourmands. Y a même une terrasse !

|●| **Le Comptoir Libanais** *(plan d'ensemble, B6, 210)* : 1-3 Exhibition Rd, SW7 2HE. ☎ 020-7225-5006. Ⓜ *South Kensington. Tlj 9h30-19h30 (20h30 jeu), dim 11h30-17h30. Plats 5-14 £.* Déco chaleureuse, très colorée, avec mosaïques, boîtes de harissa détournées et belles rangées de théières orientales bien alignées. Et au milieu, grandes tablées à partager avec vue directe sur la cuisine. Tous les classiques sont à la carte : *mezze*, tajines, pâtisseries, infusions à l'orange ou encore limonade maison. Terrasse. D'autres adresses dans Londres, notamment derrière la Saatchi Gallery à Sloane Square.

|●| 🕴 **Carluccio's** *(plan d'ensemble, B6, 212)* : 1 Old Brompton Rd, SW7 3HZ. ☎ 020-7581-8101. ● *southkensington@carluccios.com* ● Ⓜ *South Kensington. Tlj 7h30 (9h le w-e)-23h30 (22h30 dim). Colazione (petit déj) 7-10 £, menus à partir de 12,95 £. Plats 11-18 £.* Une chaîne d'épiceries-restaurants à l'italienne

qui sort un peu du lot. Grande salle blanche avec beaucoup de tables. Les rayonnages de bouteilles et les produits de la Botte, savamment mis en valeur, tiennent lieu de décor. Quelques plats à emporter. Accueil sympathique et pro.

|●| *Chelsea Potter* (plan d'ensemble, B6, **148**) : 119 King's Rd, SW3 4PL. ☎ 020-7352-9479. Ⓜ Sloane Sq. Tlj 11h-23h (22h30 dim) ; service jusqu'à 22h. Plats 10-15 £, sandwich env 7 £. Non, ceci n'est pas le pub de la sœur cachée d'Harry, mais un bon pub de quartier à l'ancienne avec ses boiseries noires, animé et chaleureux. Idéal pour se restaurer très correctement d'un *fish & chips*, par exemple, si vous êtes de passage à la Saatchi Gallery. Quelques tablées en terrasse.

|●| *New Culture Revolution* (plan d'ensemble, B7, **202**) : 305 King's Rd, SW3 5EP. ☎ 020-7352-9281. ● info@newculturerevolution.co.uk ● Ⓜ Sloane Sq (pas le plus simple !). Tlj 12h-23h. Plats 6-14,50 £, menu 8,80 £. Cuisine asiatique bien faite. Déco rouge laquée très sobre. On craque pour les savoureux *dim sum* (sorte de raviolis) de la maison. Fourrées au poisson, aux légumes, à la viande, ces petites bouchées vantent l'équilibre naturel de la cuisine de la Chine du Nord. Que des produits bio, cela va de soi.

|●| *My Old Dutch* (plan d'ensemble, B7, **280**) : 221 King's Rd, SW3 5EJ. ☎ 020-7376-5650. Ⓜ South Kensington. Tlj 10h-22h30 (22h dim). Petit déj jusqu'à 13h à partir de 5,95 £. Crêpes 7-11 £, ttes à 5 £ lun. Une chaîne hollandaise de pancakes et de crêpes. Oh, elles ne sont pas craquantes comme en Bretagne, mais bien épaisses et nourrissantes. Et servies dans de larges plats, façon porcelaine de Delft. De quoi se remplir l'estomac à bon marché. Sympathique service qui ne traîne pas. Et pour ceux qui ne veulent pas de crêpes, y a tout ce qu'il faut pour les combler aussi (curry, chili, etc.).

|●| 🏃 *Buona Sera at the Jam* (plan d'ensemble, B7, **217**) : 289 A King's Rd, SW3 5EW. ☎ 020-7352-8827. ● jamrestaurants@hotmail.com ● Ⓜ Sloane Sq. Tlj sauf lun 12h-minuit. Bruschetta, pizza autour de 10 £, plats 11,50-21,50 £. On y va plus pour la déco fantaisiste que pour la cuisine, une carte de spécialités italiennes somme toute correcte. Le patron a eu une idée de génie : au lieu de pousser les murs, il a simplement empilé les tables les unes sur les autres pour augmenter sa capacité d'accueil. C'est un Meccano géant : on accède aux tables du haut par de petites échelles de bois. Rigolo pour les clients, rentable pour le patron mais peu pratique pour les serveurs !

|●| ⊛ *La Cave à Fromages* (plan d'ensemble, B6, **13**) : 24-25 Cromwell Pl, SW7 2LD. ☎ 020-7581-1804. ● southkensington@la-cave.co.uk ● Ⓜ South Kensington. Lun-jeu 11h-19h, ven-sam 11h-21h, dim 11h-18h. Sandwich, boisson et yaourt en takeaway 5,50 £. Vaste choix dans cette fromagerie fort appétissante, de l'Italie à l'Irlande en passant par la France et la Grande-Bretagne, bien sûr. La dégustation avec vin permet de s'initier au *blue stilton*, d'apprécier un cheddar de derrière les fagots ou encore un délicieux *perl wen* du pays de Galles. On adore, et on n'est pas les seuls le midi, surtout le samedi. Accueil en français. Extra !

De bon marché à prix moyens (10-30 £ / 12-34 €)

|●| 🍷 *The Pig's Ear* (plan d'ensemble, B7, **218**) : 35 Old Church St, SW3 5BS. ☎ 020-7352-2908. ● pigsear@theunionbar.co.uk ● Ⓜ Sloane Sq. Tlj 12h-23h (22h30 dim). Résa conseillée. Plats 14-24 £. Ce *gastropub* de caractère doit sa réputation à ses bons petits plats ficelés et préparés avec grand soin. La carte change tous les jours. Et si les habitués mettent un peu trop d'ambiance, les amoureux trouveront refuge dans la jolie petite salle à l'étage, conviviale à souhait ! Une des meilleures adresses des parages, pleine d'authenticité et d'atmosphère, avec un vrai feu dans la cheminée et des bières du monde entier. Super *Sunday roast* le dimanche (18-20 £). Pas étonnant que, dans ces conditions, dégoter une table ou s'agripper à un

bout de comptoir relève parfois de la gageure... Un petit coup de cœur.

I●I The Marketplace Restaurant (plan d'ensemble, B7, 206) : 125 Sydney St, SW3 6NR. ☎ 020-7352-5600. Ⓜ Sloane Sq. Lun-ven 9h30-18h, le w-e 9h30-20h. Plats 7-20 £. Au cœur du Chelsea farmers market, un lieu très surprenant. Dans cette petite enclave bucolique, que l'on devine à peine depuis King's Road, on trouve un super marché bio, une librairie, un fleuriste, une adorable jardinerie et plusieurs petits restos dont les terrasses chauffées font le plein aux premiers rayons de soleil. Le week-end, c'est évidemment bondé. De tous les caboulots, c'est The Marketplace Restaurant que l'on préfère pour ses bons petits déj revigorants et son atmosphère bohème.

I●I Daquise (plan d'ensemble, B6, 220) : 20 Thurloe St, SW7 2LT. ☎ 020-7589-6117. Ⓜ South Kensington. Tlj 12h-23h. Plats 15-22 £. Immuable et sans façons, ce bistrot polonais vieille école avec serveurs en livrée et nappes blanches bien repassées fait le plein midi et soir. Sa cuisine traditionnelle est richement préparée et bien faite ! Et ça dure depuis plus de 60 ans ! Kotleciki, sztukamies, galettes de pommes de terre ou choux farcis n'ont rien de franchement diététique, mais la mixture ranime son homme les jours de frimas... sans compter l'alléchante sélection de vodkas au verre pour tasser le tout. Prévoir un temps de digestion au moins égal à celui du repas !

I●I Aglio e Olio (plan d'ensemble, A7, 205) : 194 Fulham Rd, SW10 9PN. ☎ 020-7351-0070. ● aglioeolio fulham@gmail.com ● Ⓜ South Kensington, Gloucester Rd ou Earl's Court. Tlj 12h-15h, 18h30-23h. Plats 9-20 £. Décidément, la nouvelle génération d'italiens n'a plus rien à voir avec les trattorias de grand-papa. Mais ce n'est pas la déco minimaliste et branchouille de ce minuscule resto qui séduit les amateurs, ce sont encore et toujours les bonnes vieilles recettes de pasta préparées avec soin. Ouf !

I●I Food Court de Harrods (plan d'ensemble, B-C5) : Hans Rd, entrée 11. Ⓜ Knightsbridge. Mêmes horaires que le magasin (voir plus loin).

Des sandwichs frais, des pizzas à la coupe, de la charcutaille en veux-tu en voilà, mais aussi un bar à huîtres, du caviar (!), un stand japonais et un autre pour les tapas... tels sont les trésors de cette section du grand magasin qui permettent de se rassasier en faisant un petit tour du monde culinaire. Quelques tables également pour se poser. Attention, l'addition peut vite grimper, et on n'est pas tout seul !

I●I 🕷 The Alfred Tennyson (plan d'ensemble, C5, 312) : 10 Motcomb St, SW1X 8LA. ☎ 020-7730-6074. ● reservations@thealfredtennyson.co.uk ● Ⓜ Knigthsbridge. Lun-ven 8h-23h, le w-e 9h-23h30 (22h30 dim). Plats 15-24 £. Pub moderne, un rien chicos, mais atmosphère chaleureuse, avec enfants et habitués. Tout le quartier s'y retrouve pour un délicieux fish & chips ou un bon beef burger. Les doigts délicieusement graisseux, vous voilà d'attaque pour reprendre votre shopping là où il s'était arrêté, du côté de chez Harrods.

I●I ⬮ Ognisko « Polish Club » (plan d'ensemble, B5, 224) : 55 Exhibition Rd, SW7 2PN. ☎ 020-7589-0101. ● info@ogniskorestaurant.co.uk ● Ⓜ South Kensington. Bar tlj 11h-23h ; service 12h-15h, 17h30-23h15 (22h30 dim). Plats 14-21 £ ; lunch et formule pré-théâtre (jusqu'à 19h) 18,50-22 £ ; brunch le dim. Une adresse confidentielle, établie dans le quartier depuis des lustres. Ce club fermé a eu l'idée d'ouvrir son bar et son restaurant. Entrée majestueuse avec un impressionnant escalier. La cravate n'est pas nécessaire, toutefois évitez bermudas et chemises à fleurs. Service discret et très courtois, à l'image des lieux. La salle à manger est cossue, prolongée par une agréable terrasse. Carte d'inspiration polonaise et internationale. Au bar, possibilité de se jeter une vodka derrière la cravate... Aïe, vous n'en avez pas !

I●I Apero (plan d'ensemble, A6, 12) : 2 Harrington Rd, SW7 3ER. ☎ 020-7591-4410. ● info@aperorestaurantandbar.com ● Ⓜ South Kensington. Menus le midi 12,95-15,95 £, le soir 28-32 £. Au sous-sol du très chic Ampersand Hotel, juste à côté du lycée français, French is spoken dans ce repaire de la communauté hexagonale. Il faut dire que le cadre moderno-propret sous arcades, entre bistrot et rétro, est particulièrement convivial et la cuisine, concoctée avec grand doigté. Menus défiant toute concurrence à midi, alors que les gâteaux sous cloche n'attendent que d'accompagner une tasse de thé l'après-midi. Un endroit privilégié et reposant entre 2 musées.

De prix moyens à chic (plus de 20 £ / 23 €)

|●| **Tom's Kitchen** (plan d'ensemble, B6, **293**) : 27 Cale St, SW3 3QP. ☎ 020-7349-0202. ● chelsea@toms kitchen.co.uk ● Ⓜ South Kensington. Lun-ven 8h-11h30, 12h-14h30, 18h-22h30 ; w-e 9h30-15h30, 18h-22h30 (21h30 dim). Plats 14-35 £. Une des cantines indéboulonnables de Chelsea. Faut dire que Tom Aikens sait y faire. Cadre simple avec cuisine ouverte et bar en zinc, grosses tables en bois où viennent s'aligner les plats rondement menés par une équipe jeune et sympa. Pas de grandes trouvailles ni d'esbroufe dans l'assiette, mais d'habiles spécialités de viande et de *pies*, notamment au poisson, des cuissons lentes et des matières premières locales. C'est frais, mais ça chiffre vite.

|●| **Rabbit** (plan d'ensemble, B6, **173**) : 172 King's Rd, SW3 4UP. ☎ 020-3750-0172. ● info@rabbit-restaurant.com ● Ⓜ Sloane Sq. Lun 18h-23h, mar-sam

12h-minuit, dim 12h-18h. Résa conseillée. Menu 28 £. Sinon, compter env 60 £ pour 2. Un peu moins cher le midi. Si le décor est pseudo-rustique, les produits sont authentiquement fermiers, en direct le plus souvent de l'exploitation familiale située dans le West Sussex. Décliné sur le principe des tapas, le concept est franchement séduisant. On se partage plusieurs petites portions, aux saveurs fines et surprenantes... Pour éviter que l'addition ne grimpe trop vite, vous pouvez vous dispenser des mises en bouche pour mieux vous concentrer sur les *slow* et *fast cooking* (cuisson lente et rapide)... *Of course*, on accompagnera ce festin 100 % *British* d'un bon petit vin anglais.

|●| **Signor Sassi** (plan d'ensemble, C5, **219**) : 14 Knightsbridge Green, SW1X 7QL. ☎ 020-7584-2277. Ⓜ Knightsbridge. Tlj 12h-23h30 (22h30 dim) ; service en continu. Résa conseillée le w-e. Pâtes 12-15 £, plats 15-35 £. Vieille enseigne italienne qui compte de nombreux fidèles et de nombreux touristes. La devanture aux couleurs pétantes, baignée de plantes vertes, cache une salle beaucoup plus sobre. Cadre traditionnel chic assez élégant, avec quelques clins d'œil aux années 1920. Petites tables, nappes blanches, bougies le soir. Mais l'essentiel est dans l'assiette. Savoureux plats de pâtes fraîches, viande et poisson finement cuisinés. Atmosphère agréable, mais tenue correcte exigée.

Où prendre le petit déj ou le thé ? Où manger des pâtisseries ?

☕ **The Orangery** (centre 2, M10, **372**) : Kensington Gardens, W8 4PX. ☎ 020-3166-6113. Ⓜ High St Kensington. Tlj 10h-17h. Petits déj et plats 5-12 £ ; afternoon teas 27,50 £/pers (37,50 £/pers avec champagne !). Installé dans l'orangerie du palais royal, c'est un salon de thé *so chic* mais pas si guindé non plus. La déco est épurée, couleur crème Chantilly, des colonnes en ronde bosse aux moulures du plafond. Loin de l'agitation, un espace hors du temps. Idéal pour le déjeuner

ou un *tea break* servis avec de délicieux *scones* ou autres douceurs dans de la vaisselle à l'effigie de la Couronne. Le · · sur fond de musique classique. Une étape typiquement britannique. Le lieu mérite le détour. Service attentif, malgré la foule.

☕ ¶ **The Bluebird Restaurant** (plan d'ensemble, A-B7, **374**) : 350 King's Rd, SW3 5UU. ☎ 020-7559-1000. Ⓜ Sloane Sq (puis 15 mn à pied). ● enquiries@bluebird-restaurant. com ● Resto ouv lun-ven 10h-14h30, sam 11h-15h30, dim 12h-15h30. Bar ouv tlj 12h (11h sam)-minuit (1h ven-sam, 22h30 dim). Petits déj 5-11 £ au café, plats 6-20 £. Au resto, plats 12,50-39 £. Encadrant la boutique de créateurs *top fashion*, un café, un bar-resto et une épicerie fine que l'on a plaisir à fréquenter à longueur de journée, du petit café du matin à la vodka du soir... Grande terrasse. Un lieu chic et décontracté, *so* Chelsea !

☎ ⚥ **The Hummingbird Bakery** (plan d'ensemble, A-B6, **236**) : 47 Old Brompton Rd, SW7 3PJ.

☎ 020-7851-1795. ● *enquiries@hum mingbirdbakery.com* ● Ⓜ *South Kensington*. Tlj 9h-19h (20h ven-sam). On y retrouve tout ce qui fait le succès de la maison, à savoir des *cup cakes* et des *fairy cakes* aux couleurs complètement délirantes (parfois limite écœurantes, il faut bien l'avouer... la bouche pleine !). 4 tables à peine pour consommer sur place et la terrasse, ce qui s'avère bien utile dans le cas du *carrot cake*, totalement intransportable avec ses 3 étages et son glaçage à la crème... *Absolutely gorgeous !*

Pubs et bars cachés

🍸 *The Grenadier* (plan d'ensemble, C5, **366**) : 18 Wilton Row, SW1X 7NR. ☎ 020-7235-3074. Ⓜ *Hyde Park Corner*. Dans Knightsbridge, prendre Old Barrack Yard (petit passage juste après Wilton Pl) ; au bout, tourner à gauche, passer sous l'arche d'un immeuble (« private mews »), pousser la porte rouge, le pub est à droite. Tlj 11h (12h dim)-23h30. Une de nos adresses préférées ! La façade colorée est recouverte de plantes grimpantes et de fleurs. C'était originellement la cantine des soldats du duc de Wellington. Difficile de ne pas s'en apercevoir : une guérite veille à l'extérieur et toute la panoplie du militaire est suspendue aux 4 coins de la petite salle. En revanche, l'ambiance donne plus dans le chicos, façon carré des officiers, que dans la cacophonie enfumée des tavernes de troupiers. Chaleureux et convivial malgré tout.

🍸 *Kevin Moran, The Nag's Head* (plan d'ensemble, C5, **365**) : 53 Kinnerton St, SW1X 8ED. ☎ 020-7235-1135. Ⓜ *Knightsbridge*. Petite rue à laquelle on accède par Motcomb St. Tlj 9h-23h (minuit ven-sam). Atmosphère, atmosphère... Amateurs de pubs, ne manquez pas cette taverne de poche comme on n'en fait plus ! Peu de fenêtres, pour garder le secret ou ajouter à l'excentricité des lieux, une 1re salle bancale, racornie par les ans, puis un genre de cambuse en sous-sol, grossièrement dallée, lambrissée et propice aux rendez-vous pour échafauder quelque mauvais coup. Un lieu

de perdition où l'on s'échoue avec délectation ! Coup de cœur !

🍸 *Barts* (plan d'ensemble, B6, **203**) : New Chelsea Cloisters, 87 Sloane Ave, SW3 3DW. ☎ 020-7581-3355. ● *shh@ barts-london.com* ● Ⓜ *South Kensington*. Dim-mar 18h-minuit, mer-ven 18h-1h, sam 14h-1h. Cocktails 11-21 £. Dans le hall d'une résidence assez classe. Le portier vous demande le mot de passe... Susurrez-le (il change tous les mois, checkez le site internet). Une porte s'ouvre. Et vous voici télétransporté chez oncle Barts, dans son petit salon, en 1920, débarqué tout droit de Chicago au temps de la prohibition. Ici, on sert des cocktails « secrets » à partager dans de bien drôles d'outres. Chut ! On pourrait nous entendre. Déco extra : papier peint rouge à ramages, têtes de cerf empaillées, et carte des cocktails cachée dans un vieux livre. Petite terrasse pour prendre l'air.

🍸 *Anglesea Arms* (plan d'ensemble, A6, **558**) : 15 Selwood Terrace, SW7 3QG. ☎ 020-7373-7960. ● *enqui ries@angleseaarms.com* ● Ⓜ *South Kensington*. Du métro, prendre Old Brompton Rd et tourner dans la 4e à gauche, Onslow Gardens, prolongé par Selwood Terrace (qui donne dans Fulham Rd). Lun-sam 11h-23h, dim 12h-22h30. L'*Anglesea Arms*, c'est le refuge secret et fleuri de tous ceux qui tentent d'échapper au trafic enfiévré de South Kensington. En terrasse, adossé à un vieux lampadaire, on savoure la quiétude de cette rue résidentielle. Dans la salle à l'ancienne, ornée de vieilles gravures et d'une odalisque au-dessus de la cheminée, on partage sans façons sa pinte avec les habitués. Et comme la maison sert quelques plats classiques, c'est décidément l'endroit idéal pour se refaire une santé.

♼ *Ognisko « Polish Club »* (plan d'ensemble, B5, **224**) : *voir plus haut « Où manger ? ».* Pour boire une vodka au cercle polonais de Londres.

♼ Sans oublier les bonnes bières du *Pig's Ear* (plan d'ensemble, B7, 218 ; voir plus haut « Où manger ? »).

Concerts classiques

♪ **Royal Albert Hall** (plan d'ensemble, A5) : *Kensington Gore, SW7 2AP.* ☎ *0845-401-5034 (box office).* • *roya lalberthall.com* • Ⓜ *Knightsbridge, High St Kensington ou South Kensington.* Très populaire surtout lors des *Proms* en été, organisés par la BBC. Un concert est donné à cette occasion chaque soir de mi-juillet à mi-septembre, retransmis en direct sur la station « BBC Radio 3 ». On précise aux fauchés que la queue pour les places les moins chères (debout dans la fosse !) se fait derrière l'édifice et non pas devant, le soir même du concert. Assister à un concert, découvrir la fosse centrale monumentale reste un grand moment. Organise aussi des visites guidées (voir « Monuments et balades » plus loin). À l'étage, café très agréable *(réduc de 20 % pour les étudiants et concerts gratuits certains midis en été).*

Discothèque

⚲ **Maggie's** (plan d'ensemble, A7, **213**) : *329 Fulham Rd, SW10 9QL.* ☎ *020-7352-8512.* • *maggies-club. com* • Ⓜ *South Kensington ou Gloucester Rd.* Mer-jeu 22h30-2h, ven-sam 22h30-3h. Cocktails 13,50-18 £. Ressortez vos Rubik's cube ! Voilà que cette boîte de nuit s'amuse à remettre au goût du jour les années 1980. Mais pas n'importe comment : en mettant à l'honneur Margaret Thatcher, l'iconique Dame de fer qui régna sur le pays pendant 11 ans dans ces années-là. D'ailleurs, on peut entendre ses discours... dans les toilettes ! Et boire dans des mugs à son effigie ! Les serveurs sont tous habillés comme Tom Cruise dans *Top Gun* et les filles ont ressorti les collants colorés au son de *Vogue* ou autres classiques de l'époque. Ambiance assurée !

Shopping

À vous les boutiques ! King's Road, avec ses magasins de fringues, d'accessoires, de téléphones portables, de chaussures et autres marchands de beauté, vous ravira. Sur Brompton Road, on trouve des boutiques plus luxueuses, dont la très célèbre *Harrods*.

Boutiques de musées

⚜ On recommande de pousser la porte des 3 grands musées qui possèdent chacun leurs boutiques thématiques, en accès libre. L'idéal pour faire un cadeau original ! Mêmes horaires que les musées (se reporter à « Galeries et musées ») :

– Au **Victoria and Albert Museum** (plan d'ensemble, B5-6), superbe boutique où l'on trouve pas mal de bijoux, inspirés des collections et des expositions du moment, des fringues rigolotes et autres objets introuvables ailleurs.

– Au **Science Museum** (plan d'ensemble, A-B5), boutique assez délirante, avec objets pour apprentis chimistes ou pour faire des blagues dans la cour de récré.

– Au **Natural History Museum** (plan d'ensemble, A-B5), des peluches, des jeux éducatifs, mais aussi des gravures anciennes d'animaux et de plantes, des vêtements chic naturalistes, des bijoux, etc.

Épiceries

❀ **Partridges of Sloane Street** (plan d'ensemble, C6, **551**) : 2-5 Duke of York Sq, SW3 4RY. ☎ 020-7730-0651. ● partridges.co.uk ● Ⓜ Sloane Sq. Tlj 8h-22h. L'une des épiceries fines qui ont l'honneur de figurer au rang des fournisseurs officiels de Sa Royale Majesté (il y en a 800 en tout) ! Plus intime que Fortnum & Mason ou Harrods, plus petit aussi, on y déniche pas moins des produits anglais d'exception (belle collection de miels du monde entier). Petite cafétéria pour grignoter, et même places en terrasse.

❀ **La Cave à Fromages** (plan d'ensemble, B6, **13**) : 24-25 Cromwell Pl, SW7 2LD. ☎ 020-7581-1804 ● la-cave.co.uk ● Ⓜ South Kensington. Vaste choix dans cette fromagerie fort appétissante, de l'Italie à l'Irlande en passant par la France et la Grande-Bretagne, bien sûr. Voir aussi « Où manger ? ».

Boutiques spécialisées

❀ **La Page** (plan d'ensemble, A-B6, **12**) : 7 Harrington Rd, SW7. ☎ 020-7589-5991. ● librairielapage.com ● Ⓜ South Kensington. Lun-ven 8h15-18h30, sam 9h-18h30, dim 11h-17h30. Une librairie française très bien fournie, avec tous les classiques et les nouveautés. Mais aussi de la presse, des DVD, des CD, des B.D., etc. Et même le Routard !

❀ **Anthropologie** (plan d'ensemble, B6-7) : 131-141 King's Rd, SW3 4PW. ☎ 020-7349-3110. ● anthropologie. eu ● Lun-sam 10h-19h, dim 11h30-18h. Une adresse tellement anglaise, essentiellement pour les femmes. On y « shoppe » fringues, boutons de portes, tasses, livres de cuisine et mille et une autres merveilles. D'autres adresses : 158 Regent St, et 33-34 Marylebone High St.

❀ **British Red Cross** (plan d'ensemble, B7) : 69-71 Old Church St, SW3 5BS. ☎ 020-7376-7300.

Ⓜ Sloane Sq ou South Kensington. À l'angle avec King's Rd. Lun-sam 10h-18h, dim 12h-17h. Pour faire des affaires tout en faisant sa B.A. ! Des vêtements dégriffés à prix sacrifiés, mais aussi des bijoux, des sacs, des chaussures, etc. Tout dépend des arrivages, bien sûr, mais le turn-over se fait assez bien... Il faut dire que certaines ladies du quartier se débarrassent de leur robe feu Alexander McQueen ou Vivienne Westwood après le 1er cocktail ! Un vrai bon plan, on vous dit... Et tout ça au profit de la Croix-Rouge !

❀ **Mungo & Maud** (plan d'ensemble, D6) : 79 Elizabeth St, SW1W 9PJ. ☎ 020-7467-0823. ● mungoandmaud. com ● Ⓜ Sloane Sq. Lun-sam 10h-18h (dim en déc 11h-17h). Également une boutique chez Harrods. Les Anglais sont fous de leurs pets (animaux de compagnie). Voici le genre de boutique introuvable ailleurs : une boutique design et chic pour le confort de Médor ou le doux ronron du chaton, de la couverture brodée au petit manteau tricoté pour les hivers rigoureux ! Hors de prix et quelque peu indécent...

Les magasins mythiques et chers

❀ **Harrods** (plan d'ensemble, B-C5) : 87-135 Brompton Rd, SW1X 7XL. ☎ 020-7730-1234. ● harrods.com ● Ⓜ Knightsbridge. Lun-sam 10h-21h, dim 11h30-18h. Horaires étendus en déc (Noël oblige) et pour les soldes. Fermé 25 déc et jour de Pâques. **Les fameux soldes commencent fin déc et la 1re sem de juil ;** également des soldes d'intersaison début mai. À Noël, les décorations sont souvent spectaculaires. On ne porte ni short ni jean déchiré pour entrer. Les sacs de voyage doivent être déposés à la consigne, les petits sacs à dos portés à la main. Ça ne rigole pas ! Plan du magasin disponible à l'entrée principale (et en ligne). Tout a commencé avec Henry Charles Harrod, un négociant en thés, savons et bougies, qui ouvrit son magasin en 1849. Aujourd'hui, Harrods compte 15 millions de clients par an, 4 000 employés, et a été vendu à une société d'investissement du Qatar en 2010, après avoir été la propriété du milliardaire Mohammed al-Fayed pendant 25 ans. Celui-ci a toujours refusé la nationalité britannique. La devise du célèbre magasin est : *Omnia, omnibus, ubique* (« Tout, pour tout le monde, de partout »). Ainsi, jusqu'en 1976 on y vendait encore des ceintures de chasteté. Devenu monument à part entière, *Harrods* possède des rayons qui sont des chefs-d'œuvre de décoration et de bon goût. Avant d'entrer, n'oubliez pas de jeter un coup d'œil à la majestueuse façade ouvragée, entièrement recouverte de terre cuite en 1901. Les éclairages de nuit sont totalement réussis. Poussons la porte...

– L'*Egyptian Hall* occupe tout un pan du magasin, sur plusieurs étages. Un chef-d'œuvre de l'Art nouveau. Chargé, certes, mais féerique ! L'escalator (électrique) fut le 1er installé en Europe.

– Les *Food Halls* (rayons alimentaires), au rez-de-chaussée, sont célèbres pour leurs somptueuses céramiques Art nouveau. Chaque rayon bénéficie d'une décoration chatoyante et fastueuse. Ne ratez pas les rayons boucherie, poissonnerie, de loin les plus impressionnants. Mais ne boudez pas les autres rayons, riches en produits rares (du haut de gamme qui justifie les prix, mais qui reste malgré tout abordable) : thés, biscuits, confitures, charcuteries... Plusieurs stands pour grignoter sans trop se ruiner (voir « Où manger ? »).

– Le 1er étage, très chic et feutré, est consacré aux designers de luxe, vêtements, chaussures, robes de mariée et lingerie... Pour rester dans l'esprit, on y trouve le *Champagne Bar & Restaurant.*

– Au 2e étage, tout pour la maison, bouquins et une galerie d'art.

– Avis aux parents accompagnés de jeunes routards : les 3e et 4e étages abritent le *Toy Kingdom,* littéralement le « royaume des jouets », pas moins ! Y a même un *Disney Store* et la *Disney Bibbidi Bobbidi Boutique,* pour transformer votre fille en parfaite princesse et votre fils en soldat de l'Empire (ou l'inverse...). Autant dire que vous entrez là en territoire miné... Mais les grands enfants ne sont pas oubliés, puisque c'est aussi à ces étages que l'on trouve tous les rayons high-tech (informatique, téléphonie, hi-fi, etc.), avec notamment un *Apple Store* !

☞ *Harvey Nichols (plan d'ensemble, C5) :* 109-125 Knightsbridge, SW1X 7RJ. ☎ 0207-235-5000 ● har veynichols.com/stores/london ● Ⓜ *Knightsbridge. Lun-sam 10h-20h, dim 11h30-18h.* Un des plus chic et chers des grands magasins de Londres. La déco n'a rien d'exceptionnel, mais jetez-y un coup d'œil si vous êtes dans le coin pour connaître les dernières tendances. On y trouve également un salon de beauté et de coiffure très apprécié des filles chic... et riches. Le champagne est compris dans le prix de la manicure, c'est cool, non ? Au 5e étage, resto, cafétéria et bar, avec notamment une belle terrasse en plein air *(roof terrace)* et un vaste rayon alimentaire.

☞ Dans le triangle de Sloane Avenue, Fulham Road et Brompton Road, on trouve entre autres *Chanel, Gucci, Paul Smith,* mais aussi *Joseph* et, en face, le *Conran Shop* dans le Michelin Building, sur Fulham Road *(plan d'ensemble, A-B6-7).* Des adresses pour ceux qui ont envie de faire pousser des ailes à leurs billets de banque (et des cris à leur banquier !).

Galeries et musées

Victoria and Albert Museum (plan d'ensemble, B5-6)

🏛🏛🏛 ♿ Cromwell Rd, SW7 2RL. ☎ 020-7942-2000. ● vam.ac.uk ● Ⓜ *South Kensington, accès direct depuis le métro. Nouvelle entrée très architecturale sur Exhibition Rd et le Sackler Courtyard.* ♿ *Tlj 10h-17h45 ; nocturne ven jusqu'à 22h. Fermé 24-26 déc. GRATUIT mais expos temporaires payantes. Bon plan : 2 entrées pour le prix d'une aux expos temporaires sur présentation de votre billet d'Eurostar.* Plan indispensable, à dispo dans le hall principal (donation de

1 £ suggérée). Visites guidées et thématiques gratuites, y compris pour les personnes handicapées. En principe, plusieurs départs/j. 10h30-15h30 au meeting point dans le grand hall. Programme à l'accueil et sur le site internet. Durée : env 1h. Télécharger aussi l'application pour smartphone du V & A, utile et bon complément d'infos.

Nos conseils

– Le V & A est l'un des plus grands musées de Londres, vous ne pourrez pas tout voir en une seule fois. Le V & A est gratuit, profitez-en pour revenir !
– C'est aussi un musée vivant, certaines pièces migrent des salles d'expositions aux réserves et vice versa. De même, certaines salles peuvent être temporairement fermées. Dans tous les cas, procurez-vous absolument un plan !
– Pour s'y retrouver, les expos sont organisées en 5 couleurs (qui courent sur plusieurs étages) : bleu pour l'Europe, orange pour l'Asie, rose pour les matériaux et les techniques, turquoise pour les temps modernes et violet pour les expos temporaires. Noter que le *level 1* correspond au rez-de-chaussée.
– Les enfants ont droit à des attentions particulières, demander à l'accueil.

≈ |●| *Cafétéria du musée :* au niveau 1. Un comptoir propose des plats chauds de bonne qualité, compter 5-10 £. Sandwichs et menu-enfants à partir de 5 £ env. Victorian Afternoon Tea à partir de 30 £/pers dim 15h-17h. Le V & A fut le 1er musée à prévoir un espace de restauration dans son enceinte dès sa création. Attention : il faut refaire la queue pour payer. Installez-vous dans **les superbes salles** **Morris, Gamble** et **Poynter** de style **victorien** ou dans la salle à manger moderne. En été, on peut aussi profiter de la belle cour intérieure qui permet d'admirer la structure et le style du V & A, et le Quadrangle, dont la décoration est inspirée de la Renaissance italienne (brique et terre cuite) ou bien dans le nouveau café avec terrasse aux lignes modernistes côté Exhibition Rd.

Un peu d'histoire

Le prince Albert, mari de Victoria, fit de la qualité esthétique l'un de ses défis culturels. Il présida en 1856 à la création d'un musée original : présenter un historique des beaux-arts et arts décoratifs de tous les pays occidentaux et orientaux, dans le but de stimuler l'inspiration des créateurs, former le goût du public et dynamiser la production industrielle...
Les collections se sont enrichies et comptent aujourd'hui 4 millions d'objets, répartis sur un immense espace d'environ 50 000 m². Le V & A, comme l'appellent affectueusement les Londoniens, se révèle d'une exceptionnelle variété. Il navigue intelligemment entre tradition et modernité, l'ensemble est savamment orchestré, et la réussite est totale. Dès le hall d'accueil, levez les yeux vers l'impressionnante sculpture de verre dans le style Murano. Autant dire qu'il y en a pour tous les goûts et pour tous les appétits. Pour continuer à faire vivre ce formidable savoir encyclopédique, le V & A s'est lancé depuis 2001 dans un ambitieux programme de rénovation. Quand on vous dit qu'il déborde d'énergie !

À ne pas manquer

Salles médiévales et de la Renaissance (bleu)

Un musée dans le musée, sur plusieurs étages ! Une dizaine de salles chronologiques débutent avec la chute de l'Empire romain pour se terminer à la Renaissance (de l'an 300 à 1500). Plus de 1 800 chefs-d'œuvre, du minuscule au gigantesque, savamment mis en scène comme ces vitraux éclairés par l'arrière ou ce « jardin » de sculptures.

Sous-sol (level 0), *salles 8 à 10c*
Parmi les œuvres du Moyen Âge, voir entre autres, *salle 8,* le magnifique coffret ayant probablement contenu les reliques de Thomas Becket (1180-1190) et les sculptures de Giovanni Pisano, *salles 9 et 10,* dont un poignant *Christ en Croix* (vers 1300) en ivoire. Rare tapisserie datant de 1425-1430, *The Boar and bear hunt* et triptyque allemand de 1380 représentant l'Apocalypse (salle 10c).

Au rez-de-chaussée (level 1)
Dans les *salles 50,* on se concentre sur la ville à la Renaissance (1350-1600). Superbes bas-reliefs et ornementations murales, notamment 2 frontons de porte sculptés, du Génois Giovanni Gaggini, ou ce *monument à Marchese Spinetta Malaspina,* porche d'église en marbre et stuc avec statue équestre. Presque immanquable, le dramatique *Samson tuant une Philistine,* sculpture en marbre de Jean de Bologne (1562), située près du bureau d'information, à l'entrée.

Au 1ᵉʳ étage (level 2)
Dans la section consacrée à l'art gothique tardif, *salle 62,* accessible au fond des salles 50 par les marches, ne manquez pas l'incontournable nef de Burghley, conçue à Paris vers 1527-1528. C'est une petite maquette de bateau en argent doré ; une salière en vérité ! Certains détails montrent le talent de l'orfèvre : la coque est en fait un coquillage et, sur le pont, on peut voir Tristan et Iseult jouer aux échecs... Nombreuses *Vierge à l'Enfant* et leurs copies. *Salle 64b,* la façade en bois ouvragé de la maison de Sir Paul Pindar, l'une des rares rescapées de l'incendie de Londres en 1666, surprend par sa taille. Mais comment a-t-elle pu parvenir intacte ici ? De même, splendide escalier hélicoïdal de Morlaix (1522-1530) avec, toujours conservés, les différents paliers !

Salles 1 à 7 : Europe, 1600-1815 (bleu)

Autre musée dans le musée, cette récente section s'intéresse à toutes les formes d'art et d'artisanat en Europe, principalement en Italie puis en France, à une période si féconde culturellement et en évolution constante, sur fond d'émulation entre pays. Noter l'appli gratuite qui permet de scanner certaines des 1 100 œuvres exposées dans les 7 salles pour en obtenir plus de détails sur son smartphone (● *vam.ac.uk/page/e/europe-1600-1815/* ●). De la *période baroque* et ses rivalités religieuses, territoriales ou musicales notamment, on retient par exemple ce buffet de 1693 aux panneaux de bois peints éclatants de bleu (salle 7). Ou encore la *panelled room* (salle 5), une chambre à coucher française (1682) entièrement reconstituée avec ses peintures et dorures. Au XVIIIᵉ s, le *classicisme* rayonne à la cour française avec ses instruments de musique, ses meubles marquetés et sa *mirrored room* (1789) ovale (salle 2a). Que de chemin parcouru jusqu'à la *période napoléonienne* et le néoclassicisme, transition judicieusement mise en scène dans les modes vestimentaires par exemple. En évoluant de salle en salle, on a le sentiment de parcourir les différentes pièces d'un château, en passant par ce curieux globe moderne censé symboliser les salons de conversation qui faisaient fureur à l'époque.

Les autres collections majeures

Niveau 1 (rez-de-chaussée)

Art chinois (salles 44 et 47)
Les collections chinoises du musée sont un véritable trésor, certaines pièces datent de - 3000 avant notre ère. Les galeries sont organisées autour de l'idée du quotidien, depuis le repas jusqu'au culte. L'élégance des lignes ancestrales frappe immédiatement l'observateur. Regardez dans les objets de notre société comme ces formes sont encore présentes ! D'ailleurs, dans la salle, des œuvres d'art contemporain s'amusent à réinterpréter ces formes millénaires. Sculptures en jade très anciennes, comme ces disques uniformes, symboles du ciel sur la terre.

Le jade est une pierre impossible à tailler, qu'on ne façonne lentement qu'à force d'usure. Également de superbes meubles en laque rouge des dynasties Ming et Qing, sculptés avec de précieux détails, dont un trône impérial. Statues du bodhisattva Guanyin, figure sainte du bouddhisme. Sculptures en ivoire, porcelaines, statuettes et même du papier peint...

Art japonais (salle 45)

Dimensions et simplicité toutes japonaises... Superbes paravents et boîtes en laque (la plus belle collection hors du Japon !), vitrine de tabatières sculptées... et jolie sélection de pipes à opium. Masques et kimonos, bien sûr. Quelques sabres ouvragés, de magnifiques armures, des tenues de samouraïs spectaculaires (les enfants adorent) et un brûleur d'encens sur trépied avec 2 paons monumentaux présenté à l'Exposition universelle de Paris en 1878. Notez cette admirable collection de *netsuke,* objets ciselés comme de vrais bijoux, qui permettaient de tenir les ceintures des kimonos, sans oublier les nombreux *inros,* petites bourses en bois laqué qui faisaient office de poche pour la menue monnaie, le tabac, les clés... Également des œuvres contemporaines.

Art islamique (salle 42)

Cette section est consacrée à l'évolution de l'art islamique au Moyen-Orient à partir du VIIIe s. Parmi les plus belles pièces, le *tapis d'Ardabil* (sous vitre) doit sa célébrité à son âge, sa taille et sa finesse ; c'est en effet l'un des plus vieux tapis du monde. Il fut achevé en 1540. Plus de 5 000 nœuds pour 10 cm², un exploit, vu la taille impressionnante de l'ouvrage (10,5 m x 5 m !). Comparer avec le superbe *tapis de Chelsea* (XVIe s.). Ils sont tous 2 persans. Étonnante chaire (minbar) du XVe s en bois incrusté d'ivoire, provenant d'une mosquée cairote. De très belles céramiques également et une cheminée en céramique du XVIIIe s portant les noms des Sept Dormeurs d'Hefez.

Asie du Sud et du Sud-Est (salles 41 et 47)

Riche collection compte tenu de la place importante occupée par l'Inde dans l'Empire britannique. Représentation des arts hindouistes de l'Inde prémoghole à travers de nombreux bouddhas. Exemples remarquables de l'essor que connut l'art indien après l'invasion des Moghols et l'établissement de leur empire au XVIe s : peintures, ivoires sculptés, jades... Superbe coupe à vin blanche en jade sculpté

> ## TIGRE ET CHÂTIMENTS
>
> *L'objet le plus ludique de la collection des arts indiens est* Tippoo's Tiger, *un automate en bois peint datant de 1793. La scène est cocasse : un colon anglais se fait dévorer par un tigre.* Tippoo's Tiger *fut offert par les Français au sultan du même nom, lui aussi ennemi déclaré des Anglais ! Élégant...*

d'une finesse remarquable (1657), avec une tête de bouquetin ayant appartenu au grand shah Jahan. Au début du XIXe s, l'arrivée des colons britanniques apporta aux artistes indiens son lot de réalisme et de complaisance, traduit en peinture dans le style « Compagnie ». Nombreux textiles, subtils et fleuris.

Mode (Fashion ; salle 40)

Cette salle accueille des expos temporaires, toujours sur le thème de la mode.

Sculptures

Dans la grande galerie longeant la cour intérieure, **salles 21 à 24,** on pourra comparer le coup de ciseau d'artistes aussi différents que Jean de Bologne (XVIe s), Leighton (XIXe s) et Canova (XVIIIe s). Nombreux Rodin, tels que *L'Âge de bronze,* ainsi qu'un beau buste préparatoire de Balzac. Ces pièces furent choisies et données au musée par le maître en personne.

Toujours au niveau 1 (rez-de-chaussée), ne pas manquer les *Cast Courts,* **salles 46a et 46b,** fabuleuses salles des moulages du musée, remplies dans leurs 3 dimensions par des copies en plâtre gigantesques d'éléments de monuments célèbres. À voir ou à revoir, donc : la colonne Trajan, le portail de la cathédrale de Saint-Jacques-de-Compostelle. Très impressionnant ! N'oublions pas que la mission du musée était à l'origine éducative : ces copies servaient au XIXe s (et encore aujourd'hui) à l'enseignement de l'histoire de l'art et du dessin.

FAUT-IL SUIVRE LA MODE ?

George Brummel naquit à Londres en 1778. Héritier mais non aristocrate, il gaspilla sa fortune dans les habits et le jeu. Il lança la mode de la cravate et des costumes sombres pour les hommes. Son dandysme l'obligeait à mettre 5h pour s'habiller. Il lustrait ses bottes au champagne. Sa notoriété n'était fondée sur aucun talent. Il mourut à Caen, ruiné, obèse et syphilitique. Ça ne donne pas envie de suivre la mode !

Cartons de Raphaël (salle 48a)

L'une des gloires du musée. Honneur à la Renaissance italienne avec ces sept cartons peints par Raphaël. Ils ont servi de modèles pour une série de tapisseries que le pape Léon X avait commandées en 1515. Elles étaient supposées décorer la chapelle Sixtine pour les grandes occasions et sont aujourd'hui conservées au Vatican. L'artiste a choisi de représenter des scènes de la vie de saint Pierre et de saint Paul. Regardez bien la seule tapisserie, son modèle en carton en face est inversé. En effet ceux-ci étaient ensuite appliqués comme un calque pour exécuter le tissage.

The Blavatnik Hall et Sackler Courtyard

Une nouvelle aile dans le musée qui ouvre sur le monumental et très élégant Sackler Courtyard, avec café aux lignes futuristes, parfaitement intégrées dans le bâtiment traditionnel. Superbe ! Lieu d'expositions temporaires.

Niveaux 2 (1500-1760) et 4 (1760-1900 ; 1er et 3e étages)

Les British Galleries (salles 52 à 54a, 56 à 58b puis 118 à 125c)

Encore un musée dans le musée ! Immense section, dont les nombreuses salles détaillent l'histoire culturelle, artistique et sociale de l'Angleterre, des Tudors à l'époque victorienne. Certains meubles, sculptures, dessins ou autres pièces d'argenterie font l'objet d'une étude aussi poussée qu'intelligente, au travers de montages vidéo, guides audio et animations informatiques, sans compter les différents courts-métrages thématiques projetés dans de petites salles annexes et la salle de lecture. Mais le plus

LIT « KING SIZE »

Dans la salle 57, on découvre le « Grand Lit de Ware », un lit à baldaquin de plus de 3 m de large, avec possibilité d'y coucher à 8 sur 4 matelas ! Il avait été conçu pour une auberge de Ware, une ville à 1h de route au nord de Londres. Les personnes qui dormaient dedans gravaient leurs initiales, encore bien visibles, très impressionnés par sa taille (size). Il a été rendu célèbre grâce à Shakespeare qui l'évoque dans La Nuit des rois, « king » en anglais. L'expression « king size » est restée pour désigner des grands lits.

impressionnant, ce sont sans doute les reconstitutions d'intérieurs d'époque, comme la chambre lambrissée du château de *Sizergh,* décorée de motifs mauresques, celle du *palais de Bromley-by-Bow,* ou le superbe salon de musique de *Norfolk House* (1756). Un des chefs-d'œuvre de la collection, *The Melville Bed,* est un spectaculaire lit à baldaquin en bois rouge ouvragé, dont le velours et la soie sont d'origine ! On rêverait de se glisser entre les draps.

Au niveau supérieur, quelques salles parmi les plus emblématiques du musée, consacrées entre autres à la fameuse exposition de 1851, aux artistes de l'époque

BROMPTON, CHELSEA ET SOUTH KENSINGTON

victorienne et aux mouvements *Art and Craft* et Préraphaélite (William Morris, Edward Burne-Jones, Rennie Mac Intosh...). On traverse au passage des salles présentant les différents « styles » : élisabéthain, Régence, Palladien, néoclassique ou Chippendale (seconde partie du XVIIIe s). Ce style typiquement britannique est plein de fantaisie, une sorte de réaction aux styles français et italien de l'époque. Possibilité d'essayer des copies de costumes et tenues d'époque.

Niveau 3 (2e étage)

Photographie
Encore une fois, le V & A allie histoire et création contemporaine, en mélangeant habilement les images de son fonds (500 000, tout de même !). Le musée ayant commencé ses acquisitions photographiques dès 1852, sa collection est aujourd'hui remarquable de par sa diversité. **Salle 100,** la petite galerie de photographies présente par roulement ses trésors, faisant preuve d'une grande ouverture d'esprit, des classiques portraits de l'époque victorienne aux travaux de Cartier-Bresson, Brassaï, Man Ray, Alfred Stieglitz...

À voir également

Niveau 3 (2e étage)

Jewellery – The William & Judith Bollinger Gallery (salles 91 à 93)
La richissime collection de bijoux des premiers rois saxons jusqu'à Victoria émerveillera les amateurs de joyaux. Plus de 3 000 bijoux et joyaux retraçant l'histoire de la joaillerie sur 800 ans, avec également des créations contemporaines. La plus belle pièce de la Renaissance est un pendentif en or, diamant et rubis à l'effigie d'Elizabeth Ire. On peut y admirer aussi de magnifiques pièces du Premier Empire français ainsi qu'une belle collection de bijoux de Lalique. Et, bien sûr, comme dans toutes les autres sections du musée, des vidéos et des documents interactifs pour s'informer sur les techniques et l'histoire de la spécialité en question.

Silver – The Whiteley Galleries (salles 65 à 69, 70a et 89)
Dans le même registre que le précédent. À voir autant pour ses collections que pour la salle elle-même, une immense galerie dans les tons bleus de style victorien avec des plafonds décorés à la manière des palais Renaissance. Les noms de grands céramistes et de grands peintres sont inscrits sur les frises. Dans les vitrines, alignements de trésors brillant de mille feux pour illustrer l'histoire de l'argenterie, principalement de 1400 et 1800. Multitude de pièces richement travaillées. On y verra notamment des objets religieux, mais aussi des armes, de la vaisselle... Une *study area* avec ordinateur permet d'approfondir le sujet (fabrication, histoire, biographie), mais aussi d'explorer les nouvelles tendances (créateurs contemporains, nouveaux matériaux).

Salles de peinture (salles 81, 82, 87 et 88a), Edwin and Susan Davies Galleries
Quelques salles consacrées à la peinture, mais particulièrement surchargées ! Petites huiles de *John Constable*, paysagiste anglais de la fin du XVIIIe s et digne représentant de l'école anglaise. *La Cathédrale de Salisbury* et *Le Moulin de Dedham* sont particulièrement réussis. Ce n'est pas étonnant qu'il ait influencé les peintres de Barbizon. Voir également quelques beaux paysages de Turner et de Gainsborough. **Salle 81,** la *collection Ionides* présente des tableaux français de différentes époques, dont *Les Scieurs de bois* de Millet et quelques œuvres de Degas et de Courbet. La **salle 88a** présente par roulement des dessins et aquarelles, notamment les originaux de l'illustratrice pour enfants Beatrix Potter.

Theatre and performance (salles 103 à 106)
Moins fréquentées et pourtant passionnantes, des salles consacrées à la scène. Costumes de célébrités, affiches, décors miniatures, marionnettes... On pénètre dans l'intimité du monde du spectacle : loge, répétitions et photos des artistes

durant les 35 mn (appelées *the half*) qui précèdent la levée du rideau. La section des costumes, ***salle 105,*** présente notamment les tenues de scène de Richard Burton dans le rôle d'Henri V, la robe et le chapeau confectionnés par Dior pour Vivien Leigh, les costumes de la comédie musicale *Le Roi Lion,* etc. Salle suivante, le dressing entier de miss Kylie Minogue ! On peut aussi essayer quelques costumes.

20th Century *(salles 74 et 76)*
Mobilier présentant les grands courants du XXe s à travers une sélection de meubles (style Sécession à Vienne, style Art déco, atelier Oméga...). Apparition de nouveaux matériaux comme le plastique ou de nouveaux objets sur lesquels s'exerce l'esprit inventif des designers (la radio, par exemple). On adore l'*Egg Chair* de Peter Ghyczy.

Portraits miniatures *(salle 90a)*
Dans un autre genre, les miniatures exposées ici acquièrent leurs lettres de noblesse avec des artistes comme Hilliard, Smart ou Cooper. Très délicats et précis, ces miniportraits étaient l'équivalent des « photos de famille » du XVIe s au milieu du XIXe s.

Ironwork *(salles 113 et 114e)*
Plus rustique, tout ce qu'il est possible de réaliser en fer forgé : cloches, mortiers, grilles...

Niveau 6 (5e étage)

Ceramics *(salles 136 à 146)*
Comment mettre le plus d'objets possible dans un minimum d'espace ? La réponse est dans cette galerie complètement ahurissante et riche en surprises. On découvre notamment le parcours de création des céramiques en Europe après 1900. La collection est divisée en quatre quarts du XXe s, puis aux années depuis 2000. Objets usuels ou décoratifs, voire ni l'un ni l'autre pour les plus biscornus ! Évocation des techniques de la céramique, qui remontent à 5 000 ans. On aime beaucoup le vase de Picasso, *Artist at His Easel,* peint en 1954 à Vallauris ***(salle 145).*** Puis une section consacrée au reste du monde, principalement l'Asie (Chine, Japon, Corée), dont le V & A possède l'une des plus importantes collections dans le monde, superbement présentée dans une rotonde avec un éclairage naturel splendide.

Furniture Galleries *(salles 133 à 135)*
Les amateurs de meubles de confection ne manqueront pas de visiter ces 3 salles. Des pièces maîtresses de la riche collection du musée y sont présentées selon leur fonction, la technique utilisée et l'ornementation, depuis le XVe s jusqu'à nos jours. On y découvre les différentes manières d'utiliser les meubles au quotidien. On s'arrête sur des artistes particuliers (F. Lloyd Wright, Eileen Gray, par exemple), sur des techniques, comme les meubles liquides devenus solides (des chaises en plastique en somme !), mais aussi le travail de la marqueterie, des matières animales, ou encore la laque, etc.

BAIN, ÇA ALORS !

Eileen Gray, artiste anglaise installée à Paris au XXe s, importe la technique de la laque en France grâce à son maître japonais, venu, lui, à Paris pour l'Exposition universelle. La laque est une matière naturelle qui exsude des arbres et sèche à l'air. Le secret des Japonais ? La travailler sur des bateaux au large, en mer, pour profiter de l'humidité. Mais comment fit donc Eileen Gray à Paris ? Dans sa salle de bains, au-dessus de sa baignoire, tout simplement.

BROMPTON, CHELSEA ET SOUTH KENSINGTON

Natural History Museum (plan d'ensemble, A-B5-6)

♥♥♥ ⚐ *Cromwell Rd, SW7 5BD.* ☎ *020-7942-5000.* ● *nhm.ac.uk* ● Ⓜ *South Kensington.* ♿ **Autre entrée** *sur Exhibition Rd, avec accès direct au Earth Hall et à la Zone rouge (plus rapide). Tlj 10h-17h50 (dernière admission à 17h30) ; nocturne jusqu'à 22h le dernier ven du mois (sauf en déc). Fermé 24-26 déc. GRATUIT (mais consigne et visites guidées payantes). Expos et attractions temporaires payantes. Prévoir ½ journée. Boutique, resto et cafétérias sur place (celle au Darwin Centre est plus calme).*

Le musée est divisé en 4 vastes sections allant de la minéralogie à la biologie humaine, repérées par des couleurs. Évidemment, beaucoup de salles consacrées au règne animal, au travers d'espèces naturalisées et mises en scène, de toutes tailles et de tous poils. Les collections comptant près de 70 millions de pièces différentes, on conseille vivement de se munir d'un plan (1 £). Pas toujours facile de s'y retrouver, d'autant qu'en fonction des travaux permanents, certaines sections peuvent être fermées, dont le hall d'entrée courant 2017 ! Incontournable en tout cas, pour les petits comme pour les grands.

UNE NUIT AU MUSÉE

Une fois par mois, il est possible de dormir au milieu des dinosaures (programme Dino Snores, « ronflements des dinosaures »). Apportez votre sac de couchage et vous profiterez d'un dîner + petit déj + film d'horreur dans une atmosphère... cro-magnon. 60 £ par enfant et 180 £ par adulte, quand même ! Réservez plusieurs mois à l'avance sur ● *nhm.ac.uk rubrique* ● *« Dino Snores ».*

Un peu d'histoire

L'histoire naturelle fut le centre d'intérêt principal du British Museum jusqu'au milieu du XIXe s. La collection privée de Sir Hans Sloane, médecin naturaliste du XVIIe s, était à l'origine de sa création. Mais l'archéologie prenant une place de plus en plus importante, on décida de transférer ici les collections d'histoire naturelle en 1860. La construction du nouvel édifice fut confiée à l'architecte Alfred Waterhouse, qui conçut un superbe bâtiment de style néoroman, aux fenêtres géminées et recouvert de reliefs animaliers en terre cuite (à vous de les trouver !). D'ailleurs, les spécimens bizarres ne sont pas l'œuvre d'un sculpteur fantasque mais rappellent les espèces aujourd'hui disparues.

Par ici la visite

Zone bleue : dinosaures, poissons, amphibiens, reptiles, invertébrés marins, mammifères, biologie humaine...

– Le superbe **Hintze Hall** accueille les visiteurs depuis plus de 100 ans avec un **squelette de baleine** de 25 m de long suspendu dans les airs et celui d'un mantellisaurus, le plus complet des fossiles de dinosaures trouvé en Angleterre. Il aurait 125 millions d'années ! À la gauche du hall, passionnantes **galeries des dinosaures** justement, à la scénographie soignée. On circule sur une passerelle au milieu de spécimens particulièrement bien représentés (ça pourrait effrayer les plus jeunes). Squelettes formidables, mannequins automates à faire frémir et vidéos. Sans oublier l'animation du *T. rex*, plus réaliste que nature et pour le moins saisissant ! Amusant d'observer le silence s'installer parmi les enfants quand il penche la tête vers eux. Saviez-vous que malgré sa taille (le *T. rex* était plus haut et plus large qu'un bus à impériale), ses bras étaient si petits qu'il n'aurait même pas pu se laver les dents ? C'est peut-être un début de réponse à cette question existentielle posée à la fin de la visite : comment les dinosaures ont-ils disparu ?

– L'exposition sur le corps humain **(human biology)** est un superbe voyage interactif à l'intérieur de soi : sang, muscles, cerveau, sens, hérédité, mémoire, etc. Et tout un parcours pour se mettre dans la peau des nouveau-nés (ouïe, vision, notion de l'espace...).

Zone verte : oiseaux, insectes, fossiles de reptiles marins, minéraux, primates...

– Dans la section consacrée au **règne animal,** petite pensée pour les 2 exemplaires de dodos (rares) et le *giant sloth* (le paresseux géant), des espèces aujourd'hui disparues. On peut admirer un paon toutes ailes déployées, une vitrine de centaines de colibris *(hummingbirds),* sans oublier les macaques qui font le singe au 1er étage (levez la tête !). D'autres bébêtes sont à l'honneur : les toutes petites, celles qui font bzzzz, zzzz, et crap crap crap ou qu'on n'entend pas ! Scorpions, abeilles, crabes, etc.
– Petite halte au 2e étage devant une coupe de **séquoia** vieille de plus de 1 300 ans !
– La météorite de Cranbourne est visible depuis la boutique.

Zone rouge : fossiles, trésors de la Terre, vulcanologie, énergies renouvelables

– Changement de registre. Dans un vaste hall, un escalator entraîne les visiteurs au centre de la Terre pour redescendre progressivement les étages... Effets spéciaux et lumières tamisées pour évoquer l'évolution depuis le big bang *(From the beginning),* avec force détails sur l'érosion des sols *(Restless Surface),* les mouvements des plaques tectoniques et les catastrophes qu'ils engendrent, les volcans, etc. *(Volcanoes and earthquakes).* On peut même vivre en direct les effets d'un tremblement de terre dans une boutique japonaise !
– Dans la section *Earth's Treasury,* une muséographie moderne et dynamique présente toutes les variétés de **minerais** (ce sont les minéraux exploités), dont de sublimes pierres précieuses.
– Section *Earth Lab* sur les **origines de la vie** (un incroyable concours de circonstances pour mener à la « soupe originelle ») et sur des **fossiles** ou **squelettes** qu'on n'aurait jamais imaginés *(Lasting Impressions).*

Zone orange : Darwin Centre

Aile la plus récente du musée où plus d'une centaine de scientifiques de la maison font un formidable travail de sauvegarde des espèces. Accrochez-vous ! La *Zoology Spirit Collection* comprend 27 km de rayonnages (7 km rien que pour les poissons) où s'alignent environ 450 000 bocaux de tous diamètres. Puis pénétrez dans le gigantesque cocon (une réussite architecturale en soi), à l'intérieur assez dépouillé mais ô combien pédagogique ! On grimpe au sommet, et on redescend pour une initiation interactive aux mondes des insectes et des plantes, avec des ateliers animés par des scientifiques (quand on ne les regarde pas travailler derrière des vitres). Décodage de l'ADN, taxonomie, collecte d'échantillons... Un bain formidable dans le monde de la recherche, où les spécialistes sortent de leur bocal. On est à la limite du musée classique. Comme souvent, les Britanniques ont une longueur d'avance dans le domaine ! Conférences régulières à l'*Attenborough Studio,* du nom du présentateur naturaliste vedette de la BBC, avec des spécialistes de la question posée. Et rien ne vous empêche de vous balader dans le *Wildlife Garden* si le ciel est de la partie.

🎨🎨🎨 🕴️ **Science Museum** *(plan d'ensemble, A-B5) :* Exhibition Rd, SW7 2DD. ☎ 020-7942-4000. ● sciencemuseum.org.uk ● Ⓜ *South Kensington.* 🍴 *Tlj 10h-18h (dernière admission à 17h15) ; ouv jusqu'à 19h pdt les vac scol. Nocturne le dernier mer du mois (hors déc), jusqu'à 22h. GRATUIT (consigne payante), donation de 5 £ souhaitée. Expos temporaires et activités dans l'espace interactif (cinémas 3D ou 4D, simulateurs) payantes. Bon plan : 2 entrées pour le*

prix d'une aux expos temporaires sur présentation de votre billet d'Eurostar.
Visites guidées en anglais plusieurs fois/j. (durée 40 mn-1h). Fléchage à destination des enfants (une main avec l'index pointé). Prévoir 3 ou 4h. Plusieurs cafétérias ludiques et bon marché. Espace pique-nique au sous-sol (mais super bruyant !).

Fondé en 1856, le Science Museum est une véritable mine de savoir. Avec plus de 10 000 pièces réparties sur 7 niveaux, ses collections couvrent à peu près toutes les activités scientifiques, technologiques et médicales qui ont contribué au progrès. Mais le vrai tour de force, c'est d'avoir réussi à rendre ludiques et attrayants des univers réputés obscurs. On s'y perd parfois entre les expos, les thèmes et les étages, et l'ambiance est franchement bruyante tant les enfants se prennent au jeu, sur fond de bruitages et autres musiques. Peu importe ! Ici, c'est le merveilleux qui l'emporte, réjouissant aussi bien petits (mais pas trop) et grands ! Divers circuits de visite composés par tranche d'âge : moins de 5 ans, 5-7 ans, 8-11 ans, 12-16 ans et adultes ! Voici un aperçu non exhaustif des expos principales :

– *Le sous-sol* (basement, « B » sur le plan) : une grande aire de jeux pour que les enfants se défoulent. Mais aussi une mise en scène passionnante autour de la maison et du jardin. Ça grouille de tous côtés !

– *Le rez-de-chaussée* (ground floor, « G » sur le plan) abrite des pièces monumentales, avec une impressionnante section sur la « construction du monde moderne », des années 1750 à... 3000 ! La révolution industrielle est bien sûr à l'honneur, offrant dans l'*Energy Hall* un festival de machines à vapeur, hydrauliques ou diesel, ambiance *Les Temps modernes* de Chaplin. Belle collection de voitures du début du XXe s jusqu'à 1950, *Puffing Billy,* la 1re locomotive à vapeur datant de 1814 ou encore le plus grand pneu du monde ! La conquête spatiale est aussi à l'honneur dans *Exploring Space,* avec la *capsule Apollo 10* (vous iriez sur la Lune avec ça ?), une petite fusée et une brochette de satellites. Dans la cage d'escalier, ne manquez pas le pendule de Foucault. Son observation permet de mettre en évidence la rotation de la Terre.

– *Au 1er étage,* une approche de la matière *(Challenge of materials),* du matériau au produit fini, avec la délicate question du recyclage. Mais aussi une galerie interactive qui pose cette question essentielle et existentielle : « Qui suis-je ? », sur le cerveau et la génétique. En préparation pour 2019, une section consacrée à la médecine.

– *Au 2e étage,* ne ratez pas, dans la section *Information age,* les machines à calculer et les 1ers *computers* des années 1960, qui ont déjà l'air d'antiquités ! Section sur les codes secrets et histoire des télécommunications, depuis le télégraphe jusqu'aux liaisons satellitaires qui ont, en moins de 200 ans, complètement modifié notre rapport au temps et à l'espace. Une galerie interactive, *Atmosphere,* sur les enjeux du changement climatique et une expo sur les horlogers de Londres depuis 1600, avec notamment la plus vieille horloge du monde. Enfin, une section qui honore l'énergie, avec, en ligne de mire, le mystérieux anneau central lumineux. Nouvelle salle imaginée par les ateliers de Zaha Hadid consacrée aux *mathématiques* dans la Winton Gallery. Comment les outils et les idées de mathématiques ont façonné le monde, de la perspective (notamment avec les jardins de Versailles) au commerce, les voyages, la monnaie, etc. Passionnant.

– *Au 3e étage,* vaste espace consacré à l'aviation, avec une belle sélection d'appareils en parfait état (du biplan à l'avion à réaction), différents moteurs et plusieurs simulateurs de vol payants *(motionrides)* dans la section *Fly Zone,* pour les amateurs de sensations fortes qui ont, et parfois nauséeuses (!). Mais on vient surtout pour l'attraction *Wonderlab* (payante). Prévoir de l'attente. Une cinquantaine d'expériences à réaliser pour comprendre la beauté de la science.

Autres musées

♥♥♥ *Saatchi Gallery (plan d'ensemble, C6) :* Duke of York's HQ, SW3 4RY. ● saatchi-gallery.co.uk ● Ⓜ Sloane Sq. Tlj 10h-18h *(dernière entrée à 17h30). Attention,* fermé 10-25 j. entre chaque exposition ; renseignez-vous au préalable.

GRATUIT. Installée dans un ancien bâtiment militaire, la Saatchi Gallery est à la pointe de l'art contemporain. Les expositions sont généralement d'excellente qualité, parmi les plus visitées de la capitale. Si Charles Saatchi a fait fortune dans la publicité et comme conseiller de Margaret Thatcher, il est aujourd'hui le grand mécène de l'art contemporain britannique, et il le prouve à chaque nouvelle exposition. On lui doit, par exemple, la promotion de Damien Hirst, l'artiste réputé comme le plus riche du monde de nos jours. Une visite immanquable pour tous les amateurs.

|●| ⬦ Resto-bar-café très sympathique, *Gallery Mess,* sous des voûtes impressionnantes *(lun-sam 10h-23h30, dim 10h-19h).* Terrasse.

🏹 ⭑ *National Army Museum (plan d'ensemble, C7) : Royal Hospital Rd, SW3 4HT.* ☎ *020-7730-0717.* ● *nam.ac.uk* ● Ⓜ *Sloane Sq. Tlj 10h-17h30 (20h le 1ᵉʳ mer du mois). Fermé les 25-26 déc et le 1ᵉʳ janv. Café sur place.*

L'histoire de l'armée britannique depuis la création des *Yeomen of the Guards* en 1066, dans un musée qui a fait peau neuve, où sont exposés plus de 2 500 objets. Une galerie est dédiée au soldat *(Soldier Gallery),* de son engagement, ses entraînements, à ses missions, à travers des centaines d'objets depuis 400 ans. Notez la présence de Crimean Tom, un chat ramené de la guerre de Crimée ! Il survécut aux combats, à la

> ## COQUELICOT, ROUGE SANG
>
> *De fin octobre au 11 novembre, jour de l'armistice, les Britanniques portent un coquelicot en papier au revers de leur veste. Cette tradition est née en souvenir des soldats anglais morts au combat dans les champs de coquelicots des Flandres et de Somme. Vendus à partir de 1921 pour aider les familles d'anciens combattants, ils permettent d'entretenir les tombes.*

famine, et... mourut un an après, une fois en Angleterre. Une autre section met en avant l'armée *(Army Gallery),* des origines à nos jours, sa façon de s'adapter aux demandes et à la société, à laquelle une autre section est également consacrée *(Society Gallery).* L'armée est une force militaire mais aussi culturelle. On le voit à travers les jouets des enfants, comme *Action Man.* On découvre aussi son influence dans la mode, par exemple avec le *Burberry trench coat,* un manteau pour les tranchées. On y découvre aussi l'origine des *poppies,* les fameux coquelicots. Dans la section *Battle,* les grandes batailles de l'armée anglaise du XVIIᵉ s, sont détaillées, et dans l'*Insight Gallery,* on s'intéresse à leur influence sur le cours du temps.

Monuments et balades

Le Londres résidentiel : South Kensington, Brompton, Knightsbridge et Belgravia

Au menu de cette longue balade entre Hyde Park et Chelsea : palais royal, parcs, musées, boutiques de luxe et les plus beaux représentants des architectures georgienne et victorienne. De quoi entraîner les plus récalcitrants aux averses londoniennes dans une découverte des quartiers résidentiels les plus chic de la capitale : South Kensington, le quartier victorien dans le style et dans l'esprit ; Knightsbridge, le quartier animé des commerces de luxe ; Brompton, quadrillé de *crescents,* ces rues en croissant de lune, et de *mews.* Et, enfin Belgravia, à l'est de Brompton, dont le niveau des loyers n'attire plus que les ambassades.

🏹 *South Kensington* est le résultat du vaste projet d'urbanisation entrepris dans la 2ᵈᵉ moitié du XIXᵉ s par le prince Albert, l'époux de la reine Victoria. Les rues bordant le quadrilatère formé de grands musées et d'écoles élitistes, comme

Prince Consort Road, Queen's Gate ou Exhibition Road, sont à la gloire de l'Empire victorien et de sa foi en l'élévation de l'esprit par les arts et le progrès scientifique. Le prince consort fut à l'origine de la fameuse Exposition universelle, la première du genre, qui se tint durant le printemps et l'été 1851 dans le *Crystal Palace*. Cette gigantesque serre futuriste en verre et acier, construite au sud de Hyde Park, fut remontée ensuite dans le sud de Londres et finalement détruite lors d'un incendie en 1936. Grâce aux

UN P'TIT REMONTANT ?

C'est au Crystal Palace, en 1898, que fut mis en place pour la première fois un escalier mécanique, ou escalator... Au début, rien de très pratique, c'était juste une attraction, et on payait 1 penny pour grimper dessus. Par la suite, il fut mis en place chez Harrods, le célèbre magasin. Les clients qui se risquaient à prendre cet escalier roulant étaient récompensés au sommet par un majordome avec... un verre de brandy. Pour se remonter le moral.

recettes considérables de l'Exposition, le prince Albert fit aménager le quartier pour en faire un lieu consacré aux arts, aux techniques et à l'éducation.

🎯🎯 *Kensington Palace (centre 2, M10) :* en bordure est de Kensington Gardens, W8 4PX. ☎ 020-3166-6000 ou 0844-482-7788. ● hrp.org.uk ● Ⓜ Queensway ou High St Kensington. Tlj 10h-18h (16h nov-fév). Dernière admission 1h avt fermeture. Entrée : 19 £ (réduc en ligne) ; réduc ; gratuit moins de 15 ans. *Bon plan : on vous rappelle l'existence d'un pass* qui permet un accès illimité pdt 1 an aux sites de Kensington Palace, Hampton Court Palace, Tower of London, Banqueting House et Kew Palace : à partir de 52 £ par adulte ; forfait famille. Boutique. Cafétéria, mais on préfère la pittoresque Orangery à proximité (voir plus haut « Où prendre le petit déj ou le thé ? Où manger des pâtisseries ? »).

Le seul palais royal que l'on puisse visiter dans le centre. Pas aussi fastueux que Hampton Court ni Buckingham, bien sûr, mais dans un cadre très agréable, accolé à Hyde Park. Guillaume d'Orange acheta une belle demeure aristocratique à la fin du XVIIe s et confia son réaménagement à l'architecte baroque Christopher Wren. Elle servit de résidence royale pendant la

SACRÉE VICTORIA !

Malgré son image rigoriste, la reine s'enticha, à la mort de son mari, d'un rustre serviteur nommé John Brown. Devenu son confident, il eut une importance considérable dans les affaires du royaume. Victoria fut enterrée avec une mèche de ses cheveux. On s'interroge encore...

1re partie du XVIIIe s, jusqu'à l'installation de George III à Buckingham. Les princesses Diana et Margaret (la sœur d'Elizabeth II) y vécurent avant que les lieux ne soient occupés par Kate et William depuis leur mariage.

La visite donne accès à 3 appartements royaux (mais pas ceux de Kate et William !), à explorer dans l'ordre que l'on souhaite, sur fond de musique de circonstance. Mise en scène d'objets du quotidien et de tableaux, quelques anecdotes, les joies, les peines, les décès (toujours plus théâtraux chez les couronnés, allez savoir pourquoi), mais rien de très emballant au final. À croire que les souverains mènent une vie plutôt ennuyeuse. Expositions temporaires en lien avec la famille royale aujourd'hui.

– The Queen's state apartments : les appartements de la reine Anne, notamment la pièce où elle eut une célèbre dispute avec sa meilleure amie, la duchesse de Marlborough en 1710. L'indélicate colérique fut reniée jusqu'à la fin de sa vie. Pas malin !

– The King's state apartments : décorés luxueusement en 1722 par le peintre William Kent, à la demande de George Ier. La comtesse de Deloraine y perdit son titre de maîtresse officielle de George II après avoir retiré la chaise du souverain au moment où il allait s'asseoir. On n'a pas idée aussi !

– *Diana : Her Fashion Story.* Évolution du style vestimentaire de la princesse Diana à travers ses robes. Les fans adorent !

🕯 🛝 **Kensington Gardens** *(centre 2, M10) :* face au Kensington Palace, dans le prolongement de Hyde Park. C'était, aux XVIIIe et XIXe s, le jardin privé de Kensington Palace. Il est toujours aussi propret avec ses allées apprêtées, ses bassins à l'italienne et sa grande quiétude. Allez dire un petit bonjour aux dizaines d'écureuils qui vivent par ici. Ils sont gras et bien nourris, pas farouches pour un cookie. Il vous faudra pourtant résister à l'envie de partager votre quatre-heures, chacun son régime alimentaire ! Près du Serpentine, on trouve la statue de Peter Pan,

PRISE DE BEC

S'il vous arrive d'apercevoir ou d'entendre des perroquets verts en liberté dans les parcs londoniens, vous ne rêvez pas ! Il s'agit en fait d'exotiques perruches à collier rose, originaires d'Inde et qui ont été relâchées par leurs propriétaires au fil des années. Résistantes au froid et très invasives, elles sont aujourd'hui plusieurs milliers à avoir colonisé les parcs du centre, mais surtout ceux de Richmond, Kew, Windsor... Elles ne se gênent pas pour piquer les cacahuètes destinées aux petites mésanges.

installée en 1912 par l'auteur du célèbre conte J. M. Barrie. C'est ici précisément qu'il eut l'idée de l'histoire et qu'il fit atterrir son petit personnage dans le conte.

🛝 Si vous avez des enfants, filez au **Diana Memorial Playground** *(accès par le coin nord-ouest ; centre 2, M9-10 ; tlj à partir de 10h ; GRATUIT),* une luxueuse aire de jeux réservée aux moins de 12 ans, créée après la mort de la princesse Diana. Pas de doute, le lieu est à la hauteur ! Tout en bois (il y a un bateau de pirates échoué sur un banc de sable fin), joliment paysagée, l'aire est surveillée.

Le *Serpentine,* un bassin d'eau tout en longueur, marque la limite avec Hyde Park. On trouve dans le parc au sud la **Serpentine Gallery** *(plan d'ensemble, A5),* une galerie d'art contemporain aux expositions résolument déconcertantes (● *serpentinegalleries.org* ● *; lors des expositions, ouv mar-dim 10h-18h ; GRATUIT).* À 7 mn de marche (c'est précis !), autre espace, la **Serpentine Sackler Gallery** *(plan d'ensemble, B4),* dédiée également aux expositions d'art contemporain (mêmes horaires). L'originalité de cette bâtisse, qui servait autrefois à stocker la poudre à canon, est le bâtiment contemporain construit par feue Dame Zaha Hadid, « starchitecte » irakienne anoblie par la reine. Une sorte de pieuvre de résine blanche coiffe la structure de pierre d'autrefois. Contraste saisissant ! Cette structure abrite aujourd'hui un restaurant.

En suivant Broad Walk, puis Flower Walk, on arrive devant l'**Albert Memorial** *(plan d'ensemble, A5),* en bordure sud du parc, érigé par la reine Victoria après la mort de son époux en 1861. Sous un baldaquin à l'architecture néogothique particulièrement indigeste, une statue en bronze à son effigie tient le catalogue de l'Exposition universelle, comme Moïse tiendrait les Tables de la Loi. Frontons, flèches dorées et mosaïques témoignent du goût victorien, carrément excessif, pour le Moyen Âge.

🕯 Le prince Albert trône fièrement devant ses dernières créations, parmi lesquelles le **Royal Albert Hall** *(plan d'ensemble, A5),* une immense rotonde de plus de 5 000 places. Sa façade en brique rouge est ornée d'une frise représentant l'histoire des arts et des civilisations. Ce haut lieu de la vie culturelle londonienne (malgré ses qualités acoustiques discutables) est surtout célèbre pour ses

JUST A GIGOLO

Jusqu'au XIXe s, se promener dans Kensington Gardens au bras d'un beau jeune homme était réservé aux gens de la noblesse. Les filles de peu de vertu et autres cocottes se rabattaient sur Hyde Park, moins chic mais tout proche. Elles louaient les services des militaires qui se faisaient payer pour redorer leur blason : 9 pence pour un artilleur !

« concerts-promenades » (les fameux *Proms*) de grande qualité, qui animent les soirées d'été depuis un siècle. Le nom vient de la galerie supérieure de la salle, appelée « promenade ». *Visites payantes tlj sauf mer 10h-16h (téléphoner car en cas de représentation, les visites peuvent être annulées l'ap-m).* ☎ 020-7589-8212. ● *royalalberthall.com/your-visit/tours/* ● À côté, l'immeuble cossu et tout en arrondi, en brique rouge et aux fenêtres blanches, **Albert Hall Mansions,** abrite de luxueux appartements au vu de leur taille et de leur situation. En face du Royal Albert Hall (porte sud), belle façade néogothique du **Royal College of Music**, ornée de tours et de poivrières. Contourner le bâtiment sur la gauche et descendre Exhibition Road jusqu'à Cromwell Road. Voici le quartier des musées. À droite, ne manquez pas la longue façade néoromane du **Natural History Museum,** décorée d'animaux en terre cuite (voir plus haut « Galeries et musées »). En revenant sur ses pas dans Cromwell Road, on passe devant la façade imposante du **Victoria and Albert Museum,** musée exceptionnel à la gloire de toutes les techniques, toutes les civilisations et toutes les époques (voir plus haut « Galeries et musées »).

🏌🏌 Au beau milieu du boulevard (Thurloe Place), devant le V & A *(plan d'ensemble, B5-6),* on ne résiste pas à vous signaler la vieille bicoque en bois vert, totalement incongrue. Ce **cabbies' shelter** servait autrefois à abriter les conducteurs de fiacre. Le maigre édifice n'était guère plus long qu'un cheval et sa voiture. Il en reste seulement une douzaine dans la ville, tous classés. Rien que pour le fun, n'hésitez pas à hisser la tête par la toute petite lucarne. On y sert toujours boissons et sandwichs *(lun-sam 7h-22h).* Un saut de 100 ans en arrière qui vous coûtera 0,50 £ le thé ou le café !

🏌 **Brompton Oratory** *(plan d'ensemble, B5-6)* : sur Brompton Rd, jouxtant le Victoria and Albert Museum. Ⓜ South Kensington. Tlj. GRATUIT. Première église catholique à avoir été érigée après la Réforme anglicane (1531). Elle fut construite à la fin du XIXᵉ s dans un pastiche du baroque italien qui n'aurait pas déplu à Christopher Wren. Nef ample et imposante, bordée des 2 côtés de chapelles et décorée de manière somptueuse. Pour faire plus vrai, des œuvres d'art datant de la Renaissance italienne ont été ajoutées, comme les statues des 12 apôtres, du sculpteur siennois Mazzuoli, qui ornent les pilastres. Dans la dernière chapelle de droite, autel de la Vierge en marbre polychrome très chargé, provenant de l'église de Brescia.

🏌 **Brompton Road** borde à l'ouest le quartier du même nom. Jolies demeures bourgeoises dans le quartier, avec le jardin côté rue. Egerton Crescent, notamment, présente les façades homogènes et à l'antique de ces maisons bourgeoises construites au XVIIIᵉ s dans un style élégant quoique un peu austère. Les fossés séparés du trottoir par une grille en fer, sur lesquels s'ouvrent les pièces réservées aux domestiques, datent de cette époque.

🏌🏌 Plus du côté des musées, Brompton Road fait place à Fulham Road, plus animée et moins sérieuse. À l'angle de Sloane Avenue, superbe entrée Art nouveau tardif (1911) de **Michelin House** *(plan d'ensemble, B6).* L'immeuble abrite un resto et le grand magasin *Conran.*

🏌🏌 Faisons un crochet dans les rues chic et tranquilles du quartier de Brompton, en prenant Draycott Avenue, parallèle à Sloane Avenue ou **Walton Street** *(plan d'ensemble, B6),* bordée de petites boutiques plus huppées les unes que les autres, de la bijouterie à l'orfèvrerie en passant par les tissus d'ameublement. Regagner Brompton Road par **Beauchamp Place** – on prononce « Bitcham » –, repaire de restos chic, de boutiques de mode anglaise et d'antiquaires. Hors de prix, *of course* !

🏌🏌 Brompton Road, moins intimiste puisque très commerçante, dans le quartier de **Knightsbridge,** n'abrite pas n'importe quels commerces. Voyez plutôt aux nᵒˢ 87 à 135 le magasin **Harrods** *(plan d'ensemble, B-C5)* qui occupe tout le pâté de maisons. Dire qu'au XIXᵉ s, ce n'était qu'une petite épicerie de quartier ! Visitez-le comme le musée du commerce de luxe (voir « Shopping. Les magasins mythiques et chers »).

❦❦ Poursuivons dans le huppé bien ordonné en flânant dans les rues de **Belgravia,** le quartier des *squares* et des *terraces* aristocratiques, aménagé dans la 1re moitié du XIXe s par la famille Grosvenor. Architecture typique des *terraces*, ces rangées monotones de maisons georgiennes en brique blanche ou crème ornées d'une colonnade et de frontons à l'antique. Prendre Hans Crescent, puis Sloane Street à droite et tourner à gauche dans Cadogan Street prolongée par Halkin Street, qui débouche sur **Belgrave Square** *(plan d'ensemble, C5)*, une réplique en miniature des grands exemples que créa l'architecte John Nash à la même époque autour de Regent's Park.

❦❦❦ ❦❦ **Hyde Park** *(plan d'ensemble, A-B-C4-5)* **:** profitez d'une éclaircie pour faire une pause sur les pelouses de ce parc qui forme avec les *Kensington Gardens* attenants le plus grand espace vert de la ville. À moins que vous ne préfériez canoter sur le Serpentine ou plonger dans l'unique piscine du centre de Londres. Les nostalgiques iront méditer près de la *Diana Memorial Fountain (plan d'ensemble, B4)*, un vaste cercle de granit le long duquel s'écoule de l'eau et où les Londoniens n'hésitent pas à faire trempette l'été (attention à ne pas glisser !). Les amateurs d'insolite dénicheront le cimetière d'animaux domestiques *(pets cemetery)*, très peu connu des Londoniens eux-mêmes car caché derrière les grilles au niveau de Victoria Gate Lodge sur Bayswater Road *(plan d'ensemble, C4)*. Il date de 1881 et abrite plusieurs centaines de tombes aux épitaphes parfois surprenantes.

Le parc constitue en tout cas un lieu rêvé pour un pique-nique. Plusieurs terrasses accueillantes pour déjeuner au bord de l'eau, notamment à l'extrémité est de la Serpentine. L'ex-terrain de chasse d'Henri VIII devint jardin public en 1635 sous le règne de Charles Ier. Mais les détrousseurs remplacèrent les bêtes sauvages. La sécurité n'était assurée que sur *Rotten Row* (« la rue Pourrie »), l'ex-« route du Roi » qui subit une malheureuse déformation de langage. Alors seule route éclairée de Londres, elle permettait au roi de se déplacer sûrement entre les palais de Kensington et de Saint James'. Aujourd'hui, vous y croiserez vers 10h30 la garde à cheval montante, qui se dirige vers le quartier des *Horse Guards* près de Whitehall pour la relève quotidienne. Le reste du temps, ce sont les *posh girls* (les filles B.C.B.G. en v.f.) et leur progéniture qui caracolent sur les sentiers. À l'angle nord-est, **Speaker's Corner** *(plan d'ensemble, C4)*, le « coin des Orateurs ». Tout Britannique ayant un message à apporter au monde peut l'exposer devant une masse d'auditeurs anonymes. On peut dire n'importe quoi, n'importe comment, le plus souvent avec humour, mais le dimanche seulement.

– Super festival de musique fin juin-début juillet, le *Wireless Festival,* avec plein d'artistes rock, pop et de variétés (● *wirelessfestival.co.uk* ●).

– **Balade à cheval dans Hyde Park** *(plan d'ensemble, A-B3) :* Hyde Park Stables, 63 Bathurst Mews, W2 2SB. ☎ 020-7723-2813. ● *hydeparkstables.com* ● Ⓜ Lancaster Gate ou Paddington. Balades à partir de 109 £/h par pers en groupe (139 £ seul). Expérience unique mais hors de prix !

❦ Toujours à l'angle nord-est du parc, **Marble Arch** *(plan d'ensemble, C3)*, un arc de triomphe en marbre blanc du début du XIXe s qui fit office à l'origine de porte d'honneur à l'entrée de Buckingham Palace. Non loin de là, sur le terre-plein triangulaire à l'entrée d'Edgware Road, une plaque ronde en pierre dans la chaussée rappelle qu'à cet endroit était jadis dressé le *gibet de Tyburn* **(Tyburn tree)**, là où les pauvres gens étaient exécutés, ceux du moins dont la condition n'autorisait pas une

AUX HÉROS DE LA NATION

On déniche sur Park Lane, au niveau de Brook Street (plan d'ensemble, C4), un mémorial de bonne taille en hommage aux... animaux qui ont servi pendant les guerres. Ils y sont tous : mulets pour le transport, chevaux pour les assauts, chiens de garde... et même les pigeons voyageurs ! L'amour des Anglais pour leurs pets est décidément le plus fort.

mort illustre à la Tour de Londres. Arrêtez-vous 2 secondes pour ressourcer vos chakras devant l'élégante sculpture de Nic Fiddian-Green (2011), emprunte de sérénité, au milieu de la circulation : **Still water,** une tête de cheval de 10 m de haut, penchée délicatement pour boire une eau imaginaire.

Le Londres des artistes : Chelsea

Pendant des siècles modeste village de pêcheurs loin de la capitale, Chelsea apparaît dans l'histoire de Londres au XVIe s sous l'impulsion de 2 personnages : Henri VIII, qui s'y fit construire un manoir d'été, et Thomas More, un humaniste qui reçut nombre d'intellectuels et d'artistes de l'époque. Au XVIIIe s, l'installation de Sir Hans Sloane, l'un des fondateurs du British Museum, et la construction du Royal Hospital contribuèrent à populariser Chelsea. L'endroit devint un lieu de promenade prisé des Londoniens qui fuyaient la vie (déjà) trépidante de la capitale. Véritable havre de paix, l'engouement s'amplifia encore au XIXe s, lorsque quelques artistes, comme le peintre Turner, le poète Percy Shelley, les écrivains Henry James et Oscar Wilde vinrent s'installer ici, suivis de George Bernard Shaw et de Virginia Woolf. Chelsea devint une sorte de refuge pour toute une série d'artistes maudits. Les stars de la musique (Mick Jagger), de la TV, du cinéma et de la politique (Margaret Thatcher y habitait) ont aujourd'hui remplacé les écrivains. Chelsea a conservé son côté chic et charmant mais toujours avant-gardiste. Il suffit de se promener sur King's Road pour s'en apercevoir.

🕯 **Sloane Square** (plan d'ensemble, C6) **:** Chelsea commence sur cette place bordée d'arbres, ornée d'une fontaine (l'une des rares de la ville, Londres n'est pas Rome !) et grouillante de circulation. Profitez de la station de métro, vous n'en reverrez plus dans ce quartier. Les habitants en ont empêché la construction pour être tranquilles. Du coup, il faut tout faire à pied ou en bus.

MÉTRO SUBMARINE

La station de métro Sloane Square est unique en son genre : au-dessus de ses rails coule une rivière. Il s'agit de la Westbourne, qui débute son cours à Hampstead Heath jusqu'au Serpentine pour traverser Sloane Square (l'eau de la fontaine) et se déverser dans la Tamise.

On trouve aux alentours quelques belles enseignes de prêt-à-porter. Mais surtout, la **Saatchi Gallery,** réputée internationalement pour la qualité de ses expositions temporaires. Voir plus haut « Galeries et musées ».

🕯 **Holy Trinity Church** (plan d'ensemble, C6) **:** sur Sloane St. Église sans grand intérêt architectural mais, à l'intérieur, vitraux de William Morris et d'Edward Burne Jones représentant des scènes de l'Ancien et du Nouveau Testament, entourées d'une kyrielle de saints. Œuvre grandiose des 2 artistes les plus emblématiques du mouvement préraphaélite, partis en guerre contre l'académisme victorien et les maux de la société industrielle. Au fond, orgue romantique du XIXe s que l'on peut entendre presque tous les jours. Traverser Sloane Square et descendre Lower Sloane Street jusqu'à Royal Hospital Road.

🕯 **Royal Hospital Chelsea** (plan d'ensemble, C6-7) **:** *Royal Hospital Rd, SW3.* ☎ 020-7881-5200. ● *chelsea-pensioners.co.uk* ● Ⓜ *Sloane Sq. Lun-ven 10h-16h. Fermé 23 déc-6 janv. GRATUIT.* Bâtiment de brique rouge et de pierre blanche construit par Wren en 1682 sur le modèle des Invalides à Paris. Charles II voulait, comme Louis XIV, un hôpital destiné aux anciens de l'armée royale qu'il venait de reconstituer. Aujourd'hui encore, l'hôpital accueille plus de 350 pensionnaires. Dans la cour, statue toute dorée de Charles II en empereur romain par Gibbons. Le réfectoire (*Great Hall*), imposant et lourd, célèbre la royauté et ne manque pas de panache. En face, visiter la chapelle en marbre blanc et noir, ornée de boiseries sculptées par Gibbons. Dans la poste (dans la ruelle prolongeant l'entrée nord de l'hôpital), petit musée rempli de photos, de médailles, d'uniformes, etc.

🎋 Bordant le Royal Hospital, les **Ranelagh Gardens** furent le siège de fêtes insensées au XVIIIᵉ s, où l'aristocratie se donnait rendez-vous en masse. Au centre, une rotonde décorée par Canaletto accueillit Haendel, qui créa *The Water Music,* ainsi que Mozart. Seul le *Chelsea Flower Show* subsiste au chapitre des festivités. *Achat des billets par tél depuis la France :* ☎ *(00-44) 844-995-9664.* ● *rhs.org.uk/chelsea* ● *Assez cher, mais dégressif selon le temps passé sur place.* Durant 4 jours, la 3ᵉ semaine de mai, la reine inaugure ces floralies qui attirent une foule imposante.

🎋 Sur Embankment, point de vue idéal sur la **Peace Pagoda** (pagode de la Paix), de l'autre côté de la Tamise, dans Battersea Park. Le bouddha d'or et de bronze de plus de 3 m fut construit en 11 mois par 50 moines venus du Japon en 1985. Prendre *Swan Walk.*

🎋🎋 **Chelsea Physic Garden** *(plan d'ensemble, C7) :* 66 *Royal Hospital Rd, SW3 4HS (entrée sur Swan Walk l'été).* ☎ *020-7352-5646.* ● *chelseaphysicgarden. co.uk* ● Ⓜ *Sloane Sq.* ⚒ *Avr-oct, lun-ven et dim 11h-18h ; nov-janv, lun-ven 10h-16h (ou à la tombée de la nuit si plus tôt ; café et boutique fermés en hiver) ; fév et mars, 11h-18h. Visites guidées gratuites tlj. Entrée : 7,40 £ ; réduc et moins cher hors saison.* Fondé en 1673, le plus vieux jardin botanique d'Angleterre (voire d'Europe, mais c'est un pléonasme !) fut sauvé puis offert à la Société des apothicaires de Londres par le célèbre médecin naturaliste Sir Hans Sloane. On y planta les premiers cèdres de Grande-Bretagne. Les plants de coton introduits aux Amériques transitèrent par ce jardin de 4 ha, tout comme les plants de thé de Chine qu'on envoya en Inde. C'est vrai que Pékin-Delhi via Londres, au XVIIIᵉ s, c'était direct ! Aujourd'hui, on trouve des centaines d'essences, des milliers de plantes aromatiques, de fruits, de légumes, des serres, des bancs, des coins et des recoins... Une bouffée d'oxygène.

🎋 Prendre Old Church Street pour remonter vers King's Road. Vous passerez à côté de **Chelsea Old Church** *(plan d'ensemble, B7),* l'ancienne église de Chelsea datant en partie du XIIᵉ s. Thomas More y serait enterré dans la chapelle sud reconstruite au XVIᵉ s (mais sa tête se trouve à Canterbury, pour faire simple !).

🎋🎋 **King's Road** *(plan d'ensemble, A-B-C6-7) :* en remontant vers Sloane Square, vous découvrirez l'exubérance et l'insolence de Chelsea où se mêlent une faune avant-gardiste et les touristes qui veulent rester dans le coup. Toutes les modes de l'après-guerre sont nées ici, et le contraste est étonnant entre cette artère de folie et les petites rues, au sud, qui font figure de chic banlieues isolées. C'est aussi un coin couru pour faire du shopping, notamment les dernières fringues tendance, pas vraiment bon marché...

De l'autre côté de la Tamise

🎋 Empruntez l'**Albert Bridge** *(plan d'ensemble, B7),* un pont en suspension de style victorien tout élégant et pimpant dans ses tons jaune et bleu. Les armées doivent rompre le pas pour le traverser, c'est indiqué à chaque extrémité. Repérez la dernière cabine de péage de Londres à l'entrée du pont (mais elle n'est plus en service !).

🎋 Juste de l'autre côté de la Tamise, on ne peut pas manquer les 4 tours de **Battersea Power Station,** l'usine électrique de Battersea *(plan d'ensemble, D7).* Célèbre, car figure sur la pochette de l'album *Animals* des Pink Floyd. Elle fut construite en 1932, par Giles Gilbert Scott, le même architecte qui construisit quelques années plus tard l'usine électrique de Southwark, à savoir l'actuelle Tate Modern. Bel exemple d'architecture industrielle de l'époque Art déco, elle est à ce titre classée Monument historique.

BROMPTON, CHELSEA ET SOUTH KENSINGTON

Agréable **parc de Battersea** pour taper la balle ou se détendre tout simplement. Un peu moins pris d'assaut que les parcs du centre-ville. Un bon plan !

♈ Il abrite un **zoo,** doublé d'un centre de conservation des espèces. ☎ 020-7924-5826. ● batterseaparkzoo.co.uk ● Tlj 10h-17h30 (16h30 l'hiver). Fermé 25-26 déc. Entrée : 9,50 £ ; réduc. Et, tout près, petit lac pour pagayer un peu et conter fleurette. Location des barques auprès du Millenium Arena, centre de sport situé à côté du zoo.

🎾 **Wimbledon Lawn Tennis Museum** (hors plan d'ensemble par B-C8) **:** The Museum Building, All England Lawn Tennis & Croquet Club, Church Rd, Wimbledon, SW19 5AE. ☎ 020-8946-6131. ● wimbledon.org/museum ● Ⓜ Southfields, puis bus n° 493 ; ou Tooting Broadway, puis bus n° 493. Assez excentré. En train, station Wimbledon Station depuis Waterloo, puis bus n° 493. Tlj 10h-17h. Fermé pdt les compétitions (sauf pour les spectateurs munis de billets). Entrée : 13 £ ; réduc. Possibilité de visites guidées du site, qui incluent notamment le court central et les salles de presse : compter tout de même 25 £, entrée du musée comprise. Joueurs de fond de court ou volleyeurs, spectateurs ou ramasseurs de balles, un musée pour les fans du petit monde de la raquette. Attractions interactives de haut niveau : visite des vestiaires avec McEnroe, extraits de matchs en 3D... sans oublier, bien sûr, une collection de trophées, de matériel, et un panorama complet de l'histoire du tennis (qui remonterait à 1555).

EARL'S COURT, WEST BROMPTON, HAMMERSMITH ET SHEPHERD'S BUSH

- Pour se repérer, voir le centre 2 détachable en fin de guide.

Earl's Court se révèle un quartier animé autour de 2 grandes rues commerçantes qui se croisent : Earl's Court Road et Old Brompton Road. On y trouve le siège du club de foot de Chelsea. Autant dire que les soirées peuvent être très électriques les jours de match. Rien de bien palpitant certes, mais le quartier est bien desservi par les transports en commun et c'est un point de chute pratique pour rayonner. Les rues résidentielles sont agréables, avec de belles maisons cossues. De là, on rejoint Holland Park, les grands musées de South Kensington, Chelsea ou encore Hammersmith et Shepherd's Bush en 10 à 15 mn à pied, en bus ou en métro.

Où dormir ?

De bon marché à prix moyens (moins de 90 £ / 105 €)

â **Barmy Badger Backpackers** (centre 2, L11, **76**) : 17 Longridge Rd, SW5 9SB. ☎ 020-7370-5213. ● bar mybadger@hotmail.com ● barmybadger.com ● Ⓜ Earl's Court. Dortoirs mixtes (ou pas) 4-6 lits 24-26 £, doubles 60-100 £ sans ou avec sdb ; petit déj continental inclus. Cette AJ de poche a trouvé son rythme dans un style brouillon mais chaleureux qui plaira sans doute aux routards bohèmes. Aucun gros défaut : à taille humaine, au calme et proche du métro. Un minisalon TV avec ses canapés épais, une cuisine sympa, une laverie, des lockers et des dortoirs corrects, dont certains avec salle de bains et des serviettes à louer sur place. Petit jardin pour les barbecues en été. Accueil jovial et souriant.

â **Earl's Court Youth Hostel** (YHA ; centre 2, M11, **66**) : 38 Bolton Gardens, SW5 0AQ. ☎ 020-7373-7083. ● earlscourt@yha.org.uk ● yha.org.uk ● Ⓜ Earl's Court. Dortoirs 4-10 pers env 20-35 £, doubles 39-99 £ (réduc de 3 £ pour les membres). Petit déjbuffet 4,99 £. Vaste AJ bien située et moderne, avec des dortoirs nickel et des salons confortables. L'un des fleurons de la chaîne : la rue résidentielle est agréable, la maison à bowwindows ne manque pas de caractère, et les prestations sont à la hauteur (jardin, coffee bar 24h/24, location de serviettes), des sous-sols aux combles. Accueil pro.

â **LHA, Belvedere House** (centre 2, M11, **71**) : 6 Grenville Pl, SW7 4RT. ☎ 020-3468-4340. ● belvedere@lhalondon.com ● lhalondon.com/

belvedere-house/ ● Ⓜ *Gloucester Rd. Juste après Ashburn St, proche de Kensington Gardens. Lits en chambre ou dortoir 1-3 pers (non mixte) 25,50-30 £. Prix dégressifs à partir de 2 sem. Pas de petit déj, cuisine à dispo, mais il faut avoir ses gamelles.* Ancien hôtel particulier de 5 étages (ascenseur) qui abrite aujourd'hui une résidence étudiante d'environ 130 places. Propre et bien tenue, sûre (badge partout), avec les sanitaires sur le palier, pas moins de 2 cuisines par étage, une salle TV et une laverie. Chambres fonctionnelles, avec le minimum nécessaire. Ambiance pension de famille très agréable ; la plupart des chambres sont louées à l'année par les expats.

🏠 Easy Hotel South Kensington (centre 2, M11, **54**) : *14 Lexham Gardens, W8 5JE.* ☎ *0795-144-0134.* ● *easyhotel.com* ● Ⓜ *Gloucester Rd.* ♿ *Résas seulement sur Internet, au cours du jour. Doubles 30-135 £.* Plus vous réservez tôt, plus votre nuit est bon marché. Mais à prix mini... chambres riquiqui ! Dans une belle demeure à colonnades (comme toute la rue d'ailleurs), les architectes ont réussi à caser un maximum de chambres aux allures de cabine de navire avec fenêtre pour les chanceux. Les claustros s'abstiendront... *Attention, ménage durant votre séjour, serviette, TV et check-out tardif en option.* Accueil à l'avenant et, bien sûr, pas de petit déj.

De prix moyens à plus chic
(50-120 £ / 58-140 €)

🏠 London Town Hotel (centre 2, L11, **78**) : *15 Penywern Rd, SW5 9TY.* ☎ *020-7370-4356.* ● *info@londontownhotel.co.uk* ● *londontownhotel.co.uk* ● Ⓜ *Earl's Court. Fermé 23-26 déc. Doubles 89-139 £, family rooms ; petit déj continental 10 £/j.* Dans une maison victorienne typique et avec ascenseur, une trentaine de chambres conventionnelles confortables et agréablement aménagées, avec moquette bien épaisse. Hall d'entrée soigné. Au 1er étage, surplombant le jardin, salon équipé d'une TV et

d'Internet avec thé et café à disposition. Accueil familial et service irréprochable. Une bonne adresse centrale et calme.

🏠 Henley House Hotel (centre 2, L-M11, **79**) : *30 Barkston Gardens, SW5 0EN.* ☎ *020-7370-4111.* ● *reservations@henleyhousehotel.com* ● *henleyhousehotel.com* ● Ⓜ *Earl's Court. Doubles 84-250 £, petit déj inclus ; 15 % de réduc en ligne pour un séjour de 2 nuits ou plus ; 20 % pour 3 nuits ou plus, au moins 30 j. avt.* Une belle maison victorienne en face d'un vaste square très paisible et une vingtaine de chambres entièrement rénovées dans un style *British new age* très réussi, mêlant design et tradition. Confort high-tech, ascenseur, et propreté irréprochable. Pas de baignoire. Certaines chambres ont un petit balcon avec vue sur le parc. Petit déj-buffet continental dans une grande salle avec verrière. Accueil attentionné. Une de nos meilleures adresses dans le coin.

🏠 Ibis Styles Hotels London Kensington (centre 2, L-M11, **330**) : *15-25 Hogarth Rd, SW5 0QJ.* ☎ *020-7373-4502.* ● *ibis.com* ● Ⓜ *Earl's Court. Doubles 72-208 £.* Cet *Ibis*-là nous a séduits par sa position, sa déco design, son excellent confort et son intéressant rapport qualité-prix en cas de promo. On adore sa façade victorienne à colonnes et la grande fresque du hall célébrant joyeusement les musées du quartier. Sur les 115 chambres (ascenseur) avec moquette, celles du sous-sol sont peu lumineuses mais particulièrement spacieuses. Accueil pro.

🏠 The Nadler Kensington (centre 2, M11, **70**) : *25 Courtfield Gardens, SW5 0PG.* ☎ *020-7244-2255.* ● *kensington.info@nadlerhotels.com* ● *nadlerhotels.com* ● Ⓜ *Earl's Court ou Gloucester Rd. Doubles 79-300 £, petit déj en sus.* Un hôtel décoré dans un style contemporain sobre et agréable, jusqu'aux moquettes, avec quelques vestiges victoriens comme ce bel escalier en fer forgé. Confort assuré et plein de petites attentions sympas comme cette kitchenette d'appoint (frigo et micro-ondes), la machine à expresso et les nombreuses réducs dans les restos du quartier. On aime beaucoup les chambres qui donnent sur le petit jardin à l'arrière. Une adresse idéale en famille et sans conteste un bon camp de base.

🏠 **The Mayflower Hotel** (centre 2, L11, **69**) : 26-28 Trebovir Rd, SW5 9NJ. ☎ 020-7370-0991. ● info@mayflower-group.co.uk ● mayflower-group.co.uk ● Ⓜ Earl's Court. Doubles 69-160 £ ; également triples et familiales. Petit déj-buffet inclus. Un boutique-hôtel dans le style oriental, avec le bois comme dominante dans la déco. Une cinquantaine de chambres tout confort mais pas bien grandes, Londres oblige ! On préfère celles qui donnent sur le jardin-terrasse à l'arrière. Mobilier indien, tissus choisis avec soin et literies douillettes à souhait. Tarifs avantageux pour les familiales. Salle de petit déj-bar pour un dernier verre.

🏠 **Premier Inn Earl's Court** (centre 2, M11, **133**) : 11 Knaresborough Pl, SW5 0TJ. ☎ 0871-527-8666. ● premierinn.com ● Ⓜ Gloucester Rd ou Earl's Court. Chambres 70-170 £. Petit déj en sus, gratuit pour un enfant de moins de 16 ans par adulte. Un hôtel de chaîne central et de bon confort, tout indiqué pour les familles (prix par chambre, de 1 à 4 personnes). 2 bâtiments, assez laids, reliés par une curieuse passerelle, presque 200 chambres et une déco très corporative, dans les tons mauves, couleur emblème de la société, avec un sofa pour les kids. Une autre adresse toute proche, dans le même registre de confort et déco (22-32 West Cromwell Rd ; ☎ 0871-527-8668).

🏠 **Twenty Nevern Hotel** (centre 2, L11, **60**) : 20 Nevern Sq, SW5 9PD. ☎ 020-7565-9555. ● twenty@mayflowercollection.com ● 20nevernsquare.co.uk ● Ⓜ Earl's Court. Doubles 100-200 £, petit déj inclus. Dans ce calme square

de B & B, répartis autour d'un vaste green, voici un lieu « very tempting » comme ils disent sur la brochure, sur le mode boutique-hôtel. Style oriental (plutôt chargé) dès la réception, et toutes les chambres (une vingtaine) ont leur ambiance exotique. Certaines pas bien grandes, mais toutes très confortables et résolument dépaysantes. Accueil léger.

Spécial coup de folie (plus de 120 £ / 140 €)

🏠 **The Rockwell Boutique Hotel** (centre 2, L11, **72**) : 181-183 Cromwell Rd, SW5 0SF. ☎ 020-7244-2000. ● reservations@therockwell.com ● therockwell.com ● Ⓜ Gloucester Rd ou Earl's Court. Doubles 150-210 £, avec ou sans petit déj selon formule et promo. Réduc sur Internet. Un boutique-hôtel très cosy d'une quarantaine de chambres, à 2 pas des musées. On pousse la lourde porte en bois et là, on reste sous le charme des grands volumes, l'élégance des matières claires, et de la déco anglaise chic et élégante. Tout confort, of course, même dans les chambres sur rue, grâce à l'efficace double vitrage. Bar, resto. Une adresse tout indiquée pour un week-end en amoureux.

🏠 **Hôtel Indigo** (centre 2, L-M11, **79**) : 34-44 Barkston Gardens, SW5 0EW. ☎ 020-7373-7851. ● lonlk.reservations@ihg.com ● hotelindigo.com/kensington ● Ⓜ Earl's Court. Doubles 129-269 £. Dans un ancien hôtel victorien, totalement rénové. Une centaine de chambres, toutes dans des tonalités acidulées et chaleureuses. Avec des luminaires rose bonbon ou vert anis, la déco est résolument osée et flashy pour ce boutique-hôtel tout confort. Bar tout aussi cosy pour un dernier verre.

EARL'S COURT, WEST BROMPTON, HAMMERSMITH...

Où manger ?

De très bon marché à bon marché (moins de 20 £ / 23 €)

🍴 🥤 **La Petite Bretagne** (centre 2, K11, **164**) : 5-7 Beadon Rd, à Hammersmith, W6 0EA. ☎ 020-8127-5530.

● hammersmith@lapetitebretagne.co.uk ● Ⓜ Hammersmith. Tlj 8h-22h. Crêpes et galettes 8-11 £ (5-7 £ à emporter). Une poche de résistance chez la Perfide Albion ! Dans un décor chaleureux de cantine délicieusement rétro, de bonnes crêpes faites sous vos yeux, avec les traditionnelles

« Complète », « Océane » et « Carnacoise ». Crêpes du mois pas mauvaises du tout, où parfois les fromages anglais s'invitent. *Shocking !* Pour rattraper le tout, kouign-amann maison. Du jamais-vu à Londres ! Bon accueil. *Une autre adresse à Dalston, 12 Kingland High St, ☎ 020-8070-0060, tlj 8h-22h (22h30 ven-sam).*

≈ ☕ **Caffe Forum** *(centre 2, M11, 147)* : 146 Gloucester Rd, SW7 4SZ. ☎ 0207-3730-090. • cafeforum@mail. com • Ⓜ *Gloucester Rd. À 100 m du métro. Tlj 7h-minuit (1h sam-dim). Petits déj 2,50-5 £, plats et pizzas 5-7,50 £.* On vient ici pour les bons petits déj anglais et les jus de fruits maison. On commande au comptoir, et on s'installe en attendant sa commande. Au choix, dans cette maison conviviale, des petits déj bien roboratifs, des sandwichs généreusement garnis, des pizzas, de la petite restauration. La déco est faite de plantes vertes et de photos londoniennes en guise de tapisserie. Quelques tables en terrasse.

|●| 🍴 **Wagamama** *(centre 2, L11, 170)* : 180-182 Earl's Court Rd, SW5 9QG. ☎ 020-7373-9660. Ⓜ *Earl's Court. Tlj 11h-23h (22h dim). Plats 6-15 £.* Comme ses consœurs partout à Londres, la célèbre enseigne arbore une déco minimaliste, de grandes tablées, une cuisine apparente et aligne tous les petits plats japonais qui font son succès. Portions copieuses et prix doux, la formule plaît. Wagamania ! *Autre adresse (la 100ᵉ du groupe !) à Hammersmith (centre 2, K11, 170) : The Old Firestation, 244 Shepherds Bush Rd, W6 7NN. ☎ 208-741-9814. Ⓜ Hammersmith. Tlj 11h-22h (13h jeu-sam). Dans une historique caserne de pompiers.*

|●| **Gourmet Burger Kitchen** *(centre 2, L11, 233)* : 163-165 Earl's Court Rd, SW5 9RF. ☎ 020-7373-3184. Ⓜ *Earl's Court. Tlj 11h-23h30 (22h dim). Burgers 5,50-13 £.*

Gourmet ? Quand même pas, mais gastroburger pour les amateurs de bonnes viandes. Ce petit resto de chaîne est toujours plein comme un œuf. Garnitures souvent très originales (gorgonzola, avocat ou encore kiwiananas). Excellent, y compris les frites ! On commande et on paie au bar.

De bon marché à prix moyens (10-30 £ / 12-34 €)

|●| **Coco Momo** *(centre 2, M11, 136)* : 25 Gloucester Rd, SW7 4PL. ☎ 020-7589-0905. • cocomomokensington@ foodandfuel.co.uk • Ⓜ *Gloucester Rd. Tlj 9h-23h (22h30 dim) ; service jusqu'à 22h (21h dim). Formules lunch 9,50-16 £. Plats 10-14 £.* Grande salle de bistrot lumineuse, avec banquettes, petits recoins pour dîner, terrasse pour siroter et cuisine ouverte. Ambiance chaleureuse et conviviale. On allait oublier les cocktails, tout aussi savoureux et joliment présentés ! Petits plats bien troussés, copieux, réalisés à partir de produits bio locaux. Une halte bienvenue dans le quartier.

|●| **The Pembroke** *(centre 2, M11, 405)* : 261 Old Brompton Rd, SW5 9JA. ☎ 020-7373-8337. • info@thepembrokesw5.co.uk • Ⓜ *West Brompton et Earl's Court. Tlj 12h-minuit (23h dim) ; service non-stop. Plats 13-18 £, pub grub autour de 4 £.* Un *gastropub* à la déco contemporaine avec ce « je ne sais quoi » de britannique. L'ensemble est réussi et les lustres diffusent une douce lumière. La cuisine est réalisée avec soin à base de nobles produits anglais : porc du Hampshire, agneau du Devonshire... À déguster côté bar, où l'ambiance est très festive, ou côté resto, où elle est plus feutrée. Service souriant et remarquable. Une de nos adresses préférées dans les parages !

Où boire un verre ? Où danser ? Où voir un spectacle ?

🍷 🍴 ∞ 🎤 **Troubadour** *(centre 2, M11, 405)* : 263-267 Old Brompton Rd, SW5 9JA. ☎ 020-7341-6333.

• manager@troubadour.co.uk • trou badourlondon.com • Ⓜ *West Brompton. Tlj 9h-0h30. Les soirs de spectacle ou de danse (à partir de 19h), petit supplément.* Coup de cœur ! Vous ne pourrez pas rater sa vitrine remplie de vieilles cafetières et sa porte sculptée extravagante. Un pub *coffee house* de charme, avec 2 petites salles très bohèmes encombrées d'objets chinés et à l'atmosphère chaleureuse. Sans oublier, derrière, une courette verdoyante tout aussi charmante. Spectacles certains soirs (poésie, concerts jazz, rock...), expos temporaires et petite boîte de nuit en fin de semaine. Bob Dylan et Hendrix y ont fait leurs débuts anglais. Quelques plats dont de bonnes *pies*, un hamburger extra, des cocktails et des petits déj. C'est aussi le repaire des Français du quartier. À l'étage, 2 chambres d'hôtes, *The Garret* et *Elenor* !

🍸 *Evans and Peel* (centre 2, M11, **402**) : 310c Earl's Court Rd, SW5 9BA. ☎ 020-7373-3573. ● evansandpeel. com ● Ⓜ Earl's Court. À partir de 17h ; fermé dim-lun ; résa conseillée. Cocktails autour de 12 £. Rien à voir avec Emma Peel de *Chapeau melon et bottes de cuir* et pourtant... Repérez la 3e porte surmontée d'une loupiote avec plaque « Evans & Peel Detective Agency » sur Earl's Court Square et sonnez. La condition pour accéder à ce *speakeasy* ? Un détective vous attend en bas de l'escalier et ne fera pivoter la bibliothèque que si vous lui soumettez une affaire à élucider. À court d'idée ? Pour « belle-mère » c'est *mother-in-law*. Et vous voici délicieusement séquestré dans un bar à cocktails avec vos complices d'une soirée. On conseille le « Better have my honey », une tuerie ! Mais motus, on pourrait nous entendre.

🍸 *Capote y Toros* (centre 2, M11, **555**) : 157 Old Brampton Rd, SW5 0LJ. ☎ 020-7373-0567. Ⓜ *Gloucester Rd. Mar-sam 18h-23h30. Pas de résa, 1er arrivé... Tapas 6,50-15 £.* Chez ce dernier rejeton d'une fratrie hispanique (*Cambio de Tercio* et *Tendido Cero*, dans la même rue), ambiance andalouse tous les soirs avec flamenco et tapas au menu. Le tout sous l'œil de toreros inspirés qui tapissent les murs. Et arrosé de *sherry*, la traduction du fameux xérès produit par les Espagnols, tant apprécié des Grands-Bretons. Il y en a plus de 125 à la carte.

🍸 🎵 Voir aussi **The Pembroke** (centre 2, M11, **405**), cité dans « Où manger ? ».

Marché

🛍 *Shepherd's Bush Market* (centre 2, K10) : *dans la ruelle étroite derrière la station de métro et le gigantesque* shopping mall *de Shepherd's Bush.* ● shepherdsbushmarket.co.uk ● *Lun-sam 9h-18h.* Quelques stands de fruits et légumes, mais surtout beaucoup de babioles, de vêtements et jouets bon marché. Très populaire. Depuis la station de métro Shepherd's Bush, au nord-ouest, on peut aussi faire un petit tour dans *Uxbridge Road (centre 2, K10),* qui abrite quelques épiceries exotiques.

À voir

🛍 *Brompton Cemetery* (centre 2, L11) : 2 entrées, soit Fulham Rd, soit Old Brompton Rd. ☎ 020-7351-1689. ● brompton-cemetery.org ● Ⓜ West Brompton ou Earl's Court. Ouv du lever à la tombée du jour. Possibilité de visite guidée (10-12 £), calendrier en ligne. Il date du XIXe s et compte plus de 200 000 sépultures, sur 16 ha. C'est aujourd'hui un lieu de promenade paisible au milieu des pierres tombales qui se dressent dans l'herbe. Les vélos sont même admis. On y croise des écureuils et des corneilles assez lugubres, qui ont l'air de garder l'endroit. Béatrix Potter, le célèbre auteur d'albums pour enfants, qui vivait dans les parages, s'est inspirée de noms gravés sur les tombes pour baptiser ses personnages.

HOLLAND PARK ET KENSINGTON

● Pour se repérer, voir le centre 2 détachable en fin de guide.

Au XIXᵉ s, les environs de Holland Park étaient encore très campagnards, avec de grands espaces verts. Puis les propriétés se sont morcelées pour donner naissance à un quartier résidentiel où s'installèrent de nombreux artistes aux XIXᵉ et XXᵉ s. C'est aujourd'hui l'un des quartiers les plus chers de Londres, mais aussi de la planète ! Il n'en demeure pas moins qu'il reste encore l'esprit « village » par endroits, mais avec ce petit quelque chose en plus de chic et d'un peu compassé. Ne pas manquer de faire une balade dans Holland Park et dans les ruelles autour de l'église Saint Mary Abbots. Sir Terence Conran, le pape du design anglais, a décidé de faire du quartier l'un des fleurons du design mondial en y installant l'inspirant Design Museum.

Où dormir ?

De bon marché
à prix moyens
(jusqu'à 90 £ / 105 €)

🏠 *Safestay Holland Park* (centre 2, L10, 88) : Holland Walk (la rue qui borde à l'est Holland Park), W8 7QU. ☎ 020-7870-9629. ● reception-khp@safestay.com ● safestay.com ● Ⓜ Holland Park ou High St Kensington. Dortoirs 4-33 lits 15-35 £/pers, doubles 84-96 £. Voici un *poshtel* (une auberge de jeunesse *posh*, classe quoi !) nouvelle génération, au cœur du charmant Holland Park. Il occupe trois corps de bâtiment, dont l'un historique datant du XVIIᵉ s. Les chambres doubles ou familiales *en suite* ne sont pas données, mais se révèlent vraiment sympas, certaines avec terrasse privative. Même les dortoirs de 33 lits semblent presque intimes avec leurs nombreux recoins, leurs rideaux et prises individuels. Espaces communs dans le même esprit, lumineux, moquettés, décorés avec humour et originalité. Très calme.

Petit déj possible, laverie. Un bon plan bucolique destiné aussi bien aux fauchés qu'aux familles. Le soir, éviter de traverser le parc seul(e).

Très chic
(plus de 120 £ / 140 €)

🏠 *Kensington House Hotel* (centre 2, M10, 73) : 15-16 Prince of Wales Terrace, W8 5PQ. ☎ 020-7937-2345. ● reservations@kenhouse.com ● ken house.com ● Ⓜ High St Kensington. Doubles 120-174 £ pour les standard, petit déj continental inclus. On a presque l'impression d'une *guesthouse*, malgré la quarantaine de chambres de ce boutique-hôtel. Ambiance et déco chaleureuses, pas de luxe tapageur, juste un confort total et une élégance raffinée entre stores vénitiens et moquettes épaisses. On aime bien les chambres au dernier étage (les moins chères), pas bien grandes mais romantiques, avec vue sur les toits. Accueil souriant et dévoué.

Où manger ?

Sur le pouce
(moins de 10 £ / 12 €)

➤ *Café de Fred* (centre 2, L10, **294**) : 10 A Earl's Court Rd, SW8 6EA. ☎ 020-7938-1556. ● orders@cafe defred.co.uk ● Ⓜ High St Kensington. Tlj 7h-19h (9h-17h dim). Plats 3-6 £. Un petit snack tout simple et propret à 2 pas de Holland Park. Large choix de bons sandwichs frais, soupes, *baked potatoes* et quelques plats du jour *(today's specials)* à prix démocratiques. Bien aussi le matin pour un copieux *English breakfast* et un véritable *espresso*.

De bon marché
à prix moyens
(10-30 £ / 12-34 €)

Ⓘ●Ⓘ *Ffionas* (centre 2, L10, **404**) : 51 Kensington Church St, W8 4BA. ☎ 020-7937-4152. Ⓜ High St Kensington. ● ffiona@ffionas.com ● Mar-sam 18h-23h ; dim 19h-22h ; ven-dim brunch 9h-15h. Fermé lun. Résa conseillée. Brunch et breakfast 6,50-20 £, plats 13-23 £. Une adresse comme on n'en trouve plus beaucoup ! Derrière la façade discrète de ce resto niché dans une rue passante, une bonbonnière décorée de partitions de musique, tables en bois brut, grosse moquette et bouquets de fleurs fraîches, passion de la généreuse propriétaire. Avec son sourire elle a conquis sa grande famille d'habitués, venus se régaler de bons produits et de grands

classiques britanniques : œufs Bénédicte, *fish & chips*, *Yorkshire pudding*... L'un de nos coups de cœur dans le quartier, le tout en musique.

Ⓘ●Ⓘ Ⓨ *The Scarsdale Tavern* (centre 2, L11, **225**) : 23 Edwardes Sq, W8 6HE. ☎ 020-7937-1811. ● scarsdale@ful lers.co.uk ● Ⓜ High St Kensington. Dans Earl's Court Rd, tourner dans Earl's Walk. Tlj 12h-23h (22h30 dim). Plats 6-26 £. Avec son joli bout de terrasse égayé par des fleurs aux beaux jours et son cadre chaleureux tout de boiseries, ce pub traditionnel draine une clientèle fidèle. Celle-ci apprécie autant la *real ale* tirée ici que le feu dans la cheminée ou encore la cuisine, savoureuse, à base de produits de saison, à déguster au pub ou dans la jolie salle avec cuisine ouverte. On s'y sent bien, on y mange bien, l'ambiance y est authentique ; bref, un autre coup de cœur !

Ⓘ●Ⓘ *Maggie Jone's* (centre 2, M10, **230**) : 6 Old Court Pl, W8 4PL. ☎ 020-7937-6462. ● info@maggie-jones. co.uk ● Ⓜ High St Kensington. Tlj 12h-14h30, 18h-22h30. Résa conseillée. Le midi, formule (soupe et salade) 12 £ et plats 9-16 £ ; Sunday roasts 16-20 £. Le soir, plats 15-28 £. On a l'impression d'entrer dans une vieille maison de campagne, avec plein d'objets suspendus ici ou là, des vieux bouquets séchés, des bougies consumées dans des culs de bouteilles, des coins et petits recoins et, surtout, des plats qui font la part belle au terroir anglais. Du gibier mais aussi de délicieux *kidney pies*, *stilton* et autre *bread and butter pudding* (notamment pour le *Sunday lunch*). On adore !

Où boire un verre ?

Ⓨ *Elephant & Castle* (centre 2, L10, **371**) : 40 Holland St, W8 4LT. ☎ 020-7937-6382. Ⓜ High St Kensington. Tlj 11h-23h (12h-10h30 dim). Plats env 9-15 £. Un adorable petit pub de quartier, dont la terrasse empiète sur le croisement de rues résidentielles. À l'intérieur, que des réguliers, accoudés au

comptoir le temps de commenter les derniers cancans du voisinage. Un peu hors du temps, un peu loin de tout, un havre de paix pittoresque et authentique. *Pub grub* classique. Terrasse aux beaux jours.

Ⓨ Voir aussi nos adresses mentionnées dans « Où manger ? ».

HOLLAND PARK ET KENSINGTON

À voir. À faire

🎭 Holland Park *(centre 2, L10)* est une halte bienvenue avec ses espaces paysagés et doucement vallonnés, son jardin japonais peu connu et pourtant adorable, ses joueurs d'échecs, ses paons, ses terrains de sport (gratuits !) et ses représentations d'opéra l'été.

🎭🎭 Design Museum *(centre 2, L10) :* Kensington High St. • designmuseum.org • *Dans l'ancien Commonwealth Institute. Tlj 10h-18h (ven 20h), dernière entrée à 17h. GRATUIT, expos temporaires payantes.* Dans des locaux réaménagés par l'architecte John Pawson, aidé en cela par Sir Terence Conran, l'un des généreux donateurs. La forme même du bâtiment s'inspire d'une... tente, comme une vague de béton, avec un escalier-forum central de bois blond. Collection permanente au dernier étage, qui donne à réfléchir sur la manière de créer, d'utiliser et d'imaginer le design d'hier à aujourd'hui à travers l'évolution de nombreux objets présentés de façon ludique. L'ensemble manque un peu d'explications concrètes. Expositions temporaires intéressantes, resto panoramique et boutique.

🎭🎭🎭 Leighton House Museum *(centre 2, L10) :* 12 Holland Park Rd. ☎ 020-7602-3316 *(sem)* ou 020-7471-9160 *(w-e). Tlj sauf mar 10h-17h30. Entrée : 9 £ (plus cher pdt les expos temporaires), réduc.* Maison du peintre victorien Frédéric Leighton (1830-1896), ancien membre de la Royal Academy of Arts, adepte de la mythologie grecque ou romaine. La construction de sa maison, commencée en 1864, et l'aménagement vont durer plus de 30 ans et témoignent de sa fascination pour l'Orient. Au fil des pièces, on découvre de belles marqueteries, des céramiques, des tentures, de la poterie, mais aussi de nombreux tableaux, dessins et esquisses. Bizarrement, sa chambre et son petit lit sont tristounets à côté de l'ensemble remarquable.

➢ Ne pas hésiter à traîner dans les petites ruelles entre la sortie du métro High Street Kensington et le parc, autour de St Mary Abbots. On se croirait téléporté dans une autre époque. Petites échoppes hors d'âge, notamment sur **Kensington Church Walk,** avec boutique de fripes d'un genre unique : que des classiques anglais à vendre, du trilby au gilet de cricket en passant par le bibi à dentelles. L'idéal avant les fameuses courses de chevaux d'Epsom !

– Voir la partie sur le **Londres résidentiel** dans le chapitre « Brompton, Chelsea et South Kensington. Monuments et balades », en particulier pour Kensington Palace et les *gardens* attenants.

NOTTING HILL (PORTOBELLO) ET BAYSWATER

● Pour se repérer, voir le centre 2 détachable en fin de guide.

L'un des coins les plus connus de Londres avec son ambiance de gros village tranquille, son petit côté populaire à la lisière nord, qui devient hyper branché et qui tranche avec sa partie sud, très largement embourgeoisée. Les rues sont alors bordées d'élégantes demeures aux façades en stuc, ce qui contribue amplement à son charme. L'architecte qui en traça les plans décida de placer les habitations autour de jardins cachés aux yeux des promeneurs (et non l'inverse, comme souvent ailleurs). Au début du XIXe s, le quartier, alors insalubre, abritait les briqueteries et tuileries qui contribuèrent à la construction de Londres. On y vient aujourd'hui pour le shopping, entre les boutiques tendance, les antiquaires et les magasins d'occasion *(second hand shops)*.

NE PAS MANQUER : le très populaire marché aux puces de Portobello Road le samedi et, bien sûr, le carnaval de Notting Hill le dernier week-end d'août, l'un des rassemblements de rue les plus importants d'Europe, rappelant le caractère éminemment multiracial de Notting Hill, et de Londres plus généralement.

Où dormir ?

Bayswater, la partie est de Notting Hill, est un quartier bourré d'hôtels (plus ou moins chers mais de qualité médiocre en général), bordé au sud par Hyde Park et Kensington Gardens. Situation idéale donc. Pas mal d'AJ également, parmi lesquelles on a sélectionné les meilleures.

Location d'appartements

🏠 **Grand Plaza** *(centre 2, L9, 86)* : 42 Prince's Sq, W2 4AD. ☎ 020-7985-8000. ● reservations@grandplazaemail.co.uk ● grand-plaza.co.uk ●

Ⓜ *Bayswater.* ♿ *Studettes 2 pers 89-188 £, lit supplémentaire en sus. Apparts 3-6 pers 129-380 £.* Une adresse de standing proposant tout le confort souhaité pour voyager en famille. Les 200 studettes et appartements, modernes et élégants, sont soignés dans le moindre détail. Tout équipé (kitchenette, TV, service laverie). Draps changés tous les 3 jours. Choisissez bien en fonction de vos besoins : les studios sont parfois plus spacieux que les appartements (superficies sur le site). Accueil et service disponibles.

Auberges de jeunesse et *student halls* (moins de 35 £ / 41 €)

🛏 *LHA, Bowden Court House* (centre 2, L9, **89**) : 24 Ladbroke Rd, W11 3NN. ☎ 020-3740-2429. ● bowden@lhalondon.com ● lhalondon. com ● Ⓜ Notting Hill Gate. Compter env 21,80-40,50 £/pers, en chambre simple, double ou triple, petit déj et 1 repas au self inclus. Chambres non mixtes. Cette grande résidence étudiante (plus de 260 places) est installée dans un superbe immeuble de style moderniste, en brique rouge, typique des années 1940. Les chambres pourvues d'un lavabo sont sobres et fonctionnelles. Salle de sport à côté de la laverie (parfait pour patienter entre 2 lessives !), baby-foot, salon avec grand écran télé, etc. Plutôt fréquenté par des pensionnaires au long cours (nombreux Français). Les lits vacants sont attribués 1 ou 2 semaines avant en fonction des disponibilités. Accueil chaleureux et serviable.

🛏 *LHA, Sandeman Allen House* (centre 2, M9, **95**) : 40 Inverness Terrace, W2 3JB. ☎ 020-3740-9803. ● sandeman@lhalondon.com ● lhalondon. com ● Ⓜ Bayswater ou Queensway. Chambres et dortoirs 1-6 pers 25-33 £/ pers, réduc sur Internet et les plateformes de résa, petit déj et un repas au self inclus. Cette résidence étudiante occupe 4 bâtisses de caractère, dans une rue résidentielle agréable. Un vrai labyrinthe ! Charme des plus fonctionnel, pour ne pas dire clinique, mais le tout est clair, bien conçu et très bien tenu, à l'image de la salle à manger. Douches et w-c en commun, laverie, salle de sport (hélas que pour les longs séjours). Réserver 1 à 2 semaines avant pour profiter de tarifs avantageux. Un vrai bon plan pour Londres.

🛏 *Astor Queensway* (centre 2, M9, **93**) : 45 Queensborough Terrace, W2 3SY. ☎ 020-7229-7782. ● queensway@astorhostels.com ● astorhostels.com ● Ⓜ Queensway ou Bayswater. À 2 mn à pied de Kensington Gardens. Dortoirs 4-8 lits 16-32 £/pers, doubles à partir de 85 £. Prix selon saison, moins cher à la sem.

Petit déj 1 £ (pour une bonne cause). Auberge espagnole très sympa, réservée aux 18-40 ans, même si l'organisation et l'entretien relèvent parfois du flou artistique. La réception est un gentil foutoir d'objets hétéroclites. Dortoirs vraiment très basiques et sanitaires ornés de fresques, le tout peuplé de jeunes fêtards (programme des festivités à l'entrée et activités gratos quotidiennes). Cuisine à disposition, lavelinge, coffre-fort dans les chambres et petite salle TV avec Netflix à l'entrée. Ambiance générale un peu punky pour ceux qui aiment.

De prix moyens à plus chic (50-120 £ / 58-140 €)

🛏 *Caring Hotel* (centre 2, M9, **128**) : 24 Craven Hill Gardens, W2 3EA. ☎ 020-7723-0888. ● enquiries@ caringhotel.co.uk ● caringhotel.co.uk ● Ⓜ Bayswater. Doubles 60-100 £, petit déj inclus ; familiales (promos sur Internet). Un hôtel sans esbroufe, très propre, dans une rue au calme. Toutes les options possibles dans les chambres, en fonction de son budget : avec ou sans douche, avec ou sans w-c (partagés à 3 chambres max dans ce cas). Plus on monte dans les 4 étages (sans ascenseur), plus c'est lumineux. On n'atteint pas des sommets niveau déco et certaines chambres sont plutôt riquiqui, mais le tout est fort bien tenu, voire cosy, et l'accueil pro. Vu la situation et les tarifs, on adoube.

🛏 *London House Hotel* (centre 2, M9, **96**) : 81 Kensington Gardens Sq, W2 4DJ. ☎ 020-7243-1810. ● reservations@londonhousehotels.com ● londonhousehotels.com ● Ⓜ Bayswater. Doubles 59-194 £, family rooms 80-214 £ (promos sur Internet). Petit déj en sus. Le hall d'entrée tout blanc et design ne trompe pas sur la marchandise. Il s'agit d'un confortable hôtel doté de chambres fonctionnelles et agréables, qu'on jugerait presque grandes pour Londres et donnant pour certaines sur une place verdoyante. L'ensemble est lumineux et tout confort (salles de bains nickel, ascenseur...).

Question déco, l'adresse joue la sobriété. Un bon rapport qualité-prix, surtout en basse saison. Accueil très cordial.

🏠 **Garden Court Hotel** (centre 2, L-M9, **67**) : 30-31 Kensington Gardens Sq, W2 4BG. ☎ 020-7229-2553. ● info@gardencourthotel.co.uk ● gardencourthotel.co.uk ● Ⓜ Bayswater. Doubles 44-129 £, familiales 59-179 £ selon période. Petit déj continental inclus. Le genre d'adresse traditionnelle, installée dans une grande et belle demeure victorienne. Une quarantaine de chambres décorées de façon classique mais fonctionnelle pour certaines, plus moderne et contemporaine pour d'autres. Jolie vue sur un jardin privé et salles communes pour un *tea*.

De plus chic à très chic (plus de 90 £ / 105 €)

🏠 **New Linden Hotel** (centre 2, L9, **401**) : 58-60 Leinster Sq, W2 4PS. Donne sur Hereford Rd. ☎ 020-7221-4321. ● newlinden@mayflowercollection.com ● newlinden.co.uk ● Ⓜ Bayswater. Doubles 80-155 £, petit déj continental inclus. Familiales. Cette maison édouardienne a été entièrement rénovée et se distingue par son excellent rapport qualité-prix dans ce quartier qui foisonne d'hôtels. Un vrai effort de déco, dans un esprit extrême-oriental (couleurs chaudes, bois exotique) dès l'accueil, et une cinquantaine de chambres tout confort, même si les plus grands se sentiront peut-être à l'étroit. L'accueil y est en tout cas charmant.

🏠 **The Byron Hotel** (centre 2, M9, **90**) : 36-38 Queensborough Terrace, W2 3SH. ☎ 020-7243-0987. ● capricornhotels.co.uk/hotel_byron/ ● byron@capricornhotels.co.uk ● Ⓜ Bayswater. Doubles 80-160 £, petit déj continental inclus. L'hôtel occupe 2 élégantes maisons victoriennes de 5 étages (rassurez-vous, il y a un ascenseur). Une quarantaine de chambres pas bien grandes mais confortables, agréablement aménagées avec du mobilier en bois clair. On prend son petit déj dans une salle à manger plaisante. Cher en saison, certes, mais l'adresse se défend dans sa catégorie.

Spécial coup de folie (plus de 200 £ / 232 €)

🏠 **The Portobello Hotel** (centre 2, L9, **127**) : 22 Stanley Gardens, W11 2NG. ☎ 020-7727-2777. ● stay@portobellohotel.com ● portobellohotel.com ● Ⓜ Notting Hill Gate ou Ladbroke Grove. Doubles à partir de 225 £, petit déj continental inclus. L'entrée de cet hôtel de charme et au calme est très discrète mais facilement identifiable par ses 2 buis taillés en pointe. Bon, d'accord, ce n'est pas donné, d'autant que les standard n'ont pas le charme des plus chères. Mais pas une chambre ne ressemble à une autre. Lits à baldaquin victoriens, couleurs chaleureuses des boiseries et des tentures, vue sur le parc ou sur la rue (pas passante du tout)... Il y en a même une avec une vieille baignoire au cœur de la chambre *(so romantic !)*. Quelle élégance ! Tout confort naturellement, salon cosy pour le *teatime*, et prestations soignées. De nombreux artistes y élisent domicile.

Où manger ?

Très bon marché (moins de 10 £ / 12 €)

🥖 **Mr Christian's** (centre 2, L9, **214**) : 11 Elgin Crescent, W11 2JA. ☎ 020-7229-0501. ● shop@mrchristians.co.uk ● Ⓜ Ladbroke Grove. Lun-sam 7h30-19h (18h30 sam), dim 9h-17h. Sandwichs 3-6 £, soupe du jour env 3 £. Une épicerie-marchand de vins comme on les aime, à la vitrine appétissante. Sandwichs, salades et produits frais, pains aux olives, fromages et saucissons. De quoi s'en payer une tranche pour pas trop cher, accompagnée d'un bon verre de vin ! Une poignée de tables, ou à emporter.

≋ |●| *Gail's* (centre 2, L9, *300*) : 138 Portobello Rd, W11 2DZ. ☎ 020-7792-8715. Ⓜ *Notting Hill Gate. Tlj 7h (8h sam-dim)-19h (20h sam-dim). Sandwichs 4-5 £.* Une vraie boulangerie pour croquer dans une tarte salée, sucrée, un petit pain garni ou des sucreries. Parfait pour un en-cas, un goûter, à l'intérieur comme à l'extérieur, avant d'aller arpenter les étals de Portobello. D'autres adresses dans Londres.

|●| *Kitchen and Pantry* (centre 2, L9, *214*) : 14 Elgin Crescent, W11 2HX. ☎ 020-7727-8888. Ⓜ *Notting Hill Gate. Lun-sam 7h-21h (20h sam), dim 8h-20h. Breakfasts 4-7 £, sandwichs autour de 4 £.* Plus bobo, tu meurs ! Une grande salle avec son parquet et ses grands sofas, pour goûter les *breakfasts* énergétiques et bio à souhait. *Wraps* bien épais, composés sur place avec légumes et assaisonnements maison ou salades, crêpes, voire glaces tout aussi artisanales et multi primées. Tous les branchés du coin s'y retrouvent pour le petit déj, le brunch ou... la terrasse au soleil !

|●| *Books for Cooks* (centre 2, L9, *245*) : 4 Blenheim Crescent, W11 1NN. ☎ 020-7221-1992. ● info@books forcooks.com ● Ⓜ *Ladbroke Grove. Mar-sam 10h-18h (beaucoup de monde, et les marmites sont vides dès 13h). Fermé les 3 dernières sem d'août, 10 j. à Noël et j. fériés. Menu à moins de 10 £.* Que vaudrait la théorie sans la pratique ? Dans cette librairie minuscule considérée par tous comme le temple de la littérature gastronomique, l'arrière-boutique est devenue une cuisine de maison de poupée où l'on concocte chaque jour un menu différent. Et c'est du sérieux : les produits sont bio et le pain est pétri avec amour. Et si on a particulièrement apprécié le plat du jour, on peut repartir avec le livre de recettes de la maison.

|●| *Fresco* (centre 2, M9, *241*) : 25 Westbourne Gr, W2 4UA. ☎ 020-7221-2355. ● cafe.fresco@hotmail. com ● Ⓜ *Bayswater. Tlj 9h-22h. Plats à partir de 4,50 £.* Joli snack libanais aux couleurs vives, idéal pour s'offrir un succulent taboulé, un *mezze* ou quelques falafels parfumés, quelques douceurs sucrées, à prix démocratiques.

Également des cocktails de fruits frais pleins de vitamines. Le cadre est sympa, l'accueil souriant et les produits de qualité. Quelques tables. Terrasse.

Bon marché
(10-20 £ / 12-23 €)

|●| ▼ ∞) *The Tabernacle* (centre 2, L9, *373*) : 35 Powis Sq, W11 2AY. ☎ 020-7221-9700. ● amandla@taber nacleW11.com ● tabernaclew11. com ● Ⓜ *Westbourne Park et Ladbroke Grove. Tlj 9h-23h (23h30 jeu, minuit ven-sam, 22h30 dim). Breakfasts (jusqu'à 12h) 6-10 £, plats 6-11 £.* Un lieu splendide, construit en brique rouge à la fin du XIXe s. Et aujourd'hui, encore un vrai lieu de vie, à la fois salle de concerts et de spectacle (Adèle, James Blunt ou les Rolling Stones s'y sont produits !), galerie d'art, école de danse, et enfin resto et bistrot. Grands canapés ou tables sur la terrasse. L'idéal pour apprécier un curry caribéen, croquer dans un burger, déguster un risotto ou la soupe du jour.

|●| *Mazi* (centre 2, L10, *307*) : 12-14 Hillgate St, Kensington, W8 7SR. ☎ 020-7229-3794. Ⓜ *Notthing Hill. Lun 18h30-22h30, mar-dim 12h-15h et 18h30-22h30 (22h dim). Fermé lun midi. Plats 12-15 £.* Une adresse de poche, plutôt cosy avec déco patinée en bois et brique blanche, pour célébrer la cuisine grecque. Très romantique le soir avec les petites bougies, et sympa l'été en terrasse. Produits importés ou rigoureusement sélectionnés aux alentours de la capitale. Petit verre (dé à coudre !) en apéro offert. Carte originale et bien tournée travaillant aussi bien poisson, viande et légumes. Fin et délicat. Ne pas manquer de passer par la case « *toilet* » pour réviser ses classiques grecs ! Accueil sympa.

|●| *Redemption* (centre 2, L9, *179*) : 6 Chepstow Rd, W2 5BH. ☎ 020-7313-9041. ● nottinghill@redemptionbar. co.uk ● Ⓜ *Notting Hill Gate. Mar-ven 12h-22h30, sam 10h-22h30, dim 11h-17h. Bol du jour 9 £.* Une halte confortable, élégante et décontractée, avec banquettes et gros coussins ou tables de bistrot. Parfait pour se refaire une

santé. Carte à dominante veggie (riz, *kalé*, légumes) sous l'œil protecteur de Bouddha. À chaque jour son programme : le lundi détox, le mardi rééquilibrage, etc. Accueil sympa. Terrasse.

I●I *Geales* (centre 2, L10, **244**) : 2 Farmer St, W8 7SN. ☎ 020-7727-7528. ● info@geales.com ● **Ⓜ** Notting Hill Gate. Mar-ven 12h-15h, 17h30-23h ; sam-dim 12h-23h. Plats 13-37 £, gratuit pour les enfants dim. Le resto est installé au calme dans une petite rue bordée de maisons colorées. Ouvert depuis 1939, le *Geales* porte plutôt bien son âge. Sa charmante salle tout en sobriété dans les tons gris est devenue une petite référence locale pour déguster du poisson à différentes sauces comme cette délicieuse *fish pie* (tourte de poisson) ou son célèbre *fish & chips* servi avec largesse. Desserts britanniques dans la plus pure tradition. Terrasse.

I●I 💺 *Granger & Co* (centre 2, L9, **310**) : 175 Westbourne Gr, W11 2SB. ☎ 020-7229-9111. ● info@grangerandco.com ● **Ⓜ** Notting Hill Gate. Lun-sam 7h-23h, dim 8h-22h30. Breakfasts 3-14 £ ; plats 10-17 £ le midi, 14-17 £ le soir. Une immense salle baignée de lumière où l'on vient grignoter à toute heure, souvent entre 2 séances de shopping effréné... Originaire d'Australie, le concept repose sur la fusion et la fraîcheur. Résultat, de jolies assiettes pleines de saveurs, de couleurs et de vitamines. Ambiance chic et décontractée, service alerte et souriant, et terrasse.

I●I *Alounak* (centre 2, L9, **319**) : 44 Westbourne Gr, W2 5SH. ☎ 020-7229-0416. ● **Ⓜ** Bayswater. Tlj 12h-minuit. Plats env 7-21 £. Une des références de la cuisine perse. Petite adresse sans prétention qui ne désemplit pas. Cuisine simple et chaleureuse, comme un poulet au riz et à la canneberge (l'une des spécialités maison). Éviter de se placer près de la porte entre le four à pain et les clients en attente. La porte à côté, c'est *Alounak Express,* pour un jus, une petite portion à emporter et, surtout, la glace au safran.

I●I *Windsor Castle* (centre 2, L10, **369**) : 114 Campden Hill Rd, W8 7AR.

☎ 020-7243-8797. **Ⓜ** Notting Hill Gate. Tlj 12h-23h (22h30 dim). Plats 12,50-22 £ ; Sunday roasts 16-18,50 £. Les grosses lanternes éclairent une enseigne grinçante et une façade blanche, dont les huisseries noires laissent deviner un intérieur sombre comme une grotte. On y voit à peine plus que dans un verre de Guinness ! Du bois, des fauteuils en cuir, un comptoir de compét et des portes très basses à déconseiller aux éthyliques. La cerise sur le gâteau : une cour intérieure des plus charmantes, chauffée en hiver ! Cuisine traditionnelle de pub très correcte, à prix modérés, et une belle collection d'*India pale ales*.

I●I *Hereford Road* (centre 2, L9, **240**) : 3 Hereford Rd, W2 4AB. ☎ 020-7727-1144. ● info@herefordroad.org ● **Ⓜ** Bayswater. Tlj 12h-14h30 (16h dim), 18h-22h. Lunch lun-ven 13,50-15,50 £ ; plats 14-16,50 £. Il y a des signes qui ne trompent pas, comme celui d'apercevoir le chef aux fourneaux dès 9h le matin, épluchant gaiement les légumes du jour dans sa cuisine grande ouverte... Dès lors, rien d'étonnant à ce que l'on se régale en salle dans un cadre élégant ou en terrasse de plats de saison glorifiant l'Angleterre dans ce qu'elle produit de meilleur : porc de Blythburgh, légumes oubliés et produits fermiers... Desserts à l'avenant. Et pour une fois, si la cuisine est gastronomique, les prix n'ont rien d'astronomique.

I●I *Taqueria* (centre 2, L9, **234**) : 141-145, Westbourne Grove, W11 2RS. ☎ 020-7229-4734. ● info@taqueria.co.uk ● **Ⓜ** Bayswater ou Royal Oak. Tlj 12h-23h (23h30 ven-sam, 22h30 dim). Tacos 7,50-24 £, menus lunch 7,50-11 £. 3 salles toutes simples pour cette cantine mexicaine qui trie ses fournisseurs sur le volet. À la carte, *quesadillas,* tacos et délicieux chorizo maison. Les plats sont assez relevés, mais rien de tel qu'une coupe de *margarita* pour vous mettre en appétit. Tout cela sous l'œil peu rigolard du révolutionnaire Zapata. On peut aussi se contenter d'un *Mexican hot chocolate,* à base de cannelle et d'amande, la spécialité de la maison. Service *rápido,* ce qui ne gâche rien.

I●I 💺 *Pizza East* (hors centre 2 par

L9, **327**) : 310 Portobello Rd, W10 5TA.
☎ 020-8969-4500. • reception@piz
zaeastportobello.com • Ⓜ Ladbroke
Grove ou Westbourne Park. Suivre Portobello Rd jusqu'au bout, à l'angle avec
Golborne Rd. Tlj de 8h à minuit (1h
ven-sam, 23h dim). Plats 8-18 £, pizzas
11-15 £. Non, ce n'est pas une énième
pizzeria impersonnelle ! Nous voilà
dans un ancien pub georgien, complètement réhabilité mais qui laisse apparaître quelques traces de son ancien
décor. On s'installe dans un joyeux
brouhaha, soit le long des longs comptoirs en marbre, pour siffler une Peroni,
soit en salle, autour de tablées chaleureuses, mais toujours proche du four à
bois. Les plats sont généreux, avec une
petite touche méditerranéenne ; le chef
a fait ses classes dans les meilleurs
restos italiens de la capitale. Les pizzas
ne sont pas en reste.

|●| **The Cow** (centre 2, L9, **246**) :
89 Westbourne Park Rd, W2 5QH.
☎ 020-7221-0021 ou 5400. • office@
thecowlondon.co.uk • Ⓜ Royal Oak ou
Westbourne Park. Tlj 12h-23h (minuit
ven-sam et 22h30 dim) et 18h-23h.
Menu en semaine 27 £, plat du jour
12 £. Une de nos adresses préférées
dans le coin ! Souvent bondé, The Cow
appartient au fils du designer Terence
Conran, créateur de la chaîne Habitat
et des Conran Shop. Au choix, en fonction de l'heure et de l'affluence, saloon-
bar au rez-de-chaussée, à l'ambiance
assez crazy et décontractée où l'on
partage des plats au coude-à-coude
dans un joyeux brouhaha, ou une petite
salle rétro et plus intime à l'étage. Ou
alors la terrasse, été comme hiver ! Pas
donné, mais plats traditionnels délicieux et copieux. Service efficace et
souriant. Excellente sélection de whiskies, bières et vins. Gentiment branché
tout en restant dans la tradition.

|●| **The Ladbroke Arms** (centre 2,
L9, **250**) : 54 Ladbroke Rd, W11 3NW.
☎ 020-7727-6648. • enquiries@
ladbrokearms.com • Ⓜ Notting Hill
Gate. Lun-ven 12h-14h30 et 19h-
22h, sam 12h30-15h et 19h-22h30,
dim 12h-21h. Plats 16-28 £. Un très
joli gastropub de quartier qui vaut le
déplacement. Cuisine soignée et ima-
ginative à base de produits frais et de
qualité mis en valeur par des cuissons

bien maîtrisées. Le cadre est agréable,
confortable et lumineux, avec de nombreuses gravures. Tables près de la
cheminée ou dans la salle derrière le
bar, ou terrasse fleurie et chauffée aux
beaux jours. Bonne ambiance où les
rires fusent. On adore !

|●| **Hafez** (centre 2, L9, **240**) : 5 Here-
ford Rd, W2 4AB. ☎ 077-9112-
4443. • info@hafezrestaurant.co.uk •
Ⓜ Bayswater. Tlj 12h-minuit. Plats
9-15 £. Petit resto iranien d'apparence
anodine, proposant de bonnes spécialités de viandes grillées marinées,
dont les classiques kebabs. Les plats
sont bons et l'accueil est très aimable.
Quelques tables sur la rue pour les
jours ensoleillés, plats à emporter pour
les plus pressés. Déco de cuillères
amusante.

|●| **The Prince Bonaparte** (centre 2,
L9, **232**) : 80 Chepstow Rd, W2 5BE.
☎ 020-7313-9491. • info@theprince
bonapartew2.co.uk • Ⓜ Royal Oak.
Lun-sam 12h-23h (22h30 dim). Plats
14-28,50 £. Un vaste gastropub trendy
à souhait dans une joviale ambiance
fifties. Des abat-jour diffusent une
lumière tamisée sur les motifs rétros du
papier peint. Cuisine généreuse et bien
maîtrisée avec de traditionnels angus
beef et des grillades. D'autres plats
où fleure bon la Méditerranée, si chère
à Bonaparte, et d'autres aux saveurs
asiatiques. N'hésitez pas à prendre
place autour du large comptoir en fer
à cheval.

|●| **Electric Diner** (centre 2, L9, **458**) :
191 Portobello Rd, W11 2ED. ☎ 020-
7908-9696. Ⓜ Ladbroke Grove. Lun-
mer 8h-minuit, jeu-sam 8h-2h (1h
jeu), dim 8h-23h. Sandwichs, brunch
et plats 6-22 £. Réduc avec un ticket
de ciné lun-ven. Accolé au cinéma du
même nom, un resto qui ne désemplit
pas. La version londonienne du diner à
l'américaine. Une grande salle tout en
longueur avec tables bistrot, longues
banquettes et cuisine ouverte. Carte
classique avec sandwichs, steaks et
autres salades. Bon plan aussi pour le
petit déj ou le brunch.

|●| **Aphrodite Taverna** (centre 2,
L9, **240**) : 15 Hereford Rd, W2 4AB.
☎ 020-7229-2206. • info@aphrodite
restaurant.co.uk • Ⓜ Bayswater. Tlj
sauf dim 12h-23h45. Plats 11-27 £.

D'un côté, le petit café pour se ravitailler sans chichis en journée (voir plus haut), de l'autre, la taverne hyper kitsch pour passer une soirée chaleureuse, ainsi qu'une petite terrasse à partager aux beaux jours. Clientèle d'habitués, ambiance du tonnerre de Zeus. Dans l'assiette, cuisine grecque savoureuse, à tel point que les fourchettes frétillent au rythme du sirtaki. Accueil agréable et service très efficace.

I●I Voir aussi *The Westbourne* (centre 2, L9, *380*) dans « Où boire un verre ? ».

Prix moyens (20-30 £ / 23-34 €)

I●I *The Shed* (centre 2, L9, *615*) : 122 Palace Gardens Terrace, W8 4RT. ☎ 020-7229-4024. ● info@theshed-restaurant.com ● Ⓜ Notting Hill Gate. Mar-sam 12h-15h (16h40 sam) ; tlj 18h-23h. Plats 6-16 £. Bois brut, tables posées sur des bidons, joyeuse ambiance de basse-cour... On a vraiment l'impression de pénétrer dans une grange retapée pour apprécier ce que la *countryside* anglaise peut offrir de mieux, jusqu'au vin de pays. Pour ceux que ça botte, ici tout vient de fermes soigneusement choisies, et cela se ressent dans l'assiette, sous la forme de tapas goûteuses, aux mariages de saveurs parfois originaux. Service en chemise à carreaux et à la vitesse d'un John Deere dernier cri. Et pour clore le tout, on ne vous plume pas ! Un coup de cœur.

I●I *Farmacy* (centre 2, L9, *616*) : 74 Westbourne Grove, W2 5SH. ☎ 020-7221-0705. ● nottinghill@farmacy london.com ● Ⓜ Bayswater. Lun-ven 9h-17h, 18h-22h, sam 9h-16h, 18h-22h et dim 9h-16h et 18h-21h30. Plats 15-18 £. Une bien drôle d'officine que cette *farmacy*-là ! Autour d'un grand comptoir central, surmonté de plantes et de bien étranges potions, on s'installe sur de hauts tabourets, ou sur les banquettes en salle. Au menu, impossible d'échapper à la mode des « bols », au choix : mexicain, oriental, macrobiotique, etc. Propose aussi des salades, des pizzas vegan, des burgers bio. Terriblement tendance, comme la clientèle. Bons cocktails, bonne ambiance. Parfait pour se requinquer !

Où prendre le thé ? Où manger des pâtisseries ?

🍽 I●I *202 London* (centre 2, L9, *238*) : 202 Westbourne Gr, W11 2RH. ☎ 020-7727-2722. Ⓜ Notting Hill Gate. Lun 10h-18h, mar-jeu 8h30-18h, ven-sam 8h30-22h, dim 10h-17h. Brunchs jusqu'à 16h, 8-16,50 £ ; plats 11-18,50 £. Une adresse aussi *gentry* que *trendy*, aussi adorable que branchouille... Dans une belle boutique de mode, au milieu des fringues, un ravissant café où il fait bon bruncher. Succès oblige, il faudra s'armer de patience pour décrocher une table.

🍽 I●I *Pâtisserie Lisboa* (hors centre 2 par L9, *327*) : 57 Golborne Rd, W10 5NR. ☎ 020-8968-5242. Ⓜ Ladbroke Grove ou Westbourne Park. Tlj 7h-19h30 (19h dim). Gâteaux à partir de 1,35 £. Une pâtisserie dans son jus, avec ses azulejos aux murs, et des habitués venant s'attabler sur les quelques tables de fortune. On vient pour les pâtisseries aux amandes, à la noix de coco et d'autres encore, mais surtout pour les *pasteis de nata*, ces petits flans crémeux typiquement portugais. Un régal ! Quelques tables en terrasse aux beaux jours.

🍽 🏃 *The Hummingbird Bakery* (centre 2, L9, *236*) : 133 Portobello Rd, W11 2DY. ☎ 020-7851-1795. Ⓜ Notting Hill Gate. Lun-ven 10h-18h, sam 9h-18h30, dim 11h-17h30. Une petite maison de poupée où l'on mange des gâteaux tout colorés. À l'heure du goûter, il est presque impossible d'atteindre le comptoir de cette minuscule *bakery*. Car ses *American cupcakes* sont célèbres pour leur fraîcheur et leur qualité. Tellement tendance qu'on trouve même une collection « capsule » pendant la Fashion Week ! Niveau quantité, on en a pour ses *pounds*. Signe de son succès, l'adresse compte des petits dans tout Londres.

NOTTING HILL ET BAYSWATER

Où boire un verre ?

♟ Churchill Arms *(centre 2, L10, **383**) : 119 Kensington Church St, W8 7LN.* ☎ 020-7727-4242. ● *churchillarms@ fullers.co.uk* ● Ⓜ *Notting Hill Gate. Lun-jeu 11h-23h, ven-sam 11h-minuit, dim 12h-22h30.* Pub fidèle au poste depuis des décennies, avec sa devanture en pots de fleurs (mais comment diable font-ils pour tout arroser ?), flanqué d'une véranda et réputé pour son incroyable collection d'objets divers pendus au plafond : des pots de chambre aux portraits de la reine sous forme de torchons. Ajoutez à cela une moquette bien épaisse et une cheminée assoupie, vous obtenez un cocon des plus chaleureux, plébiscité par une joyeuse clientèle d'habitués et de touristes. Accueil asiatique, plutôt réservé, et cuisine thaïe au menu.

♟ |●| The Westbourne *(centre 2, L9, **380**) : 101 Westbourne Park Villas, W2 5ED.* ☎ 020-7221-1332. Ⓜ *Royal Oak ou Westbourne Park. Lun-mer 16h-23h ; jeu-sam 11h-23h ; dim 12h-22h30. Plats 9-15 £.* Pub très accueillant et pas prétentieux pour un sou, un peu dans le style vieille brasserie avec son parquet usé, ses tables disparates et ses affiches anciennes. L'idéal pour une mousse ou un Pimm's bien rafraîchissants. Fait aussi resto et tapas. Cheminée ou immense terrasse. Ambiance sans façons, très décontractée.

♟ The Kensington Wine Rooms *(centre 2, L10, **410**) : 127-129 Kensington Church St, W8 7LP.* ☎ 020-7727-8142. ● *kensington@winerooms.london* ● Ⓜ *Notting Hill Gate. Lun-ven 12h-23h30, w-e 10h-minuit. Vins au verre 5-50 £ !* Vieille Europe et *New World* se disputent la vedette dans ce bar à vins chic (seuls absents, les vins anglais !). Des bouteilles du sol au plafond et d'énigmatiques *enomatics* avec un système de carte rechargeable, pour se servir soi-même au verre. Attention aux mélanges tout de même... et à l'addition. Plus de 40 vins à goûter. Possibilité d'accompagner sa dégustation de quelques tapas ou d'un repas.

♟ |●| E & O *(centre 2, L9, **245**) : 14 Blenheim Crescent, W11 1NN.* ☎ 020-7229-5454. Ⓜ *Ladbroke Grove. Lun-sam 12h (11h30 sam)-minuit, dim 11h30-23h30 ; resto sem 12h-15h, 18h-23h, non-stop le w-e 11h30-23h (22h30 dim). Plats 8-35 £.* Une institution à Londres, que les stars ne boudent pas encore pour leur début de soirée. Nous non plus, malgré le côté un peu snob et bien mis du lieu. Déco très design. Derrière le bar en zinc, le resto blanc et net sert une *fusion food* très chère (un panachage de cuisine asiatique).

♟ Beach Blanket Babylon *(centre 2, L9, **378**) : 45 Ledbury Rd, W11 2AA.* ☎ 020-7229-2907. ● *bookings@ beachblanket.co.uk* ● Ⓜ *Notting Hill Gate. Lun-ven 12h-minuit, sam-dim 10h-minuit. Brunch le w-e.* Il s'agit d'un bar-restaurant à l'ambiance extravagante pour boire un verre sur une autre planète. Décoration rococo cosy avec un poil de style Liberty et un vrai feu dans la cheminée, sans oublier la terrasse bien gardée. Un mélange pour le moins original ! Clientèle classe, ne pas venir en tongs.

♟ Voir aussi plus haut dans « Où manger ? » le pub traditionnel **Windsor Castle** *(centre 2, L10, **369**)*, ou encore **Electric Diner** *(centre 2, L9, **458**)*, une halte sympa pour prendre un verre avant ou après une toile au cinoche voisin, ou **The Tabernacle** *(centre 2, L9, **373**)*, avant un concert ou pour la terrasse en été, ou encore **The Cow** *(centre 2, L9, **246**)* ou **The Prince Bonaparte** *(centre 2, L9, **232**)*.

Où écouter de la musique ? Où aller au cinéma ?

♪ Notting Hill Arts Club *(centre 2, L9, **601**) : 21 Notting Hill Gate, W11 3JQ.* ☎ 020-7460-4459. ● *nottinghillartsclub.com* ● Ⓜ *Notting Hill Gate. Entrée raisonnable. Tlj 21h-2h.* L'une des rares boîtes dignes de ce nom dans le quartier, idéale pour découvrir de nouveaux talents. Programmation très large, concerts live et DJs remontés à fond, dans une ambiance *lounge* très sympa. Bon plan pour les cocktails.

∞) *Electric Cinema (centre 2, L9, 458) :* 191 Portobello Rd, W11 2ED. ☎ 020-7908-9696. • electriccinema. co.uk • Ⓜ Ladbroke Grove. Programmation éclectique pour ce cinéma qui ne ressemble pas aux autres avec ses moulures d'antan et surtout de confortables canapés pour s'affaler, comme dans son salon. Idéal pour piocher dans une boîte à bonbons que l'on a pris le soin de remplir en self-service. Les cinéphiles roucouleurs du 1er rang choisiront quant à eux l'option lit pour 35 £ à deux. La palme de l'originalité !

Shopping

✿ *The Notting Hill Bookshop (centre 2, L9, 245) :* 13 Blenheim Crescent. ☎ 020-7229-5260. Ⓜ Ladbroke Grove. Lun-sam 9h-19h, dim 10h-18h. Incontournable pour les fans de *Coup de foudre à Notting Hill* ! C'est la devanture de la librairie que tient Hugh Grant dans le film. Il nous semble fondamental de rappeler une réplique majeure du film : « Le bonheur ne serait pas le bonheur sans une chèvre qui joue du violon. » À méditer.

DVD, disques et vidéos

Plusieurs boutiques de disques autour du métro Notting Hill Gate et de Portobello's Market. C'est le royaume de la galette introuvable, un royaume pour DJ vintage. On aime bien :

✿ *Music and Video Exchange (centre 2, L9, 608) :* 38 Notting Hill Gate. ☎ 020-7243-8573. Ⓜ Notting Hill Gate. Tlj 10h-20h. Le temple local du troc et de l'occase. Un disquaire où l'on trouve aussi bien des titres de house, soul, jazz, hip-hop, reggae et *R & B*, mais aussi de rock, indie, folk et blues. Y a même du classique ! Le tout sous forme de CD, vinyles, des vidéos et des DVD.

✿ *Rough Trade (centre 2, L9) :* 130 Talbot Rd, à l'angle avec Portobello Rd. ☎ 020-7229-8541. Ⓜ Ladbroke Grove. Lun-sam 10h-18h30, dim 11h-17h. CD et vinyles, disco, techno, *dubstep*, house...

Marché aux puces

♥♥♥ *Portobello Road (centre 2, L9) :* • portobelloroad.co.uk • Ⓜ Notting Hill Gate et Ladbroke Grove. Boutiques ouv lun-sam (sauf jeu ap-m) ; antiquaires sam 9h-19h. Venir tôt car, dès 10h, il y a plein de monde.
Le reste de la semaine, l'endroit perd un peu de son charme, et toutes les boutiques n'ouvrent pas forcément.
Un des marchés aux puces les plus célèbres de Londres et le plus fréquenté par les touristes. Il s'étale sur toute la longueur de Portobello Road. On y trouve des antiquités et des objets de collection, mais chers. Beaucoup de copies aussi, malheureusement vendues souvent comme authentiques.
Si vous êtes un chineur invétéré, allez plutôt dans les marchés de l'East End ou, encore mieux, dans les *car boot sales* (les vide-greniers anglais). D'ailleurs, on préfère l'extravagance de Camden ou l'authenticité des marchés de Brick Lane ou Spitalfields. Sinon, attendre sagement la fin de la journée, heure fatidique à laquelle les camelots se laissent plus facilement fléchir.

♥♥ Petite balade sympa en remontant Portobello à partir de *Golborne Road (hors centre 2 par L9 ;* Ⓜ Ladbroke Grove). Les étals sont de plus en plus chic. Le quartier se transforme à vitesse grand V. Notre boutique préférée : *Les Couilles du Chien (au 65 Golborne Rd)*, sorte de cabinet de curiosités loufoques. Sur le même trottoir, la traditionnelle pâtisserie *Lisboa* (voir plus haut), où les habitués viennent croquer des *pasteis de nata* divins. Miam !

À voir

🎭🎭 *Museum of Brands, Packaging and Advertising (musée des Marques, des Emballages et de la Publicité ; centre 2, K9) :* 111-117 Lancaster Rd, W11 1QT. ☎ 20-7243-9611. ● *museumofbrands.com* ● Ⓜ *Notting Hill Gate, Westbourne Park ou Ladbroke Grove. Mar-sam 10h-18h, dim 11h-17h. Fermé lun, pour le carnaval de Notting Hill, Noël, Boxing Day et le Jour de l'an. Café et jardin. Entrée : 9 £ ; réduc.* Un musée original, qui retrace l'histoire de l'Angleterre de 1800 à nos jours à travers des publicités, des emballages et autres supports publicitaires. Cette collection privée réalisée sur plus de 50 ans compte pas moins de 12 000 pièces, réparties chronologiquement dans des vitrines. Les diabolos sous Edouard VII (1901-1910), les fameux crackers *Jacobs,* puis les années « Titanic » qui envahissent les boutiques, et bien sûr la Première Guerre mondiale et toutes les boîtes emportées au front. Dans les années 1930 naît le fameux *Monopoly,* qui n'a pas pris une ride ! Puis c'est Disney et le couronnement de la reine, qui déjà apparaît sur les tasses et les boîtes de thé. On découvre aussi que les logos des corn flakes *Kellog's* ou du *Toblerone* n'ont guère changé. Puis c'est le 1er homme sur la Lune, *Star Wars, Star Trek* et les bières du jubilé d'Argent (en 1977). Sans oublier les napperons consacrés au mariage de Charles et Diana, le *Muppet Show* et le mariage du rejeton avec Kate, avec sa flopée de tasses, vaisselle en tout genre, et même une crème glacée vendue chez *Sainsbury's.* Une façon originale de revisiter l'histoire d'Angleterre !

Festival

🎭🎭🎭 *Carnaval de Notting Hill : dim-lun du dernier w-e d'août.* Initié à l'origine par la communauté caribéenne de Londres, en 1959. Si aujourd'hui l'ambiance est festive et symbolise le visage multiracial de Londres, le carnaval a failli être annulé de nombreuses fois dans les années 1970, suite à des échauffourées entre jeunes issus de l'immigration et la police. Toujours est-il que le défilé, sur un parcours de 5 km, figure parmi les rassemblements de rue les plus importants d'Europe. Grosse procession avec une centaine de camions *sound system.* La soul domine, mais on peut aussi entendre reggae, ragga, funk, house... Une expérience assez décoiffante et la grosse artillerie niveau sécurité !

PADDINGTON ET MARYLEBONE

● Pour se repérer, voir le plan d'ensemble détachable en fin de guide.

On ne trouvera pas ici le charme du voisin Notting Hill, mais plutôt l'ambiance tranquille et ronronnante d'un grand quartier bourgeois avec ses immeubles somptueux (vers Regent's Park) ou étonnamment rouges (vers Marylebone, prononcer « Méri-li-bourne »). Au nord, un des parcs les plus élégants de Londres, Regent's Park et, au sud, Hyde Park, idéal pour le footing matinal. Les zones les plus commerçantes cultivent toujours une sympathique vie de quartier. On y trouve aussi une forte concentration de *mews,* ces ruelles sans issue, bordées de petites maisons – autrefois ouvrières – qui menaient aux écuries. Ces maisonnettes, aujourd'hui coquettement rénovées, se comptent par centaines tout autour de Sussex Gardens et de Norfolk Square, et sont devenues un lieu de résidence très privilégié... Le quartier dispose, par ailleurs, d'hébergements d'un bon rapport qualité-prix.

Où dormir ?

Studios et appartements

🏠 *Stylotel (plan d'ensemble, B3, **104**) :* 160-162 Sussex Gardens, W2 1UD. ☎ 020-7723-1026. ● info@stylotel. com ● stylotel.com ● Ⓜ Paddington. Studios et apparts 2-4 pers 120-225 £ la nuit. On est très loin du style traditionnel britannique. Plutôt dans un décor de film futuriste où dominent l'aluminium, le verre, les teintes tranchantes ! Un vrai soin a été apporté à chaque pièce, y compris aux salles d'eau. Chambres pas immenses mais très bien équipées, avec kitchenette. Accueil extra. On aime beaucoup ! Boissons à volonté et, au rez-de-chaussée, le pub de la maison, le *Sussex Arms* (ne sert pas de repas).

Très bon marché (moins de 35 £ / 41 €)

🏠 *Easy Hotel Paddington (plan d'ensemble, B3, **221**) :* 10 Norfolk Pl, W2 1QL. ☎ 020-7706-9911. ● enqui ries@paddington.easyhotel.com ● easy hotel.com ● Ⓜ Paddington. Chambres 29-95 £ sans ou avec fenêtre ; triples également. Le même système que pour les autres produits *low-cost* de la maison : plus vous réservez tôt, moins c'est cher. Et tous les petits plus sont facturés (TV, ménage, *check-out* tardif, etc.). Une cinquantaine de chambres doubles, et pas beaucoup de place. Cabine de douche rudimentaire mais clean, comme l'ensemble de la maison.

🏠 *LHA, New Mansion House (plan d'ensemble, A4, **129**) :* 38-40 Lancaster Gate, W2 3NA. ☎ 020-3740-9828. ● mansion@lhalondon.com ● lhalondon.com ● Ⓜ Lancaster ou Queen's Way. Compter 25,50-34 £ en chambre 2-6 pers, petit déj et dîner au self inclus. Un des rejetons de cette chaîne londonienne de résidences étudiantes, dans une ancienne demeure victorienne, ouvertes à tous mais privilégiant les longs séjours. Chambres fonctionnelles (beaucoup de rangements) et bien tenues, certaines avec du charme et même une salle de bains privée. Donne sur une place cossue et très calme. Salle TV et laverie. Assez petite en comparaison de ses homologues (moins de 100 résidents), donc plus conviviale.

De prix moyens
à plus chic
(50-120 £ / 58-140 €)

🛏 *The Pilgrm* (plan d'ensemble, A-B3, **87**) : 25 London St, W2 1HH. ☎ 020-7667-6000. ● thepilgrm.com ● Ⓜ Paddington. Doubles 99-139 £. Un boutique-hôtel plein de charme qui accueille les visiteurs au comptoir, avec un café, à côté du vieux tourne-disques et d'un mobilier rétro-chic. Un grand escalier mène aux chambres petites mais pleines de charme, avec parquets centenaires, déco cosy industrielle des salles de bains, et lits bien moelleux, parfois encastrés entre 2 murs, comme un cocon. On s'y sent bien ! Certaines chambres avec lits superposés. Au 1er étage, café aux allures de club pour un dernier verre ou un petit déj bien achalandé. Notre coup de cœur dans les parages.

🛏 *Oxford Hotel* (plan d'ensemble, A4, **100**) : 13-14 Craven Terrace, W2 3QD. ☎ 020-7402-6860. ● bookings@ oxfordhotellondon.co.uk ● oxfordho tellondon.co.uk ● Ⓜ Lancaster Gate. Doubles 50-200 £, petit déj continental inclus. Petit hôtel familial très agréable, d'une vingtaine de chambres à quelques foulées seulement de Hyde Park. Elles sont bien tenues, sans déco particulière mais néanmoins accueillantes. On y trouve même un frigo et un micro-ondes. Un établissement modeste et plaisant. Accueil fort sympathique. Attention, travaux en perspective en 2017-2018.

🛏 *Stylotel* (plan d'ensemble, B3, **104**) : 160-162 Sussex Gardens, W2 1UD. ☎ 020-7723-1026. ● info@stylotel. com ● stylotel.com ● Ⓜ Paddington. Doubles à partir de 95 £, familiales 115-135 £, petit déj inclus. Une adresse pour le moins originale. L'hôtel est bleu

canard du sol au plafond, rehaussé de tôle d'alu, histoire d'avoir un look plus sidéral. On s'attend à croiser Spock et son pote, le cap'tain Kirk. Une quarantaine de chambres tout confort avec cabines de douche pratiques même si elles sont un peu riquiqui. À 2 pas, dans la rue perpendiculaire, des studios ou appartements dans le même ton (voir plus haut) et un pub maison. Accueil tout sourire. Boissons à volonté. On adore !

🛏 *Lancaster Hall Hotel* (plan d'ensemble, A3-4, **92**) : 35 Craven Terrace, W2 3EL. ☎ 020-7723-9276. ● info@lancaster-hall-hotel.co.uk ● lancaster-hall-hotel.co.uk ● Ⓜ Lancaster Gate. Résa conseillée. Compter 59-99 £ pour 2-4 pers, sans ou avec sdb. Petit déj inclus. Dans un immeuble des années 1970 pas vraiment folichon, mais qu'importe, les chambres sont confortables (double vitrage) et la propreté irréprochable. Un rapport qualité-prix avantageux compte tenu de la situation, mais on prévient, le look *seventies* n'a rien de transcendant et l'ambiance est plus proche du centre de conférences soviétique que de l'adresse tendance, mais accueil sympa. Pour les chambres économiques, demander les *youth wing*.

🛏 *27 Paddington Hotel* (plan d'ensemble, A3, **132**) : 25-27 Craven Rd, W2 3BU. ☎ 020-7706-9994. ● 27paddingtonhotel@magicstay. co.uk ● Ⓜ Lancaster Gate. Doubles 79-120 £, petit déj continental inclus. Une petite adresse de poche, une vingtaine de chambres, pas bien grandes mais joliment rénovées et décorées au goût du jour. Fonctionnelles et tout confort. Certaines en demi-sous-sol mais pas sombres du tout. Accueil cordial.

🛏 *Travelodge Marylebone* (plan d'ensemble, B2, **91**) : Harewood Row, NW1 6SE. ☎ 0871-984-6311. ● trave lodge.co.uk ● Ⓜ Marylebone. Doubles 70-220 £, petit déj frugal inclus ; nettement plus avantageux sur Internet à l'avance. À côté de la gare, dans un grand bâtiment de coin, en brique rouge. Environ 90 chambres, sans surprise niveau déco mais conformes aux hôtels de la chaîne : modernes, confortables et bien tenues. Noter qu'il n'y a

PADDINGTON ET MARYLEBONE

pas de chambres pour les familles ni de *twins* (que des lits doubles).

🏠 **Elysee Hotel** *(plan d'ensemble, A4, 99)* : 25-26 Craven Terrace, W2 3EL. ☎ 020-7402-7633. ● info@elyseehotel.co.uk ● elyseehotel.co.uk ● Ⓜ Paddington ou Lancaster Gate. Doubles 99-145 £. À 2 pas de Hyde Park, un petit hôtel idéalement situé dans une rue agréable, vivante mais calme. Chambres modernes, fonctionnelles, sans grand charme mais relativement vastes, impeccables et de bon confort. Pour le petit déj, *Sheila's Café*, très sympa, juste en face.

Très chic
(plus de 120 £ / 140 £)

🏠 **22 York Street** *(plan d'ensemble, C3, 51)* : 22 York St, W1U 6PX. ☎ 020-7224-2990. ● mc@22yorkstreet.co.uk ● 22yorkstreet.co.uk ● Ⓜ Baker St. Doubles à partir de 150 £, petit déj inclus ; triples à partir de 180 £. Une adresse de charme que ce *B & B* cosy en diable : une dizaine de chambres à l'ancienne mode, portant le nom de stations de métro, pleines de cachet avec leurs vieux meubles, leurs couvre-lits rétro et leurs planchers qui craquent. Les salons permettent de s'exercer au piano ou de bouquiner, mais c'est aussi dans la cuisine, autour de la curieuse table en forme de croissant, que les résidents font connaissance. Notre adresse préférée dans cette catégorie.

🏠 **The Cumberland** *(plan d'ensemble, C3, 58)* : Great Cumberland Pl, W1H 7DL. ☎ 0800-330-8512 *(depuis l'Angleterre)* ou 020-7523-5053 *(à l'international)*. ● guoman.com ● Ⓜ Marble Arch. À 2 pas de Hyde Park. Doubles standard 129-309 £, taxes et petit déj compris ou non. Cet hôtel a investi une fortune dans son vaste hall, pensé comme la Tate Modern : verre, lumières *space* et blancheur se mêlent pour varier de couleur, de façon à mettre en valeur les expos temporaires. Et l'hôtel, dans tout cela ? Immense, c'est un peu l'usine, avec plus de 1 000 chambres (!) décorées dans un style minimaliste, voire clinique, du même acabit. Elles sont toutes différentes, mais on retrouve partout le bois, les tissus et la technologie qui cohabitent en parfaite harmonie.

Où manger ?

Sur le pouce
(moins de 10 £ / 12 €)

🍽 **Paul Rothe and Son Delicatessen** *(plan d'ensemble, D3, 349)* : 35 Marylebone Lane, W1U 2NN. ☎ 020-7935-6783. ● Ⓜ Bond St. Lun-ven 8h-18h, sam 11h-17h. Fermé dim. Sandwichs 4-7 £. Une épicerie d'antan, ouverte en 1900, toujours avec ses employés en blouse blanche. Déco de confitures et marmelades du sol au plafond, et le comptoir, avec son tableau et ses sandwichs à n'en plus finir. On ne sait que choisir tant tout est appétissant, fait sous vos yeux, avec pain au choix (de mie, aux graines, entier, etc.). Saucisses de Francfort, pâté, fromages anglais, soupes du jour revigorantes, plats mijotés, gourmandises et chocolat chaud. On adore. Quelques tables.

🍽 **Leclerc et Laurent** *(plan d'ensemble, A3, 614)* : 39 Craven Rd, W2 3BX. ☎ 020-3581-9232. ● Ⓜ Bayswater. Tlj 6h-22h. Salades 5-6 £. Une épicerie fine française, pour grignoter sur place, à emporter ou sur la terrasse, quiche lorraine, œufs mimosa et autres sandwichs faits sous vos yeux. On y a même trouvé du pont-l'évêque, c'est dire si la maison est de qualité ! Propose aussi viennoiseries, petits pains, etc. Miam !

🍽 **Le Comptoir Libanais** *(plan d'ensemble, D3, 610)* : 65 Wigmore St, W1U 1JT. ☎ 020-7935-1110. ● Ⓜ Bond St. Lun-ven 8h-23h, le w-e 9h-22h. Plats 8-13 £. Un *deli* libanais dans un cadre joyeux et riche en couleurs, comme la cuisine. Salade, kebabs, falafels, tajines, *wraps* et couscous. Tout le Sud pour un en-cas rapide et copieux. Jus de fruits, limonades maison et petits déj. De quoi vous caler pour la journée !

🍽 **Ranoush Juice Bar** *(plan*

d'ensemble, B-C3, **198**) : 43 Edgware Rd, W2 2JE. ☎ 020-7723-5929. Ⓜ Marble Arch. Tlj 9h-3h. Mezze 4-7 £, plat env 14 £. CB refusées. Tous les Libanais de Londres connaissent ce petit snack clinquant, où ils attrapent entre 2 rendez-vous de délicieux *shawarmas* (viandes extra) et jus de fruits frais. Quelques tables. Terrasse.

🥙 *Pret A Manger* (plan d'ensemble, C3, **279**) : 556 Oxford St, W1C 1LZ. ☎ 020-7932-5240. Ⓜ Marble Arch. Presque en face de Speaker's Corner. Tlj 5h30 (6h w-e)-23h. Une des dizaines d'annexes de cette chaîne de snacks, salades, sandwichs, yaourts au muesli, porridge, barres chocolatées originales... Fraîcheur et originalité garanties ! Idéal pour s'offrir un pique-nique dans Hyde Park. En cas de pluie, quelques tables.

Bon marché
(moins de 20 £ / 23 €)

🍴 *Rotichai* (plan d'ensemble, C3, **211**) : 3 Portman Mews, W1H 6AY. ☎ 020-7408-0101. Ⓜ Marble Arch. Tlj 12h-22h30 (21h dim). À 2 pas de Marble Arch et d'Oxford St, dans une ruelle bien cachée. Plats 4-9 £. Déco contemporaine industrielle, avec affiches publicitaires indiennes très colorées. Le soir, salle au sous-sol plus intime. À midi, ce resto indien moderne met à l'honneur les plats des vendeurs ambulants d'Inde. On aime bien le *chicken kari* ou l'*aloo papri chaat* (pommes de terre, yaourt, chutney). On peut aussi opter pour un *bun* (petit pain) bien rempli ! Attention c'est épicé, mais bien précisé. Le soir, grillades et plats en sauce tout aussi savoureux. Les végétariens y trouveront aussi leur bonheur.

🍴 ♈ *The Chapel* (plan d'ensemble, B3, **326**) : 48 Chapel St, NW1 5DP. ☎ 020-7402-9220. ● thechapellondon@hotmail.co.uk ● Ⓜ Edgware Rd. Service tlj 12h-14h30 (12h30-15h dim), 19h-22h. Plats 11-24 £, assiette antipasti (parfait pour l'apéro !) 11,50 £. Voir « Où boire un verre ? » plus loin.

🍴 *La Fromagerie* (plan d'ensemble, C3, **611**) : 2-6 Moxon St, W1U 4EW. ☎ 020-7935-0341. ● marylebone@lafromagerie.co.uk ● Ⓜ Baker St. Sur la place du marché fermier.

Lun-ven 8h-19h30, sam 9h-19h, dim 10h-18h. Breakfasts, *sandwichs*, soupes à partir de 4,50 £, plats 7-16 £. Un endroit insolite, genre d'épicerie chic avec ses étals de fruits et de légumes, mais surtout ses quelques tables au milieu des *cheddars* et autres tommes bien fraîches. Effluves garantis ! Sert aussi des petits plats au déj, et des 4-heures à s'en lécher les babines. Quelques tables en terrasse.

🍴 *Satay House* (plan d'ensemble, B3, **249**) : 13 Sale Pl, W2 1PX. ☎ 020-7723-6763. ● info@satay-house.co.uk ● Ⓜ Edgware Rd. Tlj 12h-15h, 18h-23h. Fermé 24-26 déc. Résa conseillée. Plats 6-10 £. Tout petit resto malais, à la déco sobre mais élégante, et une authenticité sans fard, qui fait sa force. On y travaille en famille dans le respect de la cuisine traditionnelle, faite comme au pays. On en ferait bien sa cantine ! Accueil adorable.

🍴 ♈ *Angels in the fields* (plan d'ensemble, D3, **556**) : 37 Thayer St. ☎ 020-7486-7763. Ⓜ Bond St. Tlj 11h-23 (12-22h30 dim). Plats 8-13 £. Un bien joli pub, où l'on boit en bas et l'on mange en haut ! Joli décor avec vitraux. On vient pour ses *pies* et pour ses pintes. Bon rapport qualité-prix pour le quartier. Et ça change des restos aseptisés ! Terrasse.

🍴 🍜 *Wagamama* (plan d'ensemble, C3, **170**) : 101 Wigmore St (à l'angle de Duke St), W1U 1QR. ☎ 020-7409-0111. Ⓜ Bond St. Tlj 11h-23h (22h dim). Plats 8-15 £. Resto japonais de chaîne. Les grandes tablées de bois clair s'alignent comme un régiment, et, quand sonne l'heure de la soupe, une foule d'affamés envahissent les lieux, toujours satisfaits de retrouver leurs plats préférés à des prix raisonnables. Comme toujours, la qualité est au rendez-vous ! Souvent la queue, mais ça va vite. *Arigato* !

Prix moyens
(20-30 £ / 23-34 €)

🍴 *Pachamama* (plan d'ensemble, C-D3, **237**) : 18 Thayer St, W1U 3JY. ☎ 020-7935-9393. ● pachamamalondon.com ● Ⓜ Bond St. Lun-ven 12h-15h et 18h-minuit, sam 11h-16h *et 18h-minuit et dim 11h-16h et 18h-23h. Tapas 8-22 £.* À part une enseigne rose fluo, on pourrait passer devant sans apercevoir cet antre en sous-sol de la cuisine péruvienne. Et là, miracle ! Autour d'un long comptoir et des grandes tables en bois, des coins et recoins sous des luminaires rétro et des guirlandes de fleurs. Dans l'assiette, des tapas (2-3 par personne selon les appétits) de viandes ou poissons marinés, légumes confits ou frits, aux sauces aigres-douces délicates. Un vrai régal ! Attention, peut être épicé (demandez). Pour arroser cela, mezqual, tequila, cachaça ou cocktails originaux. Ambiance chaleureuse.

|●| *Frontline Club Restaurant (plan d'ensemble, B3, 221) :* 13 Norfolk Pl, W2 1QJ. ☎ 020-7479-8960. ● *reservation@frontlineclub.com* ● ⓜ Paddington. Lun-ven 12h-23h ; sam 18h-23h. *Plats 14,50-26 £ ; lunchs 18-20 £ (2-3 plats).* Ce resto est né de la volonté de grands reporters, envoyés sur la *frontline,* c'est-à-dire partout où de grands conflits se déroulent. Ils cherchaient un lieu de paix, d'harmonie et de fraternité pour exposer leur travail, organiser des débats, des conférences, des projections... On ne pouvait trouver mieux que cette ancienne manufacture. Un restaurant « militant » reposant sur quelques concepts très simples : des recettes anglaises traditionnelles, des produits de saison en provenance de petites exploitations, jusqu'aux poissons, pêchés au large des côtes britanniques. Résultat : une carte franchement appétissante avec, en plus, au menu, l'actu internationale du moment pour enrichir la conversation. Une vraie belle adresse, avec une terrasse.

|●| *Island Restaurant (plan d'ensemble, A-B4, 306) :* Lancaster Terrace, W2 2TY. ☎ 020-7551-6070. ● *dine@royallancaster.com* ● ⓜ Lancaster Gate. Tlj 12h-22h30. *Petits déj à partir de 8,90 £, menus 15,50-18,90 £ à midi, plats 14,50-25 £.* Un cadre moderno-chic sur 2 demi-niveaux, assez impersonnel, mais avec de grandes baies vitrées donnant sur Hyde Park de l'autre côté de la route (demander ces places en priorité). C'est calme, petite musique jazzy en sourdine, lumineux, sobre, et la cuisine italienne

ou britannique passe bien. On aime y prendre un délicieux petit déjeuner avec les joggeurs matinaux pour spectacle, ou profiter des menus bon marché le midi. Service avec style en tout cas.

Chic (plus de 30 £ / 34 €)

|●| *Twist Kitchen (plan d'ensemble, C3, 412) :* 42 Crawford St, W1H 1JW. ☎ 020-7723-3377. ● *bookings@twistkitchen.co.uk* ● ⓜ Baker St. Lun-sam 12h-15h et 18h-22h30. *Fermé dim. Résa conseillée. Plats 9-13 £.* Ambiance chaleureuse, cuisine ouverte, céramiques colorées, et tables à touche-touche. Le chef italien recherche à transmettre les recettes de sa grand-mère, sans rien oublier de ses passages par New York et l'Afrique du Sud. Au final, de la *world cuisine* méditerranéenne, originale, avec cuissons lentes, courtes, longues, et le mélange de textures et de saveurs osées. La carte change toutes les 6 semaines. Prendre 2-3 plats pour 2 personnes. Très bon accueil. Salle au sous-sol mais préférer le rez-de-chaussée. Une de nos adresses préférées dans les parages.

|●| *Chiltern Firehouse (plan d'ensemble, C3, 101) :* 1 Chiltern St, W1U 7PA. ☎ 020-7073-7676. ● *restaurant@chilternfirehouse.com* ● ⓜ Baker St. Lun-ven 7h-10h30, 12h-15h et 17h30-22h30 ; w-e 8h-10h et 18h-22h30 (22h dim). Brunch w-e 11h-15h. *Petits déj 4-28 £ (plus boissons) ; plats 21-42 £ le midi, 21-65 £ le soir, 21-32 £ au brunch. Doubles 500-2 700 £ (glurp !).* Dans une ancienne caserne de pompiers de 1889, que l'homme d'affaires André Balazs a entièrement transformée. Il a même remis les portes hautes destinées aux voitures de cochers d'autrefois ! Au resto, ambiance tamisée, superbe comptoir, décor glamour et cosy, avec des touches insolites, comme ces œuvres faites à base de tuyaux d'arrosage des pompiers. Le chef travaille sur les cuissons (dans une ancienne caserne, ça tombe bien !), les saveurs et l'originalité. Service impeccable. Dans les toilettes, poussez la porte « Wine & Women » chez les hommes et

« Cigarettes & Men » chez les femmes, pour découvrir le fumoir de la maison, le *Ladler Shed* où étaient stockées les échelles. Également une terrasse. Un incontournable fréquenté par le gratin des tabloïds, David Beckham en tête.

Où boire un verre ?

Y *Roof Top Kitchen* (plan d'ensemble, B2, 381) : *Alfies Market, 13-25 Church St, NW8 8DT.* ☎ 020-7258-3300. ● *rooftopkitchen.co.uk* ● Ⓜ *Marylebone St ou Baker St. Donne sur Lisson Gr. Mar-sam 10h-18h. Fermé 21 déc-2 janv.* Un peu excentrée, voici la bonne surprise du quartier. Pour boire un verre, se faire un petit déj (à partir de 6,50 £), un *afternoon tea* ou croquer dans un gros gâteau maison, on doit traverser un drôle de marché aux puces (voir plus loin), empilant antiquaires et brocanteurs sur plusieurs étages, avant de déboucher sur le toit. Là-haut, des tables en plein air pour lézarder au soleil (avec vue sur tous les toits voisins) et de gros canapés à l'intérieur. Ambiance rustique, bohème et vintage à la fois. Extra !

Y ∞ *Canal Cafe Theatre* (plan d'ensemble, A3, 287) : *Delamere Terrace, W2 6ND.* ☎ 020-7289-6054 (résas théâtre) ou 020-7266-4326 (The Bridge House Pub). ● *canalca fetheatre.com* ● *thebridgehouselittle venice.co.uk* ● Ⓜ *Warwick Avenue. À Little Venice, juste en face du canal. Lun-ven 12h-23h (23h30 ven, sam 11h-23h30, dim 12-22h30. Spectacles payants.* Le joyeux pub et cabaret que voilà ! Déco hétéroclite et cosy, gentiment branchée : cheminée, Chesterfield moelleux, tentures de velours cramoisi et lustres de perles au-dessus d'un comptoir en bois patiné. Bonne ambiance pour boire une bière et manger un plat classique de *pub grub* avant d'assister (ou après) aux excellents spectacles de comédie d'avant-garde donnés presque tous les soirs. Quelques tables en terrasse pour profiter de la vue sur le canal.

Y *The Chapel* (plan d'ensemble, B3, 326) : *48 Chapel St, NW1 5DP.* ☎ 020-7402-9220. ● *thechapellondon@ hotmail.co.uk* ● Ⓜ *Edgware Rd. Tlj 12h-23h (22h30 dim).* Cette chapelle propose un genre de messe qu'on irait bien célébrer tous les soirs. Car il s'agit d'un bon compromis. Carte des vins bien montée, carte tout court qui change tous les jours (et les surprises sont au rendez-vous), et les œuvres disposées çà et là sont les attributs d'un troquet intello. Les plats sont bien tournés et copieux. Atmosphère détendue. Jardin de poche coincé entre Marylebone et Chapel Street, avec terrasse chauffée pour les fumeurs.

Y *The Victoria Pub* (plan d'ensemble, B3, 227) : *10 Strathearn Pl, W2 2NH.* ☎ 020-7724-1191. Ⓜ *Lancaster Gate. Tlj 11h-23h (12h-22h dim).* Cet ancestral pub de quartier encore dans son jus n'a d'yeux que pour une certaine reine. Pas bien grand mais fastueux et cosy en diable avec ses 2 cheminées, ses boiseries travaillées et ses miroirs. Pour couronner le tout, des mousses bien fraîches, une indétrônable carte de *pub grub* et les chevaux du club équestre passent en voisin avant d'aller dans Hyde Park. Terrasse.

Théâtres

∞ ♟ *Open Air Theatre* (plan d'ensemble, C2) : *Inner Circle, Regent's Park, NW1 4NU.* ☎ 0844-826-4242 ou 375-3460. ● *openair theatre.org* ● M. : *Baker St.* ♿ *Programme sur Internet. En plein air, de mi-mai à mi-sept. Entrée payante.* On y joue des pièces de Shakespeare, mais également d'autres classiques du théâtre anglais, des spectacles musicaux... Concerts gratuits parfois. Possibilité de pique-niquer sur place avant la représentation (bar et petite restauration).

Y ∞ *Canal Cafe Theatre* (plan d'ensemble, A3, 287) : *Delamere Terrace, W2 6ND. Voir plus haut la rubrique « Où boire un verre ? ».*

Shopping

Concentration de *magasins spécialisés hi-fi* sur Edgware Road, à droite en sortant de la station de métro du même nom. Moins connu que Tottenham Court et donc prix peut-être plus intéressants. Une autre rue spécialisée : Chiltern Street *(plan d'ensemble, C2-3)*. Mais là, ce ne sont que des robes de mariée !

⚜ **Selfridges & Co** *(plan d'ensemble, C3, 620)* : 400 Oxford St, W1A 1AB. ● selfridges.com ● *Lun-sam 9h30-21h, dim 11h30-18h.* Les fans de la série *Mr Selfridge* ne reconnaîtront pas grand-chose de leur grand magasin (le décor ayant, évidemment, été reconstitué en studio) mais dans certaines parties authentiquement Art déco, ils retrouveront l'atmosphère toute particulière de ce temple dédié à la mode et à tout le reste. Fondé en 1909, le magasin occupe aujourd'hui plusieurs pâtés de maisons. Le *Food Hall,* moins impressionnant que celui de *Harrods,* permet de déjeuner et de remplir sa valise de bons produits anglais.

⚜ **Beatles Store** *(plan d'ensemble, C2, 563)* : 231-233 Baker St, NW1 6XE. ☎ 020-7935-4464. ● *beatlesstorelondon.co.uk* ● Ⓜ Baker St. Ouv « eight days a week » 10h-18h30. Boutique entièrement dédiée aux fans des 4 de Liverpool : posters, livres, mugs, disques... et même des chaussettes ! En face, une boutique semblable consacrée au rock'n'roll.

⚜ **Daunt Books** *(plan d'ensemble, C3, 11)* : 83 Marylebone High St, W1U. Ⓜ Baker Street. *Lun-sam 9h-19h30, dim 11h-18h.* Phileas Fogg en herbe, poussez la porte de cette vénérable librairie pleine de charme consacrée aux voyages et à tout le reste. Avant tout, un voyage dans le temps avec ces rayonnages edwardiens tout en bois sur 2 niveaux et surmontés d'un puits de lumière. On est déjà dépaysé avant même de feuilleter un bouquin !

⚜ **Cadenhead's** *(plan d'ensemble, C3)* : 26 Chiltern St, W1U 7QF. ☎ 020-7935-6999. ● whiskytastingroom. com ● Ⓜ Baker St. *Tlj sauf dim 10h30 (11h ven)-18h30 (18h sam).* Des whiskeys écossais, mais aussi des irlandais, gallois, anglais, indiens, et même japonais ! Propose aussi des dégustations *(1-5 pers ; résa obligatoire ; en anglais)*.

Marchés

– **Marylebone Farmer's Market** *(plan d'ensemble, C3)* : *dim 10h-14h* sur Cramer St et Moxon St. Ⓜ Baker St ou Bond St. Les fermiers des environs de Londres viennent déballer leurs productions, fruits, légumes, volailles... et surtout saucisses grillées à déguster sur place.

– **St Alfies Market** *(plan d'ensemble, B2)* : 13-25 Church St, NW8 8DT. ☎ 020-7723-6066. ● alfiesantiques. com ● Ⓜ Marylebone St ou Baker St.

Donne sur Lisson Gr. *Mar-sam 10h-18h.* Bien cachées dans une grande bâtisse d'inspiration Art déco, plusieurs boutiques vendent depuis plus de 30 ans du mobilier du XXe s, et plein d'autres trouvailles. « Alfie » était le nom du père du propriétaire, un grand musicien, mais un piètre négociateur à ses dires ! On vient surtout pour le café et la terrasse sur le toit du marché (voir plus haut « Où boire un verre ? *Roof Top Kitchen* »).

Galeries et musées

🎨 **Wallace Collection** *(plan d'ensemble, C3)* : Hertford House, Manchester Sq, W1U 3BN. ☎ 020-7563-9500. ● wallacecollection.org ● Ⓜ Bond St. *Tlj 10h-17h. Fermé 24-26 déc.* GRATUIT. Guide audio : en français (payant). Visites guidées *gratuites régulièrement. Calendrier très riche en animations et manifestations ; certaines pour les enfants (en anglais). Caféteria et resto dans la cour (couverte) du musée. Prendre un plan (gratuit).*

Il fallait bien la noblesse d'un grand hôtel particulier, *Hertford House,* à Marylebone, pour présenter cette très riche collection de mobilier, d'objets d'art et de tableaux, la plus grande collection privée du pays, qui fut léguée à l'État à la fin du XIXe s par la veuve de Sir Richard Wallace. Cet esthète fit ses emplettes à partir de son pied-à-terre parisien, le château de Bagatelle, au bois de Boulogne. Il profita de la cession à prix imbattable du mobilier des châteaux et demeures d'aristocrates pendant

À LA VÔTRE, M. WALLACE !

Après la Commune de Paris, la capitale est à feu et à sang. Et surtout à sec ! Grand philanthrope, Wallace, resté sur place, veut aider les Parisiens. Pour lutter contre l'alcoolisme, il décide d'investir dans ces fontaines, dont un exemplaire se trouve dans le jardin du musée, imaginées sur le modèle de la fontaine des Innocents aux Halles de Paris. Elles sont devenues un symbole de Paris toujours en place.

la Révolution. Les meubles et objets d'art français du XVIIIe s sont donc bien représentés, formant certainement la plus belle collection du genre hors de France. Il acheta par ailleurs des toiles de maîtres espagnols, flamands, hollandais et italiens des XVIe et XVIIe s. Ajoutons à cela une importante collection d'armes et d'armures. Si vous n'avez jamais su faire la différence entre les styles Louis XIV, Louis XV et Louis XVI, vous serez incollable en sortant de ce musée. De plus, il offre une alternative intéressante aux immenses salles des grands musées ! Tout est calme et cosy, même le tic-tac des pendules omniprésentes (festival de carillons à 12h) ! Mais ne ratez pas pour autant l'heure du lunch au *Wallace Restaurant.* Le jardin et la cour centrale, sous verrière, accueillent les convives dans un vaste espace décoré d'arbres. Petit tour du propriétaire... mais sachez toutefois que les œuvres se promènent et que les salles sont parfois fermées, à tour de rôle, en fonction des expositions temporaires.

Rez-de-chaussée (ground floor)
On commence la visite au rez-de-chaussée, en passant à gauche derrière l'escalier.
– **Dining Room :** lustre étincelant en bronze et diamant et horloge de 1770. 2 portraits de Nattier et Houdon, entre autres.
– **Billiard Room :** plusieurs meubles signés Boulle, dont une formidable armoire en marqueterie de cuivre et d'écaille, ornée de bronzes ciselés et rehaussés d'or, une chaise sur laquelle Louis XIV posa son royal postérieur, ainsi qu'une superbe pendule représentant Vénus et Cupidon. André-Charles Boulle (1642-1732) fut

le célèbre ébéniste de Louis XIV, dont les créations sans égales sont devenues les références absolues pour des générations d'artisans. Profitez-en, on n'en trouve pratiquement plus en France.
– **Front State Room et Back State Room :** le bureau est une copie du bureau de Louis XV à Versailles, complétée de beaux médaillons Wedgewood sur les côtés. Pendule astronomique baroque et tableaux naturalistes (Oudry, Boucher). Également une collection colorée de porcelaines de Sèvres.

SECRETS DE SECRÉTAIRE

Le bureau de Louis XV reproduit l'œuvre que le roi avait commandée aux ébénistes Oeben et Riesener, pour une bagatelle de... 62 000 livres ! Un chef-d'œuvre d'ébénisterie terminé en 1769 avec de l'acajou, du sycomore, des bronzes... Un vrai petit bijou de technologie, où un simple quart de tour de clé permettait l'ouverture et la fermeture. Il fallait que ce bureau ferme parfaitement : le roi y cachait tous les secrets rapportés par ses émissaires à travers le monde. Un bureau à secrets qu'on nommera par la suite un... secrétaire.

– **Sixteenth Century Gallery :** bien à l'abri, cachée sous des sous-mains en cuir, une collection de rarissimes et amusantes miniatures de cire des XVIe et XVIIe s. Très kitsch quand même ! Eux aussi protégés de la lumière, des manuscrits enluminés de différentes époques (n'hésitez pas à soulever les peaux de cuir). Série de 24 émaux peints de Limoges (XVIe s.).

– **Smoking Room :** poteries et céramiques Renaissance richement ornées. Ne manquez pas de jeter un coup d'œil à l'alcôve, à côté de l'escalier, décorée de carreaux en céramique de la ville turque d'Iznik. La salle était totalement recouverte de ces carreaux jusqu'en 1937.

– **European Armoury I, II et III :** on y voit une collection d'armes et d'armures européennes rutilantes, présentées chronologiquement. 2 armures équestres particulièrement imposantes (coup d'œil sur les pieds !), des rondaches (boucliers circulaires), des casques ciselés et des armes aux mécanismes ingénieux.

– **Oriental Armoury :** en Orient, le raffinement en matière militaire est très poussé, comme le prouvent ces cimeterres (sabres) sertis de pierres précieuses, nacre et ivoire. Objets d'Inde, de l'Empire ottoman et d'Asie du Sud-Est. Également des tableaux orientalistes intéressants d'Horace Vernet, comme *La Chasse au lion.*

1er étage

– Toiles imposantes de Boucher, dans le **hall d'escalier** et sur le palier, dont *Le Lever* et *Le Coucher du soleil* (1752-1753), ayant appartenu à la marquise de Pompadour. Fraîcheur et grâce à la limite du licencieux (on entendrait presque les angelots nous révéler des petits secrets de la Cour).

– **Boudoir :** Greuze, pourtant contemporain de Boucher, s'oppose radicalement à sa légèreté et à ses thèmes favoris en préférant des sujets plus sérieux (gracieuse allégorie de *L'Innocence*). Le peintre anglais Reynolds s'en est beaucoup inspiré. Noter aussi le secrétaire de Dubois (1765), orné de dorures et velours vert.

– **Study :** passé le cabinet des miniatures, on retrouve de prestigieux artistes français, comme Vigée-Lebrun et Fragonard. À noter, plusieurs pièces de mobilier ayant appartenu à Marie-Antoinette, provenant du Petit Trianon et de Versailles. Et même l'acte de mise en vente en 1793 !

– **Oval Drawing Room :** différents Boucher dont l'un des portraits en pied de *Madame de Pompadour* et *Les Hasards heureux de l'escarpolette* de Fragonard, au regard espiègle, plein de sous-entendus.

– **Large Drawing Room :** c'est dans cette salle que l'on donnait les dîners et les bals somptueux, dont celui, mémorable, pour célébrer l'exil de Napoléon sur l'île d'Elbe en 1814. Tentures vertes assez flashy sur les murs et une superbe bibliothèque de Levasseur (XVIIIe s.).

– **East and Small Drawing Room :** toiles de Rubens ou Van Dyck et un incroyable « almanach perpétuel et toujours nouveau dédié au Roy » en émail, complet et en parfait état, datant du XVIIIe s. Appréciez les prénoms de l'époque.

– **East Gallery I, II et III :** sublime collection, essentiellement dévolue à l'art flamand. Autoportrait de Rembrandt et portrait de son fils Titus... Nombreux tableaux de ses contemporains (Ruysdael, Maes, Dou, Metsu, Van Ostade, Steen, etc.).

– **Great Gallery :** cette extension, construite en 1875 pour accueillir les collections parisiennes de la famille, servait de salle d'exposition aux grands formats du baroque européen. On y trouve, dans un accrochage typique du XIXe s., des chefs-d'œuvre du XVIIe s de Rembrandt, Rubens, Poussin, Champaigne, Vélasquez... Délicieux *Cavalier riant,* avec son costume tout en dentelle, de Frans Hals.

– **West Gallery I, II et III et Nineteenth Century Galleries :** on revient ici à des salles à l'atmosphère plus intimiste, bien que l'accrochage reste toujours aussi dense. Là encore plusieurs chefs-d'œuvre. On attaque le XIXe s par la peinture française (généralement orientaliste ou militariste), Corot, Vernet, Rosa Bonheur et Delacroix ! De ce dernier, *L'Exécution de Marino Faliero,* l'un de ses tableaux préférés. On y voit la mort d'un doge, pour avoir trahi la République, au XIVe s, un an seulement après avoir été choisi par les siens. Ou encore ce *Lion amoureux,* de Camille Roqueplan, qui se fait couper les griffes par amour pour la femme qu'il aime. Une belle réinterprétation de Samson et Dalila, dans une version ici revisitée par La Fontaine. Puis les *vedute* de Canaletto et Guardi pour l'Italie et, pour finir, une salle – tout de même – consacrée à la peinture anglaise du XVIIIe s avec des élégantes peintes par Reynolds ou Gainsborough. Magnifiques portraits de Mrs Robinson, une célèbre actrice de l'époque. Visiblement, ce n'était pas la joie !

🎯 🏃 *Sherlock Holmes Museum* (plan d'ensemble, C2) : 239 (même si la plaque indique 221 B) Baker St, NW1. ☎ 020-7224-3688. ● sherlock-holmes. co.uk ● Ⓜ Baker St. Tlj (sauf 25 déc) 9h30-18h. Dernière admission à 17h30. Entrée : 15 £ ; réduc. L'un des endroits les plus surprenants de Londres : une maison occupée par une personne... n'ayant jamais existé et certainement l'adresse la plus

LES HÉROS MEURENT AUSSI

Sir Conan Doyle, médecin de formation, inventa Sherlock Holmes, mais préférait écrire des romans historiques. Il finit par se lasser de son célèbre détective et le fit mourir en 1893. Ce fut un véritable tollé dans la presse. Il reçut tellement de lettres de plaintes qu'il finira par le ressusciter, après bien des hésitations, en 1903.

connue de Londres (avec le 10 Downing Street). Sir Conan Doyle l'avait attribuée au héros de ses romans, qui continue d'y recevoir des lettres d'admirateurs lui demandant de résoudre des cas personnels. Cette charmante demeure victorienne de 1815 fut acquise par la très sérieuse *Sherlock Holmes Society* qui eut l'idée d'y recréer fidèlement l'intérieur du célèbre détective. Sur le plan purement esthétique, et pour l'atmosphère globale qui s'en dégage, il faut reconnaître que l'expérience est assez amusante si on adhère. Un *bobby* vous accueille devant le perron (après avoir fait la queue), avant de vous confier à l'une des « gouvernantes » pour être reçu par votre hôte prestigieux ou par ce cher Dr Watson, s'ils sont là... En attendant, vous pourrez profiter du bon vieux fauteuil de Holmes, au coin du feu, dans le salon (la plus jolie pièce de la maison) et essayer son célèbre chapeau. Dans chaque pièce (6, sur 3 étages), des indices laissés par le fantôme des lieux : loupe, bien sûr, machine à écrire, violon, sans oublier le pistolet de Watson. Boutique à la sortie, évidemment.

🎯🎯 🏃 *Madame Tussauds* (plan d'ensemble, C2) : Marylebone Rd, NW1. ☎ 0870-400-3000. ● madame-tussauds.com ● Ⓜ Baker St. Horaires variables selon jour et période ; consulter le calendrier. Fermé à Noël. Prix d'entrée délirant (pour 1h30 en moyenne) : 29 £ ; enfant 24 £ ; gratuit moins de 3 ans, réduc sur Internet. Une visite qui représente un budget colossal en famille. ET ON NOTE CHAQUE ANNÉE LES TARIFS SCANDALEUX ! Attention : prévoir de faire la queue (souvent 2h, voire 3h en été) et éviter le créneau 11h-15h ; c'est l'un des musées les plus fréquentés de Londres. Pour éviter cette attente, on conseille vivement de réserver à l'avance par tél ou sur Internet, surtout que les prix sont censés être moins chers (il y a, par exemple, plusieurs billets jumelés possibles avec le London Eye, le London Dungeon, l'Aquarium, Shrek Adventure ou les balades sur la Tamise, qui permettent certains jours d'obtenir des rabais substantiels).

Née à Strasbourg en 1761, Marie Tussaud apprit l'art de modeler la cire chez un médecin-sculpteur. Elle se fit la main en réalisant les figures des people de l'époque : Voltaire, Rousseau, Benjamin Franklin, avant d'être engagée à la cour de Versailles où elle créa les portraits de Louis XVI et de sa famille. Sympathisante royaliste, elle fut arrêtée par les révolutionnaires mais graciée grâce à ses talents de sculpteur ! Elle réalisa alors les masques mortuaires de Marie-Antoinette, Marat et Robespierre (ils sont exposés). Exilée en Angleterre, elle ouvrit à Londres son musée à l'âge de 74 ans. Depuis, d'autres ont été créés à New York, Amsterdam, Las Vegas, Hong Kong... Partout dans le monde, mais celui de Londres reste inégalé dans le genre.

Malgré la foule et le prix d'entrée délirant, l'endroit séduit toujours petits et grands. Il faut dire que les personnages sont saisissants de réalisme, mis en scène avec soin en fonction de l'actu et très accessibles, parfois même intimidants quand il s'agit de se faire photographier auprès d'eux (la main posée sur celle du beau George Clooney, ça vous dit ?). Six mois sont nécessaires pour réaliser ces figures, d'après les mensurations exactes des modèles originaux. Les cheveux sont piqués un à un et régulièrement lavés par la suite. La visite est organisée en plusieurs grandes sections où évoluent les centaines de figures. Une visite, curieusement, très vivante !

Vous y croiserez Alfred Hitchcock, mais aussi la famille royale au complet (plus vous sur la photo !), incroyablement réaliste, les Beatles faisant les fous sur un canapé, Picasso, gitane au doigt, une flopée de premiers ministres britanniques, de Gaulle, Nelson Mandela, Lady Gaga, Cara Delevingne, et plein de sportifs.

D'autres activités sur place, dont on n'a pas vraiment vu l'intérêt, comme *Marvel Super Heroes,* un film 4D où l'on retrouve les grands héros de fiction devant Buckingham, Star Wars Experience, avec les héros de la saga en cire ou encore la « chambre des Horreurs », pas si horrible que ça, et *Spirit of London ride,* sympathique reconstitution de l'histoire de Londres en taxi. Un petit bonjour à Shakespeare, puis on revit la Grande Peste et l'incendie de la ville, l'ère industrielle, le *Blitz* (Churchill derrière ses sacs de sable), le Piccadilly des *bobbies,* des punks et des touristes.

Monuments et balades

Le Londres bourgeois : Marylebone, Regent's Park et Little Venice

🏃 Marylebone *(plan d'ensemble, B-C2-3)* **:** prononcer « Méri-li-bourne ». Quartier bourgeois délimité au sud par Oxford Street et à l'est par Regent Street. Il fut bâti à la fin du XVIIIe s et au début du XIXe s. Nombreux petits squares bordés de maisons georgiennes. Marylebone a son lot de célébrités. Dickens y vécut une dizaine d'années, pendant lesquelles il écrivit entre autres *David Copperfield.* Chateaubriand y séjourna quelque temps ainsi que Haendel (*Le Messie,* c'est ici !) ou encore Jimy Hendrix. Voir à ce sujet *Handel & Hendrix in London* dans « Galeries et musées » du centre touristique. Mais le plus fidèle habitant fut Sir Conan Doyle, qui logea son personnage, le mythique Sherlock Holmes, dans Baker Street. Voir plus haut cette fois, toujours dans « Galeries et musées ».

🏃🏃 🚶 Regent's Park *(plan d'ensemble, B-C-D1-2)* **:** Ⓜ *Regent's Park.* Grand espace vert au nord de la ville, entouré au sud et à l'est de *terraces* de style Régence. Ces grands corps de bâtiments aristocratiques recouverts de stuc ressemblent à de véritables façades de palais. Le parc et ses alentours furent aménagés par Nash au début du XIXe s comme point final de son axe triomphal partant du Mall. Il atteignit le summum de son art dans les façades majestueuses de *Park Crescent* donnant sur Marylebone Road. Le parc est très plaisant et plus paysagé que les autres parcs de la capitale. Magnifique roseraie (en fleurs dès le début de l'été) dans *Queen's Mary Gardens* et théâtre en plein air l'été (voir « Théâtres » plus haut). La balade, vivement conseillée, vous mènera au zoo.

LES BEATLES ET LEUR REINE

Jamais les Fab Four *(leur surnom) n'oublieront leur origine ouvrière et travailliste. Lors d'un concert avec la famille royale, ils diront : « Ceux qui ont les billets les moins chers pourront applaudir. Les invités du premier rang agiteront leurs bijoux. » En 1965, la reine les décore de l'ordre de l'Empire britannique. Mais Lennon rendra sa médaille en protestation contre le soutien de l'Angleterre à la guerre du Vietnam.*

PADDINGTON ET MARYLEBONE

🐾 Au nord, Regent's Park est prolongé par **Primrose Hill Park.** C'est là que Paul McCartney venait promener son chien Martha (comme dans la chanson *Martha my Dear*).

Non loin de là, les fameux studios d'**Abbey Road** (*plan d'ensemble, A1 ; repère « V » du « Pèlerinage rock »*) et le plus célèbre des passages piétons de la planète, qui orne la pochette de l'album *Abbey Road* des Beatles. Très marrant de voir les bouchons se former à cause des touristes qui prennent la pose au milieu de la rue ! Ces studios où des groupes comme Pink Floyd ou Oasis ont également enregistré sont classés Monument historique depuis 2010...

🐾 🚶 **ZSL London Zoo** (*plan d'ensemble, C1*) : au nord de Regent's Park, NW1 4RY. ☎ 020-7722-3333. ● zsl.org ● Ⓜ *Camden Town (le plus proche) ou Regent's Park. Compter 10-15 mn depuis Camden, ou prendre le bus n° 274 (indiqué à la sortie des métros). Entrée sur Outer Circle. Bon plan : aller au zoo depuis Little Venice ou le marché de Camden en navette fluviale : 25-27 £ (aller simple et entrée comprise, réduc ; retour autour de 5 £ ; ● londonwaterbus.com ●). Tlj à partir de 10h (fermeture variable, jusqu'à 18h en été) ; dernière admission 1h avt fermeture. Entrée (chère !) : 29,75 £ ; enfant 22 £ ; gratuit moins de 3 ans. Légère réduc sur Internet. Tickets « fast track » pour éviter de faire la queue et forfait famille (en ligne seulement). Aire de pique-nique et plusieurs possibilités pour se restaurer sur place. On peut même passer la nuit au zoo à partir de 75 £ (exploration à la lampe torche, réveil au son des bêtes, mais filles et garçons séparés ; résa sur le site).* L'un des plus vieux zoos du monde, fondé par la Société de zoologie entre 1826 et 1828. Au début du siècle passé, il innova en offrant aux animaux un environnement proche de leur habitat naturel. Ce n'est plus le cas aujourd'hui, autant être clair. Grand vivarium rempli de reptiles (celui-là même où Harry Potter fait la rencontre du serpent dans le 1er tome de ses aventures), intéressant « noctarium » (dont une vaste vitrine de chauves-souris), un *Tiger Territory* et un *Land of the Lions* où les fortunés peuvent même loger. Sinon, varans de Komodo pas commodes, gorilles, et aquariums en pagaille. Pour ceux qui aiment.

🐾🚶 🚶 À l'ouest de Marylebone, **Little Venice** (*plan d'ensemble, A2-3 ; Ⓜ Warwick Avenue*) est un bassin triangulaire formé par la rencontre de 2 canaux, qui relient le port de Londres à Birmingham. Au milieu, petit morceau de terre recouvert d'arbres. La comparaison avec Venise est assez excessive. Néanmoins, les berges tranquilles de *Grand Union Canal,* sur Maida Avenue, ont un petit charme. Un coin peu connu de Londres, insolite sans plus. *Navettes fluviales pour le*

FOUETTE COCHER...
SUR L'EAU

Les « pénichettes » que vous verrez sur les canaux de Little Venice existent depuis plus de 100 ans. Autrefois, elles transportaient toutes sortes de marchandises. Elles ont été construites pour s'adapter à l'étroitesse des canaux mais, surtout, elles étaient non pas propulsées par des moteurs (ça n'existait pas !), mais tirées par des chevaux.

zoo (en 15 mn) et le marché de Camden Town (en 45 mn). Départs ttes les heures env tlj 11h-16h avr-sept, horaires très restreints le reste de l'année. Rens : ☎ 020-7482-2550 auprès de la **London Waterbus Company** *: ● londonwaterbus.com ● Tickets A/R à partir de 14 £, réduc.* On n'avance pas plus vite que les piétons, mais la balade est agréable dans l'ensemble, surtout avec des enfants.

BLOOMSBURY, KING'S CROSS, SAINT PANCRAS ET EUSTON

- Pour se repérer, voir le plan d'ensemble et le centre 1 détachables en fin de guide.

Bloomsbury l'intellectuel, où écrivains et artistes élurent autrefois domicile, abrite 2 symboles culturels forts : le British Museum et l'université de Londres. Résolument calme et bourgeois, Bloomsbury devient plus animé et populaire à mesure que l'on s'approche des gares, autour de King's Cross. Ce quartier concentre à la fois la majorité des hôtels « pas chers » mais aussi des hôtels de luxe, comme le *St Pancras Renaissance Hotel,* datant de 1873, et le *Great Northern Hotel.* Ça tombe bien, car c'est à la gare de Saint Pancras que vous dépose l'Eurostar !
Ce quartier très vivant est en pleine mutation avec d'immenses chantiers dans sa partie nord. Plus de 50 bâtiments – nouveaux ou réhabilités, dans un souci d'alliance entre patrimoine industriel et modernisme – ont émergé, de nombreux autres sont en construction, une vingtaine de nouvelles rues doivent apparaître, 2 piscines, le siège du journal *The Guardian,* de *Google,* etc. On est bien loin d'un banal quartier de la gare...

Où dormir ?

– En sortant de la gare Eurostar, à droite vers la *British Library (plan d'ensemble, F1),* appréciez la façade monumentale de l'hôtel de luxe *St Pancras Renaissance Hotel,* datant de 1873. Superbe bâtiment victorien de Sir George Gilbert Scott. Il s'agit aujourd'hui d'un hôtel *Marriott* de 245 chambres, dont 38 suites. Faute d'y loger, pourquoi ne pas y prendre un verre au bar ou une *cup of tea* dans un des luxueux bars-salons ? Vaut aussi le coup d'œil pour son escalier central et le fumoir des Dames.

Auberges de jeunesse et *student halls* (moins de 35 £/pers / 41 €)

Dans cette catégorie, on trouve toutes les AJ avec dortoirs accessibles aux petits budgets. Mais la plupart disposent aussi de chambres privatives, pour 1 à 5 personnes. Dans ce cas, les tarifs grimpent dans la catégorie « Prix moyens », mais cela reste un vrai bon plan entre amis. En revanche, si vous êtes en famille, on vous conseille quand même de comparer les prix avec les chambres familiales des hôtels cités plus loin, relativement économiques et plus tranquilles.

🏠 *The Generator* (plan d'ensemble, F2, **105**) : Compton Pl, au 37 Tavistock Pl, WC1H 9SE. ☎ 020-7388-7666 et 7655. ● ask.london@generatorhostels.com ● generatorhostels.com ● Ⓜ Russell Sq ou King's Cross. Dortoirs (8-12 lits) à partir de 18-30 £/pers selon capacité ; chambres privatives 72-155 £ pour 2-4 pers (prix – très – majorés jeu-sam et pdt les fêtes, et pour le carnaval de Notting Hill). Réduc par Internet et résa vivement conseillée. Une chaîne d'AJ moderne et design que l'on trouve dans toutes les capitales branchées d'Europe. Celle-ci est immense (plus de 800 lits !), chic, urbaine et décorée au goût du jour. Chaque étage est baptisé du nom d'un film et d'une couleur. À vous de reconnaître le titre avec les dessins du petit bonhomme aux murs ! De longs couloirs, quelques petites chambres avec lits superposés pour 1 à 4 personnes, bien plus d'espace pour les grands dortoirs, avec literie confortable et tout le confort moderne. Jolie déco de bois clair et murs de couleurs vives. Salles de bains nickel et en nombre suffisant. Pas de cuisine, mais cafétéria et bar (ouvert jusqu'à 2h), pratiquant des tarifs très raisonnables. Billards, baby-foot, retransmission des compétitions sportives sur grand écran. Salle TV, laverie, agence de voyages et même une grande salle de relaxation. L'organisation tient plutôt bien la route, et l'atmosphère est jeune et trépidante.

🏠 *Clink78* (plan d'ensemble, G2, **107**) : 78 King's Cross Rd, WC1X 9QG. ☎ 020-7183-9400. ● clinkhostels. com ● Ⓜ King's Cross (et bus n° 63). Dortoirs 4-16 lits env 13-35 £/pers selon taille et confort (en bunk beds, sans ou avec sdb). Chambres pour 1-3 pers sans ou avec sdb privée et même d'authentiques cellules de prisonniers (avec leur lourde porte) pour 2 (max !) à partir de 20-40 £/pers... Petit déj compris. Prix (très) majorés le w-e et pdt les fêtes (jusqu'à 120 £ pour 2 !) ; réduc sur Internet. Voici une adresse insolite de plus de 500 lits : on dort dans un palais de justice réhabilité !

D'illustres prédécesseurs ont côtoyé l'endroit, de Charles Dickens, qui y rédigea les *Aventures d'Oliver Twist*, aux membres du groupe *The Clash* pour avoir canardé un pigeon. Les nouveaux jurés peuvent prendre d'assaut les salles d'audience désormais remplies d'ordis ou aménagées en salle de projection-ciné, et s'en vont dormir dans d'anciennes geôles au look résolument moderne, avec lits design et couleur pop acidulée, quoique un peu sombres et étriquées... Sinon, on peut toujours opter pour un des dortoirs plus classiques dans les étages, un poil plus chers, bien aménagés (certains sont réservés aux filles). Casiers et lampes de lecture. C'est propre, le petit déj en self-service en sous-sol est très correct et varié, et la cuisine très bien équipée. Boutique pour vos voyages et sorties. En bonus non négligeable, le *Clash Bar* (tlj 18h-2h), avec des DJs qui assurent des soirées endiablées au sous-sol !

🏠 *Clink261* (plan d'ensemble, F1, **103**) : 261-265 Gray's Inn Rd, WC1 X8QT. ☎ 020-7833-9400. ● clinkhostels.com ● Ⓜ King's Cross. Selon période et confort, en dortoir (4-18 lits) env 13-22 £/pers ; doubles env 50-70 £. Petit déj continental compris. Prix (très) majorés le w-e et pdt les fêtes ; réduc sur Internet. Vaste AJ colorée et super bien située avec, à la réception, le portrait stylisé de la reine pour surveiller ses ouailles ! Dortoirs plus classiques, presque tristounes, certains plus spacieux que d'autres. Sanitaires et douches impeccables sur le palier. Cuisine équipée moderne, bar, salon TV et jeux vidéo, salle Internet, etc. Bon accueil.

🏠 *Keystone House Hostel* (plan d'ensemble, F1, **47**) : 272-276 Pentonville Rd, N1 9JY. ☎ 020-7837-6444. ● reception@keystone-house.com ● keystone-house.com ● Ⓜ King's Cross. En dortoirs de 4-16 lits, compter 16-35 £/pers selon saison ; doubles à partir de 65 £. Le plus proche de l'Eurostar. Installé dans un bel édifice XIXe s en brique rouge et pierre jaune. Environ 150 lits en dortoirs ou chambres privatives, les plus chères d'excellent confort, avec salle de bains privée. Bonne literie et cadre contemporain plaisant et coloré. Sympathique bar, terrasse sur le toit pour les BBQ, Internet café, laverie, etc.

Astor's Museum Hostel *(centre 1, F3, 117)* **:** 27 Montague St, WC1B 5BH. ☎ 020-7580-5360. ● museum@astorhostels.com ● asto rhostels.com ● Ⓜ Holborn ou Russell Sq. Ouv 24h/24. En dortoir, env 23-29 £/pers selon période et capacité (4-12 lits) ; twins avec sdb commune env 95 £. Petit déj continental (simple) inclus. Promos sur Internet et réduc avec la carte HI. Une petite AJ simple et un peu étriquée, mais on aime bien son atmosphère fraternelle et pas compliquée. Surtout, excellente situation qui justifie le séjour, dans un quartier fort paisible la nuit. Dortoirs basiques répartis dans 2 bâtiments (à quelques rues d'écart), douches et w-c en commun à chaque étage, et grande cuisine conviviale dans le bâtiment principal. Seulement 3 doubles (à réserver). Le salon TV est assez banal (DVD à dispo), mais le charmant Russel Square voisin vaut mieux que n'importe quelle salle commune (par beau temps !).

Pickwick Hall *(centre 1, F3, 116)* **:** 7 Bedford Pl, WC1B 5JE. ☎ 020-7323-4958. ● pickwickhall. co.uk ● Ⓜ Russell Sq. Ouv 24h/24. Avec ou sans sanitaires communs, env 30-33 £/pers en dortoir (selon période) ; doubles 66-85 £. Petit déj continental inclus. Le jeune Dickens n'aurait probablement pas boudé cette adresse atypique, située dans une rue très chic. À l'inverse d'une auberge de jeunesse lambda, brouillonne et échevelée, la maison se définit plutôt comme un curieux mélange entre une pension à l'ancienne mode et un *B & B* paisible (pas de folles soirées ici !). La belle bâtisse renferme un salon TV, une laverie, une cuisine comme à la maison et seulement une quinzaine de chambres de 1 à 4 lits pour préserver l'intimité des hôtes. Chambres bien tenues, toutes pourvues d'un frigo et d'un micro-ondes. Globalement un bon rapport qualité-prix, d'autant que le patron est un homme adorable.

Smart Russell Square Hostel *(plan d'ensemble, F2, 65)* **:** 71-72 Guilford St, Camden WC1N 1DF. ☎ 020-7833-8818. ● srs.bookings@ smarthostels.com ● smarthostels. com ● Ⓜ Russell Square. Réception ouv 24h/24. Compter env 11-24 £/pers selon période et env 60 £ pour une double. Petit déj continental compris. Beau et imposant bâtiment de style georgien. Dortoirs de 4 à 18 lits (avec ou sans salle de bains). AJ confortable : casiers individuels, chauffage, blanchisserie, coffre, cuisine équipée, change et distributeur de billets, local à bagages, possibilité de laver son linge, cybercafé... Accueil pro. En saison, tour de Londres quotidien gratuit à 11h.

St Pancras YHA *(plan d'ensemble, F2, 113)* **:** 79-81 Euston Rd, NW1 2QE. ☎ 020-7388-9998 et 845-371-9344. ● stpancras@yha.org.uk ● yha.org.uk ● Ⓜ King's Cross. Lits en dortoir 16-33 £ selon confort et période. Doubles 49-90 £ sans ou avec sdb. Petit déj et serviettes en sus. Réduc pour les membres. Une grande AJ toute nickel, fonctionnelle et sécurisée, stratégiquement située à 2 pas du métro et face à la British Library. Secteur archi fréquenté, mais bonne isolation sonore. Dortoirs et chambres propres, clairs, de taille raisonnable, les plus chères avec salle de bains privée et TV. Salons communs agréables, bar chaleureux et petite cafét au rez-de-chaussée. Accueil sympa.

London Central YHA *(plan d'ensemble, D3, 77)* **:** 104 Bolsover St, W1W 5NU. ☎ 845-371-9154. ● londoncentral@yha.org.uk ● yha.org.uk ● Ⓜ Great Portland St. Dortoirs 16-35 £/pers selon confort et période, double 85 £. Réduc pour les membres et sur Internet. Immense AJ moderne située au cœur de Londres, proche de Pancras et King's Road Stations et à 5 mn du métro. Plus de 300 lits (en *bunk beds*). Réception vaste et colorée, particulièrement accueillante. Ensemble confortable et fort bien tenu. Certains dortoirs possèdent leur salle de bains privée. Également des chambres familiales et des poussettes à dispo pour les routards en herbe. Bar-cafétéria convivial, cuisine à dispo et plusieurs salles communes (salon TV et salle Internet), laverie, etc.

De prix moyens à plus chic (50-120 £ / 58-140 €)

Les quartiers de King's Cross et du British Museum rassemblent de nombreux hôtels, à prix honnêtes, certains dans de belles demeures georgiennes retirées en bordure de squares paisibles. Privilégier notamment les secteurs d'Argyle Street (à ne pas confondre avec Argyll Street, près d'Oxford Circus), de Gower Street et des Cartwright Gardens.

🏠 **Point A Hotel Kings Cross** (plan d'ensemble, F1-2, **80**) : 324 Gray's Inn Road, WC1X 8BU. ☎ 020-7713-0428. ● london.kingscross@pointahotels. com ● pointahotels.com ● Doubles 34-120 £, voire 27-55 £ le w-e ! Réservation en ligne pour obtenir les meilleurs prix, on ne peut plus fluctuants, selon une règle désormais établie. Prix plancher pour Londres, quoi qu'il en soit ! Un bâtiment sans charme, certes, mais à 700 m de la gare et des transports. Chambres compactes et nickel, à la déco fraîche et finalement très agréable (avec ou sans fenêtre). Une nouvelle chaîne de budget hotels qui devrait vite faire des adeptes. On est déjà assez fan du rapport qualité-prix, sans mauvaises surprises puisque, pour une fois, tout est compris ou presque ! Autres adresses à Paddington, Liverpool St, Shoreditch, etc.

🏠 **Alhambra Hotel** (plan d'ensemble, F1, **114**) : 17-19 Argyle St, WC1H 8EJ. ☎ 020-7837-9575. ● reservations@ alhambrahotel.com ● alhambrahotel. com ● Ⓜ King's Cross. Doubles 85-129 £ selon confort et période ; triples et quadruples à partir de 150 £. Petit déj anglais inclus. Hôtel de famille depuis près de 40 ans, tenu à la perfection. Une cinquantaine de chambres confortables, de petites dimensions et pas toujours parfaitement insonorisées mais pimpantes, dotées d'une moquette bleu nuit et d'un mobilier fonctionnel (petit bureau, coffre, TV écran plat). Thé et café à discrétion.

Les chambres les moins chères ont la douche et les w-c sur le palier. Si c'est plein de ce côté de la rue, vous vous retrouverez dans l'une des 2 annexes ; même genre de déco et de prestations. Accueil très sympa, et en français de surcroît.

🏠 **Celtic Hotel** (plan d'ensemble, F2, **118**) : 62 Guilford St, WC1N 1DD. ☎ 020-7837-6737. ● reservations@ celtichotel.com ● celtichotel.com ● Ⓜ Russell Sq ou Holborn. Sans ou avec sdb privée, doubles 92-118 £, triples et quadruple 120-160 £. Petit déj anglais (hmm ! ça sent bon le bacon !) inclus. Une adresse historique et hyper bien située, présente dans le Routard depuis des décennies, mais les prix, hélas, se sont alignés sur ceux du quartier. Hôtel bien tenu. Déco rustique, moquette, ambiance pension de famille conviviale. Pas mal de chambres possèdent désormais leur salle de bains. Pour les autres, douches et w-c communs très propres. Grand salon TV, atmosphère familiale. Joli petit jardin à l'arrière de l'hôtel, pour boire un verre ou papoter aux beaux jours.

🏠 **Ridgemount Private Hotel** (plan d'ensemble, E2, **115**) : 65-67 Gower St, WC1E 6HJ. ☎ 020-7636-1141 ou 020-7580-7060. ● info@ridgemoun thotel.co.uk ● ridgemounthotel. co.uk ● Ⓜ Goodge St. Doubles sans ou avec sdb env 94-114 £ ; petit déj anglais inclus. Familiales 3-5 pers. Les chambres familiales peuvent se révéler moins chères qu'un dortoir dans certaines AJ. À envisager donc ! Petit hôtel familial à l'ancienne, alignant des chambres datées et pas bien grandes, mais propres et confortables. Elles sont même très tranquilles et plaisantes côté jardin, surtout lorsqu'elles profitent d'une jolie cheminée. Salon commun agréable avec machine à café. Accueil attentionné.

De plus chic à très chic (90-120 £ et plus / 105-140 €)

🏠 **The Hoxton Holborn** (centre 1 F3, **94**) : 199-206 High Holborn, WC1V 7BD. ☎ 020-7661-3000

● thehoxton.com ● ⓜ Holborn. Doubles à partir de 135 £. Sac à petit déj inclus. Avec son grand frère du quartier de Hoxton, cette annexe a tout d'une grande. Grand hall ouvert avec café-brasserie-resto et meubles au design vintage. Pareil dans les 174 chambres, de la « shoebox » (boîte à chaussures) aux suites et familiales. Les papiers peints rétro sont inspirés des histoires de Charles Dickens et certaines œuvres imaginées par de jeunes créateurs. Ambiance boutique-hôtel abordable, jeune et sympa. On adore les tourne-disques ou les radios d'antan qui côtoient le confort moderne. On aime !

â Travelodge King's Cross (plan d'ensemble, F1, **120**) : Willing House, 356-364 Gray's Inn Rd, WC1X 8BH. ☎ 0871-984-6256 ou 0203-195-4554. ● travelodge.co.uk ● ⓜ King's Cross. Doubles tt confort env 100-160 £. Petit déj-buffet en sus. Réduc sur Internet. Cette chaîne d'hôtels propose des prix défiant toute concurrence. Un bon plan, d'autant plus que celui-ci sort du lot : sa façade majestueuse, sa situation à 2 pas de King's Cross et son confort fonctionnel en font une vraie bonne adresse. Chambres impeccables, toutes équipées de salle de bains et de lit king size. Le credo de la maison, c'est de ne fournir que l'indispensable : une seule serviette par personne, téléphone non direct, câble TV et wifi payants, etc. Une formule intelligente et économique. Cependant, autant le savoir, certaines chambres peuvent être très proches des voies du métro et se révéler alors assez bruyantes...

â D'autres Travelodge à Londres, notamment à 5 mn à pied, à Farringdon (10-42 King's Cross Rd, ☎ 0871-984-6274). Souvent plus grands, d'aspect plus moderne, avec tous les mêmes chambres.

â Thanet Hotel (centre 1, F3, **116**) : 8 Bedford Pl, WC1B 5JA. ☎ 020-7636-2869. ● thanethotel@aol.com ● thanethotel.co.uk ● ⓜ Russell Sq ou Holborn. Double env 136 £ (moins cher en janv-fév) ; également des chambres pour 3-5 pers. Copieux petit déj anglais compris. Petit établissement plein de charme. Une quinzaine de chambres

classiques bien tenues, de taille raisonnable, avec thé et café à disposition, d'un bon niveau de confort malgré les matelas peu épais et le mobilier datant un poil (mais ça donne un style). Le tout donnant sur la rue (peu passante) ou sur un jardin intérieur. Accueil particulièrement aimable. Une bonne adresse !

â Arosfa Hotel (plan d'ensemble, E2, **119**) : 83 Gower St (au coin de Torrington), WC1E 6HJ. ☎ 020-7636-2115. ● info@arosfalondon.com ● arosfalondon.com ● ⓜ Goodge St. Doubles 132-175 £, petit déj anglais inclus ; familiales. Petit, intime (une quinzaine de chambres) et très bien tenu. La déco est élégante, notamment dans les chambres confortables, où se mêlent harmonieusement l'ancien et le moderne. Chambres pour 2 à 6 personnes ; salles de bains pas bien grandes. Joli salon élégant et cosy et jardin pour prendre l'air.

â Euro Hotel (plan d'ensemble, F2, **121**) : 51-53 Cartwright Gardens, WC1H 9EL. ☎ 020-7387-4321. ● reception@eurohotel.co.uk ● euro hotel.co.uk ● ⓜ Euston ou Russell Sq. Doubles à partir de 147 £ avec sdb ; familiales. English breakfast inclus. Donne sur une aimable place à l'anglaise, arborée, où se concentrent une foule d'hôtels de même catégorie. Chambres agréables, certaines avec douche et w-c, d'autres avec baignoire, toutes confortables et très propres. Belles chambres familiales. Réjouissant de se réveiller le matin face à ce square et de profiter de la vue en prenant son petit déjeuner.

â Premier Inn Euston (plan d'ensemble, E2, **110**) : 1 Duke's Rd, WC1H 9PJ. ☎ 0871-527-8656. ● premierinn.com ● ⓜ Euston Sq ou King's Cross. Doubles env 106-170 £ (réduc sur Internet, prix majorés le w-e). English breakfast en sus, gratuit moins de 16 ans. Resto. On n'est pas venu ici pour cette grande bâtisse sans charme, mais pour les chambres de bon confort, toutes identiques (c'est une chaîne), assez spacieuses et somme toute agréables dans leur genre. Le vrai plus pour les familles : la possibilité, pour le même prix, de loger à 4 dans la même chambre (2 adultes, 2 enfants, pas d'autres

BLOOMSBURY, KING'S CROSS, SAINT PANCRAS ET EUSTON

configurations), avec lit double et canapé-lit. Café, terrasse et resto au rez-de-chaussée.

🏠 **Premier Inn King's Cross St Pancras** (plan d'ensemble, F1, **49**) : 26-30 York Way, N1 9AA. ☎ 0871-527-8672. ● premierinn.com ● Ⓜ King's Cross. Doubles 89-200 £ selon période (réduc sur Internet, plus cher le w-e). Décidément, cette chaîne d'hôtels fait bien les choses. Ici, ce ne sont pas ses 280 chambres (nickel et confortables, comme d'habitude) qui retiennent l'attention, mais l'excellente situation : face à la gare, donc à 2 pas du terminal des Eurostar et du métro pour le centre. Hyper pratique. Une remarque cependant : éviter si possible les chambres du rez-de-chaussée (peu nombreuses), seulement dotées de fenêtres aveugles.

🏠 **Regency House Hotel** (plan d'ensemble, E2, **115**) : 71 Gower St, WC1E 6HJ. ☎ 020-7637-1804. ● bookings@regencyhouse-hotel. com ● regencyhouse-hotel.com ● Ⓜ Goodge St. Doubles env 130-145 £ (plus cher le w-e et selon saison). Également des familiales jusqu'à 5 pers. Bon English breakfast compris. Hôtel engageant, avec un soupçon de personnalité. Une quinzaine de chambres agréables, pas très grandes mais bien tenues. Toutes disposent de sanitaires privatifs. Double vitrage assez efficace. Celles à l'arrière ont une belle vue sur le jardin et sont, bien sûr, plus tranquilles. Les supérieures ont même droit à une petite terrasse privée.

Où manger ?

Très bon marché
(moins de 10 £ / 12 €)

🍴 **Half Cup** (plan d'ensemble, F2, **248**) : 100-102 Judd St, WC1H 9NT. ☎ 020-8617-7835. Ⓜ King's Cross St. Lun-ven 8h-19h, sam-dim 8h-17h. À 2 pas de St Pancras, un petit café avec 2 salles aux fresques colorées, grandes tables en bois et un comptoir où piocher des gourmandises. On trouve même des toasts à l'Oréo ! Parfait pour le petit déj ou le goûter. Terrasse.

🍴 **Burger & Shake** (plan d'ensemble,

Très chic
(plus de 120 £ / 140 €)

🏠 **The Beauchamp** (centre 1, F3, **122**) : 24-27 Bedford Pl, WC1B 5JH. ☎ 020-7016-2540. ● beauchamp@ grangehotels.com ● grangehotels. com ● Ⓜ Russel Sq ou Holborn. Doubles 82-250 £ selon période. Réduc si résa sur Internet et breakfast inclus dans ce cas. L'hôtel anglais chic et classe, avec ses vastes chambres, le mobilier contemporain de bon goût, les tableaux modernes, leurs lits moelleux, la moquette épaisse, le tombé parfait des rideaux, les salles de bains rutilantes pour paresser en paix... TV écran plat, coffre-fort et accueil à la hauteur.

🏠 **Myhotel Bloomsbury** (centre 1, E3, **64**) : 11-13 Bayley St, WC1B 3HD. ☎ 020-3004-6000. ● bloomsbury@ myhotels.com ● myhotels.com ● Ⓜ Goodge St. Doubles ou suites 130-400 £ selon période, petit déj en sus (bien guetter les promos sur Internet). À 2 pas du British Museum, un hôtel conçu par l'incontournable designer anglais Terence Conran. Confort et atmosphère on ne peut plus cosy pour des chambres pas bien grandes, mais uniques. Et côté déco, couleurs flashy ou blancheur immaculée, au choix. Des meubles anciens également, des statues de Bouddha, gentiment incongrus dans ce cadre si moderne. Un vrai lieu de vie aussi, avec café et resto Gail's, ouverts sur la rue.

F2, **291**) : 47 Marchmont St, WC1N 1AP. ☎ 020-7837-7718. ● info@burgerandshake.co.uk ● Ⓜ Russell Square ou Euston. Fermé 25-27 déc et 1er jan. Tlj 12h-22h30 (22h dim). Burgers 6,75-9 £, milkshake env 4,50 £. C'est tout petit, cosy, intime, avec des box et des banquettes de moleskine. Accueil adorable pour les meilleurs burgers au sud de King's Cross ! 17 recettes préparées consciencieusement avec d'excellents ingrédients, assemblages et goûts originaux (essayer le Buffalo Chicken). Autre point fort :

les hot dogs et les milk-shakes, absolument délicieux, crémeux et ultra-copieux.

|◑| The Place Café (plan d'ensemble, E2, **254**) : 17 Duke's Rd, WC1H 9PY. ☎ 020-7121-1000. ● info@theplace. org.uk ● ⓜ Euston Sq ou King's Cross. Tlj sauf dim 8h30-17h30/20h en fonction des spectacles. Petit déj, en-cas et petits plats 4-6 £. La cafét de *The Place*, l'institut et la salle de spectacle du philanthrope Robin Howard. Vaste salle toute simple en sous-sol, à l'atmosphère chaleureuse et brouillonne ! Salades, soupes, quiches, pâtes, sandwichs et plats chauds à prix ultra-démocratiques. Fréquenté par les danseurs et danseuses de *The Place* et par tous ceux qui ont flairé la bonne affaire.

➥ Voir aussi la *Pâtisserie Deux Amis* (plan d'ensemble, F2, **262**), pour ses sandwichs (baguette) et ses bonnes quiches.

Bon marché (10-20 £ / 12-23 €)

|◑| Caravan (plan d'ensemble, F1, **605**) : 1 Granary Sq, N1C 4AA. ☎ 020-7101-7661. ● restaurant@ caravankingscross.co.uk ● ⓜ King's Cross. Lun-ven 8h-22h30, w-e 10h-22h30 (16h dim). Snacks et plats 3,50-19 £. Petits déj et brunchs env 3-11,50 £. Très belle réhabilitation que cet ancien entrepôt à grains investi par l'université des Arts de Londres. Les étudiants et les gens bien avisés se retrouvent dans cette grande salle au rez-de-chaussée, sur de longues tables conviviales ou au comptoir (également quelques tables pour 2 pour les amoureux). Ambiance de cantine industrielle dans un joyeux brouhaha (supportable vu le volume des lieux), pour déguster des petites assiettes bien ficelées, entre cuisine bien *British* et incursions tous azimuts. Café maison et cocktails ne sont pas en reste. Prévoir de l'attente le week-end pour le brunch. Personnel jeune et branché, ça va de soi, mais pas snob pour un sou. Un vrai petit coup de cœur. Une autre annexe où prendre un délicieux café

sur Exmouth Market, dans le quartier de Clerkenwell.

|◑| Bubbledogs (centre 1, E3, **258**) : 70 Charlotte St, W1T 4QG. ☎ 020-7637-7770. ⓜ Goodge St. Mar-jeu 12h-16h et 17h30-23h, ven-sam 11h30-23h. Fermé dim-lun. Hot dogs 7-9 £, coupe de champagne à partir de 6,50 £. Ici le concept est simple : que des hot dogs et du champagne. Le choix est vite fait. La combinaison décadente des deux peut paraître surprenante, mais finalement, dans l'ambiance bon enfant de cette échoppe, où l'on engloutit son sandwich sur un tabouret, ça passe ! On trouve même des hot dogs végétariens et... au chocolat !

|◑| Itadaki Zen (plan d'ensemble, F-G1, **158**) : 139 King's Cross Rd, WC1X 9BJ. ☎ 020-7278-3573. ⓜ King's Cross. Tlj sauf sam midi et dim 12h-15h, 18h-22h. Formules lunch 6-10 £ ; le soir, menus 13-28 £. Proche de la gare. Cadre sobre (pas de décor, que du bois blanc) et intime pour une vraie cuisine japonaise familiale et personnalisée où l'accent est mis sur la qualité des produits bio et vegan. Grande variété de saveurs et textures, même les tofus ont du caractère ! À midi, le *bento* à 10 £ se révèle une aubaine. Service jeune et souriant. Si vous ne terminez pas, ici on encourage le *doggy bag* !

|◑| Camino (plan d'ensemble, F1, **267**) : The Regent Quarter, 3 Varnishers Yard, N1 9FD. ☎ 020-7841-7330. ● kingscross@camino.uk.com ● ⓜ King's Cross. Lun-ven 12h-15h30, 17h30-23h, sam 11h-15h30, 17h30-23h, dim 11h-15h30, 18h-22h. Petits déj dès 9h (2-8 £). Bar Pepito tlj 12h-minuit (1h ven-sam, 23h dim). Plat du jour le midi en sem env 6 £ ; assiettes variées env 5-20 £ ; plats 18-20 £. Ici, on célèbre clairement toutes les saveurs de l'Espagne, dans l'assiette et dans son verre. Tapas, charcuterie, viande (ah ! les *parillas* ! le grill !), fromages, et petits vins charpentés, venus de toute la péninsule Ibérique. Ambiance joviale, au comptoir, sur les tabourets, au fond des sofas ou autour des tonneaux en terrasse. Pour patienter, possibilité de boire un verre à côté, au *Pepito*, même maison. Tout aussi festif !

BLOOMSBURY, KING'S CROSS, SAINT PANCRAS ET EUSTON

|●| Dishoom (plan d'ensemble, F1, **253**) : 5 Stable St, N1C 4AB. ☎ 020-7420-9321. Ⓜ King's Cross. Petits déj 8h (9h w-e)-11h45 env 3-12 £. Puis 11h30-23h (minuit jeu-sam). Plats env 6-12 £. Clin d'œil aux célèbres Bombay Cafés de Mumbai (créés par des immigrants zoroastriens venant d'Iran au début du siècle dernier, il y en eut presque 400 à Bombay jusqu'en 1960, une trentaine aujourd'hui !). Ouvert depuis novembre 2014 (3 autres adresses à Londres) et installé dans un entrepôt victorien de 1850, qui assurait le transit de marchandises entre Londres et... Bombay ! Immense volume, style brasserie postmoderne teintée d'exotisme, long comptoir, mezzanine... Cuisine indienne traditionnelle déclinée sur un menu bien présenté. Conseillé de réserver, parfois jusqu'à 1h d'attente (à croire qu'ils veulent qu'on prenne un cocktail au bar !), et ça peut être un peu bruyant.

|●| North Sea Fish (plan d'ensemble, F2, **168**) : 7-8 Leigh St, WC1H 9EW. ☎ 020-7387-5892. ● info@northsea fishrestaurant.co.uk ● Ⓜ Russell Sq ou King's Cross. Lun-sam 12h-14h30 et 17h-22h30, dim 17h-21h30. À emporter, petits plats 6-10 £ ; sur place, env 16-25 £. Divisé en 2 parties, le take-away et le resto. Que ce soit pour ses poissons grillés ou son fish & chips, cette petite adresse indémodable, au cadre intemporel, est livrée chaque jour en poisson frais et s'impose comme une des valeurs sûres du quartier. Rapport qualité-prix-fraîcheur irréprochable !

De bon marché à prix moyens (max 30 £ / 34 €)

|●| Honey & Co (plan d'ensemble, D-E2, **265**) : 25A Warren St, W1T 5LZ. ☎ 020-7388-6175. ● enquiries@ honeyandco.co.uk ● Ⓜ Warren St. Tlj sauf dim 8h (9h30 sam)-22h30. Petits déj 5,50-17,75 £ ; plats env 14,50 £ et copieux menus 30,50 et 34,50 £. C'est tout petit, aucun décor à part quelques assiettes joliment présentées. L'important, ici, c'est avant tout le contenu de l'assiette. Tout simplement délicieux, un grand coup de cœur ! Au piano,

un chef qui excelle à créer de suaves associations de saveurs à hauteur de la qualité des produits. Cuisine aux accents Middle East, fraîche et colorée, en de goûteuses et savantes combinaisons. On y vient aussi pour le petit déj, tout aussi fameux (big breakfast menu le samedi !). Quant au cheesecake, il se révèle une vraie tuerie ! Mon tout à des prix abordables eu égard à la qualité des mets !

|●| Rotunda (plan d'ensemble, F1, **299**) : King's Pl, N1 9AG. ☎ 020-7014-2840. ● enquiries@rotundabaran drestaurant.co.uk ● Ⓜ King's Cross. Lun-sam 11h-23h (minuit jeu-ven), dim 11h-22h30 ; service 12h-15h, 17h-22h30 (en continu au bar), dim 11h-18h30. Menus 22-27 £ ; plats env 14,50-32,50 £. Derrière la gare de King's Cross, au bord du canal. Dans cet immense centre culturel, une brasserie de style contemporain, dans un environnement sympa. Tables bien séparées, longues banquettes de moleskine, service jeune pour une cuisine bien troussée à base de produits provenant de sa propre ferme bio (troupeaux à l'herbe, est-il précisé !). Belles viandes vieillissant au moins 28 jours, recettes classiques avec souvent des envolées inspirées, cuissons parfaites. Intéressant et généreux menu. Superbe terrasse au bord de l'eau, très prisée aux beaux jours.

|●| German Gymnasium (plan d'ensemble, F1, **281**) : 1 Kings Bd, N1C 4BU. ☎ 020-7287-8000. ● reservations@germangymnasium. com ● Ouv tlj dès 8h (10h le w-e) pour le petit déj, le lunch, le tea time ou le dîner. Petits déj 4-13 £, plats 10-32 £. À la sortie de la gare (« Regent's Canal »). Il s'agit du plus vieux gymnase d'Angleterre, construit en 1865, pour célébrer les premiers J.O. de 1866. Réhabilité par Sir Conran, le lieu mérite assurément le coup d'œil. Les magnifiques volumes ont été préservés, bien mis en valeur par une déco élégante et feutrée. Cuisine germanique, comme il se doit. On viendra surtout pour le cadre et des questions de logistique ferroviaire. Pour boire un verre donc ou manger un morceau vite fait. Petit déj copieux et à base de Bratwurst !

Où prendre le petit déj ou un bon café ?
Où faire une pause sucrée ?

🍵 *Syrup of Soot* (centre 1, F3, *320*) : 38 Museum St. ● contact@syrupofsoot. com ● Tlj 8h15 (10h w-e)-18h30. Fermé 24-26 déc et 1er janv. Snacks à partir de 4,50 £. Un petit salon de thé, à la déco intemporelle et boisée. Parfait refuge pour reprendre des forces après la visite du British Museum. Pratique aussi pour un snack léger mais équilibré à l'heure du déjeuner (soupes, salades, sandwichs...).

🍵 *Ruskin Cafe* (centre 1, F3, *247*) : 41 Museum St, WC1A 1LT. ☎ 020-7405-1450. Tlj 8h30-18h30. Un autre salon de thé à proximité immédiate du musée. La déco, vieillotte, ne paie pas de mine, mais les *scones* maison sont tout simplement à se damner. Accueil simple et sans chichis.

🍵 *Pâtisserie Deux Amis* (plan d'ensemble, F2, *262*) : 63 Judd St, WC1H 9QT. ☎ 020-7383-7029. Ⓜ King's Cross ou Euston. À l'angle de Leigh St. Tlj 9h-17h30 (14h30 dim). Snacks à partir de 4,50 £. Tout est possible à Londres, même déguster de vrais croissants ! Et, quitte à bien faire, les *Deux Amis* confectionnent un excellent cappuccino, mais aussi des sandwichs préparés avec des baguettes dignes de ce nom, des quiches savoureuses, etc. Un zeste de musique classique et quelques petites touches de déco bien vues donnent aussitôt envie de jouer les prolongations dans ce minuscule salon de thé cosy, bourré de charme. Quelques tables dehors aux beaux jours.

🍵 Voir aussi, dans « Où manger ? », *Caravan* (plan d'ensemble, F1, *605*), pour prendre un délicieux café torréfié maison. Divers crus à la carte et un vrai *barrista* aux manettes, ou le *German Gymnasium* (plan d'ensemble, F1, *281*). Sans oublier le *big breakfast* et les délicieuses pâtisseries de *Honey & Co* (plan d'ensemble, D-E2, *265*) ou *The Water Rats* (plan d'ensemble, F1, *322*), bar décrit dans « Où boire un verre ? », ouvert dès 5h pour le petit déj !

Où boire un verre ? Où sortir ?

🍸 *Museum Tavern* (centre 1, F3, *320*) : 49 Great Russell St, WC1B 3BA (au coin de Museum St). Situé juste en face du British Museum. ☎ 020-7242-8987. Ⓜ Tottenham Court Rd. Lun-jeu 11h-23h30, ven-sam 11h-minuit, dim 11h-22h30 (arrêt cuisine à 23h). Un des plus vieux pubs de Londres, datant de 1723, reconstruit en 1855. Au XVIIIe s, il s'appelait le *Dog & Duck*, preuve qu'on chassait encore dans les environs ! Il changea opportunément de nom au moment de la création du musée. De cette époque, il a gardé beaucoup de témoignages, notamment le bar en acajou superbement sculpté et ciselé, les box, les miroirs gravés, etc. Karl Marx, qui pratiquait beaucoup le *pub crawl* sur Tottenham Court Road, y passait à l'occasion (ainsi que Conan Doyle). Toujours aussi fréquenté, c'est le point de chute des employés du quartier et des visiteurs du musée, pour un verre ou un plat de *pub grub*. Ambiance très conviviale à la sortie des bureaux.

🍸🥢 *Drink, Shop & Do* (plan d'ensemble, F1, *321*) : 9 Caledonian Rd, N1 9DX. ☎ 020-7278-4335. ● drinkshopdo. com ● Ⓜ King's Cross. Lun-jeu 8h30-minuit, jusqu'à 2h ven-sam et 18h dim. Cadre peu banal que ces anciens bains victoriens avec leur coupole et colonnades de stuc, relookés à la mode *sixties* à grand renfort de mobilier en formica. Ici on cultive le décalage et l'humour, entre boutique, activités thématiques le soir (atelier Lego, tricot, *sexy dance*...), comedy club, *afternoon tea* et l'ensemble de la déco qui est à vendre. Les vendredi et samedi soir, les DJs investissent l'ancien sex-shop du sous-sol, et la clientèle envahit allègrement la piste de danse au son de pop, hip-hop *and so on*.

🍸 Voir également, dans « Où manger ? » *Camino* (plan d'ensemble, F1, *267*), bien aussi pour prendre un verre.

♥ ♪ **The Water Rats** (plan d'ensemble, F1, **322**) : 328 Grays Inn Rd, WC1X 8BZ. ☎ 020-7837-7269. ● thewaterrats. co.uk ● Ⓜ King's Cross. Tlj 8h-minuit, jusqu'à 1h ven-dim. Pub au beau volume vieux de plus de 100 ans. Plancher et comptoir de bois bien usés. Carte classique de bières, cocktails et pub grub. L'adresse est avant tout réputée pour ses concerts rock, à prix démocratiques. Une longue tradition, de Bob Dylan, en 1962, aux débuts d'Oasis en 1994, en passant par les Pogues... Concerts ou performances de DJs quasiment tous les soirs de 19h à minuit (bien plus tard le week-end, lorsque le pub se transforme en boîte). Et comme le lieu ouvre à l'aube, les fêtards de tout poil s'y retrouvent pour y prendre le petit déjeuner.

♥ ⚲ **Big Chill House** (plan d'ensemble, F1, **487**) : 257-259 Pentonville Rd, N1 9NL (à l'angle de King's Cross). ☎ 020-7427-2540. ● wearebigchill. com ● Ⓜ King's Cross. Dim-mer 11h-minuit, jeu 11h-1h, 11h-3h

ven-sam (réservé aux plus de 21 ans les ven et sam le soir). Un lieu hybride, à la fois resto-bar-club, organisé autour d'un dance floor. Soirées DJs en fin de semaine : funk, soul et classiques des 70's le jeudi, hip-hop et R'n'B' le vendredi, house et techno le samedi. Le son est alors poussé à fond, et il ne reste plus qu'à aller brûler la piste ! Et pour prendre l'air, cap sur la roof terrace, un must en été.

⚲ **The Egg** (hors plan d'ensemble par F1) : 200 York Way, N7 9AX (à l'angle de Vale Royal). ☎ 020-7871-7111. ● egglondon.co.uk ● Ⓜ King's Cross ou Caledonian St. Mar 23h-6h, ven 23h-7h et sam 23h-9h. Entrée payante ; réduc sur Internet. Dress code smart/casual. L'une des principales boîtes à la mode de Londres (grosses pointures comme Laurent Garnier, Solomun, David Morales, etc.), avec différents espaces distincts sur plusieurs niveaux. Sa terrasse-jardin est également connue pour le petit déj du dimanche matin (Breakfast at Egg), sur fond d'électro ou de house.

Shopping

⊛ **Boutique du British Museum** (centre 1, E-F3) : Great Russell St, WC1. ☎ 020-7323-1234. Ⓜ Holborn, Tottenham Court Rd ou Russell Sq. Tlj 10h-17h30. Fermé 1er janv, Vendredi saint et 24-26 déc. 2 boutiques en fait, l'une plus « gadgets et souvenirs », l'autre plus « arty-Art and Craft ». Dans les 2 cas, on y trouve tout ce qui touche à l'Égypte, à l'histoire antique et aux collections du musée. En plus des livres, plein d'objets et gadgets amusants (du mug au tapis de souris en passant par des parapluies ou des essuie-mains). Éclectique et culturel à la fois !

So British !

⊛ **James Smith & Sons** (centre 1, F3, **600**) : Hazelwood House, 53 New Oxford St, WC1A 1BL. ☎ 020-7836-4731. ● james-smith.co.uk ● Ⓜ Holborn. À l'angle avec Bloomsbury. Lun-sam 10h-17h45 (17h15 sam). Le grand spécialiste du parapluie, du pépin, du pébroque, de l'ombrelle et de la canne à pommeau. Tout cela

depuis 1830 ! Authentiquement British, cadre et décor exceptionnels ! Les Anglais sont décidément experts en matière de pluie ! De la très grande qualité à – presque – tous les prix. Un monument.

⊛ **Thomas Farthing** (centre 1, F3, **247**) : 40 Museum St. WC1A 1LU ☎ 020-7831-1600. ● thomasfarthing. co.uk ● Tlj 10h-19h. Pour hommes comme pour femmes, cette boutique décline le tweed sous toutes ses formes. Rétro à souhait, so gentle(wo)man farmer, la boutique vaut le coup d'œil, et plus si affinités !

Livres et papeterie

⊛ **Housmans** (plan d'ensemble, F1, **321**) : 5 Caledonian Rd, N1 9DX. ☎ 020-7837-4473. ● housmans.com ● Ⓜ King's Cross. Lun-sam 10h-18h30 (18h sam), dim 12h-18h. Librairie libertaire, siège de nombreuses associations contestataires. Depuis 1945, elle propose une vaste sélection d'ouvrages sur l'écologie, la politique, la sociologie, etc. Conférences régulières sur les mêmes thèmes. Magazines du monde entier, cartes postales décalées ou engagées, fanzines et pamphlets. Également un minirayon consacré aux documentaires et, au sous-sol, une vaste sélection d'ouvrages à 1 £.

🕸 *Gay's the Word* (plan d'ensemble, F2, **603**) : 66 Marchmont St, WC1N 1AB. ☎ 020-7278-7654. ● gaystheword. co.uk ● Ⓜ Russell Sq. Lun-sam 10h-18h30, dim 14h-18h. Une librairie gay très connue (pour hommes et femmes) avec un grand choix de bouquins.

🕸 *Paperchase* (centre 1, E3, **604**) : 213-215 Tottenham Court Rd, W1T 7PS. ☎ 020-7467-6200. ● paperchase.co.uk ● Ⓜ Goodge St. Lun-ven 9h-20h, sam 9h-19h et dim 12h-18h. Une immense papeterie où vous trouverez à coup sûr un choix énorme de cartes à pois bleus, de stylos roses et de pochettes flashy. Rayon beaux-arts. Nombreuses autres adresses dans Londres, mais celle-là, c'est la plus grande. Un choix incroyable !

Galeries et musées

British Museum (centre 1, E-F3)

🎯🎯🎯 ⅄⅄⅄ ⅄ (pour les momies). Great Russell St, WC1B 3DG. ☎ 020-7323-8000. ● britishmuseum.org ● Ⓜ Holborn, Tottenham Court Rd ou Russell Sq. Tlj 10h-17h30 ; ven, ouverture d'une petite sélection de galeries jusqu'à 20h30. Fermé 1er janv, Vendredi saint et 24-26 déc. GRATUIT. Expos temporaires payantes. **Bon plan : 2 entrées pour le prix d'une aux expos temporaires sur présentation de votre billet d'Eurostar.** Médiaguides (avec le son et l'image) en anglais et espagnol : 7 £. Également de nombreuses visites à thème gratuites de 11h15 à 15h45. Cafétéria (basique) et resto (plats de 12,50-16 £, tea 19,50 £). **Attention : c'est un vrai labyrinthe !** Se procurer ABSOLUMENT le plan au kiosque d'information ou au vestiaire. Plan en couleur à dispo (don suggéré : 2 £, avec le top 10 du musée à voir en 1h), sinon gratuit en noir et blanc. Les salles grisées sont fermées ou en rénovation (il y en a toujours).

LE musée par excellence, fondé en 1753 par Sir Hans Sloane ! Plus de 6 millions de visiteurs chaque année ! Sa richesse est telle qu'elle justifie – pour beaucoup – à elle seule une visite à Londres, c'est dire... On y accède par le sublime **Great Court,** réaménagée en un large atrium par l'architecte Norman Foster. Entièrement recouverte d'un toit translucide, comme une immense résille tissée par une araignée, elle permet l'appoint d'un espace culturel supplémentaire de 17 000 m². Cela en fait la plus grande place couverte d'Europe, avec ses boutiques, sa cafétéria

À L'ORIGINE DU BRITISH MUSEUM...

Cette véritable institution britannique a été fondée au milieu du XVIIIe s avec l'argent d'une loterie publique, qui servit à acquérir de grandes collections privées. A l'époque, pour le visiter, il fallait faire une demande écrite, visée par une commission, ce qui limitait le nombre de visiteurs à une dizaine par jour ! Par la suite, il s'est enrichi des trésors dérobés par les armées britanniques lors des conquêtes. Cela dit, Napoléon fit de même pour le Louvre...

et ses comptoirs d'information. En plein centre, impériale, se dresse l'imposante rotonde de la salle de lecture (elle accueille aujourd'hui des expos temporaires), enlacée de 2 escaliers monumentaux. La vénérable salle fut fréquentée en son temps par Shaw, Dickens et Marx (il y rédigea *Le Capital*).

Le « British » couvre l'histoire de l'humanité depuis ses origines jusqu'à nos jours, mais ce sont les collections d'antiquités qui occupent la plus grande partie des

26 000 m² de galeries. Impossible de tout voir en une fois. Si vous voulez aller au fond des choses, il vaut mieux choisir quelques sections et visiter le musée petit à petit. Les sections consacrées à l'Assyrie, à la Grèce (marbres de Lord Elgin rapportés du Parthénon...) et à l'Égypte (sarcophages, momies...) sont d'une richesse époustouflante. Celles sur l'art oriental ne sont pas en reste. Il abrite aussi des manuscrits rarissimes et des collections de monnaies inestimables, ainsi que des galeries consacrées aux civilisations américaines avant la conquête espagnole. Le tout est conservé en plein cœur de Londres, derrière cette gigantesque façade de temple grec.

Une visite éclair du musée

Pour ceux qui ont peu de temps à accorder au British Museum, voici une **balade de 2-3h** environ. En suivant cet itinéraire, vous verrez les pièces maîtresses du musée et les salles les plus intéressantes. Mais il ne s'agit que d'une visite édulcorée pour les stakhanovistes. Ceux qui souhaitent voir le musée à leur rythme doivent se reporter à la visite plus détaillée. Pour ceux qui ont encore moins de temps, le plan couleur payant *(2 £)* permet de **voir les 10 plus beaux trésors du musée en 1h**.

– Dès l'entrée du musée, dirigez-vous vers la **King's Library *(salle 1)*.** Soigneusement restaurée, cette magnifique bibliothèque, créée en 1823 par George IV, restitue l'atmosphère des cabinets de curiosités du XVIIIe s. Les collections sont aussi hétéroclites qu'ordonnées, illustrant l'immense appétit de savoir des savants de l'époque. Sept sections évoquent des sujets comme les religions, les arts, l'écrit ou encore l'histoire naturelle. On y trouve même une copie de la pierre de Rosette : « *please touch* » ! Mais, plus que les objets présentés comme autrefois ou les lourds rayonnages chargés de livres anciens, on retiendra avant tout le vibrant hommage au musée balbutiant des premières heures...

– **Salle 4 :** à la place d'honneur à l'entrée de la salle, la **pierre de Rosette** est l'objet de toutes les attentions. Elle fut découverte en 1799 par des soldats français dans le delta du Nil et cédée à Londres aux termes du traité d'Alexandrie en 1801. Un décret du conseil des prêtres de Ptolémée V (196 av. J.-C.) est gravé en 3 écritures : hiéroglyphes, démotique et grec. Au début du XIXe s, elle permit à Champollion de percer le secret des hiéroglyphes. Maintenant que vous avez compris comment ça marche, vous pouvez toujours déchiffrer un autre document célèbre, la *liste des rois*, hiéroglyphes récapitulant le nom des pharaons de Ménès (3100 av. J.-C.) jusqu'à Ramsès II (XIIe s av. J.-C.).

– Dans la même salle, un **buste colossal de Ramsès II** (1270 av. J.-C.). Un peu mégalo, ce dernier éleva plus de statues à son effigie que tous les autres pharaons d'Égypte. Remarquer les 2 couleurs de marbre. La tête claire symbolise la supériorité de l'esprit sur le corps, plus sombre.

– En **salle 6,** sur la droite, admirer les *portes de Balawat* en bois sculpté (hautes de 7 m), de l'époque assyrienne, ainsi que les lions ailés à tête humaine et à 5 pattes.

– Continuer dans la **salle 10.** Les statues colossales figurant des taureaux ailés à tête humaine gardaient les portes de la cité de Khorsabad, nouvelle capitale du roi assyrien Sargon II (721-705 av. J.-C.). Chacun pèse 16 t. Pour vous rappeler que l'Irak a été administré par les Anglais... et pas mal pillé. Cela dit, rétrospectivement, vu le sort subi par les monuments antiques en Irak aujourd'hui, on se demande si au fond ils n'ont pas eu un peu raison ! Dans la salle à l'arrière, *Chasse au lion d'Ashurbanipal,* le sport favori des rois assyriens. Le réalisme des scènes de cette grande frise montre la parfaite maîtrise de cet art au VIIe s av. J.-C.

– Continuer dans la salle 23 vers la **salle 18B.** La **frise du Parthénon** (Ve s av. J.-C.) fut rapportée en Angleterre au XIXe s par Lord Thomas Bruce Elgin alors que le site était à l'abandon. Le Parthénon a été restauré depuis, mais les frises sont encore à Londres, bien que les Grecs fassent campagne pour les récupérer. **Elles sont rassemblées dans les salles 18, 18A et 18B.** Les scènes sculptées nous font assister aux préparatifs des fêtes en l'honneur d'Athéna, à la procession et à la cérémonie.

– En sortant de la salle, tourner à gauche dans la **salle 19** cachée derrière le temple des Néréides. Voici l'une des *cariatides de l'Érechtéion* (temple sur l'Acropole, à Athènes). Sublime drapé plein de grâce.

– Passer dans la **salle 20,** contenant le tombeau de Payava avec des fragments de fresques, puis dans la **salle 21,** pour admirer des morceaux de la fresque des Amazones, provenant du mausolée d'Halicarnasse (Asie Mineure). Ce monument colossal figurait dans la liste très sélective des Sept Merveilles du monde antique (n'en subsiste que les pyramides du Caire).

– **Salle 22 :** tambour de colonne sculpté provenant du *temple d'Artémis* à Éphèse (325-300 av. J.-C.) : une autre des Sept Merveilles ! Évocation de la période d'Alexandre le Grand et de la vie des plus célèbres philosophes grecs (belle tête en bronze de Sophocle).

– Puis direction le 2e étage (niveau 3) en prenant l'escalier ouest au bout de la salle 4. Dans les **salles 61, 62** et **63,** à gauche de l'escalier, collection de momies et de sarcophages égyptiens. La plus belle hors d'Égypte, mais cela ne justifie pas les pillages de tombes perpétrés « au nom de l'Histoire ». Notre préférée est la *momie d'Artémidorus* du IIe s av. J.-C. Mélange de stucs dans le style pharaonique, d'inscriptions grecques et de peinture romaine. Également un superbe ensemble de sarcophages des prêtres d'Amon. La salle 61 présente la *tombe-chapelle de Nebamum* et livre parmi les plus belles fresques que l'on connaisse (voir plus loin « Une visite approfondie des collections »).

– Dans la salle 63, tourner à droite dans la **salle 56** pour apprécier le bélier tout en lapis-lazuli et or, cherchant à manger dans un arbre imaginaire. Tout simplement splendide. N'oubliez pas les beaux *bronzes du temple de Ninhursag.* Les trésors sumériens sont nombreux : incroyable chapeau décoré de feuilles d'or, casque d'or trouvé à Ur, collection de harpes, de mosaïques, etc. Au passage, joli restaurant sous la verrière de Norman Foster : on a l'impression de tutoyer le ciel...

– Revenez à l'escalier ouest et tournez à gauche pour la Grèce et Rome. Signalons, en **salle 70,** le *vase Portland* du Ier s av. J.-C., fabriqué dans une verrerie romaine suivant la technique du camée. Une pure merveille de goût et de raffinement. Voir aussi une superbe tête de l'empereur **Augustus,** en bronze. Allez tout au bout de la **salle 69,** puis, à gauche, traversez la **salle 68** (salle des monnaies, de toutes les époques, jusqu'aux cartes bancaires et aux téléphones portables !).

– **Salle 41** (Sutton Hoo and Europe, 300-1100 apr. J.-C.) : c'est le **trésor médiéval de Sutton Hoo** (VIIe s) provenant d'un vaisseau funéraire de 27 m, dans lequel un roi anglo-saxon fut enterré. Le plus riche trésor jamais découvert en Angleterre : casque en fer orné de plaques de bronze et de fils d'argent, boucle de ceinture en or décorée d'entrelacs, cornes pour les libations....

– Puis direction la **salle 50,** via la salle 49, pour admirer le *bouclier de Battersea,* la plus remarquable pièce de l'art celtique primitif en Angleterre. La fine décoration en volutes montre une grande maîtrise du travail du bronze. N'oubliez pas de faire coucou à l'**homme de Lindow.** Jeune homme de 25 ans (il fait plus, non ?) mort il y a 2 000 ans et retrouvé au fond d'un marécage. L'examen du corps a montré que ce malheureux Celte a dû mourir lors d'un rituel horrible, après avoir été assommé, étouffé puis égorgé.

– Ensuite, l'escalier nord mène à la galerie asiatique **(salle 33)** et à la salle d'art islamique **(salle 34).** Voir une très belle *aiguière Blacas* qui servait à verser toutes sortes de liquides.

Une visite approfondie des collections

Être exhaustif serait impossible. C'est pourquoi cette visite suit nos préférences, comme d'habitude, par thèmes pour simplifier les choses. Pas de bla-bla sur les figurines d'argile d'Italie du Sud ou sur l'art chypriote. Mais rassurez-vous, il en reste assez pour satisfaire les plus gros appétits. Compter ici 5 bonnes heures, un peu plus si vous flânez et beaucoup plus si vous vous arrêtez pour lire chaque étiquette... N'oubliez pas toutefois de commencer la visite par la **King's Library** *(salle 1),* une plongée en apnée à travers les siècles à la découverte du British Museum tel qu'il était à l'origine (voir « Une visite éclair du musée »)...

Antiquités égyptiennes

Le département le plus prestigieux du British Museum et, dans le genre, les collections les plus riches au monde avec celles des musées du Caire et du Louvre. Les découvertes faites dans la vallée du Nil par les archéologues anglais y sont bien sûr pour quelque chose, mais il faut ajouter que les pièces inestimables cédées par Napoléon (après le traité d'Alexandrie) ont été accueillies avec joie. L'histoire du voleur volé, en quelque sorte... On ne se lasse pas d'arpenter les salles consacrées à l'Égypte ancienne, comme ce fut le cas, entre autres, pour Flaubert... Il faut dire que les trésors ne manquent pas.

Rez-de-chaussée

– **Salle 4 :** la plus grande salle du musée, dévolue aux œuvres monumentales. On commence par la fameuse *pierre de Rosette* (voir « Une visite éclair du musée ») puis on passe aux salles latérales. Dans la 1re, on ne peut pas rater les 3 statues de granit noir représentant Sésostris III, ainsi que la tête colossale d'un roi de la XVIIIe dynastie. Son poing est posé à côté. Voir également les *quatre statues de la déesse Sekhmet* (XVIIIe dynastie ; 1400 av. J.-C.) avec sa tête de lionne, son disque solaire et, entre ses mains, la croix *Ankh,* symbole de la vie. Enfin, ne pas manquer la *liste des rois,* pièce rare. Dans la 2e salle, impossible de passer à côté du buste imposant de Ramsès II. Derrière lui, plusieurs cuves de sarcophages couvertes à l'intérieur et à l'extérieur de hiéroglyphes comme autant de messages de bienvenue dans l'au-delà. Plusieurs colonnes en granit, mais surtout un scarabée géant de l'époque ptolémaïque qu'on n'aimerait pas rencontrer sous son édredon ! Vous voici arrivé au niveau de l'escalier ouest, qu'il vous faut grimper calmement pour apprécier de magnifiques *mosaïques d'Halicarnasse,* riches en gazelles, lions et autres poissons.

1er étage (level 3, escalier ouest par la salle 4, puis à gauche)

– **Salle 61 :** découvrez l'un des chefs-d'œuvre de ce département, la **tombe-chapelle de Nebamun,** riche scribe du temple d'Amon à Thèbes (1350 av. J.-C.). Remarquable muséographie mettant en valeur des fresques magnifiques, au trait d'une finesse hors pair. L'une des scènes montre Nebamun inspectant un champ de blé, tandis qu'un de ses employés vérifie le bornage du champ (les autres fragments de la frise sont... à Berlin, c'est malin !). Vie rurale observée de façon fort détaillée, panorama précis de la vie quotidienne dans l'Égypte ancienne. Vie paradisiaque aussi, comme en témoignent son jardin exubérant et le bassin rempli de poissons et d'oiseaux... Sur une autre portion de fresque, Nebamun chasse le volatile avec sa femme et sa fille. Clin d'œil : ce chat attrapant un oiseau avec ses dents, tandis qu'il en saisit 2 autres avec ses griffes... Avec la scène du festin, on atteint le sublime dans l'art pictural : grâce et légèreté des personnages véritablement fascinantes.

– **Salles 62 et 63 : momies et sarcophages.** Essayer d'éviter les heures de pointe : c'est le coin préféré des groupes scolaires ! Les pièces sont saisissantes, il faut l'avouer. Certaines sont dorées ou finement peintes, d'autres simplement emmaillotées ou recouvertes de chiffons usés (depuis le temps !). La pièce 6704 (à vous de chercher... Allez ! un indice : regardez sous les pieds !) est la plus frappante : les bandelettes épousent chaque partie du corps, créant comme une seconde peau à la dépouille. Des radiographies permettent de connaître l'âge, le sexe et les problèmes médicaux des personnes momifiées... Vous vous imaginez ainsi « ausculté » dans 2 millénaires ? Brrr... Dans les vitrines (à l'un des angles), adorables momies d'animaux : un chat mimi comme tout, des poissons, un ibis, 2 faucons réunis, un bébé crocodile... Également une belle collection de statuettes *Shaouabti* accompagnant les textes du *Livre des morts* (figurines magiques placées souvent dans des boîtes peintes). Et un impressionnant *Livre des morts* qui décrit en détail tous les rituels et tâches qui incombaient aux morts dans l'autre vie.

– **Salle 66 :** accessible depuis la salle 63. L'Égypte et l'Éthiopie coptes. Figurines, tapisseries, et surtout des fragments de tissus colorés et intacts parmi les plus anciens du monde (IVe-VIIe s apr. J.-C.) avec une rare imagerie chrétienne...

– **Salle 64 :** l'Égypte des débuts. Sculptures, amphores, etc. Le plus incroyable : la dépouille d'un homme, surnommé *Ginger* et ayant vécu 3500 av. J.-C. Comme le temps passe... La peau (on serait tenté de dire le cuir) a été conservée par le désert. Restent même quelques cheveux ! À l'aide de l'autopsie interactive, tentez de deviner de quoi il est mort...

– **Salle 65 :** galerie d'Égypte. Pierres sculptées, bijoux, statuettes et vases. Au fond, reconstitution d'un mur de la chapelle d'un temple de basse Nubie, avec ses bas-reliefs.

Antiquités grecques et romaines

L'un des départements les plus riches. Il contribue, avec les antiquités égyptiennes, à la célébrité du musée. Les sculptures les plus grandioses se trouvent au rez-de-chaussée, qui présente l'évolution chronologique de l'art grec, de l'âge du bronze à l'époque romaine. Au 1er étage, art grec dans les colonies d'Italie du Sud, antiquités préromaines et romaines.

> ## QUI A VOLÉ DES MORCEAUX DU PARTHÉNON ?
>
> *En 1802, Lord Thomas Bruce Elgin, ambassadeur d'Angleterre à Constantinople, réussit un coup de maître en obtenant l'accord du sultan turc pour prélever des fragments du Parthénon, la Grèce faisant alors partie de l'Empire ottoman. Ainsi, il rapporta dans ses bagages la quasi-totalité de la frise qui courait en haut de la galerie extérieure du temple. Depuis l'indépendance grecque, le gouvernement tente désespérément de récupérer les fragments.*

Rez-de-chaussée et sous-sol

– **Salles 11 et 12 :** les fondements de l'art grec. Art primitif des Cyclades (autour des IIIe-Ier millénaires av. J.-C.) avec sa statuaire en marbre très caractéristique, aux contours étonnamment modernes (dont Brancusi s'est inspiré) et de jolies figurines de marbre. Objets datant de la civilisation minoenne qui s'était développée en Grèce pendant l'âge du bronze. Elle servit de fondation à l'art mycénien, dont on découvre quelques exemples, notamment des bijoux. Vestiges du palais de Minos à Knossos ; curieux mobilier de terre cuite (coffre, baignoire, sarcophage, jarres, etc.). Magnifique collection de bijoux, colliers, bagues et, surtout, des diadèmes funéraires en or découverts à Chypre (1400-1200 av. J.-C.).

– **Salles 13 et 14 :** vases de la période géométrique qui débuta à Athènes au IXe s av. J.-C. Les motifs géométriques laissent peu à peu la place aux motifs figuratifs, très stylisés au début (hommes, dieux, animaux). Ce sont les éléments de base que les artistes grecs utiliseront désormais en les affinant. La Grèce archaïque (VIIe-VIe s av. J.-C.) : bronzes, céramiques et bijoux de la période orientalisante, pendant laquelle les Grecs digérèrent le savoir-faire et le style des artisans du Proche-Orient. Voir surtout la parure trouvée dans une tombe à Rhodes, ainsi que 2 jolies poignées de chaudron en forme de griffon. Superbes vases athéniens à figures noires, dont un sur pied (vers 580 av. J.-C.). La frise supérieure représente les *Noces de Pélée* (le père d'Achille) *et de Thétis*. Remarquer le soin apporté à la décoration du col, la partie la plus visible lorsque le vase était posé sur son socle. La technique de la figure noire était en vogue à cette époque : les figures sont peintes en noir et les détails incisés. En revanche, la couleur blanche utilisée pour les visages et les parties visibles du corps n'a résisté au temps qu'à quelques endroits. Les dessins intacts conservés au British n'en sont que plus précieux.

La *salle 14* est consacrée à la technique de la figure rouge, inventée à Athènes à la fin du VIe s. C'est, en fait, l'inverse de la technique précédente : le vase est peint en noir, excepté les figures qui apparaissent dans la couleur rouge de l'argile. Les détails ne sont plus gravés à la pointe à tracer, mais sont peints au pinceau, ce qui permet de traiter avec plus de réalisme les corps et les drapés. Quelle révolution ! Au passage, on salue un vase superbe et épuré *(Dionysos et les deux satyres)*, œuvre du célèbre potier Andokidès.

– *Salle 15 :* Athènes et la Lycie présentées de façon thématique : la démocratie, le corps humain, les guerres persanes, le peuple d'Athènes, etc. Beaux cratères, coupes et lécythes à figures rouges. Les frises animalières de Xanthos nous amènent au début de la période classique, où le coup de ciseau s'affine considérablement. Voir la tombe du roi lycien de Xanthos (480 av. J.-C.), avec ses sirènes qui allaient (symbole de la vie qui continue !). Très beau buste de Périclès.

– *Salle 16 :* autour de la mezzanine, superbe frise provenant du *temple d'Apollon à Bassae,* aux figures trapues et athlétiques (autour de 400 av. J.-C.). Une galerie de portraits tout en relief et en mouvement, révélant la richesse et la souplesse des drapés.

– *Salle 17 :* reconstitution spectaculaire de la façade ionique du *temple funéraire des Néréides à Xanthos* (Lycie). Entre les colonnes, les nymphes laissent subtilement découvrir leurs formes sous un drapé presque transparent et qui semble vibrer.

– *Salle 18 :* voici le clou du spectacle, les *marbres d'Elgin* (V[e] s av. J.-C.), vestiges du Parthénon. Le thème choisi par le génial sculpteur Phidias est la *Fête des Grandes Panathénées,* célébrée tous les 4 ans à Athènes en l'honneur de la déesse protectrice. À l'issue d'une longue procession rassemblant cavaliers, magistrats et serviteurs, le peuple apportait solennellement à Athéna un nouveau *péplos,* sa tunique de laine. Les marbres du fronton, dont il reste peu de chose, représentent la naissance peu banale d'Athéna en présence des autres dieux rassemblés pour l'occasion : elle sortit en armure de la tête de Zeus, après qu'Héphaïstos a fendu le crâne de celui-ci. Le coup de ciseau adroit semble donner du poids aux étoffes. Les formes se laissent deviner sous les plis tourbillonnants. Noter que les sculptures sont aussi bien travaillées devant que derrière. Les frises sont tout aussi émouvantes : chars tirés par des chevaux, mouvement remarquablement recréé par les muscles tendus, les crinières vibrantes, les capes des conducteurs qui flottent au vent...

– *Salle 19 :* suite et fin du butin d'Elgin avec l'une des fameuses *cariatides de l'Érechtéion,* faisant toujours imperturbablement office de colonne. Les plis du *péplos* (tunique) couvrant la jambe tendue rappellent les cannelures d'une colonne.

– *Salle 20 :* imposante *tombe de Payava* à Xanthos. Ce mélange d'arts grec et oriental est caractéristique de l'art de Lycie, contrée d'Asie Mineure occupée par les Grecs. Plusieurs jarres et amphores, remarquables exemples des techniques de peinture rouge et de peinture noire.

– *Salle 20a* (en mezzanine) : salle entièrement consacrée aux différentes techniques de peintures utilisées sur des vases et des objets de vaisselle. Techniques de la figure rouge surtout, mais aussi vernis noir sur fond blanc, à l'iconographie souvent énigmatique.

– *Salle 21 :* vestige de l'une des Sept Merveilles du monde, une superbe tête de cheval qui appartenait au quadrige trônant au sommet de la *tombe du roi Mausole* à Halicarnasse (à l'origine du terme « mausolée »), haute de 40 m. Frises guerrières très réalistes : *Expédition d'Hercule et Thésée contre Themiskyra, Combat des Amazones.*

– *Salle 22 :* salle consacrée à Alexandre le Grand et aux Ptolémées. Impossible de tout décrire, se laisser transporter par l'émerveillement : petits bronzes, bijoux,

pierres précieuses de toutes les couleurs, vases ciselés, vaisselle en verre de Canossa, statuettes, sculptures, bustes... Chien molosse particulièrement impressionnant. Et puis ce tambour de colonne sculpté provenant du *temple d'Artémis* à Éphèse (325-300 av. J.-C.), une autre des Sept Merveilles du monde, ou encore cette stupéfiante couronne en or (300 av. J.-C.) dont les branches portent des feuilles de chêne et des glands. Essayez de dénicher les 2 cigales et l'abeille !
– *Salle 23 :* l'un des chefs-d'œuvre du musée, *Aphrodite prend son bain* de Lely, au grand plaisir des spectateurs... Elle tente vainement de cacher sa nudité. Petits coquins, va !

1er étage (level 3, escalier ouest par la salle 4, puis à droite)
– *Salle 73 :* impressionnant ensemble de vases d'Italie du Sud, parmi lesquels nos préférés : les cratères à volutes. Jarre en bronze du Ve s av. J.-C., découverte en Campanie, et son couvercle très original sur lequel les archers à cheval entourent un couple dansant. Cratères à figures rouges d'une sublime richesse et jarre décorée sur les flancs de chevaux peints de face et de profil, d'un grand raffinement. Belle poterie de Canossa (IIIe s av. J.-C.), joyaux en or et un rare casque corinthien en bronze (VIe s av. J.-C.).
– *Salle 72 :* antiquités chypriotes. Techniques du travail du bronze (entre autres). Jolis bijoux, insolites objets domestiques, bustes, verres, bronzes et d'intéressantes représentations de femmes en terre cuite avec leurs boucles d'oreilles.
– *Salle 71 :* antiquités préromaines et en particulier étrusques, où l'on sent l'influence décisive des artistes grecs. Présentation chronologique depuis l'âge du bronze. Urnes funéraires, sarcophage en terre cuite, superbes bijoux en or et armes en bronze parfaitement conservées. Remarquable collection de casques de toutes formes.
– *Salle 70 :* tous les jours, conférence sur l'ancienne Rome de 30 mn environ *(dans l'apm, infos sur le site, sur le plan ou sur place)*. Remarquable salle par la qualité des objets présentés. Ne manquez pas le fameux *vase Portland* (voir « Une visite éclair du musée »). Nombreux objets en bronze de tailles et de fonctions diverses (dont une oie grandeur nature). Ravissant bas-relief en

L'UN DES PREMIERS CATALOGUES COMMERCIAUX DE L'HISTOIRE !

L'urne funéraire est un objet caractéristique de la période étrusque, avec un couvercle orné d'une représentation du défunt. Le plus souvent, d'ailleurs, celle du couple, dans une position élégante, voire tendre, symbole d'une harmonieuse union. Les riches faisaient travailler de vrais artistes pour obtenir une œuvre originale. Les plus désargentés pouvaient choisir, « sur catalogue », un modèle qui était moulé en série. On choisissait, bien sûr, celui qui était le plus ressemblant. Et ça explique qu'on retrouva ensuite tant d'urnes funéraires identiques !

2 plaques figurant les 4 saisons. En dessous, scène gracieuse de Bacchus enfant. À côté, 3 jolies urnes funéraires d'enfant ciselées. Bols et coupes en argent très travaillées, délicats petits bronzes. Voir aussi la *tête en bronze d'Auguste de Méroé* (27-25 av. J.-C.), retrouvée au Soudan. Les billes de verre sont encore dans leur orbite. Veste et casque en peau de crocodile provenant d'une armure de parade utilisée par les soldats romains après l'invasion de l'Égypte. Enfin, fragments de fresques de Pompéi et de remarquables mosaïques (poissons et fruits de mer notamment).
– *Salle 69 :* intéressante exposition didactique sur les arts et les techniques dans l'Antiquité gréco-romaine. Explication des techniques de travail du métal, de l'or, des fabricants de sceaux, des sculpteurs de pierre, etc. Belle collection d'objets en verre sur la mezzanine, parmi lesquels de petits flacons à parfum délicatement peints. Intéressant : face à face, les équipements assez rares d'un *hoplite* (soldat grec) et d'un *mirmillon* (gladiateur romain). D'autres vitrines thématiques sur la vie sociale et culturelle, autour des enfants, de la mode, des courses de chars, de la musique...
– *Salle 68 :* salle des monnaies, de toutes les époques.

Antiquités du Proche-Orient

Les salles de ce département fantastique font revivre les anciennes civilisations d'Asie occidentale, notamment assyrienne, sumérienne, babylonienne et phénicienne. L'étendue géographique de ces royaumes méconnus (en gros, de l'Asie Mineure au Pakistan) et leur longévité (de 2500 av. J.-C. jusqu'au VIIe s) expliquent la richesse des collections. L'Assyrie ancienne, qui occupe plusieurs salles du rez-de-chaussée, est la mieux représentée, grâce aux palais royaux mis au jour en Irak au XIXe s.

Rez-de-chaussée

– **Salle 6 : monumentaux gardiens de la porte du palais d'Assurbanipal** (900-612 av. J.-C.). Notez qu'ils sont dotés de 5 pattes, pour qu'on puisse, d'où que l'on soit, de face ou de profil, toujours en apercevoir 4. Ingénieux, non ? À gauche de l'allée, petites obélisques noires comme des bandes dessinées et un des lions qui gardaient le *temple d'Ishtar.* Superbe gueule ouverte et corps entièrement sculpté. Voir aussi l'aigle protecteur des esprits finement sculpté et un brin bling-bling (il semble porter un sac à main et une montre). Puis reconstitution des colossales *portes de Balawat* (7 m de haut !), dont le bronze a survécu.

– **Salles 7 et 8 :** sur des dizaines de mètres, des scènes sculptées racontent en détail les conquêtes assyriennes. Ces œuvres finement exécutées proviennent principalement du *palais de Nimrud* (IXe s av. J.-C.). La représentation précise des chars, chevaux, guerriers et animaux blessés constitue un précieux témoignage sur les mœurs de l'époque. Noter, par exemple, les techniques des soldats pour attaquer les places fortes défendues par des fossés remplis d'eau : ils traversaient à la nage, soutenus par des outres gonflées. Du pain bénit pour les historiens. D'autres thématiques : chasse au lion, scènes de libations...

– **Salle 9 :** encore des scènes en relief, découvertes, celles-ci, dans le *palais de Nineveh,* plus connu sous le nom de Ninive (vers 700 av. J.-C.). Noter la diversité des motifs : guerre, pêche, cèdres stylisés, palmiers... On remarque même des esclaves tirant ce qui doit être l'un des colossaux taureaux ailés, emblèmes du royaume. Au fond à gauche, spectaculaire attaque de la ville d'Alummu (700 av. J.-C.). Une scène qu'on aime beaucoup aussi : cette campagne paisible dans le sud de l'Irak exprimée avec un grand souci du détail. Superbe rendu de la rivière, avec son petit peuple de poissons de toutes sortes.

– **Salle 10 :** les taureaux ailés à tête humaine gardaient les portes de la cité de Khorsabad, nouvelle capitale du roi assyrien Sargon II (VIIIe s av. J.-C.). Ils faisaient office de gardiens contre l'infortune. Fresques superbes retraçant des scènes de chasse au lion, rapportées du *palais du roi Assurbanipal* (645 av. J.-C.). Remarquer les félins blessés par des flèches, en particulier la lionne, 1re représentation de la douleur. Dans la galerie attenante, scènes sculptées glorifiant la prise de la cité biblique de Lakish par les Assyriens (700 av. J.-C.).

1er étage (level 3, escalier ouest par la salle 4, puis en face)

– **Salles 58 et 59 :** les 1res cités. Reconstitution d'une tombe découverte à Jéricho (âge de bronze), des urnes funéraires et des statues grossières en terre cuite de 7200 av. J.-C. (1re représentation de forme humaine à grande échelle).

– **Salle 57 :** l'ancien Levant, dont la Syrie. Le *roi d'Alalakh,* Idrimi, nous accueille, la main sur le cœur, avec des vêtements recouverts d'inscriptions. À voir aussi : les 1res écritures relevées sur des terres cuites, des bustes trouvés à Palmyre, des bas-reliefs provenant du site de *Tell Halaf* (Mésopotamie), des bijoux phéniciens, des vestiges de Carthage, d'étranges têtes de sarcophages philistins... Délicats ivoires ciselés phéniciens trouvés à Nimrud (IXe s av. J.-C.).

– **Salle 56 :** Mésopotamie ancienne, autrement dit, l'aube de la civilisation. Un bélier original en lapis-lazuli et or et les *bronzes du temple de Ninhursag* avec leurs têtes de lion (voir « Une visite éclair du musée »). C'est aussi ici que l'on retrouve l'*étendard d'Ur* en ivoire et lapis-lazuli (dans la même vitrine que le bélier), illustrant les victoires du roi. Dans une autre vitrine, superbes instruments de musique, dont une lyre en argent à tête de taureau. À côté, un jeu royal de 2600 av. J.-C. ressemblant à une marelle.

– *Salle 55 :* Mésopotamie (1500 av. J.-C. à 539 de notre ère). Très belles bornes frontières gravées. Vestiges des bibliothèques royales de Ninive. Incroyable colonnette octogonale recouverte de microscopiques mots en écriture cunéiforme et qui détaille la vie civile et militaire d'un roi. Une vitrine explique l'importance du royaume de Nabuchodonosor,

TABLETTE D'ORIGINE

Les Sumériens, comme on le rappelle à point nommé dans la salle 56, sont aussi à l'origine de l'écriture. Et de la mode des tablettes d'argile ! On reconnaît aisément les caractères de cette écriture, dite « cunéiforme », à leur dessin en forme d'encoches triangulaires creusées dans l'argile. Les nombreux spécimens se sont parfaitement conservés grâce au climat sec du désert.

avec des vestiges du *temple du Soleil* à Sippar (près de Babylone). Et toujours ces fascinantes tablettes en terre cuite livrant la riche vie sociale de l'époque : liste des rations de nourriture à allouer aux travailleurs immigrés de l'époque (des Égyptiens), instructions pour teindre la laine, actes de vente, etc.

– *Salles 54 et 53 :* ancienne Anatolie. De bien jolies pièces parmi les figurines, poteries, bijoux, statuettes d'ivoire, etc. Remarquer le curieux casque pointu en bronze, ainsi que les pieds de lion en bronze. Salle 53, l'*Arabie du Sud* (900 av. J.-C. à 600 apr. J.-C.). Tablettes de bronze indiquant les offrandes à faire aux dieux.

– *Salle 52 :* art de l'Iran. De chaque côté de la pièce, des fresques de pierre, venues de Persépolis. Quelques chefs-d'œuvre : le cylindre de Cyrus, du VIᵉ s av. J.-C., réalisé par un scribe de Babylone en écriture cunéiforme, mais aussi le trésor achéménide, ciselé, en or, découvert à la frontière de l'Afghanistan et du Tadjikistan, ainsi que de délicats petits bronzes. Somptueux bas-reliefs de Persépolis, en particulier les lions au magistral dessin attaquant des taureaux.

Préhistoire, art celte et antiquités anglo-romaines (1ᵉʳ étage, level 3, section B)

– *Salle 49 :* la Grande-Bretagne pendant la domination romaine (du Iᵉʳ s av. J.-C. au Vᵉ s apr. J.-C.). Fresques et mosaïques témoignent de son implantation. Belles pièces d'orfèvrerie comme le *trésor de Mildenhall* et son grand plat en argent orné de bacchantes, ainsi que ceux de *Thetford* et *Hoxne* (des ensembles de bijoux découverts en 1979 et 2002). Une des plus belles pièces est ce casque allié à un masque en bronze (utilisés surtout pour les joutes sportives à cheval). Plein d'objets et de témoignages aussi qui nous font rentrer dans l'intimité des colonies romaines. Comme ces diplômes militaires en bronze et, surtout, les exceptionnels écrits (les plus anciens d'Angleterre) retrouvés dans le *fort de Vindolanda*, à proximité du célèbre mur d'Hadrien (92-120 apr. J.-C.), au point extrême de la conquête.

– *Salle 50 :* ne pas rater le plus étonnant, l'*homme de Lindow* (voir « Une visite éclair du musée »). Cette salle concerne également l'art celte à l'âge du fer (2000 à 100 av. J.-C.). Les Celtes avaient des mœurs barbares mais un goût raffiné. Ils maîtrisaient le travail des métaux et avaient un faible pour les décorations exubérantes. *Flacons de Basse-Yutz* en bec de canard, ornés d'une anse délicate en forme de chien. Leur art s'est déployé complètement dans les armes et les parures. *Bouclier de Battersea* (voir aussi « Une visite éclair du musée ») et casque à cornes trouvés dans le port de Londres, sous le Waterloo Bridge. Une pièce unique ! Splendides *torques de Snettisham,* sortes de colliers formés d'une torsade en or, notamment le *Great Torc* (enterré vers l'an 100 av. J.-C.), fait d'un mélange d'or et d'argent.

– *Salle 51 :* période s'étendant de 4000 à 800 av. J.-C. Rien que du classique : armes, poteries... Bouclier de parade en bronze à l'ornementation assez élaborée, montrant un haut degré dans l'artisanat. Tombe d'un homme décédé en 2330 av. J.-C. La pièce maîtresse est la *Gold Cape,* un élément de parure retrouvé lors de fouilles en 1833. Entièrement en or et joliment ouvragée, elle est estimée remonter à environ 1900-1600 av. J.-C. Cette « cape » devait appartenir à une très haute personnalité et être utilisée seulement lors de cérémonies, car elle entrave les épaules et le haut des bras.

Du Moyen Âge au XXᵉ s (1ᵉʳ étage, level 3, section A)

– **Salle 40 :** tous les arts du Moyen Âge, c'est-à-dire orfèvrerie, émaux, sculpture, peinture, etc. Superbe ciboire royal en or émaillé du XIVᵉ s, représentant les scènes de la légende de sainte Agnès. La pièce maîtresse est *The Lewis Chessmen*, du XIIᵉ s, trouvée en 1831 sur cette île au large de l'Écosse. C'est un échiquier composé de pièces sculptées en dents de morse, probablement d'origine viking.
– **Salle 41 :** l'Europe et la Méditerranée de 300 av. J.-C. à 1100 de notre ère. Traite de la fin de l'Empire romain et du début des royaumes.
– **Salle 45 :** abrite la *donation Waddesdon* du baron Ferdinand de Rothschild, qui rend un bel hommage à la créativité des artisans européens des XVᵉ, XVIᵉ et XVIIᵉ s. Plats en argent, porcelaines, émaux de Limoges, etc. S'il n'y avait que 3 pièces à voir, ce serait le ravissant *retable flamand* du XVIᵉ s, si petit mais délicatement sculpté et ciselé, d'une finesse incroyable, le *reliquaire en or et émail* commandé par le duc de Berry en 1400 pour conserver une épine de la Couronne du Christ et la *châsse de sainte Valérie* (1170) en émail champlevé et cuivre de Limoges. D'ailleurs, on y découvre une exceptionnelle collection d'émaux limougeauds (bon, faut aimer). En prime, de superbes fusils ornementés du XVIIᵉ s.
– **Salle 46 :** arts du XVᵉ au XVIIIᵉ s en Europe (vaisselle, argenterie, émaux, bijoux, arts du verre). L'orfèvrerie sous les Tudors révèle une période fort créative.
– **Salle 47 :** une salle un peu fourre-tout, essentiellement le XIXᵉ s. Objets d'art de tous styles, vaisselle, bijoux, camées, émaux, céramiques. On y trouve même le masque mortuaire de Bonaparte, moulé 2 jours après sa mort. Cette salle démontre combien le XIXᵉ s pilla allègrement dans les styles des siècles précédents et manqua quelque peu d'inspiration !
– **Salle 48 :** elle survole l'époque de 1900 à nos jours, surtout les périodes Art nouveau et Art déco. Intéressante vaisselle reproduisant la propagande soviétique des années 1930...
– **Salles 37 à 39 :** consacrées au temps, au son des tic-tac. Collections d'antiques pendules dont une magnifique pendule-baromètre en cuivre gravé, de 1589, et une rare pièce allemande de 1650. De beaux exemples d'horloges marquetées du XVIIᵉ au XIXᵉ s. Ne pas rater la pièce insolite en cuivre ciselé en forme de bateau, avec automates (datant de 1585).
– **Salle 68 :** les lecteurs numismates se régaleront ici. Toute l'histoire de l'argent présentée en une muséologie pas ennuyeuse du tout, des 1ʳᵉˢ pièces (650 av. J.-C., Turquie) aux... téléphones portables, en passant par les grosses plaques de pierre de 3 m de diamètre, encore utilisées sur une île de Micronésie, ou les nouvelles monnaies, comme celle du Sud-Soudan, datant de 2011. Machines à fabriquer les pièces et à imprimer les billets de tous les âges.

Antiquités d'Extrême-Orient

Les collections asiatiques du musée sont disséminées dans plusieurs salles, d'autres présentées au gré des expositions. Une bonne partie est visible dans la salle 33, dans l'aile nord (bâtiment Édouard VII). Accès par l'escalier nord, derrière la bibliothèque.
– **Salle 33 :** à gauche, les pièces d'Inde et d'Asie du Sud-Est, à droite celles de Chine. Représentations de scènes d'amour indiennes, statue birmane en bois du XVIIIᵉ s, portes d'un palais balinais du XIXᵉ s, d'influence chinoise, collections de vases de toutes les dynasties chinoises, dont les célèbres « cloisonnés », etc. Une des plus belles pièces est un *Shiva et Parvati* du XIIᵉ s venant d'Orissa, tout auréolé de musiciens ciselés avec une extrême finesse.
Sculptures du grand *stûpa d'Amaravati* (en Inde) du IIIᵉ s av. J.-C. tout au fond. Un travail incroyable : des centaines de personnages inextricablement mêlés dans des scènes pleines de vie (racontant la vie de Bouddha).
Magnifiques jades chinois et leur histoire sur 7 000 ans **(salle 33b).**

– *Salle 67 :* l'art de Corée, avec la reconstruction d'une maison traditionnelle, *sarangbang*. Ici, surtout porcelaines et faïences.

– Au 4ᵉ étage, *salles 92, 93 et 94 :* l'art japonais avec armures de samouraï, sabres et paravents cinétiques. Quelques estampes, dont la célèbre *Vague et le mont Fuji* d'Hokusai, et un captivant plat de Tokuda Yasokichi (1992), représentatif du style Kutani. Très zen.

– *Salle 34 :* l'art islamique, une des 1ʳᵉˢ salles, en arrivant par la rue Montague. Redescendre au niveau inférieur de la salle 33. Quelques filtres de gargoulettes pour protéger les becs de jarres (vitrine 11). Fragments d'une bouteille de verre (vitrine 13), 1ᵉʳ exemple de verre doré connu (XIIᵉ s). Noter, juste à côté, la somptueuse *aiguière Blacas* (vitrine 13), très chargée, en provenance d'Irak (XIIIᵉ s.). De splendides *céramiques d'Iznik* (vitrine 27), du XVIᵉ s, où l'on sent l'influence chinoise. Au passage, apprécier le *vase Vescovali* (vitrine 23) avec les signes du zodiaque, en bronze incrusté d'argent, en provenance d'Iran ou d'Afghanistan. Un beau paon d'époque qadjar (vitrine 40 ; XIXᵉ s en Iran) qui semble nous observer. Dans la vitrine 36, une base de narguilé avec Khosrow et Shirin, les Roméo et Juliette de l'Orient ! Beaux carreaux de céramique de Damas du XVIᵉ s (vitrine 30). Riche section calligraphique. Poteries et vases de la période andalouse (XIVᵉ et XVᵉ s). Enfin, ne partez pas sans voir la somptueuse *tortue de jade de Kashgar* du début du XVIIᵉ s (vitrine 43) ainsi que le kit de pesée laqué du XIXᵉ s et le superbe coffre de joaillier iranien du XIXᵉ s. Couvercle enluminé et décoré de nombreux personnages et animaux.

Arts des Amériques

Si vous avez le temps et, bien sûr, si le sujet vous intéresse, remarquables salles consacrées aux arts indien et amérindien.

– *Salle 24 :* salle thématique autour de la vie quotidienne de *différentes civilisations* : les costumes, les rituels, la mort, la mer, etc. Statue de l'île de Pâques. Mais c'est la pièce centrale, nommée « Pharmacopoia » *(Cradle to Grave)*, un peu hors sujet, qui retient surtout l'attention : 2 immenses rouleaux de tissus en nylon contenant les médicaments prescrits à un homme et une femme au cours de leur vie en Angleterre : 14 000 chacun (autant de pochettes plastique que de pilules), et encore, on n'est pas en France ! Illustrés de photos montrant les étapes de la vie. Une œuvre étonnante de Susie Freeman, harmonieuse fusion d'une artiste et d'un médecin.

– *Salle 26 :* les *civilisations du Grand Nord* – les *Lapons (Inuits, Yup'iks, Inupiats)* et les *premiers Américains*. Riche collection d'objets domestiques et outils, costumes traditionnels. Évocation de la vie quotidienne. Sans oublier les Indiens des plaines canadiennes (artisanat, totems de Colombie-Britannique). Des peuples originels (2 à 10 millions avant l'arrivée des Européens au XVIᵉ s), il n'en restait plus que 300 000 individus en 1930. Faute d'immunité naturelle, ils furent laminés par les maladies apportées du Vieux Continent.

– *Salle 27 :* le *Mexique*. Superbes bas-reliefs mayas, poteries et sculptures précolombiennes *(cultures mixtec, aztèque, zapotèque...)*. Au fond, fascinante et lumineuse présentation d'objets décorés d'incrustations de turquoises, pyrites et malachites, notamment un masque assez élaboré et le serpent à 2 têtes, du XVIᵉ s.

Arts des Afriques

– *Salle 25 :* au sous-sol de la salle 24. Présentation resserrée, mais assez complète et intégrant subtilement des œuvres contemporaines. Divisée en plusieurs sections : sculpture sur bois, métal forgé, poterie, masques et textiles. Impressionnantes statues fétiches du Congo, magnifique porte Yoruba (Nigeria) et, en face, une étonnante sculpture peule contemporaine, riche collection de masques traditionnels, y compris naturalistes comme ces beaux crocodiles, hippopotames ou requins. Une des sections les plus remarquables reste les plaques en laiton forgé et ciselé qui ornaient les palais des empires d'Afrique de l'Ouest, notamment au Nigeria. Présentation détaillée de tissus et pagnes et présentation instructive de couvre-chefs à travers tout le continent, de la chéchia tunisienne à un chapeau en

BLOOMSBURY, KING'S CROSS, SAINT PANCRAS ET EUSTON

toile d'araignée (!) d'Afrique du Sud, du début du XXe s. Remarquable collection de grandes poteries décorées. Dans les œuvres contemporaines, saisissantes sculptures réalisées uniquement à partir de centaines d'armes récupérées dans les nombreux conflits africains. Message de paix, refus de la culture de la violence à l'évidence, tout en démontrant le grand sens artistique et l'ingéniosité des artistes africains. En particulier, un fort original *Arbre de la vie,* composé de chargeurs de kalachnikov et réalisé par des sculpteurs mozambicains. De même, impressionnant fauteuil fabriqué exclusivement à partir de fusils.

🎭 *Wellcome Collection (plan d'ensemble, E2) :* 183 Euston Rd, NW1 2BE. ☎ 020-7611-2222. ● *wellcomecollection.org* ● Ⓜ Euston Sq. Mar-sam 10h-18h (22h jeu et le 1er ven du mois avec animations), dim 11h-18h. GRATUIT. Audioguide (gratuit) en français. Boutique géniale et 2 cafétérias (celle du haut beaucoup plus cosy).

L'Américain Henry Solomon Wellcome (1853-1936) s'établit en Angleterre en 1880 et y fonda un trust pharmaceutique sans précédent, dont ce musée est l'un des témoignages actuels. Homme d'affaires, philanthrope, pionnier de la photo aérienne, collectionneur éclectique... une seule vie ne lui a pas suffi pour étancher sa soif de tout faire et tout connaître ! Ce bâtiment colossal, qu'il fit construire en 1932, accueille quelques centaines des objets glanés dans le monde entier par ses émissaires, sur le million que

> ## PETITE IDÉE, GRANDS EFFETS
>
> *Une simple idée permit à Henry Solomon Wellcome d'établir son empire pharmaceutique : il fut le 1er à compresser les poudres médicinales sous forme de comprimés. Un processus qu'il vendit d'abord sous le nom de « tabloïds » (qui signifie « resserré »), qui deviendront « tablets ». D'ailleurs, les 1ers journaux populaires adoptèrent aussi un petit format et le terme de « tabloïds ». Aujourd'hui, ce format est largement utilisé dans la presse à sensations.*

compte la collection ! 2 expos permanentes, pour les curieux incurables, et des expos temporaires qui font toujours le plein, sur des thèmes aussi variés que la conscience, la voix, la mort, etc. Également d'intéressantes conférences et des visites guidées (programme détaillé sur le site internet).

1er étage
– *Medicine Man :* section historique de la collection, avec toute une batterie d'objets mêlant sciences et art. Momie péruvienne du XIIIe s, chaise de dentiste, instruments de chirurgie... Plus fétichistes, les cheveux du roi George III, la brosse à dents de Napoléon ou le bâton de marche (en ivoire) de Darwin.
– *Medicine now :* prospective tous azimuts sur le rapport de la médecine à notre société du XXIe s, où l'on a donné libre cours à des artistes. Voir notamment cette coupe longitudinale d'un corps humain, une sculpture très réaliste évoquant l'obésité, la laine de Dolly, célèbre brebis clonée en 1997, mais aussi ces milliers de dessins réalisés par les visiteurs anonymes (une œuvre collective fascinante dans son genre)...

> ## GÉNIAL GÉNOME
>
> *Parmi les curiosités de la Wellcome Collection, tout le génome humain répertorié dans des dizaines de bouquins, classé par chromosome (il y en a 22, plus les 2 chromosomes sexuels X et Y). Ouvrez-en un au hasard et vous ne verrez que des suites de 4 lettres (a, t, g, c) écrites en tout petit. Il y en a 300 millions... Bonne lecture !*

2e étage
– Très belle *bibliothèque* Art déco qui renferme 2 millions d'ouvrages papier (on ne compte pas ceux numérisés). Sur le balcon circulaire, les noms des plus grands scientifiques ont été gravés.

🎨 **British Library** *(plan d'ensemble, E-F1) :* 96 Euston Rd, NW1. ☎ 020-7412-7332 ou 330-333-1144. ● bl.uk ● Ⓜ King's Cross ou Euston Sq. Treasures Gallery *lun, mer et ven 9h30-18h, mar et jeu 9h30-20h, sam 9h30-17h, dim et j. fériés 11h-17h. Fermé 1er janv et 25 déc. GRATUIT. Expos temporaires payantes.* **Bon plan : 2 entrées pour le prix d'une aux expos temporaires sur présentation de votre billet d'Eurostar.** *Café, resto. Plan (gratuit) à dispo.*

Voici un vrai lieu de vie, dans un vaste bâtiment aux lignes industrielles réhabilité avec son architecture de brique – qui fit l'objet de maintes controverses en son temps (appelé « style brutaliste »), mais suscite à présent l'admiration pour son aménagement intérieur aéré et agréable.

Le visiteur est d'abord ébloui devant l'impressionnante et magnifique *King Library* dans le hall. Dans cette bibliothèque vitrée colossale, haute de 17 m (!), sont conservés 100 000 ouvrages, dont les quelque 85 000 de la collection personnelle du roi George III. On doute qu'il ait réussi à tout lire, mais cet héritage constitue un trésor inestimable pour les historiens...

La British Library abrite au total plus de 18 millions d'ouvrages ! Le fonds est d'une richesse inouïe et de vrais trésors sont visibles dans la *Treasures Gallery* (John Ritblat Gallery), plongée dans la pénombre pour préserver les textes les plus précieux. Parmi eux, une bible de Gutenberg (XVe s), qui n'a pas inventé l'imprimerie (encore un mythe qui tombe !). Il a seulement amélioré la technique en inventant les lettres mobiles.

Également à voir dans cette galerie la mythique **Magna Carta** de Jean sans Terre (1215), à laquelle les sujets de Sa Gracieuse Majesté vouent une passion bien compréhensible : elle représente un rempart contre tout pouvoir arbitraire. Vous découvrirez également la 1re édition des œuvres de Shakespeare et des carnets de notes de Léonard de Vinci. En tout, plus de 200 de ces documents inestimables

EUH... PAS SI BROUILLÉS !

Un matin de 1965, au 57 Wimpole Street, Paul McCartney, chez sa petite amie Jane Asher, se précipite sur le piano. Il tient une mélodie qui lui plaît bien. En revanche, côté paroles, il a un problème : ça donne Scrambled eggs, soit « œufs brouillés ». Pas très glamour. Au dernier moment, il change le titre de la chanson. Ce sera Yesterday.

sont exposés par roulement (ils changent tous les 3 mois), du journal de bord de Nelson à des partitions de Haendel (le *Messie*), Ravel (le *Boléro*) ou encore des paroles des Beatles griffonnées sur des chiffons de papier (*Yesterday* et *Help !* notamment).

Belle sélection de cartes, dont la plus ancienne, représentant la Grande-Bretagne, fut tracée vers 1250. Et ce n'est qu'un début, car la collection s'intéresse aussi à l'Asie et à l'Orient, représentés par des corans anciens aux délicates arabesques, des tantras bouddhistes ou encore de magnifiques enluminures chinoises... Pour en savoir plus, des bornes interactives et des documents audio permettent de feuilleter des ouvrages ou d'entendre James Joyce faisant lui-même une lecture de son *Ulysse*... Pour finir, signalons à nos lecteurs les plus timbrés la superbe section philatélique du rez-de-chaussée (8 millions de spécimens tout de même !).

Par ailleurs, la British Library accueille régulièrement d'intéressantes expos temporaires dans l'une ou l'autre de ses galeries.

N'oubliez pas, avant de sortir, de faire un tour à la librairie, où l'on peut dégoter de bons guides thématiques de la ville, des reproductions de vieux plans de Londres, des livres de photos, etc.

PLUS ADROIT À L'ENVERS

Parmi les archives de la British Library, admirez les carnets de notes de Léonard de Vinci, curieusement écrits de droite à gauche. Coup de génie ? Notes confidentielles nécessitant un miroir pour être lues ? La raison semble plus prosaïque : le maître italien était gaucher. Écrire dans ce sens lui facilitait tout simplement la tâche, la plume glissant plus facilement !

✻ Gagosian Gallery *(plan d'ensemble, F1)* : 6-24 Britannia St, WC1X 9JD. ☎ 020-7841-9960. ● *gagosian.com* ● Ⓜ *King's Cross.* Mar-sam 10h-18h. GRATUIT. Dans un vieil immeuble de pierres sombres, à la déco minimale et virginale, l'un des « faiseurs d'artistes » les plus connus du monde, Larry Gagosian. Il représente aussi bien Jeff Koons que Cy Twombly ou Richard Wright, des pointures de l'art contemporain. Expos temporaires.

✻ London Canal Museum *(plan d'ensemble, F1)* : 12-13 New Wharf Rd, N1 9RT. ☎ 020-7713-0836. ● *canalmuseum.org.uk* ● Ⓜ *King's Cross.* Dans une ruelle qui donne sur Wharfdale Rd. Mar-dim 10h-16h30 (19h30 le 1er jeu du mois). Fermé lun non fériés, 24-26 et 31 déc. Entrée : 5 £ ; réduc. Prospectus en français. Ce petit musée sympatoche présente un aspect méconnu de l'histoire de Londres : la vie de ses canaux. Le bâtiment servait, aux XIXe et XXe s, à stocker la glace que l'on importait par cargo depuis... la Norvège ! On la revendait en été, et c'est en péniche que le plus gros du transport se faisait. Le Regent's Canal, ouvert en 1820 pour relier Limehouse et Paddington, était une artère vitale pour le transport des marchandises à Londres. Concurrencée par le rail et la route, la navigation fluviale a doucement périclité à travers le pays. À l'intérieur, maquettes, photos et documentaire. Reconstitution d'une péniche. Amarrées derrière le musée, on peut admirer quelques spécimens de ces péniches privées étroites *(narrow boats)* et peinturlurées de toutes les couleurs, à la mode *roses and castle* de l'époque. Les familles vivaient à bord, et aujourd'hui encore, certaines péniches sont habitées.

✻ Charles Dickens Museum *(plan d'ensemble, F-G2)* : 48 Doughty St, WC1N 2LX. ☎ 020-7405-2127. ● *dickensmuseum.com* ● Ⓜ *Russell Sq ou Holborn.* Tlj sauf 1er janv 10h-17h *(dernière admission à 16h)*. Tarif : 9 £ ; réduc. Le célèbre écrivain a vécu ici d'avril 1837 à décembre 1839, 2 années pendant lesquelles sa plume fut prolifique puisqu'il écrivit, entre autres, le célèbre *Oliver Twist*. La maison, caractéristique de l'époque, a été soigneusement meublée en suivant à la lettre les témoignages des visiteurs de Dickens. Les fans apprécieront sans doute la reconstitution minutieuse de la dizaine de pièces et seront comblés par les lettres, portraits et autres « reliques » ayant appartenu au grand homme. À côté, café, boutique et une salle d'expos temporaires.

✻✻ New London Architecture – NLA *(centre 1, E3)* : The Building Center, 26 Store St, WC1E 7BT. ☎ 020-7636-4044. ● *newlondonarchitecture.org* ● Ⓜ *Goodge St.* Lun-ven 9h-18h, sam 10h-17h. Fermé dim, j. fériés et Noël-début janv. GRATUIT. Une maquette de Londres au 1/1 500, des schémas, des croquis, c'est retour vers le futur cette exposition ! Tous les projets, les grands chantiers à

> ### CRÉNOM DE SURNOM
>
> *Norman Foster, l'un des grands architectes du monde, crée à Londres des immeubles aux formes si originales qu'on les affuble facilement de surnoms. L'un s'appelle Gherkin (« Cornichon »). Il a d'ailleurs failli se dénommer « Suppositoire ». Moins de chance pour le City Hall de forme ovoïde, puisque les Anglais l'ont baptisé Testicle.*

venir pour le Londres urbain, les principaux gratte-ciel aux noms amusants : la « Râpe à fromage » (la tour Leadenhall), le « Toboggan » (la tour de Bichopsgate), le « Walkie-Talkie » (dans Fenchurch Street), *The Shard* évidemment, etc. Et aussi des expos thématiques sur les transports, le parc olympique, le relooking du quartier de Hackney...

ANGEL ET ISLINGTON

● Pour se repérer, voir le plan d'ensemble détachable en fin de guide.

Islington fait partie de ces anciens quartiers populaires où l'effet de mode a joué très rapidement, ajoutant aux bars de la première heure quantité de pubs et restos. Toutefois, si Upper Street concentre l'essentiel de l'animation, surtout le week-end, les ruelles immédiates demeurent très résidentielles et tranquilles, avec leur lot de maisons individuelles à jardinets. Baladez-vous sur Camden Passage, entre Duncan Street et Charlton Place, la vie est douce et calme, avec des boutiques et des coins sympas. N'hésitez pas à vous perdre du côté du canal, histoire de découvrir un autre visage de Londres, loin des clichés. On y déniche toutes sortes de disquaires, librairies et antiquaires, ainsi que le Chapel Market, petit marché populaire bien sympathique. Le dimanche, les magasins restent ouverts, ce qui attire les foules et donne vie au quartier. Convaincu ? Alors, en route...

Où manger ? Où prendre un petit déj ?

Très bon marché
(moins de 10 £ / 12 €)

●l Afghan Kitchen (plan d'ensemble, H1, **316**) : 35 Islington Green, N1 8DU. ☎ 020-7359-8019. Ⓜ Angel. Tlj sauf dim-lun 12h-15h30, 17h30-23h. Plats env 6,50-9 £. CB refusées. Ce n'est pas très grand, mais cosy comme tout, coloré et tamisé, pour une fraîche cuisine afghane subtilement épicée et à des prix d'avant la guerre des Malouines. Une rare occasion de goûter à un délicieux *qurma suhzi gosht* (agneau-épinards) ou au *borani kado* (potiron-yaourt) ! Jus de fruits ou de légumes frais. Petite table d'hôtes à l'entrée et salle à l'étage.

Bon marché
(10-20 £ / 12-23 €)

●l ☎ Ottolenghi (hors plan d'ensemble par H1, **271**) : 287 Upper St, N1 2TZ. ☎ 020-7288-1454. ● upper@ ottolenghi.co.uk ● Ⓜ Angel. Lun-sam 8h-22h30, dim 9h-19h. Petits déj env 5-15 £ ; plats le midi 16,50-21,60 £ (avec 2-3 salades au choix),

9,80-13 £ *le soir*. D'abord la boutique avec sa vitrine regorgeant de bons produits et pâtisseries, puis la grande salle design, d'une blancheur immaculée. Au centre, une longue table commune, encadrée de petites tables pour les amoureux. Et là, les *trendies* d'Islington se battent presque pour le petit déj complet, excellent, ou les fameux *scramble eggs and salmon*. File d'attente assurée le week-end ! Pour le déjeuner et le dîner, une autre fête des papilles : des plats tous aussi séduisants les uns que les autres, aux saveurs délicieusement méditerranéennes et à des prix étonnamment modérés eu égard à la finesse de la cuisine ! *4 autres adresses à Londres, notamment à Spitalfields, Belgravia et Notting Hill, ainsi que Nopi, dans Warwick St (Soho).*

●l ☎ Gallipoli Café & Bistro (hors plan d'ensemble par G-H1, **400**) : 102 Upper St, N1 1QP. ☎ 020-7359-0630. ● info@gallipolicafe.co.uk ● Ⓜ Angel ou Highbury & Islington. Lun-ven 11h-23h, sam 9h30-minuit, dim 10h-23h. Mezze env 5 £ ; menus env 17-20 £, plats 10,50-15 £. Tout en longueur, un classique de la cuisine turque et méditerranéenne. Dans une déco de bazar New Age oriental, avec des dizaines de lampes au plafond et de nombreuses photos, estampes et dessins aux murs. En plus des plats traditionnels et des savoureux *mezze*, bons petits déj, omelettes et sandwichs *(wraps)* servis le midi. Le soir, ambiance tamisée propice à un dîner en amoureux, l'odeur enivrante du narghilé se mêlant à celle du thé à la menthe et aux effluves épicés de la cuisine. Ouvert en 1996, le *Gallipoli* figure désormais parmi les adresses incontournables d'Islington. D'ailleurs, le succès est tel qu'il a un petit frère dans la rue, offrant quasi la même carte, avec en prime, certains soirs, des spectacles de danse orientale au *Gallipoli Again* !

|●| Le Mercury *(hors plan d'ensemble par H1, 260)* : *140 A Upper St (à l'angle de Almeida St), N1 1QY.* ☎ *020-7354-4088.* Ⓜ *Angel ou Highbury & Islington. Lun-sam 12h-1h, dim 12h-h. Plat env 11 £.* L'une des bonnes petites adresses du circuit d'Islington : il suffit d'observer, à travers la baie vitrée arrondie, le sourire satisfait des habitués pour en être convaincu. Cadre plaisant sur 3 étages et, le soir, éclairage romantique à la bougie. On y vient pour déguster une cuisine d'inspiration française sans complications et bien tournée. Magret de canard, entrecôte à l'échalote... rien que du classique ! Le tout à prix doux et fixes, quels que soient l'entrée, le plat ou le dessert. Sympa.

|●| The Charles Lamb *(plan d'ensemble, H1, 201)* : *16 Elia St, N1 8DE.* ☎ *020-7837-5040.* ● *food@thecharleslambpub.com* ● Ⓜ *Angel. Lun-mar 16h-23h, mer-ven 12h-23h, sam 11h-23h (brunch 11h-15h) ; dim 12h-22h30. Plats env 8-14 £.* Véritable pub de quartier mais dans une version « routiers ». Ambiance très décontractée (échecs et Scrabble à dispo), déco cosy et chaleureuse (parquet, cheminée, bibelots). On y sert une cuisine du jour, annoncée au tableau noir, goûteuse et pleine de bonnes idées. Pas de burgers ici, mais des petits plats bien sentis à prix démocratiques (pour Londres). Bon choix

de bières, dont la *Greenwich Meantime Brewery,* et le vin de la maison... est issu du domaine Saint-Hilaire dans le Languedoc ! Agréable terrasse aux beaux jours.

De bon marché à prix moyens (moins de 30 £ / 34 €)

|●| 🏃 Jamie's Italian Angel *(plan d'ensemble, G1, 190)* : *409-411 Saint John St, EC1V 4AB.* ☎ *020-3435-9915.* Ⓜ *Angel. Tlj 12h-23h (22h lun-mer et 21h30 dim). Lunchs 12,95-14,95 £ ; plats env 14-23 £, salades 6-10 £, pâtes env 11,50-15 £.* C'est la branche locale de la minichaîne de bistrots italiens de l'incontournable chef Jamie Oliver. La vaste salle au cadre de trattoria rétro-moderne est toujours bondée, et l'ambiance garantie. Clientèle assez *trendy*. Côté assiette : toutes sortes de pains maison et *bruschette* bien garnis (par exemple au crabe et à l'avocat), *pasta* savoureuse (disponible en demi-portion), spécialités de viandes colorées à souhait et très bon rapport qualité-prix.

|●| Le Sacré-Cœur *(plan d'ensemble, G-H1, 259)* : *18 Theberton St, N1 0QX.* ☎ *020-7354-2618.* ● *info@ lesacrecoeur.co.uk* ● Ⓜ *Angel. Dans une petite rue perpendiculaire à 50 m d'Upper St. Tlj 12h-23h (23h30 ven-sam et 22h30 dim). Formules déj 9,95-11,95 £ ; plats env 11-15,50 £.* Un authentique petit bistrot français très convivial, pourvu de tous les attributs propres à sa catégorie avec ses nappes à carreaux bleus et blancs et ses affiches de ciné-spectacles... On mange au coude à coude dans cet espace chaleureux, un p'tit bout de France recréé avec tant de conviction qu'on n'y voit que du feu ! À la carte, une cuisine régionale archi classique et bien tournée : bœuf bourguignon, entrecôte grillée, coq au vin, saucisse de Toulouse-purée, moules-frites, crème brûlée et tarte Tatin... Bonne sélection de poisson et quelques classiques anglais ou végétariens.

ANGEL ET ISLINGTON

De prix moyens à chic (20-40 £ / 23-46 €)

|●| **The Duke of Cambridge** (plan d'ensemble, H1, 362) : 30 Saint Peter's St, N1 8JT. ☎ 020-7359-3066. ● duke@dukeorganic.co.uk ● ⓜ Angel. Tlj 12h-23h (22h30 dim). Service 12h-16h, 18h30-21h30 (22h30 ven-sam), 12h-21h dim. Lunchs 20,50-24,50 £ ; plats env 14-17 £. Cette taverne, certifiée 100 % organic et totalement éthique dans le choix de ses fournisseurs, fait toujours le plein ! La clientèle, on ne peut plus bobo, apprécie son parquet usé, ses grandes tables en bois, son brouhaha convivial et sa cuisine de saison. Le menu, constamment renouvelé (annoncé sur le tableau noir), est élaboré en fonction du marché à partir d'ingrédients bio issus du réseau de fermes Riverford, dans le Devon. Une cuisine parfaitement maîtrisée, puisque les spécialités classiques anglaises et des plats plus exotiques au coude-à-coude se révèlent savoureux. Belle sélection de vins au verre et d'excellentes bières, organic là aussi, accompagnent à merveille cette réjouissante cuisine anglo-fusion.

|●| **Rök Islington** (hors plan d'ensemble par H1, 260) : 149 Upper Street, N1 1RA. ☎ 020-7377-2152. ● islington@roklondon.com ● Tlj 12h-minuit. Plats 12-16 £ ; compter 15-20 £ pour un repas complet le midi, 27-36 £ le soir. Dans un décor zen et épuré, une longue salle au fond de laquelle se cache le grand four à bois d'où sortent de belles viandes juteuses et grillées. La carte est courte et évolutive, très créative surtout ! Si les influences sont suédoises, les produits sont bien anglais. Résultat, c'est frais, sain, original, savoureux, à l'image de notre salade de chou noir au riz, algues nori, noix de macadamia et västerbottensost (un fromage suédois entre le parmesan et le cheddar) et saucisses de gibier... Suivis d'un (divin) pain perdu, servi avec une glace à la betterave et une compote de rhubarbe à l'orange sanguine. Un vrai coup de cœur, tout à la fois d'une déconcertante rusticité et d'une merveilleuse

sophistication. Autre adresse à Shoreditch (26 Curtain Rd).

|●| **The Narrow Boat** (plan d'ensemble, H1, 358) : 119 St Peter's St, N1 8PZ. ☎ 020-7400-6003. ● narrowboatevents@youngs.co.uk ● ⓜ Angel. Au bord du canal, au bout de Noel Rd. Ouv jusqu'à 23h, minuit sam. Service en continu 11h-22h (22h30 ven-sam et 21h dim). Snacks 6-9 £, plats env 13,50-26 £. Ce pub hors des sentiers battus arbore une façade bien ordinaire. Mais c'est un leurre. Une fois à l'intérieur, on s'aperçoit qu'il est échoué au bord du canal et que sa longue salle s'étire le long de fenêtres donnant sur les flots. Salle à l'étage également. Un escalier conduit même sur le quai, où les habitués sirotent leur pinte en profitant de l'environnement paisible. En fin de journée, les rayons du soleil jouant parmi les gréements des quelques embarcations distillent un charme irrésistible... On y sert une classique cuisine de pub, de bons petits déj, snacks et sandwichs, ainsi que des plats copieux qui varient selon les saisons. Personnel adorable et service efficace.

|●| **The Drapers Arms** (hors plan d'ensemble par G1, 318) : 44 Barnsbury St, N1 1ER. ☎ 020-7619-0348. ● info@thedrapersarms.com ● Tlj 12h-23h (service lun-ven 12h-15h, 18h-22h30 ; sam 12h-16h, 19h-22h30 ; dim 12h-20h30 en continu). Plats env 10,50-48 £. Vaste gastropub niché au pied d'une élégante demeure. Assez excentré, dans un agréable quartier résidentiel, c'est un pub de quartier se doublant d'une vocation gastronomique, avec une clientèle fidélisée. Beaucoup de monde et très bruyant en fin de semaine, mais ça fait partie de l'ambiance. Petits plats rustiques, assez inventifs dans les goûts et les textures, qu'on déguste à la lueur d'une bougie sur de grosses tables en bois rugueuses. Une dizaine de plats d'une carte qui tourne quotidiennement. Spécialités de viandes dont une tendre slow cooked shoulder of lamb (pour 2 personnes) ou le Loghorn rumsteak, maturé pendant 45 jours. Accueil jeune et souriant. Cheminée en hiver et plaisante terrasse à l'arrière. Une belle adresse.

ANGEL ET ISLINGTON

Où boire un verre ? Où sortir ?

♟ Voir aussi **The Duke of Cambridge** (plan d'ensemble, H1, **362**) et **The Narrow Boat** (plan d'ensemble, H1, **358**), décrits dans « Où manger ? Où prendre un petit déj ? ».

♟ **69 Colebrooke Row** (plan d'ensemble, H1, **403**) : 69 Colebrooke Row, N1 8AA. ▯ 075-4052-8593. ● drinks@69colebrookerow.com ● Ⓜ Angel. Tlj 17h-minuit (1h jeu et 2h ven-sam). Cocktails 10,50 £. Snacks env 3,50-8,50 £. C'est l'un des bars à cocktails les plus connus de Londres. Il n'est pourtant pas bien grand, voire minuscule, on n'y est pas forcément très bien assis, et la déco fait plus dans le troquet de quartier que le club cosy. Mais c'est LE repaire de l'un des maîtres du genre ! Tous les aficionados ne jurent que par Tony Conigliaro et réservent bien à l'avance pour pouvoir goûter à ses créations audacieuses et surprenantes. Une expérience atypique, d'autant plus sympa les soirs où le pianiste de la maison régale l'assemblée de bons morceaux de jazz. Possible de s'inscrire à une master class pour composer ses cocktails comme un vrai pro !

♟ ♪ **The Lexington** (plan d'ensemble, G1, **409**) : 96-98 Pentonville Rd, N1 9JB. ☎ 020-7837-5371. ● thelexington.co.uk ● Ⓜ Angel. Tlj 12h-2h (3h jeu, 4h ven-sam). À l'angle de la rue. Un lieu délicieusement éclectique. Au rez-de-chaussée, le bar, amusant avec ses papiers peints à ramages et ses abat-jour kitsch... mais souvent trop petit pour accueillir les très nombreux fêtards attirés par la sélection (insolite !) de bourbons et de bières made in USA. Grosse ambiance donc, jeune et tonitruante, qu'on retrouve à l'étage, dans la salle de concerts chaleureuse. Soirées DJ ou musique live selon les soirs (gratuit ou payant selon les cas). Finaliste de nombreux music awards !

♟ ∞ **The Camden Head** (plan d'ensemble, H1, **316**) : 2 Camden Walk, N1 8DY. ☎ 020-7359-0851. ● camdenhead.com ● Ⓜ Angel. Tlj 12h-23h (minuit jeu et 1h ven-sam). Caché sous un petit passage pavé, ce joli pub date de 1849 et a conservé de nombreux éléments du passé : un grand comptoir elliptique en bois sculpté, des miroirs joliment gravés, un fantôme et un plancher bien usé par la joyeuse et bruyante clientèle d'habitués. On y vient pour le comedy club (gratuit), un des plus réputés, qui a lieu tous les soirs à 20h dans la salle à l'étage. Grande et agréable terrasse aux beaux jours.

♟ ∞ ♪ **King's Head Theatre Pub** (hors plan d'ensemble par G-H1, **400**) : 115 Upper St, N1 1QN. ☎ 020-7226-4443 et 020-7226-8561 (box office). ● kingsheadtheatre.co.uk ● Ⓜ Highbury & Islington ou Angel. Face à l'église St Mary. Lun-mar 11h-23h, mer 11h-minuit, jeu 11h-1h, ven-sam 11h-2h, dim 12h-minuit. Un endroit surprenant. On se glisse ici dans la chaude atmosphère d'un petit pub, où les habitués investissent les fauteuils de théâtre élimés quand ils ne sont pas accoudés au bar sous les antiques projecteurs. Et puis, derrière les portes battantes, un vrai théâtre de poche avec de vrais comédiens sur les planches, comme Hugh Grant en son temps ! Des dizaines de pièces partirent dans le West End après leur succès ici. Après 22h, la fête se termine par un concert rock-blues bien arrosé.

♟ ∞ **Old Red Lion Theatre & Pub** (plan d'ensemble, G1, **301**) : 418 St John St, EC1V 4NJ. ☎ 020-7837-7816 ou 0844-412-4307 (box office). ● oldredliontheatre.co.uk ● Ⓜ Angel. Tlj 12h-minuit (1h ven-sam). Happy hours lun-ven 16h-19h. Pub chaleureux et sans façons, situé dans le hall d'un vénérable théâtre. Grande vitre gravée qui cloisonne la salle, larges et moelleuses banquettes un peu défraîchies, piano où se relaient les artistes d'un soir, tables patinées qu'occupe nonchalamment une clientèle jeune et portée sur les arts. Que ce soit avant ou après la pièce (plusieurs représentations par semaine), on trouve la même ferveur théâtreuse, le même attachement aux valeurs old school... dont l'amour de la pinte fait partie intégrante ! Aux beaux jours, on se concentre dans le beer garden.

Shopping

❀ **Annie's Vintage** (plan d'ensemble, H1, 316) : 12 Camden Passage, N1 8ED. ☎ 020-7359-0796. ● annies vintageclothing.co.uk ● Ⓜ Angel. Tlj 11h-18h. Cette adorable boutique d'angle, réfugiée au cœur du charmant Camden Passage, est célèbre dans le milieu vintage pour ses collections hors normes. On a vu Alexander McQueen et John Galliano venir y chiner plumes et broderies. Kate Moss est une cliente régulière. On ne parle d'ailleurs presque plus de vintage, mais d'antiquités ! Car bon nombre des robes et autres accessoires présentés dépassent allègrement le demi-siècle. Un lieu insolite et empreint d'une nostalgie glamour irrésistible.

ANGEL ET ISLINGTON

HOLBORN, FARRINGDON ET CLERKENWELL

> - Pour se repérer, voir le plan d'ensemble
> et le centre 1 détachables en fin de guide.

En gros, délimité au sud par le Smithfield Market, à l'est par St John Street, au nord par Clerkenwell et à l'ouest par Farringdon Road, encore un quartier qui tient son petit bout de gras de l'animation nocturne londonienne. Grouillant de cols blancs la journée, Farringdon s'anime le soir, rejoint par l'élégant Clerkenwell, dont les lofts et les entrepôts ont trouvé quelques heureux repreneurs. L'ambiance un peu « village » de ces quartiers apporte une certaine convivialité. Tandis que Holborn, coincé entre Covent Garden et la City, reste pour l'instant hermétique à cette agitation. Débordant d'activité le jour mais déserté le soir, ce quartier est le bastion d'un certain classicisme à l'anglaise. Les *Inns of Court* et les grands pubs séculaires reclus dans d'étroites ruelles sont sa marque de fabrique.

Où dormir ?

De prix moyens à très chic (50-120 £ et plus / 58-140 €)

🏠 **Z Hôtel Shoreditch** (plan d'ensemble, I2, 98) : 136-144 City Rd, EC1V 2RL. ☎ 020-3551-3702. ● shoreditch@thezhotels.com ● thez hotels.com ● Ⓜ Old Street. Doubles env 59-198 £ selon jour et période ; familiales. Derrière la jolie façade de l'*Alexandra Trust Dining Rooms*, une sorte de *Resto du Cœur* (ou de *Bouillon Chartier*), fondé en 1898 par le magnat du thé et philanthrope Sir Thomas Lipton, et devenue aujourd'hui la nouvelle adresse d'une chaîne d'hôtels qu'on aime bien. L'intérieur a été entièrement rénové dans un style résolument contemporain avec 111 chambres tout confort, design et offrant un remarquable rapport qualité-prix pour Londres. À signaler tout de même que les moins chères sont sans fenêtres ! Chambres familiales à prix très avantageux.

🏠 **Fox and Anchor** (plan d'ensemble, H2-3, 252) : 115 Charterhouse St, EC1M 6AA. ☎ 020-7250-1300. ● foxandanchor@youngs.co.uk ● foxandanchor.com ● Ⓜ Barbican. Doubles à partir de 219 £. Un de ces pubs à l'ancienne dont l'Angleterre a l'art et le secret. Sur place, 6 superbes chambres dans l'esprit boutique-hôtel, notamment la cosy *Market suite*, avec petite terrasse !

Spécial coup de folie (plus de 200 £ / 232 €)

🏠 **The Zetter Hotel** (plan d'ensemble, G-H2, 123) : 86-88 Clerkenwell Rd, St

Johns Sq, EC1M 5RJ. ☎ 020-7324-4444 ou 4567. ● *info@thezetter.com* ● *thezetter.com* ● Ⓜ *Farringdon ou Barbican. Doubles à partir de 200-300 £ hors taxes.* Un hôtel design, avec son puits de lumière, ses chambres personnalisées où se mêlent pierre, brique, métal et bois, dotées d'un éclairage rouge rosé. Moelleux des couettes immaculées, tapis acidulés et douches multijets. Plein d'autres gadgets inutiles, donc essentiels ! Mention spéciale aux chambres les plus chères, avec terrasse privée et vue imprenable sur Londres. La nuit tombée, la façade en pierre s'éclaire de néons. Excentrique à souhait ! Resto-bar à vins sur place.

🛏 *The Zetter Townhouse (plan d'ensemble, G-H2,* **123***) :* 49-50 St Johns Sq, EC1V 4JJ. ☎ 020-7324-4567. ● *thezettertownhouse.com* ● Ⓜ *Farringdon ou Barbican. Doubles à partir de 220 £.* Non contents de nous accueillir dans leur univers design, les proprios du *Zetter* ont ouvert cette annexe juste derrière. Et quelle annexe ! Bienvenue chez tante Wilhelmina, une hypothétique ancêtre un peu excentrique : 13 chambres dans une ancienne demeure georgienne, papiers peints raffinés et une foule d'objets kitsch et insolites (kangourou empaillé, bouillottes tricotées, etc.). Grands lits moelleux, vieux parquets et confort ultramoderne (borne iPod, téléphone d'antan au goût du jour...), vieux miroirs, tableaux joyeusement décalés (Mickey passe la tête dans un vieux décor !) et fenêtres secrètes dans les salles de bains. Décidément, tante Wilhelmina sait recevoir... Au rez-de-chaussée, bar à cocktails très couru, cosy avec ses canapés Chesterfield et sophistiqué avec ses créations originales à la carte. Fort de son succès, *The Zetter* a ouvert une 3ᵉ annexe en 2015, **The Zetter Townhouse Marylebone** *(28-30 Seymour St),* une autre maison georgienne de 24 chambres, décorées dans le même esprit boutique-hôtel.

Où manger ? Où prendre le petit déj ?

Grosse concentration de restos et de bars animés sur *Exmouth Market,* une « rue-marché » ancienne bordée de demeures basses. Un bon plan le soir, car c'est une rue qui bouge bien et possède un certain charme avec ses nombreux restos ethniques (thaïs, indiens, chinois, caraïbes, pays méditerranéens, etc.). Pour s'y rendre depuis King's Cross, bus nᵒ 63 très pratique.

Sur le pouce
(moins de 10 £ / 12 €)

🥖 🍵 *Gail's (plan d'ensemble, G2,* **300***) :* 33-35 Exmouth Market, EC1R 4QL. ☎ 020-7713-6550. ● *exmt@gailsbread.co.uk* ● Ⓜ *Angel. Lun-ven 7h-19h, w-e et j. fériés 8h-19h.* Une petite chaîne de boulangeries artisanales. Ici, on trouve un large espace de dégustation. Cadre moderne tout blanc, très lumineux, produits généreux, originaux, qu'il s'agisse de pains spéciaux, des formules pour le petit déj, des petits plats salés du jour (quiches, salades, sandwichs) ou des pâtisseries (*Chelsea bun* délicieux) pour le goûter. Un lieu où l'on passerait volontiers sa journée.

🍵 *Dose Espresso (plan d'ensemble, H3,* **317***) :* 70 Long Lane, EC1A 9EJ. ☎ 020-7600-0382. Ⓜ *Barbican ou Farringdon. Lun-ven 7h-17h.* Minuscule cafét moderne et artisanale à la fois, entièrement dévolue au café *espresso* ! Les employés du quartier viennent y prendre leur « dose » quotidienne. Café issu du commerce équitable et variant au gré des saisons (en hiver, par exemple, café du Nicaragua, d'El Salvador et du Kenya), lait bio, petits snacks variés et douceurs à base de bons produits bio ou locaux. Et une super machine à café italienne dont ils sont très fiers ! Une halte sympa dans le coin.

🍴 *Whitecross Street Food (plan d'ensemble, I2,* **270***) :* Whitecross St. Ⓜ *Barbican ou Moorgate. Tlj 11h-14h30.* Ancienne « rue-marché » médiévale, juste en dehors des remparts, la plus ancienne de Londres (s'étendant d'Old Street à Chiswell Street). Aujourd'hui, toujours des immeubles populaires (petites plaques historiques sur les murs pour rappeler tout ça). Whitecross Street a retrouvé sa 1re vocation médiévale en alignant les stands de *street food,* suppléés par de bons petits restos à prix modérés. Toutes les cuisines du monde : soupes, crêpes, falafels, spécialités thaïes, antillaises, turques... Un stand propose même, suivant la saison, des *venison burgers* (au gibier)...

– Une combine intéressante : un pub, le **Two Brewers** *(à peu près au milieu de Whitecross St),* réalisant qu'il ne pourrait lutter question restauration avec la *street food,* en a pris son parti et autorise à apporter de la nourriture extérieure chez lui. Résultat, il recueille tous les pique-niqueurs de la rue et fait largement son chiffre avec les boissons. *My God, this is smart !*

Sinon, voici quelques bonnes petites adresses au long de Whitecross Street pour les amateurs :

– **Kennedy's :** au n° 169-171. ☎ 020-7253-1796. Tlj 11h-22h (23h ven, 21h dim). Un des meilleurs *fish & chips* du coin. Ultra-clean. Carrelage blanc et quelques curieuses tables d'écolier. Excellent *cod* et *lunch menu* bon marché de 11h à 17h.

– **The Iskelé :** au n° 179-181. ☎ 020-7490-0082. Tlj 12h-22h (23h jeu-sam). Un excellent resto turc présentant une petite cuisine de là-bas soignée et pas chère. Accueil affable.

– **Jane Roe Kitchen :** à l'angle de Whitecross et Old St. ☎ 020-7336-8075. Lun-ven 11h30-15h et 17h-22h, sam 18h-22h. Cuisine de bistrot un poil créative aux effluves italiens. Bons burgers. Goûter au *cheesecake* maison à l'orange sanguine et chocolat !

Bon marché
(10-20 £ / 12-23 €)

|●| **J & A Café** *(plan d'ensemble, H2, 135) :* 1-4 Sutton Lane, EC1M 5PU. ☎ 020-7490-2992. ● info@jandacafe. com ● Ⓜ Farringdon ou Barbican. Lun-ven 8h-18h, le w-e 9h-17h. Bar jusqu'à 23h mar-ven. Sandwichs et plats 6-14,50 £. Dissimulé dans une venelle paisible, opportunément transformée en terrasse dès que le soleil est de

mise, ce café jeune et dynamique est l'un des spots incontournables du secteur pour le petit déj et les repas légers. Accroché au mur de brique, le tableau noir annonce une cuisine du jour toujours appétissante : plats de saison, quiches, salades et brunchs, pain maison, préparés avec des ingrédients au maximum bio et frais. Simple, bon, sain et servi avec le sourire.

|●| 🚲 **Clerkenwell Kitchen** *(plan d'ensemble, G2, 266) :* 27-31 Clerkenwell Close, au bout de Bowling Green Lane, EC1R 0AT. ☎ 020-7101-9959. Ⓜ Farringdon. Lun-ven 8h-17h. Petit déj 5 £ env. Sandwichs à emporter env 4-6 £ ; plats sur place env 9-13 £. Café-resto ou resto-café ? Ce charmant établissement au cadre sobre et contemporain accueille ses habitués depuis le petit déj jusqu'au *teatime...* mais c'est pour son déjeuner qu'il s'est forgé une solide réputation. Chaque jour, le tableau noir affiche de nouveaux plats alléchants, toujours de saison et préparés avec les meilleurs produits (publie la liste de tous leurs producteurs). Sandwichs vraiment élaborés. Gâteaux maison. Définitivement dans l'air du temps.

|●| 🚲 **Look Mum No Hands !** *(plan d'ensemble, H2, 288) :* 49 Old St, EC1V 9HX. ☎ 020-7253-1025 et 7490-3928 *(l'atelier).* ● info@look mumnohands.com ● Ⓜ Barbican. Lun-ven 7h30-22h, le w-e 8h30 (9h dim)-18h. Petits déj 5-11 £ et plats env 7,50-12,50 £. Un café-bar-*workshop* qui offre une halte relax dans le quartier. Grande salle ouverte avec ses baies vitrées sur la rue et joli coin de terrasse aux beaux jours. Déco entièrement consacrée à la petite reine. Pour cause, l'adresse est tenue par des fanas de bicyclette et est en partie occupée par un atelier de réparation. Les bobos-cool du quartier viennent y faire rafistoler leur bécane et siroter un jus de fruits ou un bon café. On aime aussi les petits plats du jour, sans surprise ni génie mais préparés avec les produits frais de saison : soupe, salades, sandwichs, etc. Bons desserts également, et une petite sélection de bières locales. Soirées à thème.

|●| **Morito** *(plan d'ensemble, G2, 209) :* 32 Exmouth Market, EC1R 4QE.

☎ 020-7278-7007. ● info@morito. co.uk ● Ⓜ *Farringdon. Tlj sauf dim soir 8h (9h w-e)-16h et 17h-23h. Tapas env 4,50-10,50 £. Vins à partir de 18 £.* C'est minuscule. Mais c'est le seul défaut de ce séduisant bar à tapas, où les gourmands s'entassent, dans une atmosphère joyeuse et bourdonnante, à l'une des quelques tables ou, mieux, au comptoir. Autre avantage : bien moins cher que le *Moro* à côté (bruyant et un peu surestimé). Le spectacle de la cuisine ouverte est un show bien réglé dont on ne se lasse pas ! Les tapas, préparées en direct avec des ingrédients frais, sont bien relevées et joliment présentées. Un régal, qu'il s'agisse de spécialités espagnoles bien classiques ou de petits plats plus originaux. *Autre adresse sur Hackney Road.*

|●| *Kolossi Grill (plan d'ensemble, G2, 302) :* 56-60 Rosebery Ave, EC1R 4RR. ☎ 020-7278-5758. ● info@kolossigrill. com ● Ⓜ *Farringdon. Tlj sauf sam midi, dim et j. fériés 12h-14h30, 17h30-23h. Lunchs 7-9 £ avec entrée, plat et fruit. Plats 11,50-17 £, menu env 21,50-23 £.* Un resto grec aux petits oignons, reconnaissable à sa devanture à colonnes. Un intérieur relaxant avec sa cuisine nichée dans une fausse maisonnette et des plantes qui dégoulinent du plafond, le tout baignant dans un air de bouzouki. Menu long comme le bras. Bonnes spécialités et service chaleureux, formules imbattables le midi. Cerise sur le gâteau, les fruits sont offerts à la fin du repas. Une adresse rare, et ça fait plus de 50 ans que ça dure !

De bon marché à prix moyens (jusqu'à 30 £ / 34 €)

|●| Voir aussi un peu plus loin nos adresses de pubs, comme le *Cittie of Yorke (centre 1, G3, 385),* où l'on mange bien, pas cher et, qui plus est, dans un cadre incomparable ou encore le *Fox and Anchor (plan d'ensemble, H2-3, 252)* très sympa à l'heure du petit déj *(5-12 £).*

|●| *The Wilmington (plan d'ensemble, G2, 325) :* 69 Rosebery St, EC1R 4RL. ☎ 020-7837-1384. ● info@wilming tonclerkenwell.com ● Ⓜ *Farringdon.*

Lun-jeu 11h-23h, ven-sam 10h-minuit, dim 10h-22h30. Plats env 13-27 £. Vénérable pub du XIXe s qui a décidé de jouer dans la cour des grands et qui a formidablement réussi ! C'est l'un des meilleurs *gastropubs* de Londres et pour quelques bonnes raisons : cuisine de haute qualité, salle très agréable qui a su garder des éléments de charme du passé et (pour une fois) un niveau sonore tolérable. Enfin, accueil affable, service au diapason de la cuisine, pro, efficace, toujours souriant et disponible. On a affaire ici à un chef authentique, fusionnant habilement cuisines française et anglaise, utilisant de beaux produits, respectant les saveurs, réalisant des associations inspirées. Au bar, 14 bières et cidres à la pression (quelques bières artisanales tournant quotidiennement). L'une ou les plus belles découvertes !

|●| *Eagle (plan d'ensemble, G2, 289) :* 159 Farringdon Rd, EC1R 3AL. ☎ 020-7837-1353. ● info@theeaglefarringdon. co.uk ● Ⓜ *Farringdon. Bar ouv lun-sam 12h-23h, dim jusqu'à 17h. Cuisine ouv 12h-15h (15h30 w-e), 18h30-22h30 ; fermé dim soir. Plats env 11-16 £.* Depuis 25 ans, l'un des pères fondateurs des *gastropubs* poursuit sa route sur les courants ascendants. On adore l'atmosphère conviviale et le cadre sans chichis, le large bar hérissé de pompes à bière où se presse la foule, et les tables usées dispersées un peu au hasard. Un menu quotidien annonce sur le tableau noir des spécialités à tendance méditerranéenne (et aux effluves espagnols), souvent de bonne tenue, mais pas toujours diététiques. Portions généreuses. La formule plaît, mais les places manquent. On attendra donc son tour au bar, en profitant du spectacle haut en couleur de la cuisine ouverte.

|●| *St John (plan d'ensemble, H2, 261) :* 26 St John St, EC1M 4AY. ☎ 020-7251-0848. ● info@stjohnres taurant.com ● Ⓜ *Farringdon. Lun-ven 12h-15h, 18h-23h ; sam 18h-23h ; dim seulement 12h30-16h. Plats 15-27 £ ; env 6-10 £ au bar.* Installé dans un ancien fumoir à jambon, ce célèbre restaurant, dont l'emblème est un cochon, obéit à une devise bien gourmande : « *From the nose to the tail* », grosso modo « Dans le cochon, tout est bon » ! Il n'y a pas que du

cochon à manger, rassurez-vous, mais on déniche à la carte des morceaux qu'on n'a pas forcément l'habitude de voir dans nos assiettes. Tout bonnement délicieux ! Déco minimaliste, salle immaculée comme le tablier des serveurs. Bar idéal pour prendre l'apéro ou se restaurer de façon plus simple : assiette de fromages, terrines et snacks divers. Bon choix de desserts. Le tout arrosé de petits vins de propriété. *So chic,* la boulangerie intégrée où l'on peut faire emplette de superbes pains maison. Succursale à Spitalfield.

|●| 🍽 The Modern Pantry (plan d'ensemble, H2, **141**) **:** 47-48 Saint John's Sq, EC1V 4JJ. ☎ 020-7553-9210. ● clerkenwell@themodernpantry.co.uk ● Ⓜ Farringdon. Café ouv lun-ven 8h-11h, 12h-22h30 (22h lun) ; le w-e 9h-16h, 18h (18h30 dim)-22h (22h30 sam). Resto tlj sauf lun et dim soir 12h-15h (16h le w-e), 18h-22h30. Petits déj 4,50-12 £ et teas à partir de 22,50 £. Plats env 16-22 £. Installés dans un élégant édifice georgien, café lumineux au rez-de-chaussée, ou resto élégant et plus formel à l'étage. Clientèle un poil bobo branchée. Cuisine de type fusion ayant picoré des recettes ou des influences du monde entier (où dominent cependant une petite musique méditerranéenne et une passion évidente pour les saveurs asiatiques). Ça donne des plats inventifs, travaillés à partir de produits traditionnels frais, avec quelques télescopages de couleurs et de saveurs judicieux. Belle carte des vins. Très bien également pour le brunch dominical. Service gentil comme tout.

|●| The Quality Shop House (plan d'ensemble, G2, **273**) **:** 88-94 Farringdon Road, EC1R 3EA. ☎ 020-7278-1452. ● info@thequalitychophouse.com ● Ⓜ Farringdon. Lun-sam 12h-14h30, 18h-22h, dim 12h-16h. Plats 18-37 £. Le décor, qui date de 1869, est plus que charmant et propice aux repas en amoureux. Surtout que, une fois n'est pas coutume, le fond sonore plutôt jazzy ne viendra pas couvrir vos tendres échanges... Cuisine délicate et traditionnelle, à partir de produits 100 % *British*, 100 % fermiers... Si la maison, jouxtant une boucherie, doit sa bonne réputation à ses viandes et ses gibiers, poissons et légumes anciens ne sont pas en reste... Une jolie adresse gourmande et cosy à souhait.

De chic à très chic (30-40 £ et plus / 34-46 €)

|●| Bourne & Hollingsworth Buildings (plan d'ensemble, G2, **329**) **:** 42 Northampton Rd, EC1R 0HU. ☎ 020-3174-1156. ● info@bandhbuildings.com ● Ⓜ Farringdon. Au bout d'Exmouth Market, tourner à droite, c'est à 150 m. Lun-jeu 11h-minuit, ven 11h-1h, sam 10h-1h, dim 10h-18h ; service au resto jusqu'à 22h30. Lunchs en sem 15-18 £, plats 13-25 £. Brunchs w-e 6-16 £. Cadre plutôt plaisant. On aime bien la verrière derrière, sa végétation, ses profonds fauteuils. Clientèle *trendy* décontractée qui apprécie de boire un verre au coin du feu avant de passer à table. Cuisine de bistrot finement revisitée et pas si chère que ça vu le standing. Compte tenu du côté un peu excentré du resto, il fonctionne plutôt bien grâce au bouche à oreille ! Service jeune, souriant, efficace. À la carte, choix d'une demi-douzaine de plats. Bon sens des associations de saveurs, petits légumes bien choisis et cuits comme il faut. Bons desserts.

|●| Hix Oyster & Chop House (plan d'ensemble, H2-3, **139**) **:** 36-37 Greenhill Rents, EC1M 6BN. ☎ 020-7017-1930. Ⓜ Farringdon. Dans une ruelle juste derrière Cowcross St. Lun-sam 12h-23h, dim 12h-22h. Menus env 15,50-20 £ (servis en sem, jusqu'à 17h). Plats env 15-43 £. Ancienne fabrique de saucisses, une belle reconversion ! Mark Hix, le patron, est un amoureux fou des bons produits, intraitable sur leur origine et les meilleures saisons, leur culture ou leur élevage... Venez donc vous perdre dans cette brasserie chic d'une élégante sobriété pour mieux mettre en valeur toutes ces qualités. Un accueil sympa, un service décontracté et une clientèle classe mais pas snob. Et prix élevés mais justifiés pour un poisson ruisselant de fraîcheur et cuit à la perfection, et toutes les viandes 100 % anglaises. Beaux desserts et vieilles eaux-de-vie de pomme géniales...

I●I *Anglo* (plan d'ensemble, G2, **268**) : *30 St Cross St, EC1N 8UH.* Ⓜ *Chancery Lane. Lun 18h-22h, mar-sam 12h-14h30 et 18h-22h. Fermé dim. Déj à la carte à partir de 16 £. Dîner menu dégustation 42 et 60 £.* Le renouveau de la cuisine gastronomique britannique passe par *Anglo* ! Cadre épuré avec chaises d'écolier et luminaires de designers, grand comme un mouchoir de poche. Enseigne au néon vert très discrète. En revanche, dans l'assiette, rien de commun. Les chefs se sont succédé aux fourneaux des meilleures tables anglaises et européennes. Viandes, poissons, légumes, tout est sublimé, présenté avec délicatesse et riche en couleurs. Quelques expériences gastronomiques réveillent même nos papilles peu habituées à ces saveurs jamais goûtées. Une belle aventure culinaire !

Où boire un verre ?

🍸 Voir aussi un peu plus haut nos adresses de restos, comme le *Eagle* (plan d'ensemble, G2, **289**), ainsi que le bar de l'hôtel *The Zetter Townhouse* (plan d'ensemble, G-H2, **123**), décrit dans « Où dormir ? ».

🍸 *Jerusalem Tavern* (plan d'ensemble, H2, **387**) : *55 Britton St, EC1M 5UQ.* ☎ *020-7490-4281.* ● *thejerusalem tavern@gmail.com* ● Ⓜ *Farringdon. Lun-ven 11h-23h.* Difficile de repérer de loin l'étroite façade sombre de cette taverne bâtie en 1720 mais qui se balada en d'autres endroits du quartier avant. L'un de ses ancêtres était tenu par Richard Hogarth (père du célèbre peintre qui imposait qu'on y parlât latin !). Minuscule espace tout en boiseries sombres et compartimenté comme une ruche. Et toutes les jeunes abeilles sont occupées à butiner le nectar de la maison, une savoureuse bière artisanale brassée par *Saint Peter* dans le Suffolk. On en a même goûté une au whisky ! A obtenu, il y a quelques années, le prestigieux label *Town Pub of the Year.* Notre pub préféré dans le coin, voire au-delà. On peut même y manger un morceau le midi.

🍸 *Cittie of Yorke* (centre 1, G3, **385**) : *22 High Holborn, WC1V 6BN.* ☎ *020-7242-7670.* Ⓜ *Holborn ou Chancery Lane. Lun-sam 12h-15h, 18h-21h (bar 23h). Plats à partir de 7 £.* Inauguré en 1430, ce pub formidable, reconstruit en 1695 avec les éléments du pub précédent, arbore une belle façade de style Tudor. On adore la hauteur de plafond dans le bar principal, les vitraux colorés, les vénérables boiseries, les passerelles métalliques, les immenses barriques (de 500 à 1 000 gallons)...

Une clientèle fidèle – à laquelle se mêlent les touristes – se serre les coudes au bar ou autour du vieux poêle en fonte datant de 1815, quand elle ne préfère pas l'intimité des petits box à l'éclairage tamisé. À l'époque, ils permettaient aux avocats de discuter tranquillement avec leurs clients. Ici, on boit avant tout de la Sam Smiths. Un monument !

🍸 *The Three Kings* (plan d'ensemble, G2, **351**) : *7 Clerkenwell Close, EC1R 0DY.* ☎ *020-7253-0483.* Ⓜ *Farringdon. Dans le village de Clerkenwell, face à l'église. Lun-ven 12h-23h, sam 17h30-23h.* Une foule d'objets rigolos, des autographes et des souvenirs de voyages habitent les murs de ce repaire convivial. Clientèle d'habitués qui célèbrent l'esprit « grande famille » de la maison et trinquent volontiers à la santé des 3 rois : King Kong, Elvis et Henri VIII. Peu de touristes se perdent dans ce quartier pourtant charmant, peuplé de designers et d'architectes. Autant le savoir, souvent bourré à craquer et ambiance conviviale indescriptible, en particulier les soirs de match.

🍸 *Princess Louise* (centre 1, F3, **386**) : *208 High Holborn, WC1V 7EP.* ☎ *020-7405-8816.* Ⓜ *Holborn. Tlj 12h-23h (22h30 dim).* Pub magnifique datant de 1872 et qui prit le nom de la 4ᵉ fille de la reine Victoria. L'un des plus beaux décors de Londres : lambris, superbes miroirs gravés recouvrant les murs, plafonds ciselés, et d'insolites paravents permettant de compartimenter le bar... Même les toilettes valent le coup d'œil. À l'étage, salle plus cosy et tranquille où les habitués se regroupent autour de la cheminée pour profiter des plats

HOLBORN, FARRINGDON ET CLERKENWELL

classiques de pub (*fish & chips, steak and kidney pie,* etc.). Bon choix de cidres et de bières, notamment la Sam Smiths (goûter à l'*extra stout*).

♥ Ye Olde Mitre (*plan d'ensemble, G3, 388*) : *1 Ely Court, EC1N 6SJ.* ☎ *020-7405-4751.* ● *yeoldemitre@fullers.co.uk* ● Ⓜ *Chancery Lane ou Farringdon. Donne sur Hatton Garden. Lun-ven 11h-23h, fermé le w-e.* On hésite presque à révéler l'adresse de cette pépite cachée dans un passage large comme une meurtrière entre Ely Place (cul-de-sac perpendiculaire à Charterhouse) et Hatton Garden. Créé en 1547, reconstruit en 1772, ce pub minuscule bourré de charme est l'un des plus vieux de la ville et aussi l'un des plus secrets. Clientèle d'habitués en complet-cravate et de curieux doués d'un bon sens de l'orientation. Pas trop bruyant, cuisine correcte. Dans la ruelle, quelques tonneaux en guise de tables participent à cette atmosphère hors du temps.

♥ Fox and Anchor (*plan d'ensemble, H2-3, 252*) : *115 Charterhouse St, EC1M 6AA.* ☎ *020-7250-1300.* ● *foxandanchor.com* ● Ⓜ *Barbican. Tlj 7h (8h30 sam et 11h dim)-23h.* Un de ces pubs à l'ancienne affublés d'un nom improbable. Façade de style, comptoir à l'ancienne et des banquettes de moleskine où l'on se tasse comme on peut les soirs d'affluence. Les petits box privés à l'arrière sont plus au calme et cosy comme tout mais vite pris d'assaut. Sur place, 6 chambres dans l'esprit boutique-hôtel (voir plus haut).

Spécial *nightclubbers*

♪ Fabric (*plan d'ensemble, H3, 454*) : *77 A Charterhouse St, EC1M 6HJ.* ☎ *020-7336-8898.* ● *fabriclondon.com* ● Ⓜ *Farringdon. Seulement ven-sam, à partir de 23h mais aussi certains jeu et dim. Entrée : env 13-23 £ ; réduc.* Installé dans un ancien entrepôt à viande de 3 000 m², cet immense club voit s'agglutiner par grappes les *clubbers,* qui ne se laissent pas rebuter par la foule ; mieux vaut s'inscrire sur la *guest list* et acheter son billet à l'avance pour pénétrer dans l'une des 3 salles (et autant de bars) de cet antre mythique de la house, de la techno et de l'électro. Un incontournable où l'on croise les DJs les plus en vogue du moment. *Dress code* avant tout décontracté.

Marché

♛♛ Smithfield Market (*plan d'ensemble, H3*) : Ⓜ *Barbican ou Farringdon.* ● *smithfieldmarket.com* ● *Lun-ven 2h-12h.* On vous conseille de venir avant 8h (après, il n'y a souvent plus rien !). Vous vous consolerez de ce réveil matinal avec un bon breakfast dans l'un des cafés et pubs installés tout autour du marché. Superbe architecture de style victorien (les halles furent reconstruites après un incendie en 1958). Viande, volaille et gibier en gros depuis plus de 800 ans ! À l'endroit même où l'on brûlait les sorcières et les protestants... Brrr !

Galeries et musées

♛♛ Sir John Soane's Museum (*centre 1, F3*) : *13 Lincoln's Inn Fields, WC2A 3BP.* ☎ *020-7405-2107.* ● *soane.org* ● Ⓜ *Holborn. Mer-dim 10h-17h (dernière entrée à 16h30). Fermé lun, mar et j. fériés. Nombre limité de visiteurs, parfois un peu d'attente (arriver dès 10h). GRATUIT. Le 1er mar du mois, visite supplémentaire à la bougie 18h-21h (payant). Boutique.* Bordant Lincoln's Inn Fields, l'une des plus vastes places de Londres, dessinée au début du XVIIe s, on ne soupçonne pas ce que dissimule la façade banale du n° 13. Voici la maison de l'excentrique

Sir John Soane, architecte et collectionneur passionné d'objets de toutes sortes. Il l'a dessinée pour abriter ses très nombreux marbres, moulages antiques, tableaux et bibelots. Il fut l'architecte de la *Bank of England* (il ne reste plus aujourd'hui que la façade extérieure du bâtiment d'origine). Voyez sa trombine au-dessus de la cheminée, dans la salle à manger. Cet étrange endroit est tel qu'il l'a laissé à sa mort, en 1837. Et quel fouillis ! Un entassement de merveilles, une folie pure, un capharnaüm qui ferait rêver n'importe quel archéologue, surtout lorsque l'éclairage à la bougie (certains soirs) ajoute encore au mystère

LE COÛT DE L'ANANAS

À quelques maisons du Sir John Soane's Museum, aux nᵒˢ 27-28, admirez les ananas qui ornent l'entrée, un symbole de richesse pendant des siècles, vu la rareté et le coût exorbitant de ce fruit exotique. Amusez-vous à en repérer d'autres dans Londres, sur les lampadaires, dans les parcs ou jusque sur les toits de Saint Paul's Cathedral et de la National Gallery. L'ananas fut découvert par Christophe Colomb, en Guadeloupe, en 1493, mais présenté au roi d'Angleterre Charles II seulement à la fin du XVIIe s. On baptisa le fruit pineapple *en raison de sa ressemblance avec une pomme de pin.*

de ce formidable cabinet de curiosités. Mais le plan de la maison est tout aussi intéressant que les objets exposés, à l'image des sous-sols organisés comme une crypte, et des jeux de lumières insolites composés par de petites verrières disposées à bonne hauteur. On sent bien l'architecte torturé, romantique et mégalomane.

🍴 *Old Curiosity Shop* (centre 1, F3) **:** 13-14 Portsmouth St, WC2A 2ES. Ⓜ Holborn. ☎ 020-7405-9891. ● *the-old-curiosity-shop.com* ● Dans une jolie maisonnette blanc et vert en encorbellement, avec son toit rouge, un petit magasin qui prétend avoir été immortalisé par Dickens dans le livre du même nom. C'est devenu une boutique de chaussures qui ne se visite pas si vous n'en achetez pas expressément. Quoi qu'il en soit, la bâtisse date réellement du XVIIe s, et c'est l'une des très rares rescapées du terrible incendie de 1666. Certaines poutres proviennent de bois récupéré sur de vieux navires. De quoi se faire une petite idée de l'aspect du quartier avant le désastre...

🍴 *St Bartholomew The Great* (église Saint-Bartholomé ; plan d'ensemble, H3) **:** près de St Bartholomew's Hospital. ☎ 020-7600-0440. Ⓜ Farringdon. Lun-ven 8h30-17h (16h mi-nov à mi-fév), sam 10h30-16h, dim 8h30-20h. Pour prier, c'est gratuit. Pour visiter, c'est 5 £ ! Réduc. L'église la plus vieille de Londres (fondée en 1123). Elle a servi de cadre aux films *Quatre mariages et un enterrement* et *Shakespeare in love*. Charmant *Cloister Café* (fermé lun-jeu et sam).

L'EAU À LA BOUCHE

On trouve, près du viaduc de Holborn (à l'angle de Giltspur Street), non loin de St Bartholomew, une fontaine publique d'eau potable. Elle fut inaugurée en 1859 par Samuel Gurney, fondateur de la Metropolitan Free Drinking Association. À la fin du XIXe s, cette association gérait près de 140 sources à disposition des Londoniens, soutenue par la Ligue de tempérance, qui faisait campagne contre l'alcoolisme. De fait, la plupart de ces fontaines sont installées tout près d'un pub !

LA CITY
ET TOWER BRIDGE

● Pour se repérer, voir le plan d'ensemble détachable en fin de guide
● Plan Les Docklands, de Tower Bridge à Thames Barrier *p. 286-287*

 La City est bordée par les Inns of Court à l'ouest, la Tower of London à l'est, le Barbican au nord et la Tamise au sud. Voici le Londres 100 % londonien, celui des hommes en perruque (quartier des *courts*), des chapeaux melon et costards-cravates, mais également des journalistes (Fleet Street) et des *Yeomen* (garde royale de la Tour de Londres)...
Même si on ne peut plus aujourd'hui s'en rendre compte, à cause du Grand Incendie de 1666, puis du *Blitz,* nous sommes ici dans la partie la plus ancienne de Londres. Dans la petite *Noble Street,* entre London Wall et Gresham Street, on peut encore voir quelques vestiges du fort romain. C'est dans la City que s'est forgée une grande partie de l'histoire du royaume. Considéré comme le vrai cœur de Londres, ce quartier constitue surtout son centre économique et financier, et ce, depuis l'époque de l'Empire. L'équivalent de Wall Street à New York et de la Bourse à Tokyo. Et 100 fois l'importance du quartier de la Bourse à Paris.

AU CŒUR DE LONDRES

Avec seulement 10 000 habitants, ce quartier que les Anglais surnomment le « square mile » (1 mile sur 1 mile de côté) abrite tout un monde ! 340 000 avocats, banquiers et autres employés y convergent tous les jours dans une ambiance trépidante, tandis que le soir, les week-ends et les jours fériés, les rues sont désertes et la plupart des restaurants sont fermés. Aujourd'hui encore, la City possède certains privi-

MAIRE ET LORD-MAIRE

L'actuel maire de Londres, Sadiq Khan, est le chef exécutif du Greater London (Grand Londres), élu au suffrage universel depuis 2000. A ne pas confondre avec le lord mayor of London, titre donné depuis la fin du XIIe s au maire de la Cité de Londres (la City). Celui-ci est élu chaque année et tient essentiellement un rôle honorifique.

lèges : son *lord mayor* (maire) élu chaque année, une administration indépendante et sa propre police. La reine, chaque année, se fait remettre symboliquement les clés de la City lors d'une pompeuse cérémonie.
Dans ces quartiers soigneusement entretenus sont jalousement conservés les plus grands trésors d'Angleterre : les lingots de la *Bank of England,* les secrets de la *Lloyd's* et les joyaux de la Couronne. Vous y verrez aussi le superbe **Tower Bridge,** qui garde avec fidélité l'accès à cette City dans la ville... Avec tout cela (et le reste),

on comprend comment elle a pu conserver une telle autonomie : la Couronne s'est toujours appuyée sur ce centre névralgique, n'hésitant pas à y puiser l'argent nécessaire pour financer les guerres, quitte à y perdre de son pouvoir.

Adresse utile

🛈 City of London Tourist Information Centre *(plan d'ensemble, H3)* : St Paul's Churchyard, EC4M 8BX. ☎ 020-7606-3030. ● visitthecity. co.uk ● **Ⓜ** *Mansion House. Lunsam 9h30-17h30, dim 10h-16h.* Accueil compétent, sympathique et francophone.

Où dormir ?

De bon marché à prix moyens (moins de 90 £ / 105 €)

🛏 YHA London Saint Paul's *(YHA ; plan d'ensemble, H3, 125)* : Carter Lane, EC4V 5AB. ☎ 020-7236-4965 ou 0845-371-9012 (central de résa). ● stpauls@yha.org.uk ● yha.org.uk ● **Ⓜ** *Blackfriars ou St Paul's. Accès par Dean's Court. À partir de 16 £ en dortoir (3-11 lits) et de 35 £ en chambre privée selon période. Réduc pour les membres.* Vaste AJ nichée dans une belle et longue maison en brique de style victorien (ancienne école de la chorale de garçons de Saint-Paul, frise de mots latins sur la façade). 213 lits (quelques *singles,* doubles et familiales). L'intérieur est moins séduisant : globalement sans charme et fonctionnel, même si les dortoirs se révèlent impeccables. Très bonne adresse toutefois, car fort bien située, dans une rue calme proche des transports. De plus, personnel pro et accueillant. Sur place : agréable cafétéria bon marché pour le petit déj et le dîner, salon TV, laverie et consigne.

🛏 Hub by Premier Inn Tower Bridge *(plan d'ensemble, J4, 156)* : 28 Great Tower St, EC3R 5AT. ☎ 033-321-3104 (central de résa) ou 0871-527-9576. ● hubhotels.co.uk ● **Ⓜ** *Tower Hill. Attention, accès par Byward St ! Doubles à partir de 69 £ le dim, le double en période « de pointe ». Résa conseillée (promos) sur Internet.* Une véritable aubaine que cette petite chaîne d'établissements ultramodernes et tout confort, avec des chambres compactes, fonctionnelles et design,

avec ou sans fenêtre. Grand bâtiment à la déco contemporaine et espaces communs très lumineux. Ascenseur, clim, consignes, etc. En prime, une agréable cafétéria-*deli.*

De plus chic à très chic (90-120 £ et plus / 105-140 €)

🛏 Citizen M Tower of London *(plan Les Docklands, A1, 13)* : 40 Trinity Square, EC3N 4DJ. ☎ 020-3519-4830. ● citizenm.com ● **Ⓜ** *Tower Hill. Doubles 98-210 £ selon jour et période.* On avait déjà repéré cette nouvelle chaîne d'hôtels du côté de Southwark, elle n'a cessé de s'étendre depuis avec 2 nouvelles adresses (voir aussi plus loin à Shoreditch). Le *M Citizen* de Tower Hill est juste le plus beau de tous et sans doute l'une de nos meilleures adresses à Londres ! Ultra-design, hyper high-tech, il séduira autant les amateurs de déco que de technologie. Surtout, il surplombe le métro et... la Tour de Londres ! Que l'on peut admirer depuis certaines chambres et le bar panoramique. Les parties communes, à la déco *arty* et décalée, sont très conviviales. Et sinon, on retrouve tout ce qui définit le concept de la maison : 370 chambres compactes, petites mais confortables et fonctionnelles et des prix plutôt serrés pour Londres.

🛏 Premier Inn London City *(plan Les Docklands, A1, 11)* : 22-24 Prescot St, E1 8BB. ☎ 0871-527-8646. ● premie rinn.com ● **Ⓜ** *Tower Hill. Doubles env 65-160 £ selon période ; gratuit moins de 16 ans. Réduc sur Internet.* Situation éminemment stratégique pour ce *Premier Inn* : à 2 pas du métro, de plusieurs pôles touristiques majeurs, et malgré tout dans une rue assez calme. Pour le reste, il a tous les attributs de la chaîne : chambres nickel, confortables, fonctionnelles et plutôt agréables dans leur genre, car de taille raisonnable. Petit déjeuner continental pour une fois consistant.

🛏 **Andaz** *(plan d'ensemble, J3, 39) : 40 Liverpool St, EC2M 7QN.* ☎ *020-7961-1234.* ● *guestservices.london liv@andaz.com* ● *andazliverpoolstreet. com* ● Ⓜ *Liverpool St. Doubles 169-500 £ « standard et deluxe » selon jour et période. Réduc sur Internet.* Un hôtel de luxe de la chaîne *Hyatt*, conçu par Sir Terence Conran. Stratégiquement situé, au pied de Liverpool Station et aux portes de la City, dans un bâtiment à la façade victorienne de 1884. Art et design se conjuguent ici avec brio, mêlant éléments anciens et ultra-contemporains. Le hall d'accueil, dans un esprit japonisant, met tout de suite dans l'ambiance... Les chambres arborent des couleurs sobres et des lignes pures, et les salles de bains un joli carrelage rétro. Les standard sont vraiment bien. Pas moins de 267 chambres, 7 bars et restaurants. Le *1901 Restaurant & Wine Bar* met à l'honneur la nouvelle gastronomie British, le *Catch Restaurant & Champagne Bar* joue la carte « iodée », le *Eastway* fait dans la brasserie à la new-yorkaise et s'est spécialisé dans la grillade, tandis que le *George Pub* met à l'aise son monde autour d'une bière et d'un classique *fish & chips.* Quant au *Miyako...* bon, vous l'aurez compris ! Ajoutez à cela un service personnalisé, remarquable, et vous avez là l'une des meilleures adresses de ce standing à Londres.

🛏 **The Montcalm London City** *(plan d'ensemble, I2, 43) : 52 Chiswell St, EC1Y 4SA.* ☎ *020-7614-0100 et 0800-2888-100 (n° gratuit).* ● *info@ themontcalmlondoncity.co.uk* ● *the montcalmlondoncity.co.uk.* ● Ⓜ *Barbican ou Moorgate. Doubles à partir de 150 £. Réduc sur Internet.* L'une de ces nombreuses brasseries de l'époque victorienne (la *Brewery London Co*) que les grands noms de l'architecture prennent plaisir à réhabiliter en palace. Les voûtes en brique et les piliers en acier ont été conservés, apportant chaleur et style au modernisme des chambres. Vastes espaces, larges lits, éclairages, technologies dernier cri... tout est pensé pour passer un moment privilégié. Sans oublier le spa et le personnel aux petits soins qui garantit la perfection du séjour.

Où manger ?

Sur le pouce
(moins de 10 £ / 12 €)

🍴 La City regorge de boutiques et de snacks pour acheter de quoi manger sur le pouce. Ainsi on trouve un **Pret A Manger** ou un **EAT** à chaque coin de rue *(tlj sauf dim).*

🍴 🍽 **Searcys at St Paul's** *: au sous-sol, dans la crypte (accès sur le flanc de la cathédrale).* ☎ *020-7248-1574.* ● *office.stpauls@searcys.co.uk* ● *Tlj 9h-17h. Snacks et plats 2-8 £.* Dans la belle crypte de la cathédrale St Paul, un vaste café, le *Wren's Pantry,* avec ses plafonds voûtés et son mobilier clair. Parfait à l'heure du lunch : sandwichs, soupes et plat du jour, gâteaux maison... Pour l'*afternoon tea,* rendez-vous au *Wren's Tea room.*

Bon marché
(12-23 £ / 13-26 €)

🍽 🚶 **Wagamama** *(plan d'ensemble, J4, 170) : Tower Pl, EC3N 4EE.* ☎ *020-7283-5897.* Ⓜ *Tower Hill. Tlj 11h-22h (21h dim). Un autre au 1 Ludgate Hill* (☎ *020-3771-3421 ;* Ⓜ *St Paul's).* Vaste salle lumineuse en surplomb de l'esplanade. On retrouve toutes les spécialités de cette chaîne de restos asiatiques : nouilles sautées, *ramen,* soupes, salades parfumées, etc. Frais et copieux, de qualité constante.

|●| **Café Below** (plan d'ensemble, I3, **297**) : St Mary-Le-Bow, Cheapside, EC2V 6AU. ☎ 020-7329-0789. ● info@cafebelow.co.uk ● Ⓜ St Paul's. À l'angle de Cheapside et Bow Churchyard (entrée par le porche de l'église). Lun-ven 7h30-14h30. Plats 11,50-16 £. Les Anglais adorent les cryptes, mais pas forcément pour y prier. À St Mary-Le-Bow, le seul repas qu'on partage n'a rien de spirituel, mais consiste en une sélection – chaque jour différente – de bons sandwichs et petits plats maison, en partie végétariens, préparés avec des produits de saison et à prix doux. Bien aussi pour le petit déj. Quant à la crypte, elle se définit désormais comme un café chaleureux et convivial, prolongée par une terrasse en été. Très sympa.

Prix moyens (20-30 £ / 23-34 €)

|●| **Loch Fyne** (plan d'ensemble, I3, **382**) : 77-78 Gracechurch St, EC3V 0AS. ☎ 020-7929-8380. Ⓜ Mansion House ou Monument. À la lisière du superbe passage victorien, derrière la Lloyd's. Accès également par le Bull Head Passage. Lun-ven seulement, 8h-22h. Menu 30 £ ; plats 14-27 £, plateaux de fruits de mer 59-69 £. Intérieur chaleureux pour ce resto consacré aux poissons et aux fruits de mer. Cadre de bois clair, éclairages mesurés. Au choix, tables hautes et comptoir ou longues banquettes de moleskine. Étalage à la vue des convives, où tout est frais, en provenance directe des élevages et fumoirs de la maison. Ambiance aussi animée que dans un aquarium, entre un service frétillant (mais qui pèche parfois pour l'attente) et une clientèle de brokers tout en verve. Avantageux menu et des vins au verre aux tarifs raisonnables.

|●| **The George & Vulture** (plan d'ensemble, I3, **226**) : 3 Castel Court, St Michael's Alley, EC3V 9DL. ☎ 020-7626-9710. Ⓜ Bank. Dans une ruelle tellement petite qu'elle n'est inscrite sur aucun plan ! Du métro, prendre Cornhill, puis tourner à droite dans Birchin Lane, puis s'engouffrer dans Bengal Court sur la gauche et encore à gauche sous le porche. Lun-ven 12h-16h. Plats env 13-18 £. La maison existe depuis 900 ans environ, mais le resto tel qu'on le voit date du XVIIe s. Autant dire qu'il s'agit d'une institution, fréquentée surtout par ces messieurs de la City, et Charles Dickens à une autre époque. Nappes blanches, couverts en argent, murs patinés, box en bois, belle cheminée et une horloge arrêtée qui semble avoir figé le temps à jamais. Pour notre plus grand bonheur ! À la carte, des spécialités 100 % British, simples, rustiques, savoureuses et roboratives : potted beef, steak and kidney pie (délicieux !), bubble and squeak, sticky toffee pudding... Le tout à arroser d'une bonne bière Samuel Smith. Fermé le soir et le week-end, comme (encore) souvent dans le quartier de la City.

|●| **The Jugged Hare** (plan d'ensemble, I2, **324**) : 49 Chiswell St (et Silk St), EC1Y 4SA. ☎ 020-7614-0134. ● info@thejuggedhare.com ● Ⓜ Barbican ou Moorgate. Lun-mer 11h-23h, jeu-sam 11h-minuit, dim 11h-22h30. Résa quasi obligatoire. Menus pré- et post-théâtre tlj 17h30-18h30 et 21h30-23h 25-29 £, autres menus 33-55 £. Plats 16-46 £ (12-46 £ au bar). Restaurant spécialisé dans le gibier dont il possède l'art de tirer les plus belles et fortes saveurs. Cadre élégant et tamisé. Préférer la grande salle du fond et le plus loin possible, car les 1res tables possèdent un gros niveau sonore. Ça tombe bien, car au fond, il y a de confortables box avec banquettes en demi-lune. Au centre, quelques tables rondes bien séparées. Gibier et champignons suivant les saisons, grouse, lièvre, lapin sauvage, perdreaux, cailles, ou, plus insolite (et selon arrivage), de l'écureuil gris à la chair délicate ou des saucisses de perdrix. Poisson du matin venant du marché de Billingsgate. Beaux produits, cuissons absolument maîtrisées, saveurs raffinées, pas de surprise. Sunday roast réputé. Sans réservation, le comptoir est pour vous.

|●| **Sweetings** (plan d'ensemble, I3, **264**) : 39 Queen Victoria St, EC4N 4SF. ☎ 020-7248-3062. ● info@sweetingsrestaurant.co.uk ● Ⓜ Mansion House. Lun-ven 11h30-15h (dernière

commande). Plats env 16-45 £. Plus *British,* introuvable ! Une véritable institution. Chaque midi, environ 200 costumes gris finement rayés et le même nombre de cravates voyantes, alignés sur de hauts tabourets ou accoudés aux tables communes, dégustent les spécialités de poisson, sans sophistication mais délicieuses, de chez *Sweetings.* Et ça dure depuis près de 130 ans ! La sole de Douvres est un must (pas donné, bien sûr !). *Fish & chips* et haddock encore abordables, crumbles et puddings comptent parmi les autres gloires de la maison. Un seul regret : ici, on ne prend pas de résa, et comme les habitués sont légion...

|●| Bread Street Kitchen *(plan d'ensemble, I3, 333) :* 10 Bread St, EC4M 9AJ. ☎ 020-3030-4050. ● *info@breadstreetkitchen.com* ● ⓜ St Paul's ou Mansion House. *Lun-mer 7h-minuit, jeu-ven 7h-1h, sam 11h-minuit, dim 11h-22h. Petits déj env 6-14 £, brunchs le w-e env 9,50-19 £. Plats 14-35 £.* Une adresse en vogue à la City. De fait, cette création récente du célèbre chef anglais Gordon Ramsay a pas mal d'atouts. Espace impressionnant ! Au rez-de-chaussée, petit bar propice à un verre en fin de journée et de quoi se restaurer sur le pouce le long du comptoir de marbre. Un escalier et une passerelle métalliques mènent à l'immense salle de bistrot, superbe avec son carrelage à damier, ses longues banquettes dorées en arrondi, ses hauts plafonds, ses poutrelles en acier et ses grandes baies vitrées. Cuisine classique qui fait la part belle aux produits anglais. Le petit déj est d'ailleurs servi ici jusqu'à 11h (délicieux *ricotta hot cakes*). Très branché, souvent bondé... donc bruyant.

Très chic
(plus de 40 £ / 46 €)

|●| Sushisamba *(plan d'ensemble, J3, 377) :* Heron Tower, 110 Bishopsgate, EC2N 4AY. ☎ 020-3640-7330. ● *sushisamba.com* ● ⓜ Liverpool St. *Tlj 11h30-1h30 (2h mer-sam) ; service jusqu'à 23h30 et 0h30.* Lounge bar *au 39e étage 16h-1h. Résa obligatoire dans les 2 cas (jusqu'à 2 mois à l'avance !). Env 40-60 £ le repas (mais pour petites faims, petits plats env 12-15 £).* Cramponnez-vous, moins d'une minute dans un ascenseur extérieur suffit à vous projeter aux 38 et 39e étages d'un gratte-ciel ! Une rencontre au sommet entre le Japon et l'Amérique du Sud (Brésil et Pérou) pour ce resto détonant, offrant une vue craquante sur Londres, juste au-dessus du « petit » Gherkin. Le soir, c'est sublime depuis la salle cubique, tout en baies vitrées, ou depuis la plus haute terrasse d'Europe. À la carte, *samba rolls,* sashimis, et *robata* parfois intrigants... Bœuf de Kobe presque au prix du caviar (de 83 à 1 000 £ le plat) ! On vous expliquera tout ça, mais attention, les prix grimpent très vite eux aussi. On peut se contenter d'aller y boire un verre. Service d'ordre intraitable et *dress code* obligatoire.

|●| M et **The Raw** *(plan d'ensemble, I3, 222) :* 2-3 Threadneedle Walk, 60, EC2R 8HP. ☎ 020-3327-7770. ● *enquiries@mrestaurants. co.uk* ● ⓜ Bank. *Lun-ven 7h-11h et 12h-22h30h, sam 17h-minuit. Résa conseillée. Petits déj 4,50-14 £. Lunch 28 £ ; plats env 15-25 £ au Raw ; « steaks » env 20-95 £, voire 150 £ pour le bœuf de Kobe !* Au cœur de la City, un resto où les traders viennent aiguiser leurs canines. 2 restos en 1, à dire vrai. **The Raw** qui, comme son nom l'indique, est dédié aux nourritures « crues » : tartares et carpaccios en tout genre, *ceviche* et sashimis... Et l'autre, le **M**, qui s'adresse exclusivement aux viandards et carnivores de tout poil. Dans une chambre froide (qui évoque plutôt une vitrine de joaillier), rassissent tranquillement de sublimes pièces de viande : *Black Angus* d'Argentine, *African Tuli* du Botswana, jusqu'aux *Wagyu* et *Kobe* du Japon ! C'est bien le **M** qui a notre préférence, mais en réalité on peut mixer les menus. Cela dit, vu les prix, mieux vaut se contenter d'un (excellent) steak ! Vins au verre, eux aussi en provenance du monde entier.

Où prendre le petit déj ?

▄ **Sky Garden** (plan d'ensemble, I-J4, 274) : 20 Fenchurch St, EC3M 3BY. ☎ 0333-772-0020. ● restaurants@skygarden.london ● Entrée par Philpot Lane. Petits déj lun-ven 7h-10h30, sam-dim 8h-10h, env 10-26 £, sans résa avt 10h (sous réserve de place) ; un peu moins cher au bar (non chauffé !). Brunch dim (sur résa) 11h30-15h30, 44,50 £ tt compris à volonté. Résa obligatoire assez longtemps à l'avance pour le déj et le dîner lun-sam 11h30-16h et tlj 17h30-22h30 (22h dim). Imaginez 3 étages de verrière offrant une vue magnifique sur tout Londres et la Tamise, baignés dans une merveilleuse lumière, au milieu d'une luxuriante végétation. 3 bars, une brasserie (The Darwin) et un restaurant gastronomique (The Fenchurch ;

tlj 11h45-14h45 et 17h45-22h15 ; plats 21-35 £ ; menus 34,50-39,50 £ le midi) pour vous accueillir, vous retenir. Pour ceux qui peuvent se permettre le resto, cuisine à la hauteur de ce cadre de verre et de lumière exceptionnel ! Pour les autres, le petit déjeuner servi côté brasserie est un vrai bon plan car il permet de se régaler à prix honnête tout en regardant les bateaux passer tout (tout) en bas... Spectaculaire !

▄ Voir également plus haut, **Bread Street Kitchen, The Raw** ou le **Café Below** ou encore chez **Honest,** notre chaîne de burgers préférée qui propose en semaine de solides petits déj (4 Change Alley, sur Lombard St, EC3V 9AZ ; Ⓜ Bank ; ☎ 020-3019-6080 ; dès 7h30, fermé le w-e).

Où boire un verre ?

🍸 **Ye Olde Cheshire Cheese** (plan d'ensemble, G3, 390) : 145 Fleet St, EC4A 2BU. ☎ 020-7353-6170. Ⓜ Blackfriars. Lun-sam 11h30 (12h sam)-23h. L'entrée se fait par un petit passage perpendiculaire à Fleet Street. Datant de 1538 et reconstruit l'année suivant le terrible incendie de 1666, ce vieux pub n'a guère changé depuis. Il eut comme clients Dickens, Voltaire, Theodore Roosevelt, Conan Doyle... La mort du perroquet de la maison (qui vécut, dit-on, 40 ans) fut même annoncée par la BBC ! L'intérieur vaut le coup d'œil : un vrai labyrinthe avec plusieurs salles sombres, basses de plafond, toutes bardées de chêne noir et dotées de cheminées qui crépitent, un chapelet de caves médiévales rescapées des flammes (vestiges d'un couvent de carmélites du XIVe s).

🍸 **Old Bell Tavern** (plan d'ensemble, G-H3, 389) : 95 Fleet St, EC4Y 1DH. ☎ 020-7583-0216. Ⓜ Blackfriars. Lun-ven 11h-23h, sam 12h-21h, dim 12h-18h. En plein quartier de la presse. Au XVIe s, site d'une imprimerie créée par un assistant de William Caxton, le 1er imprimeur d'Angleterre. Ce pub historique est donc le rendez-vous naturel

des journalistes, ça va de soi. Construit en 1678 pour abreuver les maçons qui reconstruisaient l'église Saint-Bride après le Grand Incendie. Belle façade en vitrail. Son vieux parquet et son bar central en bois sculpté en font une étape intéressante pour ceux qui effectuent un pub crawl historique.

🍸 **The Black Friar** (plan d'ensemble, H3-4, 391) : 174 Queen Victoria St, EC4V 4EG. ☎ 020-7236-5474. Ⓜ Blackfriars. Lun-sam 10h (9h sam)-23h, dim 12h-22h30. Avec un gros moine rabelaisien en guise d'enseigne, The Black Friar annonce la couleur : convivialité et bière bien tirée sont ici les seuls mots d'ordre ! Construit en 1905 sur le site d'un monastère dominicain. La déco incroyable n'est pas en reste, livrant une version Art nouveau amusante des félicités monacales... le tout enrobé de dorures, moulures et autres mosaïques délicieusement kitsch. À voir autant qu'à boire.

🍸 Pour un verre dans un cadre chic ou au sommet d'un gratte-ciel, voir dans « Où manger ? » et « Où prendre le petit déj ? » : le **Sky Garden** (plan d'ensemble, I-J4, 274) ; et le **Sushisamba** (plan d'ensemble, J3, 377).

Théâtre et concerts classiques

∽ ♪ **Barbican Centre** (plan d'ensemble, I2-3) : Silk St, EC2Y 8DS. ☎ 020-7638-8891. ● barbican. org.uk ● Ⓜ Barbican ou Moorgate. Salle de concerts, entre autres, du célèbre London Symphony Orchestra. Concerts et spectacles pratiquement tous les soirs et une très belle programmation de danse et de théâtre...

Shopping

✿ ✖✖✖ **Leadenhall Market** (plan d'ensemble, I3) : Leadenhall St ou Lime St ; l'accès principal se fait par Gracechurch St. ● leadenhallmarket.co.uk ● Ⓜ Bank ou Monument. Boutiques ouv (généralement) tlj 10h-18h. Ses origines remontent au XIVe s, ce qui en fait l'un des plus anciens marchés de Londres. Sublime halle dont l'architecture date de la fin du XIXe s. Les beaux étals de fruits, légumes, volaille, viande et poisson ont cédé la place à des enseignes de mode et autres adresses de restos franchisés ; quelques commerces de bouche encore. Le lieu a, forcément, servi de décor à de nombreux films, dont Harry Potter à l'école des sorciers.
✿ **Tiger** (plan d'ensemble, I3) : 58 Leadenhall Market, EC3M 7AN. Ⓜ Bank ou Monument. Tlj 10h-18h. Même si tout est « made in China », une irrésistible boutique de gadgets so British (so Danish, en fait). De quoi faire le plein d'objets aussi futiles qu'indispensables ! Tout petits prix... Plusieurs adresses dans Londres, notamment à Spitalfields Market.

✿ **Twinings Museum** (plan d'ensemble, G3) : 216 Strand, WC2R 1AP. ☎ 020-7353-3511. ● twinings.co.uk ● Ⓜ Temple. Lun-ven 9h30-19h, sam 10h30-17h30, dim 11h-17h. GRATUIT. Musée, c'est un grand mot. L'expo se résume à quelques panneaux maigrichons disposés à côté de l'espace de dégustation. Décevant. En revanche, la boutique de Thomas Twinings, qui figure parmi les 1ers importateurs de feuilles de thé vers l'Angleterre depuis 1706, mérite une halte. Elle est installée depuis 1717 au même endroit, et Jane Austen s'y fournissait déjà. L'occasion d'acheter plus de 200 thés différents (au sachet ou en vrac).

Galerie et musée

✖✖✖ 🧍 **Museum of London** (plan d'ensemble, H-I3) : 150 London Wall, EC2Y 5HN. ☎ 020-7001-9844. ● museumoflondon. org.uk ● Ⓜ St Paul's. Tlj 10h-18h (galeries fermées 20 mn avt). Fermé 24-26 déc. GRATUIT (expos temporaires payantes). Visite gratuite en anglais (45 mn) à 11h, 12h, 15h et 16h. Consigne gratuite. Cafétérias. Plan à dispo présentant le top 10 de la visite (en français). Un musée incontournable, à la fois suffisamment ludique et varié pour intéresser les petits et très largement documenté pour satis-

LES PREMIERS BRITANNIQUES SONT VENUS À PIED !

Aux alentours de 8 000 ans avant notre ère, l'actuelle Grande-Bretagne était encore reliée au continent. Les premiers habitants chassaient l'aurochs et taillaient le silex comme tout le monde. La formation de l'île ne se fit définitivement que 3 000 ans plus tard, empêchant ainsi toute migration. Peut-être le caractère insulaire et indépendant des Britanniques s'est-il forgé à cette époque ?

faire les grands. Il offre une vision plus didactique qu'artistique sur l'histoire de Londres, une sorte de génial résumé chronologique de la vie des Londoniens depuis plus de 10 millénaires.

– Après une entrée en matière tout en silex, bifaces et poteries avec la *période préhistorique,* place à Jules César, en 54 av. J.-C., dont le camp abrite aujourd'hui... l'aéroport d'Heathrow ! Les *salles « romaines »* s'intéressent autant à la cuisine et à la santé qu'à l'architecture et à la vie quotidienne. Pour s'en rendre compte, des intérieurs de maisons et d'ateliers ont été reconstitués en utilisant les nombreux objets d'époque découverts lors des fouilles, dont de très beaux outils, des vêtements, ou la très belle mosaïque de Bucklersbury, mise au jour en 1880 près de Victoria Station. Également une évocation du 1er Grand Incendie en l'an 60 de notre ère (70 000 morts, à la suite des raids de la reine Boadicea, rebelle aux Romains) et une vitrine consacrée aux sculptures du *temple de Mithra* (découvert à Londres en 1954). En passant, ne pas manquer de jeter un coup d'œil sur un pan de remparts d'époque visible à travers de larges fenêtres.

– Une petite section s'intéresse à la *période de transition* entre la fin de l'époque romaine (datée vers 410) et l'aube de l'ère médiévale, marquée par l'arrivée des Saxons. Voici Lundenvic, « le port de Londres ». Période trouble, violente, hantée par les raids des Vikings, comme en attestent les nombreuses armes retrouvées dans la Tamise.

– On entre ensuite de plain-pied dans le *monde médiéval* avec l'arrivée aux affaires des Normands, et toutes sortes de joyeusetés comme la Grande Peste de 1348 (40 000 morts en 18 mois) ou celle de 1665, encore plus terrible (100 000 morts en 7 mois, soit 1/5e de la population). Maquette de la 1re *St Paul's Cathedral.*

Le *Grand Incendie* de 1666 (1 an après la Grande Peste) qui réduisit en cendres les 4/5e de la ville, en 5 jours, modifia, on s'en doute, considérablement le visage de Londres. 13 200 maisons brûlées, 100 000 sans-abri (et seulement 6 morts !). Des toiles apocalyptiques et une vidéo permettent d'imaginer quel impressionnant bûcher ça a été !

– Les galeries suivantes relatent l'expansion de la ville et ses profondes mutations *de 1666 à nos jours.* Tout est passé en revue (l'industrialisation, l'évolution du mode de vie), avec force détails et une mise en scène moderne et interactive. Voir les joyeux jardins de plaisance du XVIIIe s. Heureusement pour Lady Ann Fanshawe et sa robe en fils d'argent (aussi somptueuse qu'encombrante), le métro n'apparut qu'au XIXe s (le 1er réseau au monde, qui affichait 150 ans en 2013).

Ne pas manquer non plus le superbe *Victorian Walk,* une rue typique entièrement reconstituée avec ses échoppes pittoresques et les mosaïques de James Powell (Ève flanquée d'un tigre et d'un paon), ou la section *Changing London,* qui passe en revue les dates clés : le 1er escalator en 1898, les 1ers Jeux olympiques de Londres en 1908 (déjà !), le Great Smog de 1952 (plusieurs dizaines de milliers de morts), l'invention de la minijupe par Mary Quant en 1955, l'arrivée de l'Eurostar en 1994, la construction du *Queen Elisabeth Olympic Park* pour les J.O. de 2012, etc.

Avant de partir, petit détour obligatoire pour admirer le *carrosse du maire de la City,* chef-d'œuvre de l'art rococo, en total contraste avec le Londres du XXIe s qui compte 50 communautés de plus de 10 000 personnes, où 300 langues sont parlées et 14 religions pratiquées ! Au fond de la salle, un petit mémorial évoquant les attentats meurtriers de 2005.

🎭 *Barbican Centre (plan d'ensemble, I2-3) :* Silk St, au nord de Holborn et de la City. Lun-sam 9h-23h, dim à partir de 11h. ● barbican.org.uk ● Ⓜ Barbican. Ce vaste centre multiculturel affiche un visage résolument « brutaliste ». Le béton grisâtre et la brique sont laissés nus, ce qui donne cette impression d'inachevé un peu morose. Les Londoniens l'ont surnommé « la brosse à dents » ! Le *Barbican Centre* abrite une bibliothèque, une galerie d'art avec d'intéressantes expositions temporaires, un ciné, plusieurs bars-restos ainsi que d'insolites jardins suspendus. C'est aussi le temple de la musique classique avec, entre autres, les concerts du London Symphony Orchestra (voir « Théâtre et concerts classiques »). Propose aussi des visites guidées et des expos architecturales.

LA CITY ET TOWER BRIDGE

Monuments et balades

🔪 **Inns of Court** (plan d'ensemble, F-G3) : à la lisière de la City, un quartier très secret, réservé aux juristes ! Pour y aller, métro jusqu'à la station Temple. Les Inns of Court sont les 4 collèges d'avocats de Londres, établis depuis le XVIe s dans le quartier compris entre Holborn et Temple. Les Inns of Court forment un micro-arrondissement indépendant, fonctionnant en circuit fermé. Ici vivent, étudient et plaident les avocats londoniens, qui trouvent sur place tout ce dont ils

ont besoin : hébergement, centres d'étude, clubs privés et, bien sûr, pubs. D'ailleurs, *inns* signifie « auberges ». Ils ont leurs rites, leur langage, leur code vestimentaire, leur hiérarchie et leur règlement intérieur. Ainsi, tout le quartier des Inns est bouclé la nuit (à partir de 19h) !

Si **Lincoln's Inn** et **Gray's Inn** (vers Chancery Lane ; plan d'ensemble, G3) méritent largement une visite pour leur enchevêtrement de bâtiments séculaires et de beaux jardins, le quartier de **Temple,** siège des 2 dernières écoles, est sans doute le plus emblématique. On y accède par Fleet Street (au n° 16 ; plan d'ensemble, G3) ou, depuis le métro Temple (plan d'ensemble, G4), remonter vers Blackfriars en longeant la Tamise et emprunter la petite ruelle qui grimpe sur la gauche (Middle Temple Lane). La visite de ce lieu hors du temps est des plus intéressante, ne serait-ce que pour le charme du quartier bourré de ruelles soignées, de passages pittoresques, de jolis jardins, de vieilles cours et de bâtiments anciens. Les visiteurs sont les bienvenus, excepté en période d'examens.

Toutefois, la tranquillité légendaire des Inns est sérieusement mise à mal depuis le succès planétaire du *Da Vinci Code*. Car c'est au cœur de Temple qu'est dissimulée la désormais célèbre **Temple Church** (plan d'ensemble, G3), accessible par Middle Temple Lane, depuis Fleet Street ! Pistant les traces des héros de Dan Brown et Ron Howard, de nombreux touristes auscultent les murs de la chapelle primitive du XIIe s, au plan circulaire caractéristique de l'ordre des Templiers, avant de s'engager dans la rotonde pour détailler les gisants. Le chœur à chevet plat est un ajout du XIIIe s, copieusement remanié au XIXe s. Le succès est tel que l'accès est désormais restreint et payant (lun-ven 11h-16h, seulement 14h-16h jeu ; 4 £, gratuit moins de 18 ans). Une publicité dont les juristes qui fréquentent les Inns se seraient probablement bien passés.

Moins populaire mais d'un intérêt historique notable, le beau bâtiment **Middle Temple Hall** (sur Middle Temple Lane) est célèbre pour sa salle Tudor, où Shakespeare fit jouer l'une de ses pièces.

🔪 **Royal Courts of Justice** (centre 1, G3) : Strand, WC2A 2LL (angle de Bell Yard). ● theroyalcourtsofjustice.com ● Ⓜ Temple. Lun-ven 9h30-16h30. Fermé le w-e. Visites guidées (13 £, en anglais ; ● toursupport@theroyalcourtsofjustice.com ●). Brochure (en anglais) disponible à l'accueil. Inauguré en 1882 par la reine Victoria, un imposant ensemble de style néogothique, comprenant près de 1 000 pièces et 5 km de couloirs ! Passé le dispositif de sécurité, on peut jeter un coup d'œil à l'impressionnant hall de la Cour de justice, vaste comme une nef de cathédrale, et observer un procès civil depuis la galerie publique – sauf si la mention *private* est indiquée (plusieurs salles d'audience, emprunter les escaliers sur la gauche ou la droite). Amusant à voir, avec juges et avocats portant perruque. À noter qu'il n'y a pas de procès en août et septembre. Sinon, petite exposition à l'étage offrant un résumé de l'histoire du costume légal (perruques, capelines et tout le tremblement) qui n'a guère changé depuis ses origines.

St Paul's Cathedral (plan d'ensemble, H3) : Ludgate Hill, EC4. ☎ 020-7246-8357. ● stpauls.co.uk ● Ⓜ St Paul's. Tlj sauf dim 8h30-16h30 (galeries 9h30-16h15) ; dernière entrée 30 mn avt. Fermé 25 déc. Billet unique pour la totalité de la visite : 18 £ ; réduc. Possibilité de résa en ligne (réduc). Visites guidées (en anglais) à 10h, 11h, 13h et 14h, et audioguide multimédia en français, tous les 2 inclus dans le prix.

À l'époque romaine, un temple consacré à la déesse de la Chasse avait été construit à cet endroit. Du temps des Saxons, en 604, on y éleva une cathédrale de bois dédiée à saint Paul. L'église fut incendiée et reconstruite plusieurs fois. Après un dernier désastre en 1087, les Normands entreprirent la construction d'une cathédrale en pierre, de style romano-gothique, qui dépassait largement en taille l'actuelle. Elle devint l'un des hauts lieux de la chrétienté. On venait de loin pour se recueillir ici, mais également pour voir la flèche la plus haute jamais construite à cette époque. En 1666, le Grand Incendie détruisit totalement l'édifice. On confia à Christopher Wren le soin de reconstruire la cathédrale : Saint Paul's représente l'apogée du savoir-faire de l'architecte. Faute de place à Westminster, c'est ici que se marièrent Charles et Diana en 1981.

On entre par le grand escalier de la façade ouest. Le portique, formé de colonnes corinthiennes géminées, est surmonté d'un tympan représentant la conversion de saint Paul.

Arrêtez-vous sous la coupole pour admirer le chœur. L'ensemble, avec les mosaïques, les stalles en chêne, le buffet d'orgue, le maître-autel à baldaquin (1958) et les grilles ouvragées, donne une impression de richesse pas forcément du meilleur goût. Derrière l'autel, la chapelle du Mémorial rend hommage aux 28 000 soldats américains qui étaient basés en Angleterre, morts durant la Seconde Guerre mondiale. Au bout du transept nord, superbes fonts baptismaux en marbre jaune du XVIIIe s.

Dans la **crypte** – la plus grande d'Europe –, 300 tombes et mémoriaux parmi lesquels ceux de l'amiral Nelson, du duc de Wellington, de Turner, Henry Moore, Lawrence d'Arabie, Christopher Wren, Churchill, etc. On trouve également un resto dans une belle salle voûtée (accès libre par l'extérieur, sur le flanc gauche). Maquettes de l'actuel édifice et de l'ancienne cathédrale du XIIe s. Elle était beaucoup plus belle, mais on ne va pas le dire trop fort.

Enfin, si vous êtes en forme, ne manquez pas de grimper au sommet du dôme.

Il n'y a que 528 marches pour arriver jusqu'en haut, d'où la vue sur la City, par beau temps, est superbe. 3 niveaux en tout. Pour les moins sportifs, on peut déjà atteindre la **Whispering Gallery** en grimpant seulement 257 marches. Les plus valeureux poursuivront l'ascension jusqu'au **Stone Dome**, avant de grimper encore (escaliers en bois assez vertigineux) jusqu'au **Golden Dome,** tout en haut !

– À droite, en sortant de St Paul, **The Temple Bar** (une arche avec portails en bois) est le seul vestige de la muraille qui autrefois enserrait la cité. Maintes fois détruite, toujours reconstruite. Celle-ci fut commandée par Charles II à l'architecte Wren. Démontée pierre par pierre en 1870, elle ne fut remontée qu'en 2004 ! Elle symbolise de nouveau la limite entre Westminster et la City...

🎞 **Bank of England** (plan d'ensemble, I3) : *Threadneedle St, EC2R 8AH.* ☎ 020-3461-4878. ● *bankofengland.co.uk/museum* ● Ⓜ *Bank.* Les murs d'enceinte de 10 m de haut, équipés de caméras, signalent tout de suite la Banque d'Angleterre, dont les sous-sols regorgent d'or. Il fallut 45 ans (!) à son architecte, John Soane, pour achever les travaux. Pour ceux de nos lecteurs que les mécanismes bancaires passionnent, on trouve un musée sur le côté droit de l'édifice *(Bartholomew Lane ; lun-ven 10h-17h ; fermé j. fériés ; GRATUIT).* Il présente un historique bien ficelé de la Banque d'Angleterre. Cadre somptueux.

🎞 **Royal Exchange** (plan d'ensemble, I3) : *face à la banque.* Beau bâtiment aux colonnes corinthiennes, inauguré au XIXᵉ s. Cette Bourse royale de commerce est pourtant bien plus ancienne et participa activement à l'enrichissement de la ville, à travers toutes sortes de transactions. Remarquer la sauterelle géante qui surmonte l'édifice. C'était l'emblème du fondateur des lieux, conseiller commercial de la Couronne, qui n'a pas hésité, selon la légende, à distribuer des lingots aux ouvriers pour que les travaux soient exécutés à temps ! La Bourse royale, supplantée par le Stock Exchange, s'est reconvertie dans les assurances.
Des expositions temporaires y ont lieu, ce qui permet d'admirer les vestiges du bâtiment antérieur (du XVIᵉ s), dont une jolie cour où l'on peut boire un verre.

🎞 **Stock Exchange** (plan d'ensemble, H3) : *10 Paternoster Sq, à côté de St Paul's Cathedral.* Ⓜ *St Paul's. Ne se visite pas.* C'est la Bourse de Londres : on y échange plus de titres qu'à Wall Street. Les milliards y sont toujours brassés mais dans une atmosphère plus morose que jadis !

🎞 **Lloyd's Building** (plan d'ensemble, I-J3) : *Lime St, accès par Leadenhall St.* Ⓜ *Bank ou Monument. Ne se visite pas.* Le groupement d'assurances le plus important au monde. On remarque tout de suite cette immense structure de verre et d'aluminium, qui fit hurler plus d'un conservateur de la City lors de sa construction. Ce bâtiment moderne est dû à Richard Rogers, l'un des 2 architectes de Beaubourg, à Paris, et il y a, en effet, une ressemblance frappante. Le nom

> ## SINISTRE CLOCHE
>
> *La Lloyd's prend en charge tous les types d'assurances possibles : aussi bien les bugs informatiques, les jambes d'une danseuse, le World Trade Center en 2001 ou le temps qu'il fera à votre mariage. Le tintement fatidique d'une cloche, installée dans le hall principal, signalait jusqu'à récemment les naufrages. Et ces mauvaises nouvelles sont toujours aussitôt inscrites sur le « livre des sinistres », à la plume d'oie...*

Lloyd's vient d'un aubergiste du XVIIᵉ s, chez qui se réunissaient armateurs et assureurs. D'ailleurs, ce bonhomme, qui s'appelait Edward Lloyd, fit bien des métiers mais ne fut jamais lui-même assureur.
À voir la nuit, illuminé de bleu. Le carrefour est un lieu hautement stratégique pour les amateurs d'architecture et de contrastes urbanistiques. Imaginez : d'un côté, la *Lloyd's* ; en face, le fameux *Gherkin,* au milieu, plantée fièrement comme un vestige du Grand Incendie, une vieille église gothique et, tout proche, le Leadenhall Market, datant du XIXᵉ s (voir plus haut « Shopping »)...

🎞🎞 **Sky Garden** (plan d'ensemble, I-J3-4, **274**) : *20 Fenchurch St, EC3M 3BY.* ☎ 0207-337-2344. ● *skygarden.london* ● Ⓜ *Monument Station.* Entrée par Philpot Lane. Lun-ven 10h-18h, w-e 11h-21h. Résa obligatoire ! GRATUIT. Pour profiter de la vue époustouflante offerte depuis les terrasses du *Sky Garden,* vous n'êtes pas obligé de boire ou dîner sur place (voir plus haut « Où prendre le petit déj ? »), vous pouvez vous contenter d'emprunter l'ascenseur... à condition de vous être inscrit sur Internet ! Le spectacle, sublime et vertigineux, vaut bien cette petite tracasserie. L'occasion d'une belle leçon de géographie et d'urbanisme.

🎯 **The Monument** *(plan d'ensemble, I4)* : *Monument St.* ☎ 0207-403-3761. ● *themonument.info* ● Ⓜ *Monument. Juste à la sortie du métro. Tlj 9h30-18h (17h30 oct-mars) ; dernière admission 30 mn avt. Fermé 24-26 déc. Entrée : 4,50 £ ; réduc. Billet combiné possible avec Tower Bridge Exhibition : 12 £.* Colonne romaine de style dorique d'une soixantaine de mètres de haut, élevée par Christopher Wren pour fêter la fin du Grand Incendie (1666). Celui-ci se déclencha tout près d'ici, dans une boulangerie de... Pudding Lane (ça ne s'invente pas !). Les 61 m de hauteur correspondent à la distance entre le point de départ du feu (la boulangerie) et la colonne. En 1842, on ajouta au sommet une cage, car trop de gens l'utilisaient pour se suicider ! Possibilité de grimper au sommet où trône une urne de feu en bronze doré. Du haut des 311 marches, très beau panorama sur la Tamise et la Tower of London.

🔍 🎯🎯🎯 🚶 **Tower of London** *(plan d'ensemble, J4)* : *Tower Hill, EC3 N4AB.* ☎ 020-3166-6000. ● *hrp.org.uk/toweroflondon* ● Ⓜ *Tower Hill. Arrêt navette fluviale : Tower Pier. Mars-oct, mar-sam 9h-17h30, dim-lun 10h-17h30 ; nov-fév, mar-sam 9h-16h30, dim-lun 10h-16h30. Dernière admission 30 mn avt fermeture (prévoir 2-3 h de visite !). Fermé 1er janv et 24-26 déc. Entrée : 29,50 £ ; réduc, notamment en ligne.* **Bon plan : on vous rappelle l'existence d'un pass** *qui permet un accès illimité pdt 1 an aux sites de Tower of London, Kensington Palace, Hampton Court Palace, Banqueting House et Kew Gardens : à partir de 52 £ par adulte ; forfait famille. Guide officiel en français à la boutique, audioguides en français (4 £), et visites guidées gratuites régulières. Visites nocturnes (« twilight tours » ; 1h30 ; 27,50 £) à réserver sur le site ou par tél.*

Vraiment très cher... et pourtant, il y a toujours 2h de queue en août ! Ceux qui ne chavirent pas d'émotion devant les joyaux de la Couronne et n'ont aucune sensibilité médiévale peuvent toujours se contenter des superbes extérieurs, très photogéniques avec leur restauration victorienne à la « Walter Scott ». En famille, en revanche, la visite prend une tout autre dimension, car elle plaira à coup sûr aux enfants (et il existe un forfait famille assez attractif). Ensemble fortifié très vaste, dont le cœur (la tour Blanche) a été construit dès la fin du XIe s par Guillaume le Conquérant à la suite de la bataille d'Hastings,

WHO'S WHO MACABRE

Au rang des célèbres prisonniers de la Tour de Londres, on compte les Bourgeois de Calais, le roi de France Jean II le Bon, et même Rudolf Hess, le comparse de Hitler, avant d'être jugé au procès de Nuremberg. Les 2 femmes adultères d'Henri VIII, Ann Boleyn et Catherine Howard, furent exécutées dans la cour intérieure. Quant à Lady Jane Grey, reine pendant 9 jours à l'âge de 15 ans, elle ne connut pas un sort plus enviable. Vous marcherez sur les pas de Dickens qui, toute sa vie, fut obsédé par le souvenir de son père faisant de la prison pour dettes.

pour servir de palais royal et défendre la ville. Aux XIIIe et XIVe s ont été ajoutés 2 enceintes concentriques, des bastions et des fossés pour en faire une forteresse imprenable. Tour à tour résidence royale, atelier de frappe pour la monnaie, ménagerie, observatoire et chambre du Trésor, c'est surtout comme lieu d'exécution pour les têtes couronnées et comme prison d'État que la « Tour sanglante » a acquis sa triste réputation. Les opposants à la royauté, quels qu'ils soient, y étaient incarcérés.

Aujourd'hui, on n'enferme plus et on n'exécute plus (le dernier prisonnier exécuté fut l'espion allemand Josef Jakobs, en 1941), mais les hallebardiers de la garde, les *Yeomen warders* (the « *Beefeaters* » ou buffetiers, autrement dit les gardiens du Buffet royal), sont toujours là. Un seul événement est venu troubler leurs habitudes, ô combien réglées, à savoir l'arrivée dans leurs rangs d'une femme en 2007 ! Ils semblent participer à un jeu de rôles lorsqu'ils procèdent à la cérémonie des clés, tradition nocturne où les portes de la Tour sont fermées précisément à 21h53. Aucun événement, aucune catastrophe n'a jamais pu empêcher son déroulement. Et cela dure depuis 7 siècles ! Malheureusement, il faut écrire (longtemps à l'avance) pour y assister (gratuitement !). *God save the Queen !*

> ### THE BEEFEATERS
>
> *The* Beefeaters, *ce sont les « mangeurs de viande ». Car les gardiens de la Tour étaient nourris de viande par le roi. Un privilège inouï au Moyen Âge. En échange, ces hommes protégeaient les biens de la Couronne.*

Par ici la visite

Au-delà des douves, on entre dans la cour extérieure par la tour du Mot-de-Passe *(Byward Tower).* Aussitôt à gauche, une 1re exposition retrace l'histoire de la frappe de la monnaie au château (on apprend notamment que c'est Isaac Newton *himself* qui fut chargé de calculer les méthodes les plus efficaces de production !). En face, dans la tour de la Cloche *(Bell Tower),* « Bloody Mary » fit enfermer sa demi-sœur Elizabeth, future reine d'Angleterre. Plus loin, à droite, la très large porte des Traîtres *(Traitors' Gate),* donnant sur la Tamise, servait à débarquer les prisonniers qui venaient d'être condamnés à Westminster. Passer en face sous la Tour sanglante *(Bloody Tower)* et sa salle des tortures pour entrer dans la cour intérieure. Son surnom est lié à un événement macabre de la monarchie anglaise : les enfants d'Édouard IV y furent, selon la légende, exécutés en secret sur ordre de leur oncle, le futur roi Richard III, afin d'assurer son accession au trône. Un jeu non moins macabre attend les visiteurs dans l'une des salles : après avoir soigneusement étudié les faits de l'époque, chacun est invité à voter pour désigner le véritable assassin.

Les joyaux de la Couronne

Au sous-sol du bâtiment Waterloo, là où les gens font la queue et se font photographier à côté du garde imperturbable. Il faut dire qu'ils sont nombreux, tous ceux qui viennent s'extasier devant ce trésor inestimable. Pas mal de bijoux de procession, pour le couronnement notamment, ou d'ornement, tout simplement, et de la vaisselle, bien pompeuse.

Un film rappelle que le couronnement d'Elizabeth II, en 1953, fut le 1er de l'histoire retransmis à la télévision. Que de chemin parcouru depuis le 1er couronnement, celui de Harold II, en 1066 ! Puis, au son de « God Save the Queen » de Purcell, on arrive aux plus beaux bijoux, après avoir franchi des portes de 2 tonnes ! Les couronnes. Pour écouler le flux de visiteurs, il a fallu installer un tapis roulant (estampillé du sceau de la reine !), limitant à quelques secondes le passage devant ces joyaux. Qu'on se rassure, des vidéos permettent, dans les salles précédentes, de les observer en détail, et vous pouvez toujours vous hisser jusqu'à la rampe supérieure, d'où l'on voit aussi bien. Ces joyaux ne sont pas antérieurs au milieu du XVIIe s, car, à la suite de l'exécution de Charles Ier et de l'instauration de la république en 1649, Cromwell décida de vendre les bijoux royaux. Parmi les objets les plus insolents, le sceptre royal de 1661 surmonté de l'*Étoile d'Afrique,* le plus gros diamant du monde (530 carats), un autre diamant stupéfiant rapporté du Penjab à la reine Victoria lors des conquêtes britanniques et, surtout, la fameuse couronne d'État en or massif (2,230 kg), éclairée par le rubis du Prince Noir et la 2e *Étoile d'Afrique.* Très kitsch tout de même... Ces joyaux sont encore utilisés dans la vie « courante » de la famille royale, c'est pourquoi on peut voir de temps à autre des étiquettes « *in use* ».

La tour Blanche (White Tower)

Donjon carré très massif trônant au milieu de la cour intérieure. Cette architecture militaire normande réduite à sa plus simple expression est la partie la plus ancienne de la forteresse (XIe-XIIe s). Ce fut la résidence de Guillaume le

Conquérant, avant de servir de prison. Magnifique *chapelle de Saint-Jean,* émouvante de simplicité, la plus ancienne de Londres. Une nef et un déambulatoire, surmontés de tribunes et d'une simple voûte en berceau, incarnent la pureté du début de l'art roman. Surtout, très belle collection d'armes, de canons et d'armures, dont l'impressionnante armure de Charles Ier, recouverte d'or ciselé. Admirer également *the line of Kings,* une galerie de rois en armure sur leurs chevaux (fabriqués avec des tonneaux !), le tout datant de 1660 (pour le couronnement de Charles II). Sur la trentaine d'origine, une douzaine de montures ont survécu.

Le palais médiéval et South Walk

Reconstitution de quelques salles pour revivre l'époque d'Édouard Ier et son père Henri III, au XIIIe s. C'était à la fois une résidence royale de luxe et une forteresse militaire. Noter la réplique du trône, de la chapelle de poche et de son lit *king size* ! Pouvait inviter pas mal de monde dans sa couche... Pourtant, Édouard Ier, toujours en déplacement, ne séjourna guère plus de 53 nuits au château pendant son règne !

> ## ATTENTION, CORBEAUX DE GARDE !
>
> *Des corbeaux, de bon augure pour une fois, veillent sur les vieilles pierres. On dit que le royaume s'effondrera lorsqu'ils quitteront la tour. D'ailleurs, un décret royal de 1662 (!) fixe à 6 minimum le nombre de ces corbeaux. Pour éviter leur envol, on les gave de nourriture... et on leur rogne le bout des ailes. Pauvres bêtes !*

Le musée des Fusiliers royaux

Pour les fans du service militaire et des uniformes. Petit musée à la gloire du 1er régiment de fusiliers royaux, évoquant toutes les campagnes, batailles et guerres, de Napoléon jusqu'à l'Irak, en passant par la Crimée ou l'Irlande du Nord. Bof !

La tour Beauchamp

Elle abrita de nombreux prisonniers. Amusez-vous à déchiffrer leurs graffitis gravés sur les murs au 1er étage. Un de nos compatriotes enfermé ici en 1571, Charles Bailly, fut particulièrement prolixe. Sur le *Tower green,* juste devant, furent exécutés 3 reines, 2 lords et 2 ladies. Quant à la chapelle, on n'y accède qu'en suivant une visite guidée.

Les nouvelles armureries

Pour faire le plein de munitions... caloriques ! Ce beau bâtiment de brique abrite un café agréable.

> ## À TABLE !
>
> *On savait vivre à la cour d'Édouard Ier. Pour satisfaire l'appétit féroce de ses 700 membres, les intendants devaient renouveler tous les 6 mois un stock de 1 500 bovins, 3 000 moutons et 1 200 cochons ! Quant à la bibine, pour le seul Noël de 1286, la commande s'éleva à 12 000 litres !*

⚔ Tower Bridge *(plan d'ensemble, J4) :* avec Big Ben, l'une des cartes postales les plus envoyées de Londres. Édifié en 1894 dans le style néogothique cher à la reine Victoria, ce pont servit à désengorger le trafic du London Bridge et à favoriser le développement de la capitale vers l'est. Avec un peu de chance, vous verrez la chaussée se lever en quelques secondes pour laisser passer un gros navire : environ 1 000 fois par an ; les horaires sont annoncés sur Internet. Au milieu des années 1970, un système de levage électrique a remplacé l'ancien système à vapeur, mais, bien sûr, on n'a pas touché à l'architecture d'origine du pont le plus célèbre du monde.

⚔ Tower Bridge Exhibition *(plan d'ensemble, J4) :* ☎ 020-7403-3761. ● tower bridge.org.uk ● Ⓜ Tower Hill. Entrée côté rive sud. Avr-sept, tlj 10h-18h30 ; oct-mars, 9h30-18h. Dernière admission 1h avt la fermeture. Fermé 24-26 déc. Entrée : 9,80 £ ; réduc (notamment sur Internet) et forfait famille ; gratuit moins de 5 ans.

LA CITY ET TOWER BRIDGE

Possibilité de billet combiné avec The Monument. La visite donne accès à la passerelle qui permettait autrefois aux piétons de passer la Tamise pendant les incessantes manœuvres du pont. Un nouveau plancher de verre permet une vue plongeante et vertigineuse sur la chaussée, surtout lorsqu'un bateau se décide (rarement) à passer. Et sinon, quelques belles photos en noir et blanc retracent l'histoire de la construction du pont. On termine sur la rive nord, par la salle des machines. Vu le prix, la visite ne s'impose pas. D'autant que la traversée par la chaussée offre déjà de bons points de vue.

L'EAST END

● Plan East End *p. 260-261*

Quel contraste entre la City, toute proche, et les quartiers populaires de l'East End, longtemps pauvres et cosmopolites, grouillants et colorés, héritiers directs des banlieues industrielles typiques du XIXe s britannique... Ces secteurs désormais très à la mode attirent les jeunes artistes, bobos, hipsters et alternatifs de tout poil, et voient fleurir chaque jour de nouvelles adresses branchées. L'East End a su toutefois conserver un charme qui lui est propre, mélange de dérive urbaine et de poésie prolétarienne. Un aspect authentique mêlé de culture moderne, accentué par ces innombrables graffs et collages qui ornent les murs du quartier, particulièrement photogéniques. Une balade à Spitalfields et Brick Lane est désormais un must, en particulier le dimanche, pour le marché aux puces toujours aussi populaire, l'occasion de faire de bonnes affaires dans un joyeux bain de foule.

D'autres coins, comme Shoreditch et Hackney, plus au nord, accueillent une population encore plus mode ou bobo, notamment du côté du Regent's Canal. Le « village » bohème de Dalston est quant à lui en pleine mutation : les authentiques repaires d'Eastenders ou les cantines turques y côtoient désormais les adresses les plus branchées. Encore plus à l'est, du nouveau et un changement radical de cap, depuis la construction du parc olympique, du côté de Stratford, dans l'espoir de booster ce *far* East End. Pour l'heure, passé l'euphorie de l'été 2012, cette zone moderne et sans vraiment d'âme peine à trouver un second souffle...

UN PEU D'HISTOIRE

Après le Grand Incendie de 1666, c'est ici que les plus démunis vinrent s'établir, attirés par les offres d'emploi des docks. Ils furent rejoints par des huguenots français victimes des persécutions religieuses, puis, au XVIIIe s, par des milliers d'émigrés écossais, gallois et irlandais. Devant l'afflux croissant de réfugiés, la demande de main-d'œuvre dans le port et

GIN MADNESS

Au XVIIIe s, l'essor des distilleries londoniennes favorisa l'alcoolisme. Ce que l'on appela par la suite la « folie du gin » entraîna l'East End dans la délinquance et le délitement des mœurs. Normal : tout le monde s'était mis à vendre du gin.

les usines de textile cessa brutalement, entraînant un chômage puis une misère tels que l'East End acquit une réputation de quartier insalubre.

À la fin du XIXe s, l'East End vit arriver les juifs fuyant les pogroms russes. Grâce à la politisation des masses (Marx et Engels trouvèrent beaucoup d'écho dans le quartier), les prolétaires de l'East End découvrirent la solidarité. Des millionnaires anglais, surtout influencés par Dickens, construisirent des foyers ouvriers et lancèrent des projets ambitieux pour embellir les rues. Depuis, l'East End s'est bien assagi, mais il n'est pourtant pas figé. Chacun de ses îlots conserve une certaine cohérence ethnique, tout en continuant à établir une grande tradition d'hospitalité et de tolérance... Anciennement industriels et ouvriers, ces quartiers se transforment aujourd'hui sous la patte des agents immobiliers et des promoteurs. Les classes laborieuses cèdent peu à peu la place à des gens en quête de nouveaux territoires, des artistes en premier lieu. La réhabilitation des usines et des entrepôts accompagne ces mutations sociales, comme en témoigne la reconversion de l'ancienne *Truman Brewery* en bars et boîtes à la mode dans Brick Lane. Dans ce quartier justement, la communauté indienne, présente depuis longtemps, continue de tenir de nombreux restaurants et commerces malgré la « gentrification » accélérée, renouvelant sa clientèle avec les nouveaux venus.

SPITALFIELDS, BRICK LANE ET WHITECHAPEL

● Pour se repérer, voir le plan d'ensemble détachable en fin de guide
● Plan East End *p. 260-261* ● Plan Les Docklands,
de Tower Bridge à Thames Barrier *p. 286-287*

L'EAST END

Un coin de Londres qu'on adore. Vieux quartiers sentant encore bon leur XIXᵉ s ouvrier... en plein développement cependant, car les trentenaires branchés de la capitale ont investi depuis quelque temps ces rues typiques. Résultat, si on n'y vient pas vraiment pour loger, voilà un coin où ça bouge le soir : tranquille en semaine, surpeuplé et ultra-festif les soirées de week-end, on se retrouve dans des bistrots et des boîtes parmi les plus originaux de Londres.
– N'hésitez pas à consulter le site très complet sur le quartier de Brick Lane, qui recense les événements au cours de l'année : ● *visitbricklane.org* ●

Où dormir ?

Location d'appartements privés

🏠 *Guest Ready* est une société de conciergerie proposant une centaine d'appartements à louer dans toute la capitale et donc l'est de Londres. Équipe sympa, qui parle français, à votre écoute pendant tout votre séjour. ● *https://www.guestready.com/fr/* ● 📱 *(+44) 2038-683-401*.

De prix moyens à plus chic (50-120 £ / 58-140 €)

|●| 🏠 *The Culpepper* (plan East End, B3, **19**) : 40 Commercial St, E1 6LP. ☎ *020-7247-5371*. ● *theculpeper.*

com ● Ⓜ *Aldgate East*. Un pub d'angle à l'ancienne qui propose également 5 belles chambres d'hôtes, à la déco à la fois brute et cosy à partir de 120 £. Voir aussi « Où manger ? » plus loin.
🏠 *Hub by Premier Inn Spitalfields, Brick Lane* (plan East End, B3, **15**) : 86 Brick Lane, E1 6RL. ☎ *033-321-3104 (central de résa)*. ● *hubhotels.co.uk* ● Ⓜ *Aldgate East*. Doubles 61-200 £ selon j. et période. Résa conseillée (promos) sur Internet. Le 3ᵉ établissement de cette chaîne d'hôtels design à prix démocratiques, idéalement situé au cœur de Brick Lane. On retrouve la même déco contemporaine et tous les services à dispo. Voir le texte à Covent Garden dans le chapitre « Le centre touristique ».

🏠 **Qbic Hotel** (plan East End, C3, **17**) : 42 Adler St, E1 1EE. ☎ 020-3021-3300 ou 0203-021-1440. ● staylcy@qbichotels ● qbichotels.com ● Ⓜ Aldgate East. Doubles env 80-140 £ selon période. Tout beau, ce nouveau concept d'hôtel est appelé à un très grand succès ! Environnement idéal pour qui veut résider dans l'East End (donne sur un parc). Cadre intérieur surprenant, un poil décalé, plein d'idées et de couleurs. Sculptures et « inventions » contemporaines dans le hall, chambres à l'avenant, au design tout à la fois frais et cosy, avec de super matelas *organic* et tout le confort espéré : « *rain shower* », coffre, sèche-cheveux, TV écran plat, matériel high-tech... Superbe cafétéria proposant une excellente cuisine à prix fort abordables.

Où manger ?

Les quartiers populaires de Brick Lane et Whitechapel recèlent encore nombre de restos indiens ou bengalis. Le pire y côtoie le meilleur, notamment sur Brick Lane, mais le dépaysement est assuré.

Sur le pouce (moins de 10 £ / 12 €)

🍴 **Old Spitalfield Market** (plan East End, B3, **37**) : 16 Horner Sq, E1 6EW. ● oldspitalfieldsmarket.com ● Ⓜ Aldgate East. Lun-ven 10h-20h, sam 10h-18h et dim 10h-17h. Plein d'échoppes pour manger birman, indien, grec, turc, français, chinois, et même... anglais ! Des salades, des sandwichs, des jus, des confiseries ou gâteaux à déguster sur de grandes tablées en bois. On adore !

🍴 **Pilpel** (plan East End, B3, **35**) : 38 Brushfield St, E1 6AT. ☎ 020-7952-5768. Ⓜ Liverpool St. Lun-ven 10h-21h, dim 12h-18h. Fermé sam. Pitas env 5-6 £. Ici, la star, c'est le falafel et les fans sont nombreux. Préparé chaque jour selon une vieille recette familiale, on le déguste sous forme de portions, ou tout simplement dans une pita. À moins de se composer son en-cas préféré à base de salades, houmous, guacamole ou feta. Simple, très bon et impeccable pour une pause rapide au comptoir, perché sur un tabouret haut. Ne pas manquer de goûter au *saabich* (houmous, aubergine, œuf dur, pois écrasés, taboulé et pickles). Autre stand à l'intérieur du marché *(ouv tlj)*.

🍴 **DF/Mexico** (plan East End, B3, **36**) : Hanbury St, E1 6QR. ☎ 020-3617-6639. ● dfmexico.co.uk ● Ⓜ Aldgate East. Lun-mer 12h-22h30, jeu-sam 12h-23h, dim 12h-22h. Grande salle très colorée, ouverte sur les cuisines, et tablées à partager. Voici un *dinner* à la sauce mexicaine. *Tacos, buns, burritos*, rien à plus de 7,50 £. Porc, poisson, végétarien, poulet, salade, il y en a pour tous les goûts. Bon esprit, très convivial.

🍴 👫 **Pizza Union** (plan East End, B3, **20**) : 25 Sandy's Row, E1 7HW. ● sp@pizzaunion.com ● Ⓜ Liverpool St ou Aldgate East. Tlj 11h-23h. Plats 4-6,50 £. Imbattable dans sa catégorie. Car pour une poignée de *pounds*, on obtient une grande pizza croustillante entièrement préparée à la commande, livrée en général en un temps record (on est appelé à tour de rôle par un *buzzer* donné à la caisse !) et au final plus que correcte. Au choix, une quinzaine de *toppings*. Beaucoup d'étudiants, d'employés et de familles ont flairé l'aubaine, et investissent sans façons les tables communes de l'immense salle à la déco industrielle brute, dont les vastes baies vitrées donnent sur Middlesex. *Autre adresse sur Kings Cross.*

🍴 **Brick Lane Street Food** (plan East End, B3, **36**) : The Old Truman Brewery, Brick Lane St. Tlj, horaires variables d'un food truck à l'autre. Mais surtout sam 11h-18h et dim 10h-17h, sous le food hall. L'ancienne brasserie (un beau bâtiment de 1837 avec sa longue cheminée) abrite quelques *food trucks*. Le week-end, c'est une trentaine de stands de victuailles de tous les pays qui trouvent refuge sous *The Boiler House Food Hall* : cuisines éthiopienne, japonaise, thaïe, birmane, sri-lankaise, mexicaine, vietnamienne, vénézuélienne voire des crêpes belges... Tables rugueuses à l'intérieur et dans la cour

L'EAST END

pour déguster les grosses portions pas chères. Franc succès !

Bon marché
(10-20 £ / 12-23 €)

I●I Lahore Kebab House (plan East End, C3, **38**) : 2 Umberston St, E1 1PY. ☎ 020-7481-9737 ou 9738. ● info@ lahore-kebabhouse.com ● Ⓜ Aldgate East et Whitechapel. Dans une rue qui donne sur Commercial St, dans la partie sud de Whitechapel Rd. Tlj 11h30-1h. Plats env 7-10 £. Un peu excentré, mais typique. Prétend être le plus fameux resto halal du monde. Depuis plus de 40 ans, il propose une excellente cuisine pakistanaise à des prix toujours aussi modiques. Recettes du Penjab et grande variété de nan, roti et paratha. Même avec plus de 300 places sur 2 étages, vous pourrez être amené à attendre un poil, compte tenu des nombreux fans qui n'hésitent pas à faire le déplacement. Autant le savoir, extraordinairement bruyant aussi. Cuisine ouverte sur la salle, au cadre totalement neutre de cantine mais bien tenue.

I●I 👫 Leon (plan East End, B3, **37**) : 3 Crispin Pl, E1 6DW, dans le Spital-fields Market. Entrée sur Brushfield Rd ou Commercial Rd. ☎ 020-7247-4369. Ⓜ Aldgate East. Tlj 7h30 (8h30 le w-e)-21h (19h dim). Petits déj env 3-8 £, plats env 4-8 £. Une chaîne de « fast-foods naturels » ! Tonton Leon nous invite à sa table, avec ses bonnes petites recettes rapportées de voyages, très méditerranéens. Wraps, burgers et salades sont bien faits et colorés, sans oublier les smoothies, fruits frais pressés aux mélanges parfois osés et les pop-corn « done properly », le tout dans une ambiance décontractée. Terrasse vaste et déco rétro hétéroclite très sympa. Tout est fait pour manger en paix correctement ou pour déguster un fair trade coffee.

I●I Café 1001 (plan East End, B3, **36**) : The Old Truman Brewery, 91 Brick Lane, E1 6QL (au niveau du pont de brique). ☎ 020-7247-6166 et 9679. ● cafe1001.co.uk ● Ⓜ Aldgate East. Tlj 6h-minuit (23h dim). Sandwichs et salades env 3-5 £ et plats chauds

5-10 £. Concerts live env 10-25 £. Un endroit un poil déjanté en plein milieu de l'ancienne brasserie Truman, cœur vibrant du quartier. Atmosphère décontractée pendant la journée et super bon plan au petit déj ou le midi : on se sert comme à la cantine, et les plats sont d'un bon rapport qualité-prix. En revanche, changement de registre radical le soir. Entre les étudiants affalés sur les sofas de la mezzanine et ceux qui se déchaînent sur les rythmes ciselés par le DJ perché en surplomb de la salle, le Café 1001 abandonne sa vocation de resto pour celle de bar. Concerts et mix (reggae, funk, techno... ils ont 1 001 registres !) pratiquement chaque soir de la semaine dans la vaste backroom.

I●I 👫 Poppie's (plan East End, B3, **39**) : 6-8 Hanbury St, E1 6QR. ☎ 020-7247-0892 et 6172. Ⓜ Liverpool St. Tlj 11h-23h (23h30 ven-sam et 22h30 dim). Fish & chips 12-17 £ (moins cher à emporter). Back in the fifties, dans cette échoppe géniale, ouverte en 1950 et qui joue à fond la carte rétro : tables en formica, bibelots vintage, musique ad hoc, et des serveuses en tenue d'époque pour compléter la carte postale ! Ambiance garantie, d'autant que les fameux fish & chips sont vraiment à la hauteur, copieux, savoureux (le poisson frais est livré chaque matin), et servis dans de (fausses) feuilles de journaux pour la version à emporter ! A gagné le National Fish & Chips Awards en 2014. Incontestablement, notre meilleure adresse dans ce domaine. Succursales à Camden Town (30 Hawley Crescent) et à Soho (55 Old Compton St) ; autre take-away au Spi-talfields Market.

I●I Canteen (plan East End, B3, **37**) : 2 Crispin Pl, E1 6DW, dans le Spitalfields Market. ☎ 020-7377-8037. ● spital fields@canteen.co.uk ● Ⓜ Shoreditch. Lun-sam 8h (9h w-e)-22h. Snacks 5-8,50 £, plats 14-21,50 £ ; lunch sem 12,50-16 £. Plusieurs adresses à Londres. On retrouve ici les grands classiques de la cuisine anglaise, préparés sans complication avec les produits du marché. Sausage & mash, shepherd's pie, roast/fish of the day, welsh rarebit, etc. Sans oublier le traditionnel English breakfast, servi à toute heure, quelques salades fraîches, *snacks, puddings* et autres cakes bien sucrés pour le *tea-time*. Leur slogan : « *great British food !* » tient la route. La déco, quant à elle, joue plutôt dans le registre moderne scandinave, avec ses longues tables en bois clair, son mobilier design et ses baies vitrées. Grande terrasse également.

L'EAST END

L'EAST END

L'EAST END

|●| *St John Bread & Wine* (plan East End, B3, **40**) : 94-96 Commercial St, E1 6LZ. ☎ 020-7251-0848. ● info@ stjohnrestaurant.com ● ⓜ Liverpool St. Ouv 8h-11h30 (8h30-12h w-e) pour le petit déj, puis 12h (13h w-e)-16h et 18h-23h (22h dim-lun). Plats env 15-23 £. C'est l'annexe à l'est du célèbre *St John* de Smithfield. La déco fait toujours dans le très sobre, façon cantine minimaliste, avec la boulangerie intégrée, des murs blancs et des tableaux noirs indiquant les bons p'tits vins de propriété. Bonne cuisine de brasserie un poil canaille et personnalisée, n'hésitant pas à remettre au goût du jour certains ingrédients oubliés ou en disgrâce. Une valeur sûre.

|●| *Androuet* (plan East End, B3, **37**) : Old Spitalfields Market, 10A Lamb Street, E1 6EA. ☎ 020-7247-7437. ● ag@androuet.co.uk ● ⓜ Liverpool St. Juste à l'entrée du marché, sur Lamb St. Tlj 10h-19h. Formule déj 15 £. Sandwichs et plats env 6-25 £. Le lieu incontournable pour un plat à base de fromage. Car vous êtes dans la partie resto d'une maison de grand renom (voir « Shopping »), qui utilise ses produits de 1ʳᵉ qualité pour élaborer raclettes, fondues, tartiflettes, soufflés, ou l'incomparable cheeseburger au saint-nectaire ou au bleu. On peut aussi se contenter d'un assortiment de fromages, ou tout simplement d'un sandwich à la raclette. Vraiment bon, et servi avec le sourire par une équipe compétente en terrasse ou dans une minisalle à la déco baroque.

|●| ♨ *The Culpepper* (plan East End, B3, **19**) : 40 Commercial St, E1 6LP. ☎ 020-7247-5371. ● theculpeper. com ● ⓜ Aldgate East. Lun-jeu 11h-minuit, ven-sam 11h-2h et dim 11h-23h. Un pub d'angle à l'ancienne, sur 3 étages, restauré avec goût. Briques apparentes, traces du passé et touches industrielles. Sans oublier le feu de cheminée. Plein de charme ! Dans l'assiette, après le petit beurre d'anchois maison en apéro, cuisine bistronomique, moderne et colorée aux accents méditerranéens. *Rooftop* aux beaux jours. *Propose également*

5 belles chambres d'hôtes, à la déco à la fois brute et cosy à partir de 120 £.

|●| *Taverna do Mercado* (plan East End, B3, **37**) : Old Spitalfields Market, 107B Commercial St, E1 6BG. ☎ 020-7375-0649. ● tabernamercado.co.uk ● ⓜ Aldgate East. Lun 18h-21h, mar-sam 12h-15h et 18h-22h, dim 12h-16h. Plats 11-15 £. Une taverne portugaise moderne, dans un cadre élégant de bistrot en pierre, bois et métal noir. On y vient croquer dans un *bifana*, sandwich de viande typiquement portugais, ou d'autres plats plus roboratifs dans des assiettes joliment dressées. Avec bien sûr *pasteis de nata*, petits flans crémeux saupoudrés de cannelle, pour le dessert. Terrasse aux beaux jours, couverte en hiver.

|●| *Hot Box* (plan East End, B3, **26**) : 46 Commercial St, E1 6LT. ☎ 020-7247-1817. ● hello@hotboxlondon. com ● ⓜ Aldgate East. Mar-sam 11h30-14h30, 18h-22h30, dim 11h30-15h. Brunchs (copieux et variés) 7-21 £ ts les midis, plats 12-21 £ le soir. Considéré comme le temple londonien du BBQ. Grand espace de bois sombre, éclairages mesurés, longues tables conviviales pour de savoureuses *smoked beef* ou *pork ribs* à la cuisson idéale et aux sauces parfumées et goûteuses. Également de copieux *dirty swine sandwiches*, des saucisses fumées artisanales et une douzaine de bières de microbrasserie. Ne pas manquer non plus le *sticky toffee pudding* ! Au sous-sol, super cocktails au *46 & Mercy Bar*. Seul petit bémol, le niveau sonore qui peut parfois atteindre des sommets !

|●| *Tayyab's* (plan East End, C3, **42**) : 83-89 Fieldgate St, E1 1JU. ☎ 020-7247-9543 et 6400. ● info@tayyabs. co.uk ● ⓜ Whitechapel. En sortant du métro, prendre à droite et tourner à gauche au niveau de l'immense cheminée de la fonderie. Tlj 12h-23h30. Plats env 7-10,50 £. Difficile de reconnaître le 1ᵉʳ café ouvert en 1972 par Mohammed Tayyab. Le restaurant, qui s'est largement agrandi avec les années, bénéficie aujourd'hui d'un cadre moderne, rythmé de toiles contemporaines et de luminaires design. On regrette cependant cette course à la branchitude : le service est désormais inégal

aux heures d'affluence, et l'ambiance bruyante et affairée fait plus dans l'usine que dans le dîner romantique. Heureusement, la cuisine pakistanaise (principalement du Penjab) reste une référence, très épicée et bien maîtrisée. Spécialité de poulet ou agneau mariné et grillé. Venir de préférence en période creuse (le week-end, les files d'attente sont dantesques !) : on retrouve alors l'ancien *Tayyab's*, plus décontracté.

Prix moyens (20-30 £ / 23-34 €)

|●| Chez Elles (plan East End, B3, **41**) : 45 Brick Lane, E1 6PU. ☎ 020-7247-9699. ● chezellesbistro@gmail.com ● Ⓜ Aldgate East. Tlj sauf lun. Mar-sam 12h-15h, 17h30-22h30 ; brunch dim 11h-16h30. Formules express et déj 9,50-21,50 £ ; plats env 13-19 £. Brunchs env 12,50-14 £. Bistrot coquet tenu par d'accueillantes Françaises. Déco classique de bon goût, en harmonie avec une carte aux accents d'outre-Manche : omelettes, croque-monsieur/madame, escargots, tarte feuilletée aux champignons sauvages, moules marinière, confit de canard... Le tout fort bien réalisé et savoureux. Vins au verre bien choisis. Le dimanche (jour du marché), petit déj et brunch toute la journée. Dans ce quartier essentiellement indien, une adresse qui dénote et où il est bien agréable, après les puces, de venir se requinquer.

|●| The Frog Restaurant (plan East End, B3, **36**) : 2 Ely's Yard, Old Truman Brewery, E1 6QR. ☎ 020-3813-9832. ● bookings@thefrogrestaurant.com ● Ⓜ Liverpool St. Mar-sam 12h-14h30, 17h30-22h. Tapas 4-15 £ ; compter env 35 £/pers pour un repas ; menu dégustation 50 £. Résa obligatoire, surtout le w-e. Adam Handling, finaliste de *Masterchef* version outre-Manche en 2013, a ouvert ce resto au cœur de la *Old Truman Brewery*. Ni grenouilles à la carte, ni même de *French cuisine*... Au contraire ! Sur le principe des tapas, le chef propose de vous faire (re)découvrir la cuisine anglaise. Enfin, on devrait plutôt parler ici de gastronomie britannique. Ultra-créative mais à base de bons produits fermiers, chaque bouchée est une véritable expérience gustative sollicitant les 5 sens, une explosion de saveurs, de couleurs, de textures. Sur demande, accord mets-vins ou mets-bières possible. Ambiance bistrot et cadre postindustriel, très sympa, inévitablement bruyant le week-end.

L'EAST END

Où prendre le petit déj, le thé ou un bon café ? Où faire une pause sucrée ?

🍵 Verde & Co (plan East End, B3, **46**) : 40 Brushfield St, E1. ☎ 020-7247-1924. Tlj 8h (10h w-e)-17h30. Petit déj 6,95 £. Très ancienne boutique de fruits et légumes reconvertie en *tearoom* et qui a conservé opportunément sa vénérable enseigne et des bribes de décor. C'est minuscule, intime et charmant à souhait pour un bon petit déj ou pour grignoter gâteaux, sandwichs et salades. Propose l'un des meilleurs *hot chocolate* de Londres (du *Marcolini*). Fait également épicerie fine.

🍵 Et sinon, pour bien attaquer la journée, sourire aux lèvres et ventre plein, rendez-vous dans l'une de nos bonnes adresses déjà citées : chez **Leon** (plan East End, B3, **37**), au **Café 1001** (plan East End, B3, **36**), **Canteen** (plan East End, B3, **37**), **St John Bread & Wine** (plan East End, B3, **40**), **Hot Box** (plan East End, B3, **26**), ou encore **Chez Elles** (plan East End, B3, **41**).

Où boire un verre ? Où sortir ?

🍸 The Ten Bells (plan East End, B3, **60**) : 84 Commercial St (et Fournier), E1 6LY. ☎ 020-7247-7532. ● info@ tenbells.com ● Ⓜ Shoreditch High St. En face du marché de Spitalfields. Lun-sam 12h-minuit (1h jeu-sam) ; dim 13h-21h. Date de 1753 avec son long comptoir de bois usé, vestige de la grande époque du marché. En fermant les yeux, pas trop de mal à l'imaginer plein de mandataires, portefaix, commerçants, dames de mauvaise vie et bruyants noceurs en bordée... Une grande et belle céramique au mur rappelle d'ailleurs ce temps-là. Les 2 dernières victimes de *Jack the Ripper* y burent une pinte avant de faire sa tragique rencontre. Étonnant, alors que le quartier s'est largement « boboïsé », pub pas encore rénové, les quelques chaises et divans défoncés semblant même flotter dans ce grand volume. Peu de monde en journée, on peut lire, écrire ses mémoires... En revanche, le soir et le week-end, beaucoup plus fréquenté et assez *trendy*.

Juju's Bar & Stage (plan East End, B3, 36) : Ely's Yard, Truman Brewery, 15 Hanbury St, London E1 6QR. ☎ 020-7770-6001. ● danny@trumanbrewery.com ● Ⓜ Liverpool St. Tlj sauf lun 12h-23h30. Cet ancien entrepôt de la brasserie Truman fut longtemps un lieu polyvalent voué au spectacle vivant. C'est aujourd'hui un grand bar cosy, avec de grandes tablées et des petits recoins, bien représentatif de la bonne ambiance qui règne le soir et le week-end dans ce quartier animé, coincé entre Spitalfields et Brick Lane. Terrasses à l'avant et à l'arrière.

Dirty Dick's (plan East End, B3, 61) : 202 Bishopsgate, EC2M 4NR. ☎ 020-7283-5888. ● dirtydicks@youngs.co.uk ● Ⓜ Liverpool St. Lun-sam 10h-minuit (3h jeu-sam) ; dim 11h-23h. Écoutez donc l'histoire de Nathaniel Bentley, ce riche quincaillier dont la promise mourut la veille de leurs noces. Fou de désespoir, il ferma sa porte à double tour et se négligea totalement, s'enlisant un peu plus chaque jour dans une saleté repoussante. Après sa mort, un promoteur transforma la désormais

célèbre demeure de *Dirty Dick's* en pub traditionnel. Aujourd'hui, les habitués et les touristes profitent des charmes de la maison, restaurée depuis belle lurette. Plusieurs salles obscures imbriquées les unes dans les autres : intime et populaire à la fois ! Bien sûr, possibilité de se restaurer.

♥ ♪ Voir aussi dans « Où manger ? », le **Café 1001** (plan East End, B3, 36).

♥ ⚐ **Junkyard Golf Club** (plan East End, B3, 36) : Dray Walk, Old Truman Brewery, 91 Brick Lane, E1 6QL. ● junkyardgolfclub.co.uk ● Ⓜ Shoreditch. Lun-jeu 16h (14h jeu)-23h ; ven-dim 12h-23h (22h dim). 9,50-11-50 £ le parcours de minigolf. Voici un lieu comme seul l'East End peut en enfanter : offrez-vous une partie de minigolf déjantée en buvant quelques coups, le tout au son des DJs ! Les parcours, au nombre de 4 et tous plus fous les uns que les autres, serpentent dans les sous-sols d'anciens bâtiments de la brasserie Truman. Plusieurs bars permettent de faire une pause entre 2 *putts*, histoire de bosser aussi son lever de coude. Un endroit unique.

♥ ⚐ **93 Feet East** (plan East End, B3, 67) : 150 Brick Lane, E1 6QL. ☎ 020-7770-6243. ● 93feeteast.co.uk ● Ⓜ Shoreditch. Mar-jeu 17h-23h (concerts à partir du mer), ven-sam 16h-1h, dim 14h-22h30. Entrée payante ou gratuite, selon programmation, souvent sur résa seulement. Dans l'ancienne brasserie Truman, un bar-boîte qui se partage entre différents espaces selon les performances du moment. Tout ce que la scène londonienne compte de nouvelles tendances musicales (et expérimentales !) passe par là. En été, on apprécie la vaste terrasse pavée pour boire un verre ou pour dévorer un barbecue.

Shopping

Alimentation

⊛ **Taj Store** (plan East End, B3) : 112 Brick Lane, E1 6RL. ☎ 020-7377-0061 ou 247-3844. Ⓜ Liverpool St. Quasi au croisement avec Hanbury St. Tlj 9h-21h. Un supermarché indien, tout

simplement, mais super achalandé. De petites merveilles au rayon fruits et légumes, des variétés insoupçonnées de riz et de lentilles.

⊛ **A Gold** (plan East End, B3) : 42 Brushfield St, E1 6AG. ☎ 020-7247-2487. ● agoldshop.com ●

Ⓜ *Liverpool St. Lun-ven 10h-16h, sam 12h-17h.* Toutes les joies de la gastronomie anglaise, du thé au gin, en passant par les fromages fermiers, les *pork pies*, les *scotch eggs*, les biscuits, les chutneys, marmelades et autres douceurs du genre, dans cette adorable boutique vintage. Propose également des sandwichs à emporter préparés à la commande *(5-6 £).*

✿ ***Androuet*** *(plan East End, B3, 37) :* Old Spitalfields Market, 10A Lamb St, E1 6EA. ☎ 020-7247-7437. ● androuet.co.uk ● Ⓜ *Liverpool St. Tlj 10h-19h.* C'est une succursale londonienne du célèbre fromager français (la maison affine depuis 1909). Mais ici, le savoir-faire n'est pas seulement au service des produits hexagonaux : près d'un quart des fromages sont britanniques (stilton, cheddar...), évidemment de 1re qualité, et à découvrir sans hésiter au resto (voir « Où manger ? »). Possibilité de mettre ses emplettes sous vide pour les rapporter sans encombre au pays.

Disques

✿ ***Rough Trade East*** *(plan East End, B3) :* Old Truman Brewery, 91 Brick Lane, E1 6QL. ☎ 020-7392-7788. ● roughtrade.com ● Ⓜ *Shoreditch High St. Lun-jeu 9h-21h, ven 9h-20h, sam 10h-20h, dim 11h-19h.* Des vinyles sur des mètres et des mètres, mais aussi des CD et quelques objets dérivés. L'espace en lui-même vaut le coup d'œil... très rock ! C'est une petite chaîne de disquaires indépendants, qui a fêté ses 40 ans en 2016. La marque est devenue mythique notamment en produisant des LP en exclusivité, de Björk aux Sex Pistols, en passant par les plus grandes pointures de la musique électronique ou hip-hop. On peut aussi y grignoter un bout (pas de vinyle, hein !) dans le coin café.

Vêtements, accessoires

✿ ***Blitz Vintage Department Store*** *(plan East End, B3) :* 55-59 Hanbury St, E1 5JP. ☎ 020-7377-8828. ● blitzlondon.co.uk ● Ⓜ *Shoreditch*

High St. Dans une rue donnant sur Brick Lane. Tlj 11h-19h (dim 12h-18h). Le plus grand magasin vintage d'Europe, dit-on ! Plus de 1 000 m² sur 2 étages, où l'on trouve de tout d'occase, vêtements de marque, déco pour la maison, meubles, livres, etc. Il y a même un coin *coffee shop* utilisant une machine à café vintage ! Mais le plus agréable, c'est que le magasin est super bien ordonné, avec un vrai effort sur la déco. On est vite tenté.

✿ ***Collectif*** *(plan East End, B3) :* 69 Brushfield St, entrée aussi dans Spitalfields Market, E1 6AA. ☎ 020-7247-5604. ● collectif.co.uk ● Ⓜ *Liverpool St. Tlj 10h-18h30.* Une des dernières boutiques avant d'arriver à l'église. Ici, place à *Fonzie* et toute la clique de *Happy Days* ! Les *baby dolls* devraient trouver la robe rêvée version 40's ou 50's, avec décolleté, taille de guêpe et joli jupon. Quelques articles plus sobres et sexy, de quoi jouer sur le registre de Dita Von Teese... Et des prix encore raisonnables.

✿ ***Rokit Vintage*** *(plan East End, B3) :* 101 et 107 Brick Lane, E1 6SE. ☎ 020-7375-3864 ou 020-7247-3777. ● rokit.co.uk ● Ⓜ *Liverpool St. Lun-ven 11h-19h, le w-e 10h-19h.* Des fripes, des fripes et encore des fripes. Un choix incroyable. *2 autres boutiques à Londres : à Camden Market (255 High St) et à Covent Garden (42 Shelton St).*

✿ ***Tatty Devine*** *(plan East End, B2) :* 236 Brick Lane, E2 7EB. ☎ 020-7739-9191. ● tattydevine.com ● Ⓜ *Shoreditch High St. Lun-ven 10h-18h, sam 11h-18h, dim 10h-17h.* Les modeuses dignes de ce nom connaissent forcément *Tatty Devine* ! Des bijoux insolites en plastoc, créations 100 % *British,* plutôt rock et aux couleurs pop, que l'on voit fleurir sur toutes les séries de mode. On peut y faire faire un collier avec son nom en relief ! Également au menu, sous forme de bracelets ou broches, dinosaures, homards ou encore squelettes de poissons de toutes les couleurs, qui ont beaucoup de succès. *Une autre boutique à Covent Garden, 44 Monmouth St.*

L'EAST END

Marchés

✗✗✗ Brick Lane Market (plan East End, B3) : le long de Brick Lane, mais surtout de Cheshire St et de Sclater St. Ⓜ Bethnal Green, Shoreditch ou Liverpool St Station, puis 10 mn de marche. Dim 9h-17h. Authentique et fréquenté par tous les Londoniens ! Pour l'ambiance, c'est de loin celui qu'on préfère. Le paradis des chineurs : antiquités, bibelots, disques, vêtements, un bric-à-brac invraisemblable ! À côté du carrefour de Sclater Street et Brick Lane, grand entrepôt sous les arcades de brique : des tonnes de fringues, chemises, vêtements et sacs en cuir, etc. De quoi faire plein de bonnes affaires, dans une atmosphère ultra-conviviale.

✗✗✗ Old Spitalfields Market (plan d'ensemble, J2-3 et plan East End, B3) : entre Brushfield, Commercial et Lamb St. ● spitalfields.co.uk ● Ⓜ Liverpool St. Tlj 10h (11h sam, 9h dim)-17h (horaires plus larges pour les restos et les boutiques « en dur »). Le plus vieux marché londonien a été entièrement rénové et accueille désormais toutes sortes de boutiques branchées et de restos de chaîne. Il ne faut pas le bouder pour autant : ambiance très sympa et rencontres garanties au hasard des étals qui remplissent encore les allées du marché couvert. Tout autour, quelques chouettes boutiques de fringues et de déco propices à une session shopping. Sans compter les boutiques vintage de Brick Lane, à 2 pas !

✗✗ Petticoat Lane Market (plan East End, B3) : le dim (9h-14h), entre Middlesex et Goulston St, et ttes les rues adjacentes ; à Spitalfields ; sinon, lun-ven (8h-16h) dans Wentworth St. Ⓜ Liverpool St ou Aldgate. C'est le dimanche que la fête bat son plein. Beaucoup de fringues bon marché, de sacs, de chaussures, de bijoux de pacotille... Le tout saupoudré d'un nuage d'antiquités dans les rues avoisinantes. Très touristique, très cheap aussi, mais très vivant.

Monuments, galerie et balade

✗ Dennis Sever's House (plan East End, B3) : 18 Folgate St, E1 6BX. ☎ 020-7247-4013. ● dennissevershouse.co.uk ● Ⓜ Liverpool St. Attention, ouv seulement dim 12h-16h et lun 12h-14h (10 £). Enfin, « Nuit silencieuse » ts les lun, mer et ven 17h-21h, avec visite à la bougie (45 mn) : 15 £ ; résa obligatoire. Une expérience unique sur les traces de Spitalfields. Dennis Sever, un artiste, reconstitua cet environnement pour vivre comme au XVIIIe s. On a vraiment l'impression d'entrer à l'improviste dans une maison encore habitée, avec les odeurs, les couleurs, les lumières, mais aussi le mobilier. Parcours dans une dizaine de pièces aménagées dont l'extraordinaire grande pièce principale.

✗✗ Spitalfields (plan d'ensemble, J3 et plan East End, B3) : derrière la gare de Liverpool St. Ⓜ Liverpool St ou Algate East. À découvrir pour son marché, l'ambiance de sa rue principale (Brick Lane) et son coin de campagne du côté de Shoreditch. Aujourd'hui, une vague d'immigration indienne et pakistanaise a quasiment remplacé la population juive. Noter en passant le bel alignement de maisons avec façades en escalier sur **Hanbury Street,** une rue perpendiculaire à **Brick Lane**. Au nord de Brick Lane, quartier encore en pleine mutation. Nombreuses et intéressantes fresques murales et

PAMPHLETS ASSASSINS

Grub Street était une rue de l'East End, aujourd'hui disparue, où vivotaient des journaleux corrompus et maîtres-chanteurs qui publiaient des libelles contre les puissants et les nobles français. Les accusations étaient souvent violentes et fausses. Les Anglais ont toujours respecté la liberté de la presse, même de caniveau (encore aujourd'hui). Louis XVI et Marie-Antoinette en furent 2 grandes victimes.

L'EAST END

graffs, reflets d'une transition sociale et culturelle inachevée (visite guidée possible, voir plus loin à Shoreditch). Original, entre *Commercial Street* et *Hollywell Lane* (beau *mural* là aussi), une agence de pub s'est installée dans 2 wagons perchés sur les toits. Le dimanche matin, toujours sur Brick Lane, se tient l'un des plus authentiques marchés aux puces de Londres. Sur **Brushfield** se déroule le marché aux fruits et légumes de Spitalfields (vieilles enseignes des anciennes corporations de la laine, des marchands fruitiers, etc.). Encore quelques maisons caractéristiques du XIXᵉ s derrière Brushfield Street. Notamment au carrefour *Widegate Street, Artillery Passage* et *Sandy's Row,* un lambeau intact de Spitalfields, d'étroites et sombres ruelles qui ont échappé par miracle au *Blitz* et à la tourmente immobilière !

🏃 **Whitechapel** *(plan East End, B-C3)* **:** Ⓜ *Whitechapel Station.* De nombreux juifs russes s'installèrent ici dès 1881. Beaucoup de tailleurs et commerçants (Brady Street). Ce quartier fut aussi le témoin des crimes de Jack l'Éventreur, qui terrorisa les populations de Spitalfields et Whitechapel. Bien plus loin à l'ouest, sur Middlesex Street *(plan d'ensemble, J3),* marché de Petticoat Lane, tous les jours. Tout le secteur se restructure rapidement, et les

grands immeubles d'affaires poussent comme des champignons, ne laissant que de rares vestiges du passé. Cependant, dans le sud de Whitechapel, vers le resto *Tayyab's,* les rues perpendiculaires à *Fieldgate Street* évoquent encore l'East End du XIXᵉ s. Notamment sur *Parfett Street* et *Myrdle Street.* Longues séries de maisons ouvrières aux lignes élaborées. Au coin s'élève la *Fieldgate Mansion,* architecture populaire traditionnelle sur 3 étages, avec cage d'escalier ouverte sur la rue.

🏃 **Whitechapel Art Gallery** *(plan East End, B3)* **:** 77-82 Whitechapel High St, E1 7QX. ☎ 020-7522-7888. ● *whitechapelgallery.org* ● Ⓜ *Aldgate East. Mar-dim 11h-18h (21h jeu). Fermé lun. GRATUIT (sauf expos temporaires).* Une belle galerie d'art contemporain hétéroclite : peinture, sculpture, photographie… Toujours des artistes de niveau international. En prime, très chouette cafétéria et librairie.

➤ **Balade sur les traces de Jack l'Éventreur :** les Anglais l'appellent « Jack the Ripper ». Il secoua l'opinion publique, en automne 1888, des 2 côtés de la Manche. Il faut dire qu'il avait la détestable habitude de trancher la gorge des prostituées dans les quartiers de Whitechapel et de Spitalfields. Scotland Yard ne parvint jamais à démasquer le coupable, ne ménageant pourtant ni ses efforts ni son imagination. On photographia même les yeux des victimes, espérant que leur rétine avait conservé la dernière vision de l'assassin. On soupçonna bien l'avocat John Druitt qui se suicida en se jetant dans la Tamise en décembre 1888, ou encore le Polonais George Chapman qui fut pendu en 1903. On alla même jusqu'à suspecter un membre de la famille royale ! C'est ainsi que le « Ripper Case » entra dans la légende. Jusqu'à ce que Patricia Cornwell s'intéresse à son tour au personnage et publie son enquête sur l'enquête dans son ouvrage *Jack l'Éventreur* (Livre de Poche, nº 37007). Depuis, le cinéma s'est lui aussi emparé du mythe…

Comment faire la visite ?
Pour cette balade tout ce qu'il y a de moins romantique, le principal est de se mettre dans l'ambiance. Choisissez de préférence une soirée brumeuse, sans rater le dernier métro, histoire de ne pas jouer un remake, et imprégnez-vous de l'atmosphère de l'époque : le brouillard, les immeubles insalubres, les passages douteux, la réputation glauque du quartier. Un siècle plus tard, retour sur les lieux du crime.

L'EAST END

– Il existe plusieurs **visites organisées** sur ce thème, notamment « Jack the Ripper Walk » : *tlj 19h30 (sauf 24-25 déc). Rdv sans résa 15 mn avt à la sortie de la station de métro Tower Hill. En principe, à 15h sam aussi. Compter 10 £/adulte ; réduc ; gratuit moins de 15 ans (si accompagné des parents).* ☎ *020-7624-3978.* ● *jackthe ripperwalk.com* ● Un guide vous fait découvrir, à la tombée de la nuit, les ruelles et sombres passages du quartier. Voir aussi la partie « Monuments et balades » dans la rubrique « Patrimoine culturel » du chapitre « Hommes, culture, environnement ».

– Sinon, pour mener votre enquête sans Sherlock, voici une **balade en boucle** *(6 km ; durée : 2h30) :*

Depuis la station de métro Whitechapel *(plan East End, C3),* rejoignez le **London Hospital** (construit en 1740) situé juste en face, de l'autre côté de l'avenue. La crypte de **St Philip's Church** abrite le *Royal London Hospital Archives and Museum (mar-ven 10h-16h30 ;* ☎ *020-7377-7608 ; GRATUIT).* On y trouve le masque de Joseph Merrick, le tristement célèbre *Elephant Man* (John dans le film de David Lynch), ainsi que plein d'infos sur *Jack the Ripper* : un plan localisant sa 4e victime et un couteau semblable à celui qu'il a utilisé. Retournez sur vos pas et retraversez Whitechapel Road pour rejoindre Winthrop Street, puis **Durward Street** (autrefois Buck's Row). Mary Ann Nichols, 42 ans et mère de 5 enfants, y fut trouvée par un portier, assassinée, le 31 août 1888 à 3h45 du matin. Sa gorge avait été 2 fois tranchée et son ventre lacéré. 1er indice : l'assassin est un perfectionniste. Plus à l'ouest, vers Brick Lane, au n° 29 de **Hanbury Street,** le corps de la 2e victime, Annie Chapman, fut trouvé à 6h du matin, le 8 septembre 1888. 2e indice : c'est un noctambule, ça se confirme.

Encore plus à l'ouest, les 2 dernières victimes de *Jack the Ripper* burent une pinte au pub **The Ten Bells** (voir « Où boire un verre ? » plus haut), à l'angle entre Commercial Street et Fournier Street, avant de faire sa tragique rencontre. Descendez Brick Lane pour rejoindre Whitechapel Road, puis Fieldgate Street et tout de suite à droite Plumbers Row, Coke Street, Commercial Road et, enfin, **Henriques Street** (autrefois Berner Street). La 3e victime, Elizabeth Stride, une Suédoise de 45 ans, fut découverte au niveau de l'école actuelle, le 30 septembre 1888. 3e indice : c'est un homme aux (dé)goûts éclectiques : Anglaises, Scandinaves...

Revenez à Commercial Road pour rejoindre Aldgate High Street et Mitre Street. Les restes de la 4e victime, Catherine Eddowes, furent identifiés ce même jour dans **Mitre Square.** Elle avait subi de nombreuses mutilations après sa mort. Traversez Duke's Place et Houndsditch pour arriver sur Stoney Lane et Middlesex Street, connue autrefois sous le nom de Petticoat Lane. Continuez par Commercial Street et **Thrawl Street,** entre Fashion Street et Wentworth Street. La 5e victime, Mary Jane Kelly, vivait au n° 18. Son propriétaire la renvoya, voyant son état d'ivresse avancé au milieu de la nuit. Elle retourna vers Buck's Row (voir le début de la balade) où elle eut la malchance de rencontrer Jack, à 2h du matin. Ce dernier crime marqua l'apothéose de cette macabre série. Le corps fut retrouvé entièrement dépecé.

SHOREDITCH ET HOXTON

● Pour se repérer, voir le plan d'ensemble détachable en fin de guide
● Plan East End *p. 260-261*

Shoreditch et Hoxton font partie aujourd'hui des incontournables des soirées londoniennes. En fait, pas grand-chose à voir concrètement dans cet ancien

quartier industriel (curieux centre commercial installé dans des containers près de la station de métro Shoreditch High Street), mais beaucoup à faire une fois passé l'heure du thé. Tous les oiseaux de nuit qui se respectent fréquentent les bars du quartier en fin de semaine ; on s'y amuse beaucoup, on y mange fort bien. Super pour le petit déj, idéal pour l'*after* ! À votre tour ! Au passage, au 380 Old Street, noter l'élégante architecture victorienne du Shoreditch Town Hall. Construit en 1866, il opéra comme mairie jusqu'en 1965. Plus au nord, le quartier de Dalston se transforme petit à petit en repaire festif et alternatif.

Où dormir ?

Auberge de jeunesse (moins de 35 £ / 41 €)

🛏 **The Dictionary Hostel** (plan East End, B2, **10**) : 10-20 Kingsland Rd, E2 8DA. ☎ 020-7613-2784. ● thedic tionaryhostel.com ● Ⓜ Old St. Env 18-35 £/pers en dortoir 4-16 lits, doubles à partir de 70 £. Petit déj inclus. Au cœur de l'action ! C'est ce qui définit d'abord cette AJ récente de 210 lits en plein Shoreditch. Pour le reste, l'entretien est parfois inégal mais le confort est correct : dortoirs et chambres basiques, cuisine à dispo, consigne, laverie. Quant à l'ambiance, elle est vraiment sympa, notamment grâce à ses petites terrasses conviviales à l'arrière, à sa cour intérieure et à son café festif investi par les DJs le vendredi et le samedi soir jusqu'à 3h du mat' !

De prix moyens... à spécial coup de folie (50-280 £ / 58-325 €)

🛏 **Citizen M Shoreditch** (plan East End, B2, **16**) : 6, Hollywell Lane, EC2A 3ET. ☎ 020-3519-4840. ● citizenm. com ● M. : Shoreditch High St. Doubles 80-250 £ selon jour et période (petit déj moins cher si réservé en ligne). Même concept qu'à Southbank et qu'à Tower Bridge... Un hôtel *arty* et convivial, parfaitement raccord avec l'ambiance bobo-hipster de Shoreditch. Les chambres, hyper compactes, bénéficient d'un équipement à la pointe de la technologie domotique. Excellente literie et salle de bains nickel. Là, encore, des parties communes où il fait bon s'attarder...

🛏 **The Hoxton** (plan East End, A2, **14**) : 81 Great Eastern St, EC2A 3HU. ☎ 020-7550-1000. ● book.shore ditch@thehox.com ● thehoxton.com ● Ⓜ Old St. Un système de prix original : 69 £ si on réserve 5-6 mois à l'avance pdt les périodes creuses, après ça augmente... jusqu'à 359 £ plus la date se rapproche ! Entièrement relooké en janvier 2017. L'immense hall partagé entre un bar, un resto et différents coins salon donnent une idée de la taille de l'hôtel : un espace ouvert et une vraie ruche ! Ambiance décontractée et branchée, en adéquation avec des chambres tendance et de bon confort, qui bénéficient même de 1h d'appels gratuits sur fixes vers l'Europe. Il faut reconnaître que l'un des fondateurs des *Pret A Manger* sait y faire aussi question hôtellerie. Et en plus, il offre un petit guide avec plan du quartier, fort bien fait. *Autre adresse 199-206 High Holborn.*

🛏 **The Boundary** (plan East End, B2, **13**) : 2-4 Boundary St (entrée sur Redchurch St), E2 7DD. ☎ 020-7729-1051. ● info@boundary.london ● theboun dary.co.uk ● Ⓜ Shoreditch High St. Doubles 185-385 £. Moins cher le dim. Niché dans un ancien entrepôt en brique rouge, un petit boutique-hôtel luxueux au concept très tendance, pour dormir branché : intimité garantie avec moins de 15 chambres, toutes décorées différemment en s'inspirant de grands courants stylistiques ou de maîtres du design (Bauhaus, Le Corbusier et Charlotte Perriand, Andrée Putman, etc.). Très classe et hyper cosy. Bar et restos haut de gamme, notamment le *Rooftop*, avec terrasse panoramique sur le toit (avr-sept seulement), ou encore *Albion* (voir « Où manger ? »). Quant à l'accueil, il est personnalisé et charmant.

🛏 **Shoreditch House** (plan East End, B2, **12**) : Ebor St, E1 6AW. ☎ 020-7739-5040. ● reservations@shoreditchhouse.com ● shoreditchhouse.com ● Ⓜ Shoreditch High St. Doubles 230-430 £ selon saison et dispo (promos sur le site). Le sam soir, priorité aux membres. Ni nom, ni enseigne sur la façade, vous êtes ici dans un club privé très branché. Les rues quelconques du quartier cachent des adresses très chic comme celle-ci, à taille humaine, où le béton et la brique s'harmonisent parfaitement aux design les plus tendance. Esprit rétro marin et chambres chaleureuses, tout confort, avec balcon pour les plus grandes (mais pas indiqué pour les familles, puisque les séjours sont limités à 2 personnes). Et surtout plein de petits plus qui font la différence : les équipements soignés, les lits king size, le spa, les 2 restaurants (avec late menu de 23h30 à 3h) et la piscine chauffée sur le toit ! Rooftop restaurant vraiment extra, un must pour le petit déj (8h-12h ; 3-12 £) ! Accueil très sympathique.

🛏 **Ace Hotel** (plan East End, B2, **11**) : 100 Shoreditch High St, E1 6JQ. ☎ 020-7613-9800. ● enquire.ldn@acehotel.com ● acehotel.com ● Ⓜ Shoreditch High St. Doubles 160-420 £ selon période. C'est fait, Londres a son Ace Hotel ! Remarquablement situé. La déco est sans doute un peu moins déjantée que dans certaines autres adresses du groupe, mais cet hôtel ultra-branché est bien en phase avec Shoreditch : chambres rétro très tendance, avec mobilier vintage, œuvres d'art originales, coffre, frigo, TV écran plat et quelques vraies surprises comme un tourne-disque avec sa collec de 33-tours ou une guitare à dispo ! Quelques chambres communicantes. Génial ! Parties communes dans le même esprit cosy et convivial, et bon resto pour le brunch.

🛏 **The Curtain** (plan East End, A-B2, **81**) : 45 Curtain Rd, EC2A 3PT. ☎ 020-3146-4545. ● thecurtain.com ● Ⓜ Shoreditch High St. Doubles à partir de 200 £. Un hôtel rock et classique à la fois. Déco industrielle des chambres avec des touches rétro et modernes. Tout confort. Les douches se transforment même en bain de vapeur en 8 mn. On aime le love kit et les convenience kits cachés dans les placards... recouverts de pages de magazine d'idoles du rock anglais ! Spa et salle de gym très bien dotée. Sur le toit, rooftop à l'ambiance champêtre avec cages à oiseaux transformées en luminaires et guirlandes lumineuses. On y trouve même une piscine chauffée à 32 °C ! Service extra jeune et souriant.

Où manger ?

Très bon marché (moins de 10 £ /12 €)

🍴 **Beigel Bake** (plan East End, B2, **34**) : 159 Brick Lane, E1 6SB. ☎ 020-7729-0616. Ⓜ Shoreditch High St. Ouv 24h/24. Moins de 2 £ ! Cette petite boutique, une vraie légende, vous fera fondre de plaisir. Si vous dites « bagel », tout le monde vous enverra ici (il faut voir la queue le dimanche). Des bagels à emporter, bien frais (facile, vu le débit) et pour 3 fois rien. Goûter au cream cheese et au salt beef bagel. Également toutes sortes de pies and pastries. Et quelques délices sucrés.

🍴 **Shoreditch Food Village** (plan East End, B2, **28**) : 187 Shoreditch High St, E1 6HU. Ⓜ Shoreditch High St. Tlj 11h-23h. Dans la grande cour protégée d'une ancienne station-service (aujourd'hui clean et aérée !), plusieurs stands de street food offrant des petits mets variés et de bonne qualité : pâtes, burgers, curry, tacos, fajitas... Atmosphère vraiment déliée, diverses terrasses, musique discrète.

🍴 **Radio Alice** (plan East End, A2, **24**) : 16 Hoxton Sq, N1 6NT. ☎ 020-7018-3656. Ⓜ Old St. Lun-jeu 12h-23h, ven-sam 12h-23h30, dim 12h-22h30. Pizzas 5-13 £. Une adresse qui donne directement sur le charmant square d'Hoxton, avec sa terrasse aux beaux jours. Belle déco industrielle et cosy à l'intérieur, avec cuisine ouverte et four à bois. Bonnes pizzas aux farines bio mais aussi fromages et charcuteries de la Botte. Salades pour les réfractaires. Des habitués comme des clients de passage, tout le monde s'y retrouve !

|●| Cream *(plan East End, B2, 28)* **:** *31 New Inn Yard (et Anning), EC2A 3EY.* ☎ *7767-621-632.* ● *yo@cream-shoreditch.com* ● Ⓜ *Shoreditch High St. Service en continu 8h-16h (10h-17h le w-e). Plats 7-12 £.* À 2 pas du *Food Village.* Installé dans un ancien entrepôt (murs blancs, bois clair, quelques plantes vertes), dans une rue peu passante. Voilà une petite adresse sans chichis où il fait bon démarrer la journée dès le petit déjeuner. Elle offre à prix modestes une cuisine aux couleurs méditerranéennes, d'une belle fraîcheur, au sens subtil des saveurs et accompagnée de bons petits légumes cuits juste comme il faut ! Soupes et tartines du jour avec une carte qui évolue suivant le marché.

|●| Barber & Parlour *(plan East End, B2, 33)* **:** *64-66 Redchurch St, E2 7DP.* ☎ *020-3376-1777.* ● *info@barberandparlour.com* ● Ⓜ *Shoreditch High St. Tlj 9h-21h (19h w-e). Petit déj et snacks env 2-10 £ ; plats max 14 £.* Un lieu branché à souhait qui combine un resto-bar, un salon de coiffure et barbier pour hipsters, ainsi qu'un petit cinéma indépendant (*Electric Cinema,* comme celui de Notting Hill). Cadre très agréable dans cette grande salle d'angle avec larges baies vitrées, tables communes, banquettes et recoins pour prendre un café, un petit déj ou un repas léger dans une ambiance très cool, qui incite à prolonger la pause. Déco de bois clair, longues étagères couvertes de vaisselle (en vente) et grand comptoir avec cuisine ouverte à l'entrée. Brunch le week-end et *deli* à l'entrée (muffins, cookies, *banana bread,* jus de fruits et smoothies). Un vrai coup de cœur !

|●| Homeslice *(plan East End, B2, 57)* **:** *374-378 Old St, EC1V 9LT.* ☎ *020-3151-1121.* ● *shoreditch@homeslice pizza.co.uk* ● Ⓜ *Old St ou Shoreditch High St. Lun-sam 12h-23h, dim 12h-22h. 4 £ la part ou 20 £ la pizza à partager.* Selon une formule bien rodée à Covent Garden, d'immenses pizzas sortent du four à bois avant de finir englouties par des bandes de gourmands. On commande une ou 2 garnitures, toujours originales, toujours délicieuses, et l'on partage du bout des doigts (ou alors, venez avec vos couverts !) avant d'en commander une autre... La « champignon, ricotta, graines de courge et chili » est un grand classique mais chaque saison apporte son lot de recettes inédites. Difficile de trouver une place dans la petite salle sombre et boisée à souhait.

|●| Waterhouse *(plan East End, B1, 43)* **:** *10 Orsman Rd, N1 5QJ.* ☎ *020-7033-0123.* ● *eat@waterhouserestaurant.co.uk* ● Ⓜ *Hoxton. Lun-ven 9h-15h. Petits déj 2-8 £. Plats env 4-10,50 £.* Compte tenu de son emplacement de choix sur le quai, avec une salle sobre et lumineuse tout en baies vitrées et une terrasse en surplomb du Regent's Canal, les prix sont plus qu'attractifs. Voire imbattables pour le déjeuner ! Forcément, l'objectif de l'œuvre de bienfaisance qui gère le site est d'abord de venir en aide aux jeunes en difficulté. Le résultat est probant : carte courte pour de bons plats de saison de type brasserie combinant influences britanniques et méditerranéennes, le tout bien présenté et servi avec le sourire.

|●| Meat Mission *(plan East End, A2, 23)* **:** *14-15 Hoxton Market (accès par Coronet St), N1 6HG.* ☎ *020-7739-8212.* ● *info@meatmission.com* ● Ⓜ *Old St. Tlj 12h-minuit (23h dim). Plats env 6-9 £.* Comme son nom l'indique, ancienne mission chrétienne, avec quelques témoignages comme les plaques de marbre gravées sur les murs. Pas très compatible avec un dîner en amoureux. Mais si vous êtes sur le mode festif, c'est impec. Les salles sont vastes, décorées dans un style délirant religio-punk, avec des vitraux improbables et un comptoir en U à l'insolite décor de casquettes et bouteilles. Chaude ambiance et déluge de décibels garantis (jazz, rock, boogies d'enfer) ! Un choix incroyable de whiskies (y compris 5 japonais), bourbons, tequila et mezcal, rhums, bières et cidres à la pression... Côté nourritures terrestres, les burgers sont bons et variés, bien denses et *juicy,* tous faits à la demande. Et pour la photo souvenir, direction le confessionnal reconverti en photomaton !

I●I 🍴 *Haché* (plan East End, B2, **21**) : 147 Curtain Rd, EC2A 3QE. ☎ 020-7739-8396. ● shoreditch@hachebur gers.com ● Ⓜ Old St. Lun-ven 11h30-22h30 (23h ven) ; w-e 9h30-23h (22h dim). Burgers env 8-13 £. Cadre tranquille, vaste et tamisé. Le spécialiste du burger a bien évolué. Si la viande est toujours aussi bonne (d'origine écossaise et cuite à son goût !), la carte propose selon les jours toutes sortes de créations plus originales : à l'agneau, au thon, au porc, et même au canard ! Et quitte à revoir tous les codes, on peut même choisir l'option sans pain, remplacé par une salade ! Pour les affamés, pas de panique, il y a toujours la brioche ou la *ciabatta*... Du burger gourmet en somme, en adéquation avec un cadre de bistrot sympa. Bondé (et assourdissant !) en fin de semaine.

Bon marché
(10-20 £ / 12-23 €)

I●I *The Blues Kitchen* (plan East End, A2, **32**) : 134-146 Curtain Rd, EC2A 3AR. ☎ 020-7729-7216. ● info. shoreditch@theblueskitchen.com ● Lun-mer 12h-minuit, jusqu'à 1h jeu, 2h30 ven ; sam 11h-3h ; dim 11h-22h30. Plats env 10-28 £. Une adresse comme on les aime : immense entrepôt qu'on a laissé en l'état et pas daigné repeindre, plafond dégradé et plancher totalement usé, immenses figures de la blues aux murs (dont le pionnier Robert Johnson), long comptoir en cuivre rouge séparant la partie resto (box sympas) de celle du bar (là aussi vite remplie !). Cette dernière recueillant d'ailleurs ceux qui n'ont pas réservé, mais ils sont plus proches de la scène. Près de 100 variétés de bourbon et le vendredi de 17h à 19h : *chicken wings* gratuites. Côté cuisine, on lorgne nettement vers celle du Sud. Goûtez donc au *Texan BBQ*. Plus simple, mais bon et copieux, le cheeseburger maison aux frites croustillantes. Animation d'enfer, superbes concerts, niveau sonore maximum. Ah,

l'indémodable *Howling Wolf* en fond musical ! *Autres adresses à Brixton et Camden.*

I●I *Oklava* (plan East End, A2, **27**) : 74 Luke St, EC2A 4PY. ☎ 020-7729-3032. ● oklava.co.uk ● Ⓜ Shoreditch High St. Mar-sam 12h-15h et 17h30-22h. Fermé dim-lun. Plats 10-13 £, pides 8,50-18 £. Un restaurant design et chaleureux, aux teintes chocolat et dorées, pour apprécier la cuisine du Levant. « Oklava » désigne le rouleau qui sert à fabriquer les *pides,* ces petits pains dans lesquels on glisse viande, condiments, fromages, légumes... Terriblement savoureux ! On peut aussi opter pour des plats plus traditionnels, en fonction du marché. Bonne ambiance.

I●I *Burro e Salvia* (plan East End, B2, **30**) : 52 Redchurch St, E2 7DP. ☎ 020-7739-4429. ● shoreditch@burroe salvia.co.uk ● Ⓜ Shoreditch High St. Lun-sam 12h-15h ; jeu-sam 18h-21h ; dim 12h-15h30. Boutique tlj 11h-19h. Plats env 11-18 £. Un vrai *pastificio* ! Chaque jour, dans la cuisine ouverte de cette boutique pimpante, des passionnés du sujet adeptes du *Slow Food* fabriquent la *pasta* dans les règles de l'art, avant de la cuisiner en fonction de recettes italiennes souvent héritées de la famille. C'est beau à voir, mais c'est très bon aussi, car le midi, on peut s'asseoir dans la petite salle de dégustation attenante et s'offrir une parenthèse ensoleillée autour de lasagnes savoureuses, de *tagliolini* parfumés, ou peut-être de gnocchis fondants !

I●I 🍴 *Albion* (plan East End, B2, **13**) : 2-4 Boundary St, E2 7DD. ☎ 020-7729-1051. ● albion@albion-uk. london ● Ⓜ Shoreditch High St. Tlj 8h-23h. Plats 5-18,50 £ ; sandwichs à partir de 7 £ et breakfasts (jusqu'à 11h30 en sem et 12h30 w-e) env 3-12,50 £. *Albion* symbolise bien le renouveau du quartier. Vous êtes ici chez Terence Conran, le célèbre designer anglais. Branché ? À peine, car l'excellent concept vise avant tout la convivialité. *Albion,* c'est donc un grand espace en longueur, élégant, lumineux, divisé entre une partie pour la boutique (légumes, épicerie fine et le pain de la maison), une autre pour la cuisine ouverte, et la dernière pour le café aux allures de brasserie contemporaine. La carte est à son image : à la fois de bons breakfasts, des plats du jour bien vus, une cuisine française créative et aussi des classiques anglais, tous préparés dans les règles avec de bons ingrédients (ici, le *fish & chips* n'a rien de graillonneux !). On adore !

⦿I Rochelle Canteen *(plan East End, B2, 31)* : *Rochelle School, Arnold Circus, E2 7ES.* ☎ *020-7729-5677 et 5667.* ● *arnold&henderson. com* ● Ⓜ *Shoreditch High St. Au sein même de l'école ; sonner à l'interphone « Rochelle Canteen ». Tlj 9h-11h, 12h-16h30 et 18h-22h jeu-sam (horaires réduits en hiver). Plats env 12-17 £.* Une perle rare que cette petite cantine nouvelle génération... Établie dans une ancienne école victorienne, la *Rochelle School* abrite aujourd'hui plusieurs lieux alternatifs, notamment le *Studio Block*, lieu de vie d'artistes contemporains. La *Canteen* se réduit à une grande salle basique tout en baies vitrées aménagée sous l'ancien préau, avec cuisine ouverte et une dizaine de tables. On se concentre sur l'assiette, car ici la cuisine est assurée par Arnold et Henderson, 2 passionnés de cuisine anglaise. Menu variant souvent avec des produits de saison d'une grande fraîcheur, une petite sélection de vins qui se marient bien et une atmosphère relax qui finit de vous convertir aux bancs de l'école !

⦿I The Princess of Shoreditch *(plan East End, A2, 29)* : *76 Paul St, EC2A 4NE.* ☎ *020-7729-9270.* ● *info@theprincessofshoreditch.com* ● Ⓜ *Old St. Tlj 12h-23h (22h dim) ; service 12h-15h (16h ven-sam), 18h30-22h (22h30 ven-dim, en continu jusqu'à 21h dim). Au pub, plats env 12-18 £ ; au resto, env 13,50-19 £.* Dans un vénérable bâtiment datant de 1742, l'un des *gastropubs* les plus courus du quartier. L'endroit reste très chaleureux, fréquenté par des habitués venus partager de belles pièces de bœuf, des joues de cochon grillées ou autres plats de fruits de mer. Pain maison, *ale* du mois et *black pudding* pas mal du tout. Le traditionnel *roast lunch* du dimanche est fameux. Cadre joyeusement rétro, parquets bien usés,

tables en bois, longues banquettes de moleskine et vieux comptoir pour patienter, sous le vrouvroutement des pales du ventilo. Spécialité de *wheat beers* (dont la fameuse *Gentleman Wit Camden*). Rançon du succès, c'est assez bruyant.

⦿I Pizza East *(plan East End, B2, 25)* : *Tea Building, 56 Shoreditch High St, E1 6JJ.* ☎ *020-7729-1888.* ● *pizzaeast. com* ● Ⓜ *Shoreditch High St. À l'angle avec Bethnal Green Rd. Tlj 12h (9h w-e)-minuit (1h jeu et 2h ven-sam). Pizzas 10-15 £ ; petits déj w-e env 2-11 £.* Situé dans un ancien entrepôt, ce vaste espace façon loft joue à fond la carte de la déco industrielle à la new-yorkaise (parquet usé, piliers de béton, tubulures, brique...). Très réussi dans son genre. Et, par conséquent, hyper *trendy* avec ses grandes tables conviviales, ses tables rondes aussi et son atmosphère affairée et bourdonnante. Quant aux pizzas, elles sont fines et croustillantes. Au sous-sol, rendez-vous au *Concrete*, une boîte brute de décoffrage (voir plus loin).

⦿I Dishoom *(plan East End, B2, 22)* : *7 Boundary St, E2 7JE.* ☎ *020-7420-9324.* ● *hello@dishoom.com* ● Ⓜ *Shoreditch High St. Tlj 8h (9h w-e)-23h (minuit jeu-sam). Plats 7-13 £, petits déj 3-12 £. Pas de résa, à part pour les groupes. Attente très longue le w-e !* C'est la 2e des 4 adresses du célèbre *Bombay Café* de Covent Garden (voir « Où manger ? » dans le centre touristique). Clin d'œil aux célèbres *Bombay Cafés* de Mumbai (créés par des immigrants zoroastriens venant d'Iran au début du siècle dernier ; il y en eut presque 400 jusqu'en 1960, une trentaine aujourd'hui !). Si la cuisine est similaire, la déco n'a rien à voir : ici, l'immense espace a été revisité dans un style de café vintage très réussi (des panneaux à l'ancienne interdisent notamment l'opium !), où l'atmosphère de grande brasserie cède la place à celle d'un salon cosy dans la véranda bâchée. *Autres adresses à King's Cross (5 Stable St, derrière la gare) et à Carnaby (22 Kingly St).*

⦿I Andina *(plan East End, B2, 22)* : *1, Redchurch St, E2 7DJ.* ☎ *020-7920-6499.* Ⓜ *Shoreditch High St. Tlj, 8h-23h (10h-23h w-e) ; brunch le w-e*

10h-16h. Plats style tapas 6-14 £. Ce restaurant confortable, avec son décor de café moderne et sa cuisine ouverte, sert des plats originaux et colorés d'inspiration péruvienne. Outre les classiques *ceviches*, qui sont servis ici en 6 versions différentes, ne manquez pas de découvrir quelques classiques de la *street food* andine ou les curieux légumes du Nouveau Monde. On peut aussi y passer dans la journée prendre un café ou une boisson détox.

De prix moyens à chic (20-40 £ / 23-46 €)

|●| **Fifteen** *(plan d'ensemble, I1-2, 175)* : 13-15 Westland Pl, N1 7LP. ☎ 020-3375-1515. Ⓜ *Old St. Resto tlj 12h-15h, 18h (17h30 ven-sam)-22h30, 21h30 dim. Plats 17-25 £ le midi, 17-26 £ le soir ; menu 60 £ (94 £ avec les vins).* C'est le resto emblématique du petit prodige de la gastronomie londonienne, Jamie Oliver (Jamie O pour les intimes). Emblématique, parce que le concept est généreux : chaque année, une promo de jeunes en difficulté fait ses classes ici, 15 en tout, d'où le nom. Tous les profits sont d'ailleurs reversés à l'école hôtelière qu'il a créée. En revanche, ce n'est plus Jamie qui est aux commandes. La cuisine britannique est plus classique, voire rustique, préparée avec les meilleurs ingrédients en fonction de la saison, et proposée selon le principe des petites assiettes à partager. C'est très bon mais cher (et les quantités se révèlent hélas souvent bien faibles !). On est loin de la trattoria excentrique d'origine. Sinon, *cocktail bar* également, avec moult bières sophistiquées et cocktails

originaux. *Gin masterclass,* le 2e et dernier mardi du mois de 18h à 19h30. Histoire du gin, dégustation et leçon pour la fabrication de délicieux cocktails *(35 £/personne, quand même).* À articuler, bien sûr, avec le dîner, si l'on veut !

|●| **Lyles** *(plan East End, B2, 25)* : Tea Building, 56 Shoreditch High St, E1 6JJ. ☎ 020-3011-5911. Ⓜ *Shoreditch High St.* ● lyleslondon.com ● *Lun-ven 8h-23h, sam 12h-23h. Fermé dim. Plats 4-16 £. Menus 49-59 £.* Dans un cadre assez minimaliste (béton ciré au sol et au comptoir, murs de briques blanches) avec serveurs en tenue cintrée. En revanche, les assiettes reprennent des couleurs. Explosion de saveurs, avec priorité donnée aux produits anglais (anguille fumée, fromages St Neal's Yard) et autres viandes, poissons et légumes, travaillés simplement. Cuisine délicate. Service hélas un peu trop guindé.

|●| **Smokestack** *(plan East End, B2, 44)* : 35 Sclater St, E1 6LB. ☎ 020-3873-1733. Ⓜ *Old St. Tlj 12h-15h, 17h30-23h ; w-e 12h-23h (21h30 dim). Résa conseillée, souvent complet. Plats 8-17 £.* Après avoir régalé les Londoniens de différents *street food markets,* Smokestack s'est installé dans cet intrigant local à la déco industrielle. Plongé dans une relative pénombre, vous goûterez à de savoureux plats cuits lentement et fumés dans différents BBQ. Bien entendu, la viande est à l'honneur et les *beef ribs,* fondants à souhait, sont littéralement à tomber ! Mais la carte propose aussi d'autres belles surprises, comme d'originaux légumes grillés. Petit bar à cocktails en sous-sol pour patienter.

Où prendre le petit déj ? Où boire un bon café ?

☕ **Leila's Shop** *(plan East End, B2, 48)* : 15-17 Calvert Ave, E2 7JP. ☎ 020-7729-9789. ● info@leilasshop.com ● Ⓜ *Shoreditch High St. Mer-sam 10h-18h, dim 10h-17h. Snacks et petit déj env 4-15 £.* Une petite épicerie de quartier, bobo et vintage à souhait... Dans la petite salle attenante, quelques tables, des vieux bouquins et une clientèle de fidèles qui viennent se serrer à l'heure

du brunch. C'est simple, frais, savoureux et ça se sait, vous aurez donc à patienter pour décrocher une table !

☕ **Allpress Espresso** *(plan East End, B2, 30)* : 58 Redchurch St, E2 7DP. ☎ 020-7749-1780. Ⓜ *Shoreditch High St. Tlj 7h30 (9h le w-e)-17h.* Il suffit de jeter un coup d'œil au torréfacteur en pleine action pour se faire une idée de la maison : ici, on mise sur la qualité, depuis la sélection des grains jusqu'au café fraîchement moulu. Cadre contemporain et néanmoins chaleureux. Atmosphère décontractée qui fidélise étudiants et promeneurs, au coude-à-coude autour des grandes tables communes en bois. Sandwichs, gâteaux, yaourts et soupes du jour pour les petites faims.

🥤🍸 **The Old Shoreditch Station** (plan East End, B2, **47**) : 1 Kingsland Rd. ☎ 020-7686-0027. Ⓜ Shoreditch High St ou Hoxton Rail. Tlj 8h (10h sam-dim)-1h (23h dim-mar). Ancienne station de métro. Pour se détendre et surtout boire un excellent café, équitable et fraîchement moulu. Bonnes bières également. Tamisé et musique supportable. On aime bien la petite pièce à côté, son sol bien usé et ses profonds canapés de cuir pour twitter tranquille. Quelques cakes à grignoter.

🥤 Voir aussi (surtout !), plus haut, **Barber & Parlour** (plan East End, B2, **33**), **Albion** (plan East End, B2, **13**), **Cream** (plan East End, B2, **28**), **Waterhouse** (plan East End, B1, **43**), **Pizza East** (plan East End, B2, **25**) ou encore **Dishoom** (plan East End, B2, **22**).

Où boire un verre ? Où sortir ?

🍸 **Brew Dog Shoreditch** (plan East End, B2, **72**) : 51-55 Bethnal Green Rd, E1 6LA. ☎ 020-7729-8476. ● brewdog.com/bars/uk/shoreditch ● Ⓜ Shoreditch High Street. Lun-ven midi-minuit (2h ven) ; w-e 11h-2h (minuit dim). La brasserie artisanale Brew Dog, originaire d'Écosse, a ouvert à Shoreditch ce bar moderne et ultravivant. La bière servie ici est probablement l'une des meilleures de Londres ! Tous les styles de craft beers sont représentés : ale, pale ale, IPA, porter ou stout, chacun trouvera son bonheur. Une seule constante : des arômes et une subtilité absolument renversants ! Petite carte de snacks pour accompagner la dégustation.

🍸🎵 **Callooh Callay – C Cantone** (plan East End, B2, **69**) : 65 Rivington St, EC2A 3AY. ☎ 020-7739-4781. ● calloohcallaybar.com ● Ⓜ Old St. Tlj 18h-1h. LE bar à cocktails branché de Shoreditch, l'un des musts des soirées londoniennes (6 à 12 £). Il recèle bien des merveilles... Déco excentrique, mais passez la porte de l'armoire et vous pénétrez dans un monde encore plus psychédélique (sur résa seulement). Question cocktails et whiskies, la maison prend les choses très au sérieux, entre étonnant et détonnant. A gagné en 2012 le prix du meilleur « Cocktail Menu » au monde ; à nouveau nominé en 2013 et 2014. Snacks et autres petits plats généreux et bien tournés.

🍸 **Happiness Forgets** (plan East End, A2, **66**) : 8-9 Hoxton Sq, N1 6NU. ☎ 020-7613-0325. ● reservations@happinessforgets.com ● Ⓜ Old St. Tlj 17h-23h. Planqué en sous-sol façon speakeasy, ce petit bar sans façons et chaleureux est un incontournable pour les amateurs de cocktails. En plus des classiques, il propose régulièrement de nouvelles créations originales, présentées en détail par une équipe tout sourire. Goûter au Perfect Storm ou au Tokyo Collins ! Impeccable pour se mettre en jambes avant d'attaquer la tournée des clubs.

🍸🎵 **The Barley Mow** (plan East End, A2, **65**) : 127 Curtain Rd (et Rivington), EC2A 3BX. ☎ 020-7729-3910. ● barleymox@remarlablepubs.co.uk ● Ⓜ Old St. Lun-ven 12h-23h30 ; w-e 14h-23h30 (22h dim). L'un des derniers vrais pubs de quartier, résistant vaillamment à la « gentrification ». Petit, intime et bien rugueux, avec une nombreuse clientèle bohème 25-35 ans appréciant la belle sélection de ales et la chaleureuse atmosphère. Animation différente chaque soir (genre quiz le mardi soir vers 19h30). Good crack, good company, comme on dit !

🍸🎵 **Electricity Showrooms** (plan East End, A-B2, **62**) : 39 A Hoxton Sq, N1 6NN. ☎ 020-7739-3939. ● info@electricityshowrooms.co.uk ● Ⓜ Old St. Tlj 12h-minuit (1h ven-sam). DJ (pop, rock...) en sous-sol sam-ven, entrée gratuite. Possibilité de grignoter chicken wings et burgers. Fait tout l'angle d'une rue. Ancien bureau des services de l'électricité dont on a gardé quelques témoignages d'activité et les grands volumes. Super musique rock. Très prisé, même en semaine.

♚ Bar Kick *(plan East End, B2, 64)* : *127 Shoreditch High St, E1 6JE.* ☎ *020-7739-8700.* ● *admin@cafekick. co.uk* ● Ⓜ *Shoreditch High St. Tlj 11h-23h (minuit jeu, 0h30 ven-sam et 22h30 dim). Dîner à partir de 18h.* Un bar décalé qui a réussi à se nicher dans une ancienne boutique-entrepôt et en a conservé le volume. Vieux zinc, plancher déglingué, mobilier dépareillé, décor dans les tons reggae, staff et clientèle jeunes. Ça rappelle les grands troquets des années 1950, surtout avec les baby-foot hors d'âge dans la salle. Les jours de match de foot, on vous raconte même pas l'ambiance ! Super musique pas trop tyrannique. Bon choix de bières et honnête cuisine aux heures des repas. Prix fort abordables. *Même maison, même ambiance top au 43, Exmouth Market à Clerkenwell.*

♚ Flying Club Darts *(plan East End, A3, 71)* : *2A Worship St, EC2A 2AH.* ☎ *020-3019-3093.* ● *flyingclubdarts. com* ● Ⓜ *Old St. Lun-ven et dim 12h-minuit (0h30 jeu, 1h ven, 22h30 dim) ; sam 11h-1h. Compter 15 £/h pour une cible, 2-5 pers avt 16h en sem et dim.* Qui a dit que jouer aux fléchettes *(darts)*, activité traditionnelle en Angleterre, était ringard ? Ce joli bar, éclairé de mille ampoules façon fête foraine moderne, entend prouver le contraire. On y vient en bande pour se lancer des défis face à la cible. Modernité oblige, un compteur électronique départage les joueurs. Possibilité de dîner sur place.

♚ ⦿ Strongroom *(plan East End, B2, 63)* : *120-124 Curtain Rd, EC2A 3SQ.* ☎ *020-7426-5103.* ● *strongroombar. com* ● Ⓜ *Old St. Lun-mer 10h-minuit (23h lun), jeu-ven 10h-1h (2h ven), sam 12h-2h, dim 12h-22h. Brunch le w-e 12h-16h. Snacks et plats 3-7,50 £.* Dans une pittoresque cour pavée, ce bar chaleureux est lié à l'un des plus gros studios d'enregistrement de Londres (Grace Jones, Babyshambles, etc.). Fond musical rock et blues. Plusieurs salles à différents niveaux. Possibilité de grignoter burgers à prix doux et des *mezze* à partager. Beau choix

de bières dont celle de Plzen livrée directement, garantie fraîche et non pasteurisée. Parfois, *comedy show.* Très agréable terrasse sous le lierre aux beaux jours.

♚ ♪ ⦿ The Book Club *(plan East End, A2, 68)* : *100-106 Leonard St, EC2A 4RH.* ☎ *020-7684-8618.* ● *wea retbc.com* ● Ⓜ *Old St et Shoreditch High St. Lun-mer 9h-minuit, jeu-sam 9h (10h sam)-2h, dim 10h-minuit. Petits déj 9h-11h45 (10h-17h w-e) 6-9,50 £ ; lunchs 12h-16h 8-11 £. Entrée : gratuite jusqu'à 22h, puis dans les 5 £.* Un ancien entrepôt de l'époque victorienne relooké au goût du jour, avec tables en formica et chaises d'école en guise de mobilier, et même une salle pour les tournois de ping-pong ! De grands oculus dans les parois permettent de plonger dans les autres salles et donnent une respiration aux lieux. On y vient pour consulter ses mails, grignoter nachos, fajitas et autres assiettes à partager, ou pour déguster des cocktails (y compris au pichet !). Bon petit déj et excellent *bar food* jusqu'à 22h. La nuit venue, DJ au bar le jeudi, sinon on descend d'un étage pour se bouger sur toutes sortes de musiques. Dimanche soir, programmation acoustique plus cool.

♪ ♚ The Blues Kitchen *(plan East End, A-B2, 32)* : *134-146 Curtain Rd, EC2A 3AR.* ☎ *020-7729-7216.* ● *theblueskitchen.com* ● *Lun-mer 12h-minuit, jeu 12h-1h, ven 12h-2h30, sam 11h-3h, dim 11h-22h30.* Lieu déjà super pour se restaurer (voir plus haut), mais aussi réputé pour ses concerts live (surtout blues, mais aussi soul, rock et funk). Vendredi et samedi, DJs jusqu'à 3h. Même maison qu'à Camden et Brixton.

♚ ♪ The Old Blue Last *(plan East End, B2, 70)* : *38 Great Eastern St, EC2A 3ES.* ☎ *020-7739-7033.* ● *theol dbluelast.com* ● Ⓜ *Shoreditch High St. Lun-jeu et dim 12h-minuit (1h jeu), ven-sam 12h-2h. Gratuit ou non.* Un pub a de la gueule avec sa façade en arrondi et ses curieux animaux empaillés. Soirées DJ au rez-de-chaussée ou groupes live à l'étage quasi tous les soirs, mais c'est principalement du jeudi au samedi que l'électro fait saturer les amplis. Un des classiques de Shoreditch, d'autant que l'accès est souvent libre.

Spécial *nightclubbers*

La plupart des adresses mentionnées plus haut dans « Où boire un verre ? Où sortir ? » proposent aussi de la musique, généralement plutôt en fin de semaine. Le choix est plus que vaste à Shoreditch !

🍷 🎵 Concrete (plan East End, B2, **25**) : 56 Shoreditch High St, E1 6JJ. ☎ 020-7749-1883. ● concretespace.co.uk ● Ⓜ Shoreditch High St. Jeu-sam à partir de 21h (jusqu'à 1h jeu, 2h ven-sam). Entrée : gratuite avt 22h ; sinon env 5-15 £. Au sous-sol du *Pizza East* (voir « Où manger ? »), cadre brut de décoffrage et ambiance résolument industrielle pour cette scène bien connue du quartier. Quelques tablées en aggloméré, des trucs sympas à grignoter et basta, c'est juste pour une soirée DJ (souvent des pointures) ou groupe hip-hop, garage, house... Programmation béton et des tarifs plus que mesurés (encore moins cher en réservant par Internet).

🎵 Village Underground (plan East End, B2, **16**) : 54 Hollywell Lane, EC2A 3PQ. ☎ 020-7422-7505 ● villageunderground.co.uk ● Ⓜ Shoreditch High St. Généralement concerts à 19h, clubbing 22h-6h (surtout ven-sam). Entrée : 10-25 £. Moins cher quand on réserve à l'avance. Ce gigantesque club, très couru, est installé dans une ancienne usine en brique aux dimensions vertigineuses. Quand les plus grands DJs du moment y officient, les lieux prennent des airs de cathédrale, version temple de l'électro : impressionnant ! Également d'excellents concerts en début de semaine et des *afters* le dimanche. Un conseil, réservez votre billet avant de venir.

🎵 XOYO (plan East End, A2, **73**) : 32-37 Cowper St, EC2A 4AP. ● xoyo.co.uk ● Ⓜ Old Street. Tlj sauf dim, concerts à 19h, clubbing 21h30-3h (4h ven-sam). Entrée : 5-20 £ selon soirées. Moins cher quand on réserve à l'avance. Ce club chaleureux, qui mise sur une clientèle d'habitués, est l'une des valeurs sûres de Shoreditch. Sur 2 niveaux, les bonnes soirées se suivent et ne se ressemblent pas : les concerts soul ou *grime* du début de semaine laissent place à des DJs réputés le week-end, qui évoluent entre deep house et techno. N'hésitez pas à consulter le programme avant de venir et à réserver votre entrée.

🎵 333 Mother (plan East End, A-B2, **62**) : 333 Old St, EC1V 9LE. ☎ 0207-739-1800. ● 333mother.com ● Ⓜ Old St. Dim-jeu 12h-2h30, ven-sam 12h-3h. Entrée gratuite dim-jeu, ven-sam gratuit avt 22h, 5 £ avt 23h, 10 £ après 23h. L'un des plus vieux clubs du quartier, où la foule de *clubbers* se partage en fonction de l'humeur entre le bar à l'étage avec ses DJs, et le vaste club en sous-sol : électro, funk, soul, hip-hop...

Où manger sur le pouce ?
Où boire un verre ? Où sortir vers Dalston ?

🍴 Dalston Farmshop : 20 Dalston Lane, E8 3AZ. ● farmlondon.weebly.com ● Ⓜ Dalston Junction. Jeu-dim 14h-18h. Bon lunch toujours préparé à la demande. Les champignons poussent dans la cave, les légumes dans une serre dans la cour (à côté du poulailler !) et, dans la salle, les aquariums partagent l'espace avec des plants de salades, tous connectés afin de tendre vers l'autosuffisance. Londres n'en finit pas d'étonner ! Mais ce café-ferme n'est pas qu'un concept écolo, puisqu'on peut s'y attabler pour goûter soupes, salades et sandwichs élaborés avec la production maison, ou avec des produits locavores en cas de pénurie. Une curiosité.

🍴 Dalston Eastern Curve Garden : 13 Dalston Lane, E8 3DF. ● dalstongarden.org ● Ⓜ Dalston Junction. Bus nᵒˢ 30, 38, 56, 242 et 277. Ouv selon saison, tlj 11h-19h (22h ven-sam), en principe plus tôt en hiver, plus tard en été. Coincé entre les immeubles, ce jardin communautaire fait

L'EAST END

figure d'îlot de résistance ! On y cultive des fleurs, on y organise des fêtes de quartier, on y déjeune sur le pouce de soupes, quiches et salades maison, avant de revenir pour siroter un thé en regardant jouer les enfants. Produits venant essentiellement d'Hackney et de l'East End, ça c'est du circuit court... Génial !

I●I Mangal 2 : 4 Stoke Newington Rd, N16 8BH. ☎ 020-7254-7888. ● info@mangal2.com ● Ⓜ Dalston Junction. Tlj 12h-minuit (1h le sam). Plats 9-14 £. Menu à partager 20 £ par pers. Ce restaurant turc, toujours animé, offre de généreux mezze et de délicieuses viandes grillées au charbon de bois. Très réputé dans le quartier, on y croise parfois les artistes Gilbert and George ou Jamie Oliver, qui ont ici leurs (bonnes) habitudes. Sympathique attention, on vous offre les loukoums en dessert (à la caisse) !

Y I●I ⅄ The Shaklewell Arms : 71 Shacklewell Lane, E8 2EB. ● shacklewellarms.com ● Ⓜ Dalston Junction. Lun-jeu 17h-minuit, ven 17h-3h, sam 16h-3h, dim 16h-minuit. Comme dans la plupart des pubs, on se passionne volontiers ici pour la Premier League ou le Tournoi des 6 Nations. Mais le soir venu, les jeunes envahissent l'arrière-salle où des concerts indie du meilleur cru s'invitent. En fin de semaine, ce sont les DJs qui prennent le relais, poussant les basses. Une pause sur la terrasse-jardin d'hiver vous permettra d'engager de passionnantes conversations avec la foule bigarrée de Dalston. Atmosphère assez unique en son genre.

Y ♪ ⅄ Dalston Superstore : 117 Kingsland High St, E8 2PB.

☎ 020-7254-2273. ● dalstonsuperstore.com ● Ⓜ Dalston Junction ou Dalston Kingsland Rail. Tlj de 11h45 jusque tard. Repas 12h-16h, 18h-22h (21h ven-sam). À priori, en passant devant, on n'imagine pas le côté déjanté de ce petit bar-club, devenu un incontournable du circuit gay. Longue salle, comptoir, ici on consomme de la bière et non des cocktails raffinés. On vient pour danser et s'amuser, sur des sets enflammés de DJs, aussi branchés garage que pop ou acid house. Soirées à thème toutes les semaines ou presque (sauf lundi-mardi). Et que ça pulse !

♪ Vortex : 11 Gillett Sq, N16 8AZ. ☎ 020-7254-4097 (résa lun-ven 12h-18h). ● vortexjazz.co.uk ● Ⓜ Dalston Kingsland. Mer-jeu 18h-23h ; ven-sam 18h-2h ; 12h-minuit ; fermé lun-mar. Possibilité de se restaurer, brunch le w-e. Ce club de jazz reçoit des pointures du monde entier. Programmation pointue. Musique live tous les soirs. Ne pas manquer de consulter le programme avant d'y aller.

⅄ The Nest : 36 Stoke Newington Rd, N16 7XJ. ● ilovethenest.com ● Ⓜ Dalston Kingsland. En général jeu 22h-3h, ven-sam 22h-4h (6h selon programmation), dim 18h-2h. Entrée 5-12 £ selon soirée. Au cœur de Dalston, The Nest figure parmi les meilleurs clubs de l'East End. Son sous-sol ténébreux, tout en longueur, vibre au son des musiques électroniques en vogue à Londres : house music, dubstep et techno sont au programme. Un lieu idéal pour finir la soirée dans ce quartier un peu excentré !

Shopping

⊛ **Labour and Wait** (plan East End, B2, **58**) : 85 Redchurch St, E2 7DJ. ☎ 020-7729-6253. ● labourandwait. co.uk ● Ⓜ Shoreditch High St. Mar-ven 11h-18h30, w-e 11h-18h. Fermé lun. Tout ce que vous ne pensiez pas acheter se trouve ici. Une sorte de quincaillerie chic tellement anglaise. De la colle à bougie, en passant par des bols en émail, un caban original

ou du dentifrice Couto, tout le monde y trouve son compte.

⊛ **Sister Ray** (plan East End, B2, **11**) : 100 Shoreditch High St, E1 6JQ. ☎ 020-7729-3142. Ⓜ Shoreditch High St. Au sein du Ace Hotel. Tlj 10h30-19h30 sauf dim 10h-18h. Le plein de vinyles, mais également des CD. Quelques pièces rares. Autre boutique à Soho.

L'EAST END

À voir. À faire

🏃🏃 ***Balade street art :*** le quartier de Shoreditch (jusqu'à Aldgate et Brick Lane) s'est transformé avec les années en un véritable musée à ciel ouvert, peu de façades ayant échappé à la fièvre créatrice des taggeurs ! Les plus grands artistes se sont ici concentrés, jusqu'au plus célèbre d'entre eux : Banksy (une carte les recensent tous : ● *http://www.ldngraffiti.co.uk/maps/banksy-map.html* ●). Difficile de vous proposer un circuit, d'autant plus que les fresques sont régulièrement recouvertes par d'autres et que les plus beaux graffs se dérobent souvent au regard. On vous conseille donc de partir à l'aventure, au hasard et de suivre votre flair. Et sinon, pour être sûr de ne rien manquer, vous pouvez vous inscrire à une visite guidée : ● *shoreditchstreetarttours.co.uk* ● *(rdv 2 fois/j. sur Brushfield St ;* Ⓜ *Liverpool St ; 15 £/adulte, réduc).* Le London underground est devenu incontournable !

🏃🏃 ***Rivington Place*** *(plan East End, B2) :* Rivington Pl, EC2A 3BA. ☎ 020-7729-9200. ● *http://autograph-abp.co.uk/* ● Ⓜ *Old St et Shoreditch High St. Mar-mer et ven 11h-18h, jeu 11h-21h, sam 12h-18h. Fermé dim-lun, j. fériés et 24 déc-2 janv. GRATUIT.* La 1re galerie publique consacrée aux arts visuels et à la photo, dans un but d'éducation populaire. Une superbe architecture extérieure à damiers, et des espaces de rêve pour de très intéressantes expos, principalement de photos. Abrite également la *Stuart Hall Library (arts visuels contemporains, tlj sauf w-e et lun, 10h-13h, 14h-17h, et sur rdv).* Gentille petite cafétéria.

🏃 ***Geffrye Museum*** *(plan d'ensemble, J1 et plan East End, B1) :* Kingsland Rd, 136, E2 8EA. ☎ 020-7739-9893. ● *geffrye-museum.org.uk* ● Ⓜ *Old St et Hoxton. Tlj sauf lun et j. fériés 10h-17h. Period Gardens ouv avr-oct. GRATUIT. Audioguide en anglais 3,50 £. EN RÉNOVATION JUSQU'EN 2020. Seules parties accessibles : une petite section de l'hospice qui a été restaurée comme à l'origine en visite guidée 3-4 fois/mois (5 £, voir j. et heures sur le site internet) ainsi que les Front Gardens.* Installé dans une ancienne et vaste *almshouse* (hospice) du XVIIIe s, dont on peut admirer l'élégante architecture horizontale en U enserrant un jardin au cordeau, avec sa chapelle au milieu. Abrite aujourd'hui un intéressant musée de l'habitat des classes moyennes de 1600 à nos jours. Reconstitutions de salles à manger, arts de la table, modes de vie... tout est détaillé de façon fort documentée, avec le mobilier original et agrémenté de tableaux. Rien que l'évolution des chaises en dit long, du lourd fauteuil en chêne sculpté à la chaise suédoise à monter soi-même. Au milieu du parcours, la chapelle dans son état d'origine avec ses *pews* (box). Expos temporaires thématiques également. Boutique et cafétéria dans une agréable partie moderne. Visite du « jardin des herbes » en saison. Une véritable oasis de paix et verdure.

L'EAST END

BETHNAL GREEN, HACKNEY ET LE PARC OLYMPIQUE

● Plan East End *p. 260-261*

Passé Shoreditch et sa vie nocturne suractive, replongée dans l'ex-East End populaire en rejoignant Bethnal Green et Hackney. Des parcs et *fields*, un canal sur lequel circulent de ravissantes péniches et même une vraie

ferme urbaine. Le mythe de la ville à la campagne devenu réalité, avec les grands travaux engendrés par le parc olympique 2012, plus à l'est encore. Résultat : les immeubles industriels d'autrefois sont réhabilités à tour de bras et investis par les jeunes couples qui ne peuvent plus s'offrir un logement en hypercentre. Vous mettez les pieds dans une zone encore méconnue des touristes car dépourvue de centres d'intérêt particuliers, mais que l'on aime beaucoup pour son ambiance, tout simplement. Décidément, Londres n'en finit pas de nous surprendre...

Où dormir ?

⌂ **Town Hall Hotel & apartments** (plan East End, C1, **18**) : Patriot Sq, E2 9NF. ☎ 020-7871-0460. ● reservations@townhallhotel.com ● townhallhotel.com ● Ⓜ Bethnal Green. Env 132-383 £ la nuit, selon confort et période. Prenez un imposant bâtiment edwardien de 1910, déménagez la mairie qu'il abritait et repensez entièrement l'édifice. Cela donne un hôtel plein de majesté, aux volumes étonnants, où le passé figé (comme cette émouvante salle de délibération) et le contemporain s'accommodent fort bien. Une centaine de vastes et superbes chambres, studios et appartements (1 à 2 chambres) tout confort, au design respectueux des lieux, dotés de cuisines et salles de bains ultramodernes. Décor edwardien parfois rehaussé de blanc lumineux du plus bel effet, certaines chambres remarquablement personnalisées. Piscine chauffée, salle de fitness et un superbe bistrot bien dans l'air du temps, le Corner Room, à la carte inventive et délicieuse (tlj dès le petit déj ; lunchs 19-23 £, menu 45 £ ; plats env 10-15 £).

Où manger ? Où boire un verre ?

|●| 🍴 **Marksman** (plan East End, B1-2, **59**) : 254 Hackney Rd, E2 7SJ. ☎ 020-7739-7393. Ⓜ Hoxton. Pour le pub, tlj 11h-minuit (1h ven-sam, 23h dim). Pour les cuisines, déj ven-sam 12h-15h et dim 12h-16h, dîner lun-sam 18h-22h et dim 18h-21h. Une de nos adresses préférées à Londres, un peu à l'écart, mais ça vaut le déplacement ! On passerait presque devant sans l'apercevoir. Pub traditionnel très sympa au rez-de-chaussée avec musique entraînante et sourire derrière le comptoir. Bières locales pas mauvaises du tout. À l'étage, salle plus classique. On vient surtout pour la carte des chefs, qui fait la part belle au terroir, produits de saison et plats bien tournés, à apprécier à tous les étages. Ambiance extra. Ça ne désemplit pas, et on comprend pourquoi !

|●| 🍴 🍴 **Star of Bethnal Green** (plan East End, C2, **45**) : 359 Bethnal Green Rd, E2 6LG. ☎ 020-7458-4480. ● info@starofbethnalgreen. com ● Ⓜ Bethnal Green. Lun-jeu 16h-minuit, ven 16h-2h, sam 12h-2h, dim 12h-minuit. Burgers 8-9 £, Sunday roast 12-15 £. Vieux pub populaire réinvesti par les bobos locaux. Grand volume, plancher usé jusqu'à la moelle, comptoir en bois ciselé et mobilier de récup... pour une cuisine quasiment de gastropub. Burgers qui changent de l'ordinaire et, le dimanche, de bonnes viandes dans la grande tradition du roast... Animation presque tous les jours, type quiz le mardi, musique et danse jusqu'à 2h le vendredi, samedi soirée « fun », ou encore le jeudi avec cocktails à moitié prix dès 17h, etc.

|●| 🍴 🍴 **L'Eau à la Bouche** (plan East End, C1, **49**) : 35-37 Broadway Market, E8 4PH. ☎ 020-7923-0600. ● food@labouche.co.uk ● Ⓜ Cambridge Heath. Lun-ven 8h-19h, le w-e 8h30 (9h dim)-17h. Salades, quiches et sandwichs 6-12 £. Mention spéciale pour cette épicerie fine française installée dans un salon de thé (ou l'inverse). Hyper appétissant et hyper fréquenté le week-end par les amateurs de bonnes choses. Très bien pour un e-mail à envoyer et un sandwich à déguster devant la

vitrine ou accoudé à la table commune, avant d'aller faire son marché. Fromages cocorico bien *smelly* et superbe sélection de gâteaux.

|●| 🥄 🍺 🕴 **Frizzante Café** *(plan East End, C1, 51)* : 1 Goldsmith's Row, E2 8QA. ☎ 020-7739-2266. ● bookings@frizzantecafe.com.co.uk ● Ⓜ Cambridge Heath. Tlj sauf lun 10h-16h30 (service jusqu'à 15h en sem, 16h en w-e), plus jeu soir aux beaux jours. Petits déj 2-10,50 £, plats env 11 £ ; le dim, roast 12,50 £ et poulet au grain entier 35 £. Si la récolte est bonne, le café de l'improbable *Hackney City Farm* (voir plus bas « Musée et balades nature ») cuisine les légumes de son potager. Sinon, les ingrédients proviennent quand même de fermes du coin, et permettent d'élaborer des petits déj bien costauds (saucisses maison) et des plats du jour rustiques, à savourer sans chichis dans une vaste salle façon hangar reconverti, au mobilier de récup un peu déglingué et envahie de promeneurs et de familles en goguette. Très chaleureux. Une adresse *Slow Food*.

|●| **F Cooke** *(plan East End, C1, 56)* : 9 Broadway Market, E8 4PH. ☎ 020-7254-6458. Lun-jeu 10h-19h, ven-sam 9h30-20h. Env 4 £. Grandes banquettes, carrelage au mur et sciure au sol, on pourrait classer le décor, inchangé depuis les *fifties*... Force est d'avouer qu'il faut avoir l'estomac bien accroché pour goûter au ragoût d'anguilles, la spécialité de la maison (et du quartier autrefois) ; les moins téméraires pourront se rabattre sur le *pie and mash* pour venir goûter à cette atmosphère populaire qui donne une idée de ce que pouvait être ce quartier ouvrier il y a encore quelques décennies.

|●| 🍴 **Brawn** *(plan East End, B2, 52)* : 49 Columbia Rd, E2 7RG. ☎ 020-7729-5692. Ⓜ Shoreditch High St ou Hoxton. Déjeuner : tlj sauf lun 12h-15h (16h dim). Dîner : tlj sauf dim 18h-22h30 (23h ven-sam). Formule déj 10 £. Plats 13,50-23 £. Menu dim midi 28 £. Ils sont nombreux à faire le détour pour profiter de la belle atmosphère de ce bistrot de compétition. Le cadre est simple et sans façons, à l'image de la solide sélection de charcuterie et de la cuisine bien réalisée aux accents britanniques, français ou

plus méditerranéens en fonction de l'humeur et des saisons (comme un original ragoût de queue de bœuf aux escargots !). Quant à la carte des vins, très branchée nature, elle est tout simplement brillante (mais pas donnée) ! Il faut dire que c'est la même équipe qu'à *Terroirs* (voir « Où manger ? » dans le centre historique) qui fait la sélection ! Super accueil.

🍷 **Royal Oak** *(plan East End, B2, 74)* : Columbia Rd. ☎ 020-7729-2220. Ⓜ Shoreditch High St. Tlj 12h-23h. Chaleureux vieux pub de quartier. Comme son nom l'indique, tout en panneaux muraux en bois, comptoir en U, atmosphère tamisée et une sympathique et bruyante animation. Bonne sélection de vins au tableau noir.

🍷 **Off Broadway** *(plan East End, C1, 75)* : 63-65 Broadway Market, E8 4PH. ☎ 020-7241-2786. ● manager@off broadway.co.uk ● Ⓜ London Fields. Lun-ven 16h-minuit, le w-e 12h-minuit. Pub sympa à expérimenter en début de parcours le soir. On y croise pas mal de stars.

🍷 **Market Café** *(plan East End, C1, 78)* : 2 Broadway Market, E8 4QJ. ☎ 020-7249-9070. Tlj 10h-23h (minuit sam et 22h dim). Agréable café intemporel où l'on peut lire, travailler, checker ses mails mais aussi grignoter un bout à toute heure. Très jolie vue sur le canal et les gazomètres depuis les grandes baies vitrées.

🍷 **Pub in the Park** *(hors plan East End par C1, 76)* : 19 Martello St, E8 3PE. ☎ 020-7923-3398. ● pubonthepark. com ● À 5 mn dans le prolongement de Broadway Market, par le parc. Tlj 12h-minuit. C'est sans doute le plus grand *beer garden* de l'Est londonien. Facile, la maison est plantée au bord du London Fields ! Terrasses par conséquent géniales, souvent bondées, et carrément festives le week-end quand la sono lâche un déluge de décibels. Sinon, salle chaleureuse s'il fait frisquet, et tables de ping-pong à dispo pour les amateurs. Bonne cuisine aussi, le chef n'allant chercher ses légumes que dans les fermes labellisées... Réputé pour son *Sunday roast*. Super ambiance jeune et décontractée. Le sport y est roi, bien entendu !

|●| **The Empress** *(hors plan East End*

L'EAST END

par D1, **53**) : 130 Lauriston Rd, E9 7LH. ☎ 020-8533-5123. ● hello@empresse9.co.uk ● Déjeuner : tlj sauf lun 12h-15h30 (16h sam, 22h30 dim). Dîner : tlj 18h-22h15. Brunch : w-e 10h-12h. Plats 12,50-31 £, brunchs w-e env 5-10 £ ; formule lun soir 10 £. Cadre contemporain tamisé et longues banquettes de moleskine pour ce *gastropub* proposant une fort belle cuisine

aux accents inspirés et à base de bons produits. Légumes bien choisis, cuissons maîtrisées et sens inné des saveurs. La carte, très courte, change très souvent, forcément. Grand choix de bières dont la Camden Gentleman Wit. Service jeune impeccable. On regrettera peut-être un poil le niveau sonore élevé, mais dans *gastropub*, il y a le mot « pub » !

Où prendre le petit déj, le thé ou un bon café ?

➦ ➩ **E5 Bakehouse** (hors plan East End par C1, **50**) : Arch 395, Mentmore Terrace, E8 3PH. ☎ 020-8525-2890. ● info@e5bakehouse.com ● Ⓜ London Fields. À 5 mn dans le prolongement de Broadway Market, dans la rue parallèle à Martello St (qui longe le parc). Tlj 7h-19h. Lunch 12h-15h. Encas env 4-6 £. Pourtant nichée sous l'une des arches du chemin de fer, cette boulangerie artisanale ne désemplit pas. C'est même devenu une halte incontournable pour tous les amateurs de pains bio, qui profitent de leur visite pour s'installer à l'une des tables et (petit-)déjeuner d'un sandwich, de toasts ou de gâteaux délicieux, tous préparés avec les meilleurs ingrédients (confiture maison, miel de petits

producteurs). *Hype* à souhait et bien représentatif du renouveau du quartier. ➩ **Cake Hole** (plan East End, B2, **55**) : 82 Columbia Rd, E2 7QB. ● louise@cakeholecafe.co.uk ● Ⓜ Bethnal Green. Café ouv sam 12h-17h30, dim 8h30-17h. Encore une de ces adresses insolites dont les Britanniques ont le secret. Car il s'agit d'abord d'une boutique rétro à souhait, *Vintage Heaven*, spécialisée dans la vaisselle ! Et ça tombe bien, car certains des services à thé ont retrouvé une seconde jeunesse dans le café planqué au fond du magasin, où les habitués et les chineurs d'un jour font un sort dans la bonne humeur aux bons gâteaux maison et aux *scones* savoureux.

Où manger près du parc olympique ?

|◐| 🍷 **Forman's** (hors plan East End par D1, **54**) : Stour Rd, Fish Island, E3 2NT. ☎ 020-8525-2365. ● restaurant@formans.co.uk ● Ⓜ Hackney Wick (ligne Overground, puis 10 mn à pied) ou Puddling Mill Lane (DLR, puis 15 mn à pied). Jeu-ven 19h-23h ; sam 10h-15h, 19h-23h ; dim 12h-15h. Plats env 12-24 £, brunchs sam env 6-10 £. L'un des spécialistes anglais du poisson fumé s'est installé dans cette zone industrielle, face au stade olympique. Existe depuis 1905. Le boss, Louis Forman, acheta en 1935 le plus gros saumon écossais jamais pêché (35 kg !).

C'est toujours la même famille qui tient la boîte. Accès peu aguichant il faut bien le dire, mais vue imprenable sur le parc olympique. Un complexe moderne resto-usine-expo d'art moderne, avec salle contemporaine tout en baies vitrées, des terrasses et une galerie permettant d'observer les fumoirs à saumon. Dans l'assiette, du poisson fumé on ne peut plus frais, bien sûr, mais aussi une cuisine britannique soignée. Une pause idéale pour ceux qui parcourent la *Greenway* à pied ou à vélo (voir plus loin « Musée et balades nature »).

Où sortir ?

🍷 🎵 **Bethnal Green Working Club** (plan East End, C2, **77**) : 42-44 Pollard

Row, Tower Hamlets, E2 6NB. ☎ 020-7739-7170. ● workersplaytime.

net ● Ⓜ *Bethnal Green. Horaires variables, consulter l'agenda en ligne.* Une adresse avant tout pour visiteurs de longue durée et expats ! Ultime témoignage du passé ouvrier du quartier. Cette bâtisse en brique très fin XIXᵉ s, isolée dans un quartier moderne, abrite l'un des derniers clubs ouvriers de Londres. En sous-sol, vaste salle, banquettes

de moleskine patinées, décor années 1950 inchangé. En temps normal, rien de spécial, ça ronronne et ça papote devant une *stout,* entre quelques vieux prolos nostalgiques. Guetter plutôt les animations spéciales thématiques (une à 2 par mois), là c'est vraiment fun (genre soirées dansantes disco ou électro, bals costumés, karaoké, bingo...).

Spécial *nightclubbers*

♪ ☖ *Oval Space (plan East End, C1, 79)* : 29-32 The Oval, E2 9DT. ☎ 020-7183-4422. ● ovalspace.co.uk ● *Merdim, généralement 22h-6h. Entrée : 5-25 £. Plus vous réservez tôt, moins c'est cher.* À quelques encablures du Regent's Canal et du Broadway Market, ce loft multifonction multiplie les occasions de danser. Concerts et

shows artistiques lancent parfois les soirées mais on vient surtout ici pour éprouver un *sound system* classé parmi les meilleurs de Londres. Les grandes baies vitrées permettent aux *clubbers* du petit matin de jouir d'un lever de soleil mythique, avec vue sur les vestiges de l'East End industriel.

Shopping

☖ *Burberry (hors plan East End par C1)* : 29-31 Chatham Pl, E9 6LP. ☎ 020-8328-4287. Ⓜ *Bethnal Green. Du métro, prendre le bus n° D6, 254 ou 106 (en face du musée) ; descendre à Hackney/Town Hall, prendre Morning Lane à 100 m, longer le grand Tesco, puis c'est la 3ᵉ à droite. Sinon, en train, descendre à la gare de London Fields Station. Lun-sam 9h-19h, dim 11h-18h.* Très excentré, mais magasin d'usine incontournable pour les amateurs du fameux imprimé à carreaux : parapluie, carré en soie, le trench tendance... Ne surtout pas y aller avec une envie précise car on n'y trouve évidemment pas toutes les tailles, ni tous les modèles. Et cela reste tout de même très cher (avec la mondialisation, y a plus d'saison ma bonne dame !). Reste qu'on y trouve un choix record de trenchs ! Compter 900 £... au lieu de 1 400 £ !

☖ *Caravansérail (plan East End, B2, 80)* : 5 Cheshire St, E2 6ED. ☎ 020-7059-0273. ● caravanserail.co.uk ● Ⓜ *Shoreditch High St. Mar-jeu 11h-19h, ven-sam 11h-20h, dim 11h-17h.* Une librairie française, avec ouvrages français et anglais, notamment pour les enfants. On peut aussi y prendre un

thé ou un café. Événements réguliers, expos, concerts, soirée poésie... On s'y sent bien !

☖ *Hackney Walk (hors plan East End par C1)* : Morning Lane, E9 6LH. ● hackneywalk.com ● *Lun-sam 10h-18h, dim 11h-17h (mais certaines boutiques peuvent pratiquer des horaires différents).* Juste avant d'arriver chez *Burberry,* dans d'anciens entrepôts et maisons ouvrières réhabilités, un grand *outlet* où l'on peut (encore) faire quelques bonnes affaires dans une grosse dizaine de magasins « d'usine » : *Pringle of Scotland, Aquascutum, Anya Hindmarch, Gieves & Hawkes,* mais aussi *Nike* ou *UGG...*

☖ *Chrome & Black (plan East End, C2)* : Gales Gardens, Arch 8, E2 0EJ. ☎ 020-7033-4029. ● chromeandblack. com ● *Lun-sam 10h-18h, dim 11h-16h.* Au bout d'une étroite ruelle collée au chemin de fer, presque secrète, c'est la plus grosse boutique de bombes à peinture *(spray paint)* de Londres. C'est ici que viennent se fournir tous les graffeurs et fous de tags (ne rêvez pas d'y rencontrer *Bansky,* de toute façon personne ne connaît son visage !). On y trouve aussi magazines,

L'EAST END

livres sur le *street art*, affiches, gadgets, T-shirts, DVD pour apprendre et se lancer dans le graff... En outre, les expats qui s'installeraient dans l'East End pourront chiner tout à côté, dans les boutiques de meubles d'occase de la ruelle.

Musée et balades nature

🏃 🚶 **Bethnal Green Museum of Childhood** (plan East End, D2) : *Cambridge Heath Rd, E2 9PA.* ☎ 020-8983-5200. ● *museumofchildhood.org.uk* ● Ⓜ *Bethnal Green.* Bus nos 8, 106, 254 et 388. À 100 m de la station de métro, en remontant vers le nord. Tlj 10h-17h45. Fermé 24-26 déc. GRATUIT. Cet immense et très beau bâtiment de 1860 aux allures de grande halle accueille les collections de jouets du *Victoria and Albert Museum*. Un large panorama de l'évolution du jouet dans le monde depuis le XVIIe s. Du che-

LA NAISSANCE DE TEDDY BEAR

Lors d'une partie de chasse en 1902, le président Théodore Roosevelt refusa de tuer un ourson. Le lendemain, un illustrateur du Washington Post *fit son miel de cette anecdote et croqua le président tenant chaleureusement l'animal par l'épaule. Puis un confectionneur de jouets obtint du président l'autorisation de commercialiser un petit ours en peluche portant son surnom... Teddy. Teddy Bear était né et allait faire des générations d'arctophiles (les collectionneurs de nounours).*

val à bascule aux jeux vidéo, en passant par le théâtre animé ou la voiture à pédales, ce voyage dans le temps permet aussi de découvrir, dans un joyeux brouhaha, le monde de l'enfance britannique avec ses illustres personnages comme Paddington, Kermit la grenouille ou Peter Rabbit. Présentation générale plutôt vieillotte avec des vitrines d'un autre âge. Mais nombreux jouets à disposition. Intéressantes expos temporaires.
🍴 Cafétéria sympathique.

➢ **Du marché aux fleurs au Broadway Market** (plan East End, B2) : si vous faites la balade un dimanche matin, ne manquez pas le **marché aux fleurs de Columbia Road** (Ⓜ *Hoxton),* ancienne rue ouvrière devenue bobo, avec boutiques *trendy* et chères (nombreuses galeries d'art), et un petit côté Disneyland quand même. Beaucoup de monde, superbe ambiance et... ça sent bon ! Quelques vestiges de rues ouvrières dans le prolongement, présentent un bel habitat horizontal (notamment sur *Barnet Grove).* HLM de qualité aussi, comme les *Guinness Trust* datant de 1892. En continuant vers le nord, la rue débouche sur **Haggerston Park** et l'amusante **Hackney City Farm** (mar-dim 10h-16h30), une véritable ferme au cœur de la ville (Londres en compte une quinzaine !) avec les cochons dans leur fange, les moutons et les chèvres gambadant dans un champ, l'incontournable basse-cour en semi-liberté et le potager à l'arrière des dépendances bien rustiques... Génial avec des enfants, d'autant que c'est gratuit ! Continuer sur **Goldsmith's Row** où se tient un marché de livres d'occasion le dimanche. Puis traverser le Regent's Canal pour rejoindre **Broadway Market**, une rue bordée de cafés et restos. Le samedi, ambiance extra lors du marché, très fréquenté. Impeccable pour un déjeuner sur le pouce, compte tenu de la quantité de stands de nourriture de tous les horizons, pas chers et à tendance bio.

➢ **Le Regent's Canal** (plan East End, C1) : une balade que l'on peut coupler avec la précédente. Du pont de Broadway Market, emprunter le chemin de halage et Andrews Road. Vers l'ouest, **Haggerston** est à 1 mile, le quartier d'**Islington** à 2 miles. Cyclistes et coureurs s'en donnent à cœur joie dans ce paysage bucolique où l'on croise pénichettes et écluses, tout cela au milieu des gazomètres, des entrepôts réhabilités et des immeubles en containers. Une face cachée de ces quartiers nord à la mode, et l'on comprend pourquoi. Vers l'est, direction *Victoria Park* puis le *parc olympique* et la coulée verte *(Greenway),* situés à 1,75 mile de Broadway Market. La balade, très agréable dans l'ensemble, est toutefois un peu moins glamour lorsque l'on parvient à l'extrémité du Victoria Park, à proximité du parc olympique. Mais le développement du secteur devrait permettre de rendre ces quais longtemps délaissés et mal entretenus un peu plus rieurs.

➤ *La coulée verte et le parc olympique :* une balade aménagée pour longer le parc olympique 2012 (et même le traverser). À prendre depuis les stations de métro West Ham (ligne *DLR*) ou Hackney Wick à l'autre bout (côté ouest). Les plus courageux peuvent aussi la rejoindre depuis le Regent's Canal (voir plus haut). Vue imprenable sur le stade olympique, bien sûr, et l'*Orbit,* cette drôle de tour métallique de 115 m, emblème des J.O. 2012 (accessible au public). Une « œuvre d'art » monumentale de 20 millions de livres sterling, financée par un certain M. Mittal, patron indien de l'entreprise Arcelor Mittal. Pour les petites faims, le fumeur de saumon *Forman's* a ouvert un restaurant face au site (voir « Où manger près du parc olympique ? »). Pour le shopping, rendez-vous à Stratford, à l'entrée est du parc où fut construite pour les Jeux 2012 la plus vaste galerie commerciale d'Europe.

LES DOCKLANDS

● Plan Les Docklands, de Tower Bridge à Thames Barrier *p. 286-287*

Au sud de l'East End et dans le prolongement de la City, on entre dans un nouveau royaume, celui de la mégalomanie des promoteurs immobiliers, que le gouvernement Thatcher rêvait de transformer en City de l'an 2000. Bienvenue aux Docklands !
Pour visiter les Docklands, prendre la « *DLR* », la ligne de métro Docklands Light Railway, à la station Bank ou Tower Gateway. Implantée le long de la Tamise, cette ancienne vaste zone portuaire, qui recouvre plusieurs quartiers, de la Tower Bridge aux Royal Docks au-delà de Greenwich, servait autrefois de point d'ancrage pour les bateaux faisant la navette avec les Indes. Fini tout cela. Place à une minipole (on dit bien méga !) composée d'un centre d'affaires, de gratte-ciel, de centres commerciaux, d'un port de plaisance, de résidences cossues et de sa propre ligne de métro. Bref, un mélange Manhattan-Silicon Valley ou, pour prendre une image francilienne, une brochette La Défense/Bercy/Marne-la-Vallée !

Où dormir ?

🏠 *YHA London Thameside (plan Les Docklands, A1, 10) :* 20 Salter Rd, SE16 5PR, Rotherhithe. ☎ 0345-371-9756. ● thameside@yha.org. uk ● yha.org.uk ● Ⓜ Rotherhithe. ⚥ Remonter Rother St au plus près de la Tamise, passer le petit pont sur le canal, puis c'est juste à droite. Bus

L'EAST END

Où dormir ?
- 10 YHA London Thameside (A1)
- 11 Premier Inn London City (A1)
- 13 Citizen M Tower of London (A1)

Où manger ? Où prendre le petit déjeuner ? Où boire un verre ?
- 21 Butler's Wharf Chop House (A1)

nº 381 (fonctionne également de nuit) depuis Trafalgar, Waterloo ou London Bridge. Selon période, à partir de 15 £ en dortoirs 6-10 lits, 39 £ la double. Réduc moins de 18 ans, pour les membres et sur Internet. Cette vaste AJ (320 lits) moderne est très excentrée, mais elle a l'immense avantage d'avoir presque toujours un lit de libre pour les étourdis qui auraient oublié de réserver ailleurs. Pas de panique toutefois, le métro

n'est jamais qu'à 7 mn à pied et le quartier est si pépère et résidentiel qu'on peut vous garantir un séjour au calme. Chambres et dortoirs classiques et clairs, tous *en suite* et impeccables. Et comme les équipements sont corrects (cuisine équipée, cafétéria, laverie, parking à vélo, *lockers*), l'entretien soigneux et l'accueil chaleureux, cette option se révèle tout à fait intéressante.

LES DOCKLANDS, DE TOWER BRIDGE À THAMES BARRIER

24 Prospect of Whitby (A1)	**27** Tom's Kitchen Deli and Restaurant (A1)
25 The Mayflower (A1)	∞ **Théâtre**
26 Dickens Inn (A1)	**30** Wilton's Music Hall (A1)

Où manger ? Où boire un verre ?

Sur le pouce (moins de 10 £ / 12 €)

|●| **Tom's Kitchen Deli** (plan Les Docklands, A1, **27**) : Commodity Quay, St Katharine Docks E1W 1AZ. ☎ 020-3011-5433. Ⓜ Tower Hill. Lun-ven 7h-16h. Accolé au restaurant (voir ci-dessous), un petit snack, genre fast-food amélioré, pour le petit déjeuner ou un sandwich vite avalé avant d'attaquer la visite des docks.
– Tout ce qu'il faut pour grignoter sur le pouce dans le centre commercial au pied de la tour du Canary Wharf (plan Les Docklands, B-C1).

L'EAST END

De prix moyens à chic (20-40 £ / 23-46 €)

|●| *Tom's Kitchen Restaurant* (plan Les Docklands, A1, 27) : Commodity Quay, St Katharine Docks E1W 1AZ. ☎ 020-3011-5433. ⓜ Tower Hill ● st. katherinedocks@tomkitchen.co.uk ● Tlj sauf dim soir. Plats 17-35 £ ; petits déj et brunchs le w-e 6-15 £. Il était temps qu'un resto digne de ce nom ouvre au cœur de St Katharine Docks, petite enclave dépaysante, véritable marina au cœur de Londres. Tom Aikens a investi les lieux et a élaboré pour cette brasserie chaleureuse et lumineuse une carte très *British* où l'on retrouve tous les grands classiques auxquels le chef a rajouté sa patte et son exigence légendaire quant à l'origine et la qualité des produits. Autre adresse à Canary Wharf, non loin du Museum of London Docklands.

|●| ⏩ *Butler's Wharf Chop House* (plan Les Docklands, A1, 21) : The Butler's Wharf Building, 36 E Shad Thames, SE1 2YE. ☎ 020-7403-3403. ● bwchophouse@danddlondon.com ● ⓜ Tower Hill (puis traverser le pont) ou Bermondsey. Côté bar, tlj 12h-16h30, 17h30-23h (22h dim) ; côté resto, tlj 12h-15h45, 17h30-23h. Au bar, plats env 14-26 £, menus 15-20 £ ; au resto, plats env 18-35 £. Brunch et petit déj 12,50 £ le w-e et Sunday roasts 18,50-39 £. Pre-theatre menu : 24,50-28,50 £. Cette belle brasserie moderne et lumineuse, sise en bord de Tamise avec vue sur le Tower Bridge, est l'une des nombreuses adresses estampillées Conran. Les spécialités anglaises se trouvent en bonne place dans une carte éclectique. Les sauces sont excellentes, la présentation soignée et le service impeccable. Clientèle chic et atmosphère quelque peu compassée. Quelques tables en terrasse, au bord de l'eau, qui s'arrachent bien évidemment dès que pointe un rayon de soleil.

|●| ⏩ *Prospect of Whitby* (plan Les Docklands, A1, 24) : 57 Wapping Wall, E1W 3SH. ☎ 020-7481-1095. ⓜ Wapping, sortie 1, tourner à droite et suivre la rue sur 500 m ou alors, à 25 mn à pied de la Tour de Londres en suivant le Thames Path. Tlj 11h-23h (minuit ven-sam et 22h30 dim). Plats env 6-16 £. Un pub historique (encore !) mis en valeur par une belle façade de pierre. Le plus vieux pub des rives de la Tamise (1520), qui s'appela *Devil's Tavern* du fait des métiers douteux de la clientèle (pirates, contrebandiers, tueurs et voleurs de toutes espèces...). Le célèbre juge Jeffreys y assistait, une pinte à la main, aux pendaisons des pirates qu'il avait condamnés. Dickens, lui, préférait dîner tranquillou à l'étage en griffonnant quelques lignes. Les boiseries racornies et le dallage hors d'âge hérités du XVIᵉ s n'ont guère changé... Hyper touristique (des cars l'incluent dans leurs tournées !), mais la vue sur la Tamise est splendide depuis la terrasse et les balcons suspendus au-dessus des flots. Au bar, plats de pub abordables et très corrects.

|●| ⏩ *The Mayflower* (plan Les Docklands, A1, 25) : 117 Rotherhithe St, SE16 4NF. ☎ 020-7237-4088. ● info@ mayflowerpub.co.uk ● ⓜ Rotherhithe. Du métro, prendre Railway Ave, qui longe la station et débouche sur le pub. Lun-sam 11h-23h, dim 12h-22h30. Plats env 12-19 £. Sur la rive sud, un pub du XVIIᵉ s où les passagers du *Mayflower*, en route pour l'Amérique, éclusèrent leur dernier gorgeon... Intérieur digne des romans de pirates, recoins sombres et cheminées. Mais si c'est bien le point de départ du *Mayflower*, il ne reste pas grand-chose du pub de l'époque... même si la rumeur prétend qu'une partie des matériaux proviendrait du célèbre navire ! On se consolera avec la belle vue sur la Tamise depuis la charmante terrasse.

|●| ⏩ *Dickens Inn* (plan Les Docklands, A1, 26) : Saint Katharine's Way, E1W 1UH. ☎ 020-7488-2208. ● dickens.bookings@ssp.uk.com ● ⓜ Tower Hill. Entrée du Saint Katharine Dock en contrebas à gauche du Tower Bridge. Lun-mer 11h-23h, jeu-sam 11h-minuit, dim 9h-22h30. Le vaste et beau bâtiment, tout de brique et de bois, donne sur le quartier des docks, joliment réhabilité. Le tableau est pittoresque, avec des bateaux de plaisance au milieu des immeubles. C'est l'endroit le plus agréable que nous ayons trouvé ici pour prendre

un verre, dans une immense salle aux allures de taverne très chaleureuse l'hiver, en terrasse et dans le *beer garden* l'été. Également 2 étages, aux balcons largement fleuris, réservés, l'un à une pizzeria, l'autre à un restaurant classique.
▐●▌ Le *Museum of London Docklands* (plan Les Docklands, B1) abrite un resto très correct : *Rum & Sugar*

(☎ 020-7538-2702 ; tlj sauf lun midi et dim soir ; le midi, plats et sandwichs env 7-17 £). Cadre agréable, style colonial et docks avec vaste salle lumineuse ou terrasse donnant sur le large quai réservé aux piétons. Service efficace et sympathique. Plusieurs autres terrasses de bars et de restos tout autour, tout aussi accueillantes.

Où prendre le petit déjeuner ?

🍲 Le week-end, rendez-vous chez Conran, au *Butler's Wharf Chop House* ou chez *Tom's Kitchen*

Restaurant pour un breakfast digne de ce nom... En semaine, porridge et viennoiseries au *Tom's Kitchen Deli*.

Théâtres

🍷 ∞ *Wilton's Music Hall* (plan Les Docklands, A1, 30) : 1 Graces Alley, E1 8JB. ☎ 020-7702-2789. ● wiltons. org.uk ● Ⓜ Aldgate East, Tower Hill ou Shadwell. Accès gratuit aux bars (ouv dès 17h), spectacles payants. Ni plus ni moins que le dernier pub/music-hall de la ville, qui vous replonge direct au XIXe s, où l'on donna le premier *french cancan* londonien. Atmosphère unique composée par le pittoresque dédale d'escaliers et de salles, agrémentées de colonnes en bois torsadées, de balcons, balustrades et parquets d'un autre âge... et même d'une table de ping-pong complètement

anachronique ! C'est l'acteur londonien David Suchet (Hercule Poirot, ça vous dit quelque chose ?) qui œuvra beaucoup pour la résurrection de ce site génial, où l'on offre une programmation de qualité (théâtre, musique, danse, poésie, cinéma...). Un endroit à découvrir sans modération.
∞ 🚶 *The Albany* (hors plan Les Docklands par B2) : Douglas Way, Deptford, SE8 4AG. ☎ 020-8692-4446. ● thealbany.org.uk ● Ⓜ New Cross (East London Line, à prendre depuis Whitechapel). Un des lieux qui vibrent le plus à Londres. Très bon théâtre pour enfants notamment.

Musées et balades

🎥 Au-delà du Tower Bridge, sur la rive sud, le *Butler's Wharf* ou *Shad Thames* (plan Les Docklands, A1) est un quartier de docks en pleine résurrection, à l'initiative de l'omniprésent Terence Conran. Les prix de l'immobilier atteignent ici encore des sommets vertigineux. Les amateurs d'urbanisme et d'architecture seront comblés. La réhabilitation du Butler's Wharf est emblématique du nouveau Londres avec ces anciens entrepôts en brique reliés par des passerelles métalliques. Chaque année, de nouveaux bâtiments sont rénovés et le circuit s'étend bien au-delà du Design Museum.

🎥 *St Katharine Docks* (plan d'ensemble, J4 ; plan Les Docklands, A1) : près du Tower Bridge, rive nord. Ⓜ Tower Hill ou Tower Gateway. Un vieux coin du port joliment transformé en luxueuse marina. Enclave de charme. Architecture récente au look ancien. Au milieu des voiliers, quelques vieux navires, histoire de faire bonne figure. Pas mal de bars et de restos, on peut notamment prendre un pot dans le gigantesque pub *Dickens Inn* (voir plus haut « Où manger ? Où boire un verre ? »).

🦌 *Canary Wharf Tower* (plan Les Docklands, C1) : nous voici au cœur du centre d'affaires des Docklands. Symbole des lieux : la Canary Wharf Tower, building de verre haut de 244 m pas spécialement gracieux, surmonté d'une pyramide, soit 272 m au total. Construit en 1991 par César Pelli. On ne peut pas y monter, mais on peut admirer la station de métro, imaginée par Norman Foster (encore lui), aussi large que la tour est haute ! Une vraie prouesse artistique.

🦌🦌 🧍 Si vous avez le temps, une annexe géniale du *Museum of London* mérite largement le détour – le *Museum of London Docklands* (plan Les Docklands, B1) : West India Quay, E14 4AL. ☎ 020-7001-9844. ● museumoflondon.org.uk ● Ⓜ Canary Wharf. DLR : West India Quay. Indiqué depuis le métro et face à une église sur... péniche ! Tlj 10h-18h. Fermé 24-26 déc. GRATUIT. Visites guidées gratuites. Expos temporaires.

Vaste musée consacré à la Tamise, son port, son histoire, ses acteurs... Le bâtiment servait à entreposer le sucre et les épices en provenance des Indes. Ces docks, datant de l'époque georgienne, étaient, en leur temps, les plus grands du monde !

– La visite commence au *3e étage.* Par le biais d'une splendide scénographie, ludique et aérée (pas mal d'animations interactives pour les enfants), on découvre une salle introductive sur l'histoire de ces bâtiments qui débordaient autrefois d'activité, comme en témoignent les fascinantes images projetées, tournées dans les années 1920-1940. On poursuit par une rapide évocation du site préhistorique puis de Londinium, la *cité romaine.*

Viennent ensuite la *Renaissance,* le développement du commerce avec les Amériques, l'Inde et la France. Puis le *XVIIIe s,* avec une augmentation sans précédent des échanges et des transactions, imposant une réorganisation totale des ports et rendant du même coup les adorables Saint Katharine Docks totalement obsolètes. C'est la naissance des « Legal Quays » (que l'on appellera « docks » seulement après qu'Albert Dock leur a laissé son nom). Dès lors, tout s'accélère. De nombreuses industries s'implantent le long de la Tamise, et on assiste à l'émergence de nouvelles classes sociales. Épopée de la chasse à la baleine fort bien évoquée. Comme dans tout musée anglais qui se respecte, un quai et des entrepôts grandeur nature ont été reconstitués avec soin. On s'y croirait ! On est frappé par tant de misère, et pourtant, il faut bien comprendre que tout l'argent brassé à la City provenait des richesses accumulées ici.

– Une section captivante offre également un regard nouveau sur *l'esclavage et le commerce triangulaire.* Le but est bien de donner à réfléchir et de permettre à chacun de faire le lien entre le commerce et l'esclavage, de comprendre l'urgence actuelle à démocratiser les échanges et à développer un commerce plus équitable. On découvre, entre autres, l'existence d'un certain William Ansah Sessarako, « The Royal African » (1736-1749), symbole de l'ascension sociale des Noirs, ou encore l'importance des femmes dans la lutte pour l'abolition de l'esclavage et dans l'émergence de l'idée de commerce équitable *(fair trade).* Cette lutte politique étant le prélude de l'engagement, de l'indépendance des femmes et donc du féminisme...

– Au *2e étage,* continuation de l'expansion du port de Londres. Reconstitution remarquable d'une ruelle du quartier, avec pubs (où l'on peut s'asseoir !), boutiques... Belle évocation des métiers des docks.

– La dernière partie est consacrée à l'*histoire plus contemporaine des Docklands.* Intéressante section sur l'organisation des dockers, les grandes grèves (notamment celle de 1889, fondatrice du mouvement syndical). Très impressionnante, la section consacrée à la Seconde Guerre mondiale. Maquettes, photos, vidéos montrent les docks tels qu'ils palpitaient en 1938, avant l'effroyable « Black Saturday » où d'intenses bombardements provoquèrent le 8 septembre 1940 un incendie qui ravagea le quartier des jours durant. On termine la visite par la reconstruction du port (hautement stratégique) pendant la guerre, son abandon pendant les années 1960 et l'inévitable réhabilitation du quartier ces dernières années.

Un musée très riche, on l'aura compris. Mieux vaut bien maîtriser l'anglais.

🎭 *Thames Path :* très chouette balade pédestre sur les bords de la Tamise. C'est un sentier à suivre depuis les sources du fleuve dans les Costwolds (Kemble, Gloucestershire) jusqu'au barrage de Greenwich (Thames Barrier), sur 300 km, voire au-delà. La partie londonienne s'étend sur environ 40 miles (64 km) et croise notamment le degré zéro du méridien à Greenwich. Brochures fort bien faites, par sections *(gratuites et téléchargeables sur Internet,* ● *https://tfl.gov.uk/modes/walking/?cid=walking* ● *).*

🎭 *Croisières sur la Tamise :* on vous rappelle qu'il est possible de découvrir la Tamise et le quartier des Docks en bateau depuis la Tate Modern jusqu'à Greenwich (avec ou sans escale)... Voir la rubrique « Se déplacer » dans le chapitre « Infos pratiques sur place » en début de guide.

L'EAST END

SOUTHWARK, SOUTH BANK ET WATERLOO

- Pour se repérer, voir le plan d'ensemble détachable en fin de guide.

Contrairement à Paris, où la ville s'est développée de façon égale sur les 2 rives, Londres a longtemps ignoré le sud de la Tamise (sauf les quartiers résidentiels de l'Ouest, comme Putney ou Wimbledon), l'immense district de Southwark. Bombardée en 1940, désertée par les habitants, mutilée par la reconstruction, cette zone est désormais en pleine expansion, soutenue par une volonté urbanistique de rompre avec le bétonnage à tout-va. La réhabilitation des docks (South Bank) mérite une exploration approfondie. Avec l'aménagement de la promenade le long de la Tamise (le Royal Mile, qui court de Lambeth Bridge, face à Westminster, jusqu'à Butler's Wharf, au-delà du Tower Bridge) et ses innombrables restos et bars séduisants, tout ce secteur est même devenu très à la mode. Londoniens et touristes y affluent pour profiter de ses innombrables attractions : l'immense roue du *London Eye*, les quais colorés du *Gabriel's Wharf*, le célèbre *Globe Theatre*, théâtre shakespearien, ou bientôt *le Science Museum*, au pied du gratte-ciel *The Shard*. La silhouette élancée de cette spectaculaire flèche de verre, parmi les plus hauts édifices d'Europe, domine les quartiers de Borough (connu pour son marché couvert) et de Bermondsey, eux aussi en plein essor, avec un esprit village vraiment agréable...

On n'oublie pas le *Millenium Bridge*, cette élégante passerelle qui enjambe le fleuve et relie la City à la « *Tate* ». Ce dernier musée, consacré à l'art contemporain, symbolise d'ailleurs le renouveau de ce quartier et l'extraordinaire capacité de Londres à se réinventer sans cesse, à faire du neuf avec du vieux.

🛈 Nombreuses infos pratiques sur le quartier en visitant les sites ● *visitbankside. com* ● et ● *southbanklondon.com* ●

Où dormir ?

Studios et appartements

🛏 La chaîne *Go Native* propose des studios et appartements à louer à 10 mn à pied du métro London Bridge *(plan d'ensemble, I5).* ☎ 020-7313-3886. ● *enquiries@gonative. com* ● *gonative.com* ● Mêmes prestations sur l'ensemble des logements modernes, fonctionnels et tout confort *(2-4 pers ; loc de 1 nuit à 1 an ; promos sur Internet).* Déco moderne de bois blond, parquet, cuisine laquée tout équipée avec lave-vaisselle et lave-linge. Tout le nécessaire pour les familles (lit bébé). On aime bien aussi les petites touches colorées, les belles salles de bains carrelées avec douche à l'italienne et l'équipement TV/DVD. Ménage 1 fois par semaine. Le tout dans un quartier agréable et vivant.

Auberges de jeunesse et *student halls*

🏠 **St Christopher's Inns** *(plan d'ensemble, I5, 126)* : réception au Village, *161-165 Borough High St, SE1 1HR.* ☎ 020-7939-9710. ● vil lage1@bedsandbars.com ● st-chris tophers.co.uk ● Ⓜ London Bridge ou Borough. Env 15-30 £/pers en dortoirs selon période et capacité. Doubles à partir de 55 £. Le w-e et pdt les fêtes, les prix grimpent. Promos sur Internet. Petit déj continental (léger) inclus. Cette chaîne internationale d'AJ aligne pas moins de 3 adresses sur Borough High Street. Le *Inn* fut le 1er de cette chaîne à Londres. Ce n'est pas vraiment son confort (dortoirs basiques de 4 à 22 lits au *Village*, 4 à 8 lits dans les autres adresses, plus quelques doubles) qui explique son succès, mais le concept porteur du « *Beds & Bars* ». Les auberges sont couplées à des bars (les *Belushi Bars*), où les résidents bénéficient de réductions sur les boissons, les plats (histoire de garder le cap !) et les soirées concert. Grosse ambiance lors des soirées à thème organisées dans le night-club ! Bruyant, évidemment, mais les jeunes routards se couchent rarement avant la fin de la fiesta. Noter que seul le *Village* dispose d'une salle commune (avec écran vidéo géant). Pour vos objets de valeur, coffres payants (à code) ou casiers gratuits (avoir son cadenas). Enfin, sachez que *The Oasis*, la 3e option de la chaîne, est réservé aux femmes. Partout, accueil jeune et sympa, et ambiance fraternelle.

🏠 **Friendship House** *(plan d'ensemble, H5, 102)* : 3 Belvedere Pl, SE1 0AD. Dans une impasse perpendiculaire à Borough Rd. ☎ 020-3740-2396 et 020-7803-0950. ● friendship@ lhalondon.com ● lhalondon.com ● Ⓜ Borough. Single en suite 44 £ (220,50 £/sem). Env 30 £/pers en chambre double et env 141 £/sem. Pas de résas, sauf 1 sem à l'avance. Très moderne, ce vaste complexe étudiant de 180 lits (en chambres simples ou doubles) se distingue par ses lignes sobres et ses espaces aérés. Ça change des habituels blockhaus !

Évidemment, la déco est à l'image de la maison, aseptisée mais très fonctionnelle. Bon confort (chambres *en suite* nickel avec TV et frigo) et équipements satisfaisants (salons communs, cuisine à chaque étage, laverie, local à vélos...).

🏠 **The Walrus Hostel** *(plan d'ensemble, G5, 97)* : 172 Westminster Bridge Rd, SE1 7RW. ☎ 020-7928-8599 et 020-7928-4368 (bar). ● the walrushostel@gmail.com ● walrusso cial.com ● Ⓜ Waterloo ou Lambeth North. Env 23-30 £/pers en dortoir, avec petit déj. L'immeuble fait dans le vintage, mais ce n'est pas voulu ! Environ 68 lits. Dortoirs corrects de 4-12 lits. Seule la proximité du chemin de fer conduit ceux qui ont le sommeil léger à se doter de bouchons d'oreilles. Alors ? L'intérêt de cette auberge, c'est sa situation stratégique, à 3 mn des transports et à 10 mn de Big Ben. Ajoutez à cela une cuisine de poche, un pub super cosy avec de grandes baies façon vitraux et confortables banquettes. Ce lieu permet de faire de chouettes rencontres. Généreux *happy hours* de 17h à 19h. Super équipe qui assure une bonne ambiance fraternelle (a obtenu le « *Best Staff Award* » en 2013)... et on passe sur les défauts.

De bon marché à prix moyens (moins de 90 £ / 105 €)

🏠 **Point A Hotel** *(plan d'ensemble, G5, 83)* : 118-120 Westminster Bridge Rd, SE1 7RW. ☎ 020-7633-9317. ● london.westminster@poin tahotels.com ● pointahotels.com ● Ⓜ Lambeth Bridge. Doubles à partir de 75 £ (selon période). Le concept des hôtels *low-cost* fait des petits. Plus vous réservez tôt, moins c'est cher. Bâtiment sans charme, mais bon, c'est secondaire. Quant aux chambres, pas bien grandes, elles sont cependant modernes et bien conçues, dans un style compact efficace. Attention, certaines chambres sont sans fenêtre (les moins chères), bien vérifier à la réservation.

De plus chic à très chic (90-120 £ et plus / 105-140 €)

🛏 *London City Hotel* (plan d'ensemble, I5, **75**) : 200 Borough High St, SE1 1JX. ☎ 020-7378-0415. ● welcome@london-city-hotel.co.uk ● london-city-hotel.co.uk ● Ⓜ Borough. Juste au-dessus de la sortie du métro, réception à l'étage. Doubles env 80-190 £ selon jour et période. Ce petit hôtel familial ne possède d'autre intérêt que celui d'offrir une vingtaine de chambres fonctionnelles, confortables et pimpantes. C'est déjà beaucoup. Certaines d'entre elles, accessibles via le petit café au rez-de-chaussée, donnent sur l'arrière et sont par conséquent très calmes. Propre donc, bien situé et pas trop cher, c'est presque un exploit à Londres ! Excellent accueil.

🛏 *Citizen M Bankside* (plan d'ensemble, H4, **41**) : 20 Lavington St, SE1 0NZ. ☎ 020-3519-1680. ● citizenm.com ● Ⓜ Southwark. Doubles env 110-200 £ selon période. Petite chaîne d'hôtels design, implantée au cœur de Londres. Proche de la Tate. Plus de 190 chambres très fonctionnelles et au confort irréprochable, pas immenses, mais aux prestations de qualité : déco soignée, salle de bains nickel, et toutes sortes de petits plus high-tech, comme le contrôle électronique des lumières, de la TV, et des stores ! Accueil sympa et serviable.

🛏 *Premier Inn Southwark Borough Market* (plan d'ensemble, I4, **394**) : Anchor, Bankside, 34 Park St, SE1 9EF. ☎ 0871-527-8676. ● premierinn.com ● Ⓜ London Bridge. Doubles env 136-155 £ en sem, à partir de 90 £ le dim (réduc sur Internet). Hôtel de chaîne, ultra-fonctionnel et confortable, mais qui, pour une fois, est à taille humaine et ne manque pas de charme. Il occupe un bâtiment de brique typique du quartier. Les salles de bains font un peu penser à des cabines de bateau. Lits *king size* partout. Rapport qualité-prix digne d'intérêt, à condition d'éviter les chambres du rez-de-chaussée, plus exposées au bruit.

🛏 *Premier Inn County Hall* (plan d'ensemble, F-G5, **44**) : County Hall, 334 Belvedere Rd, SE1 7PB. ☎ 0871-527-8648. ● premierinn.com ● Ⓜ Waterloo. ♿ Doubles à partir de 110 £ (78 £ le dim ; réduc sur Internet). La chaîne d'hôtels que l'on ne présente plus a opportunément investi une partie de l'ancien County Hall, un bâtiment historique idéalement situé, face à Big Ben et au bord de la Tamise. Plus de 300 chambres, pas la grande intimité donc, mais elles sont modernes, nickel, souvent spacieuses, fonctionnelles et confortables. Literie de qualité. Un rapport qualité-prix franchement avantageux, surtout pour les chambres avec vue.

Spécial coup de folie

🛏 *Bermondsey Square Hotel* (plan d'ensemble, J5, **84**) : Bermondsey Sq, Tower Bridge Rd, SE1 3UN. ☎ 020-7378-2450. ● reception@bermondseysquarehotel.co.uk ● bermondseysquarehotel.co.uk ● Ⓜ London Bridge. Doubles env 120-460 £ selon catégorie, jour et période. Intéressantes promos sur Internet (dim à partir de 50 £ !). Un boutique-hôtel qui joue la carte du design et de l'insolite, avec une ambiance très *sixties*. Couleurs pop et acidulées dans certaines, blanc immaculé pour d'autres. Superbes salles de bains. Confort total (Apple TV dans toutes les chambres). Les plus chères ont même un hamac sur la terrasse, voire un jacuzzi, avec vue splendide sur le toit et Londres. Agréable grill-bar avec terrasse. Bref, le grand luxe sans tapage, dans un esprit bien dans l'air du temps.

Où manger ?

Pas mal d'options pour tous les budgets dans ce quartier en plein essor, des restos de chaîne (certains de qualité) aux petits cafés branchés, en passant par les restos tendance autour de South Bank et Bermondsey. Ne pas manquer de jeter un œil aussi aux pubs cités plus loin, dans « Où boire un verre ? Où sortir ? ».

Du côté de London Bridge

Sur le pouce
(moins de 10 £ / 12 €)

🍽 *Fuckoffee* (plan d'ensemble, J5, **467**) : 163-167 Bermondsey St, SE1 3UW. ☎ 020-7403-7655. ⓜ London Bridge. Tlj 7h (8h dim)-19h. Sandwich env 5 £. Un bon plan dans le quartier pour s'offrir un café équitable ou un thé accompagné d'un muffin ou d'un cookie bio. Pour la pause lunch, soupe maison et sandwichs frais bien préparés. À emporter ou à déguster sur place, confortablement installé dans les canapés ou autour des quelques tables. Accueil relax, revues et journaux à dispo, grand tableau avec les petites annonces du coin et musique en « fond » (très) sonore... Cool, quoi !

🍽 *Borough Market* (plan d'ensemble, I4) : nombreux stands de *street food* et petits restos aux alentours. Sandwichs bio, boulangeries à l'ancienne, fruits et légumes frais... de quoi se caler pour pas cher dans ce quartier si attachant et en plein renouveau. Succès oblige, c'est bondé voire inaccessible le week-end (si vous le pouvez, venez en semaine, même s'il y a moins d'ambiance et de stands ouverts). Au *Green Market*, goûter aux délicieux *cheesecakes* et autres douceurs chez *Artisans Foods*. Pas mal de stands de fromage (ah, les *drunken cheeses*, fromages de caractère au raisin). On y trouve aussi l'annexe locale de *Konditor and Cook* (voir texte plus loin, secteur Waterloo) et de *Monmouth Coffee* (voir texte plus haut, secteur Covent Garden).

🍽 *Fish ! Kitchen* (plan d'ensemble, I4, **276**) : Cathedral St, Borough Market, SE1 9AL. ☎ 020-7407-3801 ou 3803. ● borough@fishkitchen.com ● ⓜ London Bridge. Dim-jeu 11h-18h, ven 11h-22h30, sam 11h-22h. Fish & chips env 8 £ (5 choix de poisson livrés chaque jour). La version *take-away* du resto voisin *Fish !* Même qualité, mais prix divisés presque par 2. En revanche,

c'est seulement à emporter. Pour éviter la queue, possibilité de commander par téléphone (CB acceptées).

🍽 *Fine Food, Locanda del Melo* (plan d'ensemble, J5, **392**) : 218 Long Lane, SE1 4QB. ☎ 020-7403-7513. ● info@finefoodse1.co.uk ● ⓜ London Bridge. Lun-sam 7h30 (8h30 sam)-20h, dim (à emporter seulement) 10h-16h. Résa conseillée le w-e. Sandwich env 5 £ à emporter, assiettes env 15-19 £. Vieille boutique de coin de rue rénovée (en respectant son charme) pour en faire une épicerie fine de produits italiens (petits producteurs). Dans ce cadre délicieusement *Old England*, vous dégusterez les lasagnes du jour, ou d'excellents sandwichs et paninis préparés avec vos ingrédients préférés (et le pain de chez *Ticino*, le voisin, bon boulanger italien lui aussi). Derrière, une minuscule salle tranquille et intime pour se détendre devant un bon *espresso*. À emporter, de délicieux fromages comme le *pecorino sardo* (brebis), le *capralpina* (chèvre) et toute la charcutaille traditionnelle italienne.

🍽 Tout *le long de la Tamise* (avec une grosse concentration vers South Bank) et tout autour de la *Tate*, on retrouve les traditionnelles chaînes et franchises. Du bon (*EAT, Pret A Manger, Leon* et *Canteen*) et du moins bon.

Bon marché
(10-20 £ / 12-23 €)

🍴 *Market Porter* (plan d'ensemble, I4, **191**) : 9 Stoney St, SE1 9AA. ☎ 020-7407-2495. ⓜ London Bridge. À l'angle de Park St. Pub lun-ven 6h-8h30 et 11h-23h, w-e 11h-23h (22h30 dim) ; cuisine lun-ven 12h-15h et 17h30-22h, w-e 12h-22h (19h dim). Plats env 10-16 £, snacks et bar menu env 6-14 £. Coincé entre la voie ferrée et les halles du Borough Market, ce pub à l'ancienne n'a pas cédé grand-chose aux effets de mode et aux sirènes de la consommation. Les amoureux d'Harry Potter noteront que l'établissement fut transformé en librairie pour le film. En bas, pub classique, souvent envahi par une foule d'habitués, qui déborde largement dans la rue. À l'étage, salle surannée avec

SOUTHWARK, SOUTH BANK ET WATERLOO

cheminée, mobilier cossu et tapisserie d'époque. On y mange une cuisine de pub solide et généreusement servie, à l'image de ses bons plats du jour (pas de *bar food* le samedi) et de ses fromages venus de chez *Neal's Dairy*, le super fromager d'à côté. Bon choix de sandwichs élaborés.

|●| ⚐ *Wagamama* (plan d'ensemble, I4, *170*) : 1 Clink St, SE1 9BU. ☎ 020-7403-3659. Ⓜ London Bridge. Sous les arcades du pont de chemin de fer. Tlj 11h-23h (22h dim). Env 6-15 £. En face de *Vinopolis*. Très haut de plafond, murs en brique nus, cadre sobre... très zen, tout ça ! De la vitrine où sont installés quelques tabourets, vue sur St Paul. On retrouve toutes les spécialités de cette chaîne de cuisine asiatique : curries, *teppanyaki*, copieux *pork ramen*, etc. Voir en détail les textes sur les autres *Wagamama*, notamment dans le chapitre « Bloomsbury, King's Cross, Saint Pancras et Euston ».

|●| *Tapas Brindisa* (plan d'ensemble, I4, *296*) : 18-20 Southwark St, SE1 1TJ. ☎ 020-7357-8880. Ⓜ London Bridge. Lun-ven 10h-23h30, w-e 9h30-23h30 (22h dim). Tapas chaudes seulement le soir (tte la journée dim). Tapas env 5-13 £, planches de charcuterie 15-32 £. Petits déj tlj jusqu'à 11h env 6-22 £. Un grand bar à tapas chaleureux et toujours bondé, même en début de semaine (très bruyant donc). Belle sélection de charcuteries régionales espagnoles, avec jambon de Teruel, chorizo, *salchichón*, pain et huile. Bien pour une faim moyenne et fort bien présenté. Certaines tapas pas excessivement copieuses, mais toujours à base de bons produits. En revanche, ce n'est pas donné et l'addition prend vite de l'embonpoint si l'on n'y prend garde ! Terrasse aux beaux jours et petit stand sur le marché.

|●| *Tas Pide* (plan d'ensemble, H-I4, *177*) : 20-22 New Globe Walk, SE1 9DR. ☎ 020-7928-3300 ou 7633-9777. Ⓜ Southwark ou London Bridge. Tlj 12h-23h30 (22h30 dim). Theatre menu 19,95 £, pide env 11 £, plats 12-15 £. Dans un cadre élégant et chaleureux qu'on n'imagine pas de l'extérieur (charpente, bois sculpté, verres gravés...), on se régale d'une cuisine originaire d'une contrée magique de Turquie, l'Anatolie. On redécouvre les *mezze* avec des falafels croustillants, on enchaîne avec l'*incik*, un agneau rôti au four, et on termine par un voluptueux baklava. À moins de se laisser tenter par les *pide*, variante turque de la pizza, à la pâte ultra-fine et à la garniture parfumée (une quinzaine de variétés). Service plein de gentilles attentions, agrémenté de concerts certains soirs.

|●| Sans oublier les *restos de la Tate Modern* (voir plus loin ; plan d'ensemble, H4) : dim-jeu 10h-15h, ven-sam 10h-21h30. Plats env 10-18 £. On grimpe directement au 6e étage... Vue époustouflante sur Londres. On peut aussi se contenter de prendre un café au comptoir qui court tout le long de l'immense baie vitrée. Au 1er étage, cafétéria un peu moins chère, mais cadre moins sensationnel, on s'en doute, avec tout de même Saint-Paul en arrière-plan.

De prix moyens à plus chic (20-40 £ et plus / 23-46 €)

|●| *Garrison Public House* (plan d'ensemble, J5, *701*) : 99-101 Bermondsey St, SE1 3XB (au coin de Whites Ground). ☎ 020-7089-9355. ● info@thegarrison.co.uk ● Ⓜ London Bridge. Lun-jeu 8h-23h, ven 8h-23h, sam 9h-minuit, dim 9h-22h. Petits déj jusqu'à 11h30 (6-10 £), lunch 12h-15h sauf w-e, dîner 18h-22h (22h30 ven-sam), brunchs sam 12h30-16h (33-38 £), Sunday roast 12h30-21h. Plats env 14-22 £. Un *gastropub* charmant, avec ses murs lambrissés dans les tons beige et gris, son décor rétro et son mobilier de (pseudo) récup... Cuisine ouverte où l'on prépare avec soin des plats classiques, parfois un brin revisités. Également quelques sandwichs élaborés et un beau petit déj (conseillé le *smoked haddock* et son œuf poché).

Du côté de Waterloo

|●| ⚐ *Mercato Metropolitano* (plan d'ensemble, H5, *585*) : 42 Newington Causeway, SE1 6DR. ☎ 020-7403-0930. Ⓜ Elephant & Castle ou

Borough. Lun-ven 8h-23h, sam 11h-23h, dim 11h-22h. Un complexe de *street food*, entre voie de chemin de fer et entrepôts, entièrement voué à la cuisine italienne. Dans un vaste espace protégé s'alignent stands en dur et grandes tablées. On fait la queue et l'on se régale de spécialités régionales parfois méconnues. Un peu surfait sans doute mais hyper convivial, hyper familial, hyper bobo... Épicerie fine à l'entrée pour un shopping gourmand. Beaucoup de monde le week-end et aux beaux jours.

De bon marché
à prix moyens
(10-30 £ / 12-34 €)

|●| 🍷 *Scooter Caffé (plan d'ensemble, G5, 582) : 132 Lower Marsh, SE1 7RG.* ☎ 020-7620-1421. ● scootercaffe@googlemail.com ● Ⓜ *Waterloo. Tlj 8h30 (10h w-e)-23h (minuit ven-sam).* Jolie devanture rouge pour ce tout petit café. Mobilier chiné, capharnaüm d'objets, tableaux, photos vintage et vénérables scooters... Musique tendance jazzy ou pop selon l'heure et l'humeur, toujours cool. Même le café torréfié maison est dispensé par une illustre machine à café italienne datant de 1957 ! Bons sandwichs, snacks et pâtisseries. Très sympa de se relaxer en écrivant ses cartes postales dans cette adresse authentique en diable et cosy à souhait. Le soir, on s'y retrouve pour prendre un verre entre habitués du quartier.

|●| *Anchor & Hope (plan d'ensemble, G5, 304) : 36 The Cut, SE1 8LP.* ☎ 020-7928-9898. ● info@anchorandhopepub.co.uk ● Ⓜ *Southwark. Lun 17h-23h, mar-sam 11h-23h ; lunch 12h-14h30, dinner 18h-22h30 ; dim 12h30-15h. Menus lunch 15-17 £, plats 14-27 £.* « L'Ancre et l'Espoir » rallie tous les suffrages pour sa cuisine de *gastropub* inventive élaborée avec les meilleurs ingrédients et sa magnifique sélection de vins, le tout à des prix encore abordables. Filets de poisson, joue de porc à l'espagnole, lapin sauvage ou encore pigeon braisé aux bacon, cèpes et vin rouge... La déco hyper sobre, à l'extérieur comme à l'intérieur, laisse toute sa place au contenu de l'assiette. On peut aussi venir prendre un verre et un en-cas le long du chaleureux comptoir, surtout s'il n'y a plus de place au resto. Car c'est le seul grand défaut de l'endroit : la réservation n'est pas possible (sauf le dimanche) et il faut très souvent attendre pour obtenir une table.

|●| *Skylon (centre 1, G4, 239) : à l'étage du Royal Festival Hall, Belvedere Rd, SE1 8XX.* ☎ 020-7654-7800. ● skylonreservations@danddlondon.com ● Ⓜ *Waterloo. Grill ouv lun-ven 12h-16h, 17h-23h, sam-dim 11h30-14h30, 17h-23h (22h30 dim). Lunchs 20-25 £, plats 16-30 £. Brunchs 35-40 £.* Le meilleur emplacement qui soit, au 1ᵉʳ étage de ce grand complexe de concerts, avec baies vitrées lumineuses et hauts plafonds. Une adresse à laquelle on ne penserait pas d'emblée mais pourtant bien connue des amateurs de panorama. Vaste salle chic et une cuisine sans surprise mais correcte, menée à la baguette. La carte du restaurant est trop chère, mais en se limitant à celles du grill, on s'en tire avec une addition acceptable, et la vue reste la même !

Où prendre un petit déj ? Où manger une glace ?
Où faire une pause sucrée ?

🍦 *Gelateria 3 Bis (plan d'ensemble, I4, 191) : 4 Park St, SE1 9AB.* ☎ 020-7378-1977. ● info@gelateria3bis.co.uk ● Ⓜ *London Bridge. Tlj 9h-20h (dim 11h-18h).* Juste à côté de *Neal's* le fromager. Pas besoin de traverser l'Europe pour goûter à de vraies *gelati* ! Car cette charmante boutique est une antenne d'une excellente maison basée à Rimini ! Alors on s'attable sans hésiter pour se régaler de glaces artisanales onctueuses, crémeuses à souhait, aux parfums toujours renouvelés, et élaborées avec les meilleurs ingrédients (beaucoup proviennent directement d'Italie et le lait des meilleures vaches anglaises). Essayez la « figue et mascarpone », hmm ! Vrai café.

Approuvé par *Slow Food*, ça va de soi ! Irrésistible.

☞ Pour le petit déj, voir plus haut *Fuckoffee* (plan d'ensemble, J5, 467), *Tapas Brindisa* (plan d'ensemble, I4, 296), *Garrison Public House*. (plan d'ensemble, J5, 701), *Greensmiths* (plan d'ensemble, G5, 583) ou encore *Konditor and Cook* (plan d'ensemble, G4, 275), pour leurs délicieux gâteaux et brownies ; et le *Scooter Caffé* (plan d'ensemble, G5, 582), pour une pause très cosy.

Où boire un verre ? Où sortir ?

🍸 Voir aussi *Tapas Brindisa* (plan d'ensemble, I4, 296), décrit plus haut dans « Où manger ? ».

🍸 *Bermondsey Arts Club* (plan d'ensemble, J5, 256) : 102A Tower Bridge Rd, SE1 4TP. ☎ 020-3302-0610. ● bermondseyartsclub.co.uk ● Ⓜ London Bridge. Tlj 18h-2h. Cocktail 9,50 £ ; snacks env 3,50 £. C'est la grande vogue à Londres, des bars à cocktails installés dans d'anciennes toilettes publiques de l'époque victorienne, en sous-sol. Celui-ci est franchement petit et intime, propice à un verre en amoureux, en début ou fin de soirée. Cadre délicieusement rétro, avec son carrelage en damier noir et blanc, ses boiseries Art déco et son comptoir joliment éclairé, où le barman officie avec talent. Quelques classiques à la carte, mais surtout des créations originales, parfois détonnantes ! Beaucoup de monde en fin de semaine, dans ce cas l'ambiance y est nettement plus animée.

🍸 *The George Inn* (plan d'ensemble, I4, 395) : 77 Borough High St, SE1 1NH. ☎ 020-7407-2056. ● 7781@greeneking.co.uk ● Ⓜ London Bridge. Tlj 11h-23h (minuit ven-sam, 22h30 dim). Plats env 6-18 £. Il fut un temps où Charles Dickens et William Shakespeare y avaient leurs habitudes ; aujourd'hui, on croise surtout d'heureux touristes et les cols blancs du secteur. Ce pub historique de 1542, propriété du *National Trust*, fut reconstruit en 1676 après le terrible incendie qui ravagea Londres. Il a gardé tout son charme. Le dernier à avoir conservé ses galeries extérieures, comme un arboraient quasi tous les pubs au Moyen Âge (le *Blitz* lors de la Seconde Guerre mondiale aura fait une hécatombe de pubs). Dissimulée dans une vaste cour pavée tranquille (avec la flèche du *Shard* en fond de tableau, quel contraste !), cette immense bâtisse chaulée hérissée de grosses lanternes abrite une enfilade de petites salles confortables. Cuisine de pub correcte et bonnes bières, bref, une halte de choix fort pittoresque... Terrasse chauffée.

🍸 *The Roebuck* (plan d'ensemble, I5, 257) : 50 Great Dover St, SE1 4YG. ☎ 020-7357-7324. ● theroebucksel@hotmail.co.ukt ● Ⓜ Borough. Tlj 12h-minuit (1h ven-sam, 23h dim) ; service 12h-14h30, 17h-22h ; sam 12h-22h ; dim en continu 12h-21h. Belle ambiance dans ce pub établi dans une maison victorienne à l'angle de la rue, avec quelques tables en terrasse, sympa aux beaux jours. Grande salle haute de plafond, colonnades, illustres parquet et comptoir en bois, pas mal d'espace aussi pour se retrouver entre amis, dans un esprit très convivial. Beaucoup de monde et de bruit à la sortie des bureaux ou lors des soirées à thème (ciné, petits concerts, etc.). Bon accueil, chaleureux à l'image des lieux. Classique carte de *pub grub* et quelques plats plus élaborés, parfaits pour accompagner une bonne *lager*.

🍸 *The Anchor* (plan d'ensemble, I4, 394) : 34 Park St, SE1 9EF. ☎ 020-7407-1577. Ⓜ London Bridge. Tlj 11h (12h dim)-23h (23h30 jeu-sam, 22h dim). Une étape indispensable, pour le souvenir surtout. Car ce vénérable pub chargé d'histoire échappa au Grand Incendie de 1666 (mais pas à celui du Southwark quelques années plus tard) et fut miraculeusement épargné par les bombes du *Blitz*. Aujourd'hui, il peut en raconter des choses : construit sur une tombe romaine à laquelle succéda un cimetière de la peste, baptisé The Anchor en 1665, car il faisait pub et boutique de marine, il reçut les acteurs du *Globe Theatre* tout à côté et probablement Shakespeare ! Le pub possède toujours son vénérable aspect extérieur de brique usé et patiné, mais il a fini par perdre un peu de son cachet au fil des rénovations. Balcons tout du long de la bâtisse et terrasse géniale, surplombant la Tamise au pied du pont de chemin de fer. Bien sûr, possibilité de se restaurer (traditionnels *fish & chips, pie and mash,* burgers divers, etc.).

♀ ♪ **The Gladstone Arms** *(plan d'ensemble, I5, 407)* : 64 Lant St, SE1 1QN. ☎ 020-7407-3529. ● the gladpub.com ● Ⓜ *Borough. Lun-jeu*

12h-23h, ven-sam 12h-minuit, dim 12h-22h30. De la rue principale, on repère la bâtisse en brique uniquement grâce à la fresque peinte sur le mur. Tant mieux. La petite salle coquette aux bibelots rétros supporterait mal la foule. Ici, on partage les sofas et les tables rondes avec une ribambelle d'habitués, qui picorent des *pies* bio en jouant aux échecs ou au Scrabble... sauf les soirs de concert ! Dans ces cas-là, on joue un peu plus des coudes, mais l'ambiance reste tout aussi chaleureuse. Consulter le programme sur leur site. *Lounge* relax au 1er étage.

Spécial *nightclubbers*

✗ **Corsica Studios** *(plan d'ensemble, I6, 559)* : 4/5 Elephant Road, SE17 1LB. ☎ 020-7703-4760. ● corsicastudios. com ● Ⓜ *Elephant and Castle. Mer-jeu 20h-2h, ven 23h-6h, sam 23h-7h, dim after 5h-15h. Entrée : 3-20 £. Moins cher si vous réservez tôt.* Ce club s'affirme comme le nouveau poids lourd de la nuit londonienne sur la Southbank. Aménagés sous les voûtes d'un pont, les 3 *dance floors* en enfilade, de dimensions modestes, permettent de conserver une atmosphère intime. L'ambiance, toujours fiévreuse, est assurée par une programmation de haute volée, qui fait la part belle à

l'électro, la house ou la techno mais aussi au *dubstep,* style particulier à l'Angleterre. ●

✗ **Ministry of Sound** *(plan d'ensemble, H5, 465)* : 103 Gaunt St, SE1 6DP. ☎ 020-7740-8600. ● ministryofsound. com ● Ⓜ *Elephant and Castle. Mar-jeu 22h-5h, ven 22h30-6h, sam 23h-6h. Entrée : 5-30 £.* Cette légende de la nuit londonienne depuis 1991 est plus que jamais sur le devant de la scène ! Il suffit de voir la liste des DJs invités (pas moins de 4 *dance floors*) pour s'en convaincre... Beaucoup, beaucoup de monde.

Cinémas

■ **BFI IMAX Cinema** *(plan d'ensemble, G4)* : 1 Charlie Chaplin Walk, SE1 8XR. ☎ 0330-333-7878. ● bfi.org.uk ● Ⓜ *Waterloo.* Juste en face de la sortie de Waterloo Station. Abrite l'un des plus grands écrans d'Europe (26 m x 20 m).
■ **BFI Southbank** *(plan d'ensemble,*

G4) : Belvedere Rd, SE1 8XT. ☎ 020-7928-3232. ● bfi.org.uk ● Ⓜ *Waterloo.* En bord de Tamise, les vastes bâtiments abritent une médiathèque, une galerie, des bars, une boutique. Lieu vivant et convivial. Intéressante programmation de vieux films.

Shopping

⊛ **Neal's Yard Dairy** *(plan d'ensemble, I4, 191)* : 6-8, Park St, SE1 9AB. ☎ 020-7367-0799. ● nealsyarddairy. co.uk ● Ⓜ *London Bridge. Tlj sauf dim 9h (8h sam)-18h.* Encore plus beau, encore plus grand qu'à Covent Garden ! Cette incontournable boutique

spécialisée dans l'affinage et la vente de fromages fermiers fait la part belle aux fromages anglais, gallois, écossais et irlandais. L'occasion de découvrir, si vous n'êtes pas encore convaincu, que l'Angleterre est aussi « l'autre pays du fromage »... Elle travaille avec plus de 70 producteurs. Son centre d'affinage est à 2 pas, dans les vénérables entrepôts victoriens en brique, sous la voie de chemin de fer, bénéficiant idéalement d'une atmosphère cool et humide. Accueil gentil comme tout ; on se fera un plaisir de vous guider et de vous faire goûter. Et puis d'autres produits : huiles, chutneys, biscuits, *piccalilli* traditionnel, etc. Un rêve de gourmand !

⊛ *Radio Days* (plan d'ensemble, G5, *192*) : 87 Lower Marsh, SE1 7AB. ☎ 020-7928-0800. Ⓜ *Waterloo. Tlj sauf dim 10h-18h.* Boutique spécialisée dans le joli vintage, les babioles insolites, les objets dérisoires ou décalés, les *comics* (genre MAD), vieux journaux, superbes robes de bal, vénérables chapeaux refourgués par la reine... Pour tous les goûts, tous les fantasmes ! Accueil charmant.

Marchés

🏃🏃🏃 *Borough Market* (plan d'ensemble, I4) : Southwark St. ● boroughmarket.org.uk ● Ⓜ *London Bridge. Mer-jeu 10h-17h, ven 10h-18h, sam 8h-17h.* Un des plus beaux marchés alimentaires de Londres. Très bobo, mais bien pittoresque tout de même. Beaucoup de petits producteurs, pas mal de bio, et que du bon ! C'est ici (entre autres) que la star de la « télécuisine » anglaise, Jamie Oliver, vient s'approvisionner.

🏃 *Bermondsey Market* (plan d'ensemble, J5) : *ven 8h-14h, sur Abbey St.* Ⓜ *Borough ou London Bridge.* Beaucoup de professionnels. Antiquités, bijoux, porcelaines, etc. Beau mais pas donné.

🏃 *Bermondsey Farmers Market* (plan d'ensemble, J5) : *sam 10h-14h, au Bermondsey Sq.* Ⓜ *Borough ou London Bridge.* Petits producteurs de fruits, légumes... massivement bio.

Monuments, galeries et musées

🏃🏃🏃 👫 *Imperial War Museum* (plan d'ensemble, G5) : Lambeth Rd, SE1 6HZ. ☎ 020-7416-5000. ● iwm.org.uk ● Ⓜ *Lambeth North ou Elephant and Castle. Tlj 10h-18h. Fermé 24-26 déc. GRATUIT (expos temporaires payantes). Excellente cafétéria, librairie-boutique et consignes.*

Ce musée remarquable est un incontournable dans son genre. Outre la quincaillerie habituelle (avions de chasse, tanks et fusées), il présente des expos sur différents thèmes – parfois inattendus. D'entrée, dans le grand hall dessiné par le cabinet d'architecture du célèbre Norman Foster, quelques pièces emblématiques captent le regard, comme un Spitfire suspendu dans les airs, une fusée V2 (l'ancêtre des missiles balistiques) ou encore le fameux char T34, utilisé par l'Armée rouge lors de la Seconde Guerre mondiale.

Le musée aborde tous les conflits qui ont déchiré le XXe s (et il y en a !). Passionnantes sections sur la Première Guerre mondiale, très documentées et étoffées de reconstitutions soignées. La visite est une véritable plongée dans l'expérience de la guerre, et une présentation interactive permet à toutes les générations de faire la visite à son rythme et à son niveau. Bien entendu, la bataille de Ypres (le Verdun anglais) est largement évoquée avec l'emploi du gaz moutarde et la trêve de Noël de 1914, ainsi que la vie quotidienne en Angleterre durant la guerre, ou l'histoire des bataillons. Ne pas manquer non plus l'exposition qui retrace l'histoire de l'espionnage britannique de 1909 à nos jours (les fameux services MI5 et MI6). Plein de gadgets que James Bond n'aurait pas rejetés, comme par exemple un kit de rasage pour cacher des microfilms. Voir la fameuse machine à coder allemande *Enigma.* Sa découverte par les troupes alliées fut l'un des tournants décisifs de la Seconde Guerre mondiale.

Le musée propose, par ailleurs, une poignante évocation de l'Holocauste, très complète mais surtout digne et sobre. Et c'est là qu'on prend toute la mesure de ce musée intelligent qui n'exalte pas la guerre, mais invite les visiteurs à s'interroger sur ce qui conduit à un conflit, et ses conséquences. Remarquable.

Également des projections de films et, certains soirs, des exposés, conférences ou reportages sur des sujets d'histoire ou d'actualité. À la sortie, un morceau du mur de Berlin.

🏃🏃 👫 London Eye *(plan d'ensemble, F5)* **:** *South Bank, Jubilee Gardens, SE1.* ● *londoneye.com* ● Ⓜ *Waterloo. Tlj (horaires variables d'un mois, voire d'un jour à l'autre). Fermé quelques jours en janv pour la maintenance et le 25 déc. Tarif : env 25 £ ; 20 £ enfant ; gratuit moins de 3 ans. Résa quasi obligatoire par tél ou Internet (tarifs préférentiels ; retrait sur place 15 mn avt). Sinon, billetterie en face, dans le County Hall. Billets combinés également avec les attractions de South Bank (London Dungeon, Sealife Aquarium, etc.) mais aussi Madame Tussauds.* Elle tourne, elle tourne, la grande roue construite par *British Airways* et sponsorisée par Coca-Cola. En face de Westminster, elle projette ses reflets dans la Tamise en envoyant ses visiteurs au 7e ciel à 135 m d'altitude, pour goûter aux joies d'un panorama incomparable. L'expérience est précédée par un petit show en 4D, puis dure environ 30 mn et permet, par temps clair, de distinguer les paysages jusqu'à une quarantaine de kilomètres.

🏃 👫 Sealife Aquarium – London *(plan d'ensemble, F5)* **:** *County Hall, Riverside Building, sur la rive sud, à 2 pas du Westminster Bridge.* ● *sealife.co.uk* ● Ⓜ *Westminster. Tlj 10h-18h (19h le w-e) ; dernière admission 1h avt. Entrée : 25,50 £ ; réduc sur Internet, enfants et forfait famille ; gratuit moins de 4 ans. Billets combinés avec le London Eye, Madame Tussauds et le London Dungeon.* Un site agréable, notamment grâce à une déco soignée et très ludique, qui plaît tout particulièrement aux enfants (reproduction de l'épave d'un galion, d'un environnement précolombien, squelette de baleine reposant au fond du grand bassin...). Sur 3 niveaux sont présentées différentes espèces provenant des principaux océans, ainsi que la vie dans les milieux coralliens, la mangrove, la forêt tropicale, etc. Parmi les musts, la reconstitution de la banquise avec ses pingouins, et le tunnel qui traverse l'aquarium des requins ! Impressionnant...

🏃 London Dungeon *(plan d'ensemble, F5)* **:** *County Hall, SE1 7PB.* ● *thedungeons.com* ● Ⓜ *Waterloo ou Westminster. Lun-ven 10h (11h jeu)-17h, le w-e 10h-18h (17h dim). Horaires fluctuants pdt les vac et j. fériés. Entrée : 30 £ ; réduc enfants et sur Internet ; forfait famille et tickets combinés avec les attractions de South Bank.* Ne cherchez pas de donjon, tout se passe en sous-sol. Et qu'est-ce qui attire les foules malgré le prix prohibitif ? Le spectacle, pardi ! Car il ne s'agit pas d'un « musée des horreurs », mais d'un véritable show : à pied et en bateau (façon train fantôme !), les visiteurs sont conduits par petits groupes tout le long d'un circuit reconstituant habilement les venelles les plus sordides du vieux Londres, le tout rythmé par des saynètes jouées par une vingtaine de comédiens, sur le thème « torture, maladie et sorcellerie médiévales ». Des exemples ? On y voit les victimes de Jack l'Éventreur, des pendus, des lépreux, des accessoires de sorcières et toutes les formes de sadisme, avant de finir entre les mains de l'affreux Sweeney Todd. Évidemment, tout s'achève par un procès et l'exécution des visiteurs. Un genre de manoir hanté XXL version gore : mieux vaut avoir le cœur bien accroché.

🏃🏃 👫 The Vaults ou « Leake Graffiti Tunnel » *(plan d'ensemble, G5)* **:** *Leake St ; accès par York Rd au nord ou Lower Marsh au sud.* ☎ *020-7401-9603.* ● *thevaults.london* ● Ⓜ *Waterloo. Horaires fluctuants selon événements. GRATUIT.* Un nouveau lieu culturel multidisciplinaire établi dans des voûtes souterraines, sous la gare de Waterloo ! Déjà, le tunnel par lequel on y accède, imprégné des odeurs de bombes de peinture, arbore une incroyable concentration de *street art* et graffs, des murs au plafond, renouvelés presque quotidiennement (vous êtes sûr de croiser quelques artistes de talent à l'œuvre lors de votre passage). Toutes sortes d'activités réjouissantes au cours de l'année, notamment le *Vault Festival* (fin janvier-début mars), avec expos, concerts, ateliers pour les enfants, etc. On y trouve aussi un resto très convivial (grandes tables communes dans une salle voûtée), une petite galerie d'art, un théâtre avec une programmation éclectique, une salle d'*escape game* appelée *Goosebumps* (littéralement « chair de poule » !), pour les adultes et les enfants, des ateliers de peinture avec modèle vivant tous les lundi et mardi soir, des soirées cirque à Noël *(Midnight Circus)*, etc.

🍴 I●I ***Newport Gallery*** *(hors plan d'ensemble par G6, 269) :* Newport St, Lambeth, SE11 6AJ. ☎ 020-3141-9320. ● *newportstreetgallery.com* ● Ⓜ *Lambeth North. Mar-dim 10h-18h. Fermé lun. GRATUIT.* Une galerie d'art dans d'anciens entrepôts. Assez clinique côté déco, mais le lieu a été imaginé par le célèbre artiste britannique Damian Hirst, non seulement pour exposer ses propres œuvres et celles d'artistes aux univers proches. Expositions tournantes. Les férus d'art contemporain apprécieront. Au 1er étage, *Pharmacy 2*, un resto conçu par Damian Hirst et Mark Hix, célèbre restaurateur anglais, dans un cadre de pharmacie. On mange au-dessus des stéthoscopes au bar, ou collé aux rangées de paracétamol !

🎨🎨🎨 ⛹ ***Tate Modern*** *(plan d'ensemble, H4) :* Bankside, SE1 9TG. ☎ 020-7887-8888. ● *tate.org.uk* ● Ⓜ *Southwark* ou *Blackfriars. Accès possible depuis la City par la passerelle pour piétons dans l'axe de St Paul's Cathedral. Tlj 10h-18h (22h ven-sam) ; dernière admission 45 mn avt. Fermé 24-26 déc. GRATUIT (expos temporaires payantes). **Bon plan : 2 entrées pour le prix d'une aux expos temporaires sur présentation de votre billet d'Eurostar.** Intéressant guide multimédia (en français) : 4 £. Visites guidées gratuites tlj à 11h, 12h, 14h et 15h.*
*– **Bon à savoir :** une navette (payante) relie la Tate Modern à la Tate Britain. Départs ttes les 40 mn. Prix : env 8 £/adulte (16 £ l'A/R) ; réduc avec la Travelcard.*
Depuis son inauguration par la reine en 2000, cette coqueluche des musées londoniens, consacrée à l'art moderne et destinée à rivaliser avec le Centre Pompidou à Paris, le MoMA à New York et le Guggenheim à Bilbao, ne désemplit pas. Plus de 45 millions de visiteurs en plus de 10 ans ! Il faut dire que sa conception est vraiment audacieuse.
Imaginez une centrale électrique construite dans les années 1940, un colossal parallélépipède de brique rouge, coiffé d'une cheminée d'usine, voué à la pioche des démolisseurs et finalement transformé par le génie d'architectes suisses en un superbe hall d'exposition de 34 000 m² et de 35 m de haut, complété depuis 2016 par une pyramide déstructurée. C'est ça, la Tate Modern ! Avec cette nouvelle aile, les architectes Herzog et de Meuron ont réussi la prouesse de faire littéralement fusionner le passé industriel du bâtiment avec les collections exposées.
À l'intérieur, attention au choc esthétique : on entre par l'impressionnante salle des turbines, aux dimensions dignes d'une nef de cathédrale. Cet espace en pente douce de 150 m de long, qui abritait les génératrices, est aujourd'hui le lieu de rendez-vous des visiteurs ! C'est là aussi que sont présentées les œuvres monumentales d'artistes contemporains de renommée internationale, tels que Louise Bourgeois, Ai Weiwei, Olofur Eliasson et, récemment, Abraham Cruzvillegas.
Et c'est sans compter la ***nouvelle extension*** ultra-contemporaine, un bâtiment de 7 étages (plus 3 en sous-sol) reliés par une passerelle intérieure, qui permet d'exposer une grande partie des œuvres restées en réserve. Son ouverture en juin 2016 a marqué un nouveau tournant pour la Tate Modern, qui devient l'un des plus grands musées d'art contemporain.

Par ici la visite
Le ***bâtiment principal*** compte 6 étages : les 2e, 3e et 4e étages sont partagés entre les ***sections permanentes et les expos temporaires,*** tandis que la salle des machines, au rez-de-chaussée, n'accueille que des ***expos temporaires*** (installations, films et performances pour cette dernière). Les autres niveaux sont réservés aux salles pédagogiques, aux auditoriums, à des cafés, à un restaurant tout en haut (voir plus haut « Où manger ? ») et à des boutiques. La structure industrielle

est atténuée par un éclairage tamisé, des planchers de bois brut et des coins lecture judicieusement disposés. Les vastes baies vitrées offrent d'extraordinaires points de vue sur la Tamise et le Millennium Bridge.

Impossible de mentionner des œuvres précises, celles des expos permanentes changent elles-mêmes régulièrement... Le concept est souple et original : les œuvres sont réunies autour de thèmes qui permettent les rapprochements les plus audacieux. D'autres mettent en lumière les grands courants artistiques du XXe s (*Structure and Clarity*), ou ceux de l'abstraction apparus après la Seconde Guerre mondiale (*Transformed Visions*). Quant au thème *Energy and process*, il s'intéresse à un courant radical italien des années 1960 et 1970, l'*arte povera*.

Dans le désordre et au hasard des accrochages, vous croiserez des à-plats de Mark Rothko, des collages de Kurt Schwitters, des sculptures de Joseph Beuys, Epstein, Henry Moore, Giacometti, César et Arman, des tableaux de Matisse, Mondrian, Miró, Picasso, Dalí, de Chirico, Magritte, Yves Klein, Jackson Pollock, Kirchner, Rothko et on en passe. Les réserves de la Tate Modern sont inépuisables et d'une rare richesse ! Elles sont désormais mises en valeur dans la nouvelle extension que s'est adjointe la Tate au sud de l'ancienne usine, avec plusieurs étages dévolus aux expos permanentes, un autre pour les activités pédagogiques et scolaires et, bien sûr, une cafétéria plus un resto chic et choc dans un cadre design. De quoi passer quelques heures de visite stimulante, et revenir au gré d'une balade le long de la Tamise, histoire d'explorer de fond en comble ce haut lieu de l'art contemporain.

🎭 🚶 ***Shakespeare's Globe Theatre*** (plan d'ensemble, H4) : 21 New Globe Walk, Bankside, SE1 9DT. ☎ 020-7902-1500 et 020-7401-9919 (tickets). ● shakespearesglobe.com ● Ⓜ Southwark. Tlj 9h-17h (visite guidée à partir de 9h30). Fermé 24-25 déc. Entrée : 17 £ ; réduc ; gratuit moins de 5 ans. Compter 40 mn de visite guidée, puis musée avec audioguide en français (gratuit). Attention : pdt la saison théâtrale (en principe de mi-avr à mi-oct), les visites de l'apm sont annulées pour ne pas gêner les répétitions.

POURQUOI *THE GLOBE* ?

Est-ce parce qu'il a une forme circulaire que Shakespeare surnomma son théâtre The Globe ? That is the question. Eh bien non ! Vous remarquerez les fresques au-dessus de la scène, symbolisant le paradis. Quant au dessous des planches, on y cachait à l'époque les effets spéciaux et donc l'enfer avec toutes sortes d'explosions et fumées artificielles. Entre les deux, la scène, le théâtre de la vie, en résumé... le monde (globe en anglais).

Sur place plusieurs cafés, bar (tlj jusqu'à 0h30) et brasserie (lun-sam 12h-15h, 17h-23h ; dim 11h30-22h30). Belle vue sur la Tamise.

Face à la Tamise se dresse un véritable mythe : le *Globe*, théâtre du légendaire William Shakespeare. Bon, d'accord, il ne s'agit pas du bâtiment d'origine. Le 1er, construit en 1599, fut détruit en 2h par un incendie accidentel en 1613 lors d'une représentation d'*Henri VIII*. Quant au 2d, il fut démoli en 1644 lorsque les puritains prirent la décision de fermer tous les théâtres. Mais tout de même... ce théâtre circulaire à ciel ouvert datant de 1997 a fière allure, aussi fidèle à l'original que possible : murs de torchis, galeries, colombages, magnifique charpente en bois, et même, détail insolite, un toit de chaume. C'est le seul de Londres, puisqu'ils sont formellement interdits depuis le Grand Incendie de 1666. Un autre théâtre, au toit fermé cette fois-ci, a ouvert en 2014 pour répondre aux vœux de celui qui fut à l'origine de la reconstruction du *Globe*, Sam Wanamaker. Celui-ci avait toujours milité pour que l'on construise 2 théâtres complémentaires. Le nouveau est donc une reconstitution soignée d'une salle typique du XVIIe s de style jacobéen, coiffée d'un plafond aux peintures en trompe l'œil et conçue pour des représentations aux chandelles. Atmosphère !

Au XVIIᵉ s, on ne comptait pas moins de 4 théâtres dans le quartier. Les vestiges de l'un d'eux, *The Rose*, ont été mis au jour lors de récentes fouilles (c'est ce même *Rose* qui avait été reconstruit en studio pour les besoins du film *Shakespeare in love*). La visite comprend le musée (tout sur le théâtre shakespearien, depuis le règne de la grande Élisabeth jusqu'à nos jours, dans une muséologie moderne et interactive très réussie) et un tour guidé du théâtre. On apprend, par exemple, qu'on ne jetait pas des tomates à l'époque aux acteurs, mais des oranges, parce que ça sentait meilleur ! D'autant que les centaines de spectateurs massés debout devant la scène ne sentaient pas non plus la rose : pas de toilettes, l'alcool coulant à flots et de l'ail à croquer en guise de friandise !

Durant la saison théâtrale, on ne saurait que trop recommander d'assister à une représentation d'une pièce de Shakespeare (debout dans la fosse du *Globe* ou assis en tribune, comme à l'époque, à moins de préférer le confort du théâtre couvert).

🎭 🚶 **Golden Hinde** (plan d'ensemble, I4) : *Saint Mary Overie Dock, Cathedral St.* ☎ *020-7403-0123.* ● *goldenhinde.com* ● Ⓜ *London Bridge. Tlj 10h-17h30 ; horaires fluctuants en fonction des visites guidées, contées et d'animations en tout genre. Entrée : 7 £ ; réduc.* Ce bateau est la réplique fidèle d'un navire de guerre du XVIᵉ s, avec lequel le redoutable Sir Francis Drake fit le tour du monde de 1577 à 1580. Il rapporta des trésors incomparables et fit flotter le pavillon anglais sur des eaux jamais encore explorées par ses compatriotes. Il est aujourd'hui connu comme le corsaire britannique ayant remporté le plus grand nombre de duels, et n'est pas étranger à la défaite de l'Invincible Armada en 1588. Visite vraiment rapide mais intéressante pour les passionnés d'histoire maritime et très appréciée des enfants. On devine les conditions de vie des quelque 60 hommes d'équipage en déambulant dans les cales et en lisant une petite brochure explicative.

🎭 **Clink Prison Museum** (plan d'ensemble, I4) : *1 Clink St, Bankside, SE1 9DG.* ☎ *020-7403-0900.* ● *clink.co.uk* ● Ⓜ *London Bridge. Juil-sept, tlj 10h-19h30 ; oct-juin, lun-ven 10h-18h, le w-e 10h-19h30. Entrée : 7,50 £ ; réduc.* C'est dans une ambiance de recueillement assurée par des chants d'église que l'on visite cette prison du XIIᵉ s. Détruite en juin 1780 pendant les émeutes dites « de Gordon », elle a

APPORTEZ DES ORANGES !

Le prêtre jésuite John Gerard, incarcéré pour catholicisme à Clink Prison, taillait des crucifix dans la peau des oranges qu'on lui apportait. Puis il écrivait des lettres avec leur jus et faisait passer ce courrier. Ce moyen de communication lui permit d'organiser avec succès son évasion et de mourir peinard à Rome à l'âge respectable de 73 ans !

vu défiler maintes générations de scélérats de tout poil, de filles de peu de vertu, de dangereux hérétiques, mais surtout de pauvres hères endettés. Pour peu que vous lisiez l'anglais (mais la salle des tortures est on ne peut plus explicite !), vous apprendrez quantité de charmants détails sur le système carcéral du Moyen Âge. Par exemple, les prisonniers devaient payer pour leur détention, les femmes étaient souvent enfermées en compagnie de leurs enfants (ceux-ci, non coupables, pouvaient sortir et aller mendier), certains prisonniers engraissaient des rats d'égout afin d'ajouter un peu de viande à leur pitoyable menu...

C'est moins gore – et moins cher – que le London Dungeon et, autant le dire, beaucoup plus informatif, même si le site est petit et la visite rapide. Bien qu'un effort pédagogique soit à noter à l'égard des enfants, certaines reconstitutions (à l'aide de mannequins) peuvent néanmoins se révéler impressionnantes.

🎭 **The View from The Shard** (plan d'ensemble, I4) : *South Bank, 40 Bermondsey St, SE1 3UD.* ☎ *0844-499-7111.* ● *theviewfromtheshard.com* ●

Ⓜ *London Bridge. Tlj, avr-fin oct 10h-22h (dernier accès à 21h30) ; nov-mars 10h-19h (22h jeu-sam), dernière entrée 1h avt la fermeture. Fermé 25 déc. Résa conseillée à l'avance pour éviter l'attente et bénéficier de tarifs réduits. Billet (cher !) : 30,95 £ (18,95 £ si résa en avance) ; réduc 4-15 ans. LE BON PLAN : monter jusqu'au resto Oblix au 32e étage, c'est GRATUIT et la vue est déjà pas mal !*

La vue touristique la plus haute d'Europe, depuis le 72e étage de cette tour inaugurée en février 2013, un pointu élongué de 310 m (du même ordre que la tour Eiffel) se terminant par 4 pièces de verre inégales formant un éclat (*shard* en anglais). La tour est occupée par des bureaux, des appartements et un hôtel, *Shangri-La*. Dessiné par Renzo Piano, c'est le nouveau symbole d'un Londres en grand mouvement... Au bout de 3 ans de travaux (la grue a grandi avec l'édifice jusqu'au sommet !) et 600 millions d'euros d'investissements, cette tour éminemment controversée en raison de son impact visuel radical sur la ligne d'horizon londonienne a vite éclipsé le minuscule *Cornichon (The Gherkin),* de l'autre côté de la Tamise, avec ses 180 m, et même le London Eye, qui offrait pourtant déjà un joli panorama du haut de ses 135 m.

Des ascenseurs ultra-rapides (6 m/s), des télescopes interactifs et un grand moment d'émotion tout là-haut sur la terrasse du 72e étage, entre le sifflement du vent et la vue à 60 km à la ronde. Admirez les méandres de la Tamise, la coupole de Saint Paul, l'arche de Wembley au loin...

🥾🚶 **HMS Belfast** *(plan d'ensemble, J4) :* The Queen's Walk, SE1 2JH. ☎ 020-7940-6300. ● iwm.org.uk ● Ⓜ *London Bridge. Tlj 10h-17h ; dernière admission 1h avt. Fermé 24-26 déc. Entrée : 17 £ ; réduc ; gratuit moins de 5 ans. Audioguide (inclus) en français. Cafétéria (dans la cale).*

Ancré sur la Tamise, à 2 pas du superbe Tower Bridge, ce beau croiseur, lancé en 1938 à Belfast, aux célèbres chantiers navals *Harland & Wolf* (ceux du *Titanic*), fut l'un des premiers à bombarder les défenses allemandes des plages Gold et Juno le 6 juin 1944... et le seul à avoir échappé à la casse, après avoir dûment arrosé les troupes chinoises lors de la guerre de Corée. Il prit sa retraite en 1963 après avoir couvert plus de 500 000 miles.

Aujourd'hui, on a la chance de pouvoir le visiter de fond en comble. Et quelle chance ! Annexe de l'Imperial War Museum, il cherche d'abord à témoigner des conditions de vie à bord à l'époque. Les moindres recoins sont accessibles (sur 9 niveaux) et, en jetant un œil au plan détaillé, on mesure vite les méandres de cette miniville flottante : batteries d'artillerie, dortoirs, cabinet de dentiste, infirmerie (avec salle d'opération !), carré des officiers, salle des machines, cuisines, bibliothèque, chapelle, cellule d'isolement (à l'arrière, là où ça tangue le plus)... On explore, on se perd, on se repère à force, tandis que des mannequins hyper réalistes donnent vie à l'ensemble, sans parler des sons, des odeurs, des lumières des radars dans la salle de contrôle... Parfait pour une visite en famille.

🥾 **Fashion and Textile Museum** *(plan d'ensemble, J5) :* 83 Bermondsey, SE1 3XF *(dans une rue perpendiculaire à Tooley St).* ☎ 020-7407-8664. ● ftmlondon.org ● Ⓜ *London Bridge. Mar-sam 11h-18h (20h jeu), dim 11h-17h. Ouv certains lun fériés. Entrée : 9,90 £ ; réduc ; gratuit moins de 12 ans.* Cet atelier et lieu d'exposition appartenant à Zandra Rhodes, fameuse styliste britannique, a ouvert ses portes dans un quartier dévolu au design vestimentaire et à la création artistique. Intéressantes expos temporaires entièrement consacrées à la mode et aux créateurs.

🥾 **White Cube Gallery** *(plan d'ensemble, J5) :* 144-152 Bermondsey St, SE1 3TQ. ☎ 020-7930-5373. ● whitecube.com ● Ⓜ *London Bridge. Mar-sam 10h-18h, dim 12h-18h. GRATUIT.* Peinture, vidéo, collages et autres œuvres d'art plastique trouvent toujours une place de choix dans cette galerie réputée. Expos temporaires renouvelées chaque mois.

SOUTHWARK, SOUTH BANK ET WATERLOO

LES AUTRES QUARTIERS DU GRAND LONDRES

AU NORD

CAMDEN TOWN

Au nord de Londres, le quartier de Camden Town est évidemment célèbre pour son marché aux puces, encore plus folklorique et « fringues » que Portobello. Question hébergement, ce n'est pas le point de chute idéal pour explorer la ville. On y vient d'abord pour observer toute la foule d'excentriques urbains *typically* londoniens et pour la vie nocturne toujours aussi électrique et éclectique. Grosse affluence les vendredi et samedi soir, nombreux groupes *live* et chaude ambiance dans les bars et clubs. Une étape indispensable dans tout séjour londonien pour découvrir le *swinging London* du 3e millénaire !

➤ *Pour y aller :* très rapidement accessible en bus ou en métro (Ⓜ Camden Town ou Chalk Farm). Et pourquoi ne pas prendre l'un de ces bateaux qui partent de Bloomfield Rd (Ⓜ Warwick Ave) et suivent le canal jusqu'à Camden Town ?

Où dormir ?

Auberge de jeunesse (moins de 35 £/pers / 41 €)

🏠 |●| *St Christopher's Camden (plan Camden Town, B3, 1) :* 48-50 Camden High St, NW1 0LT. ☎ 020-7388-1012 et 8600-7500. ● camden@st-christophers.co.uk ● st-christophers.co.uk ● Ⓜ Mornington Crescent. Bar ouv jusqu'à minuit en sem et dim, 2h ven-sam. En dortoir mixte ou séparé 6-12 lits en moyenne 26 £/pers. Doubles à partir de 43 £. Prix très variables selon période et promos, petit déj inclus. Comme à son habitude, cette chaîne bien connue de *youth hostels* privées mêle ambiance festive et qualité des prestations. Au rez-de-chaussée, le désormais classique *Belushi's Bar*, à l'atmosphère très américaine, toujours bondé le soir et servant quelques plats à prix doux. À l'étage, bien défendus par des cartes magnétiques, une poignée de dortoirs (total : 70 lits), sans double vitrage, petits et basiques mais acceptables et flanqués de douches et w-c pas trop mal tenus. Au sous-sol, petite salle commune avec sofas, TV. Un bémol : pas de cuisine... mais réductions au bar pour les résidents et un micro-ondes (ça peut toujours servir !).

De prix moyens à très chic (50-120 £ et plus / 58-140 €)

🏠 *Camden Lock Hotel (plan Camden Town, A2, 2) :* 89 Chalk Farm Rd, NW1 8AR. ☎ 020-7267-3912. ● reservations@camdenlockhotel.co.uk ● Ⓜ Chalk Farm. À 2 pas des entrepôts du marché aux puces. Doubles 85-140 £ selon période, avec petit déj. Réduc si vous réservez par e-mail à l'avance. Voilà un petit hôtel (environ 33 chambres) sans prétention, où l'on est bien accueilli, avec son café rutilant au rez-de-chaussée. Oh, rien d'exceptionnel, chambrettes un peu exiguës mais assez coquettes. Éviter si possible celles qui donnent sur le carrefour.

Spécial coup de folie
(plus de 145 £ / 168,20 €)

🏠 |●| **York and Albany** *(plan Camden Town, B3, 3)* : 127-129 Parkway, NW1 7PS. ☎ 020-7387-5700 et 7592-1227 (resto). ● yorkandalbany@gordonramsay.com ● gordonramsayrestaurants.com ● Ⓜ *Camden Town. Doubles 175-255 £. Promos sur Internet. Resto 12h-15h et 19h-23h. Plats 15-28 £.* Dormir chic à Camden ? Original. C'est pourtant le défi qu'a relevé Gordon Ramsay, l'un des chefs les plus prestigieux d'Angleterre. Son hôtel-boutique donne l'impression d'un pub élégant et cossu : au rez-de-chaussée, le bar et le restaurant, mais aussi son *deli* (voir « Où manger ? ») et sa terrasse. À l'étage, une dizaine de chambres tout confort et très soignées. Certaines sont décorées dans un style ancien, avec des bibelots de prix et du mobilier ad hoc, d'autres sont résolument contemporaines. On aime bien celle dans la tour ronde. La suite donne sur l'arrière, avec sa petite terrasse privée. Tapis épais, parquets grinçants, lits à baldaquin, tout ce qu'il faut pour un week-end cocooning en amoureux. Sinon, resto de bonne réputation, clientèle chic et distinguée. Bar au décor postmoderne et un vrai zinc, moins cher bien sûr *(avec des pizzas à 11,50 £).*

Où manger ?

Très bon marché
(moins de 10 £ /12 €)

🍽 |●| Le week-end, le **marché** *(plan Camden Town, A2, 50)* est envahi de nombreux stands de cuisine exotique qui rivalisent pour titiller vos papilles. De quoi reprendre des forces et se remplir la panse à moindres frais. Ceux situés dans le **Stables Market,** sous la partie couverte (nourritures chinoise, indienne, marocaine...), nous ont paru de qualité extrêmement moyenne. Il existe des gargotes plus engageantes, côté canal, près du cabaret *Dingwalls* : cuisines chypriote, libanaise, argentine... Dans tous les cas, suivez votre flair (et votre bon sens) et installez-vous sur un coin de table avant de repartir à l'assaut des puces...

Bon marché
(10-20 £ / 12-23 €)

|●| 🍽 **York & Albany** *(plan Camden Town, B3, 3)* : 127-129 Parkway, NW1 7PS. ☎ 020-7255-9254. Ⓜ *Camden Town ou Mornington Crescent. Lun-sam 7h-23h, dim service continu 12h-21h. Pizza 11,50 £, plats 6,50-15 £.* Une adresse de charme derrière laquelle se trouve Gordon Ramsay, un cuisinier anglais très cathodique. Installé dans les écuries d'un ancien relais de poste dont il a conservé les anciens pavés. Quelques tables à peine dans ce *deli* aux allures d'épicerie d'antan. Ça sent bon les cakes ou les pizzas tout juste sortis du four au feu de bois, et le plateau de fromages anglais vous calerait une équipe de rugby, le tout exécuté sous vos yeux avec des produits frais. Sinon, « sandwichs ouverts », burgers, calamars... Également un bar vaste et lumineux *(11h-minuit, 0h30 ven-sam, 22h30 dim)* ainsi qu'un restaurant. Quelques tables en terrasse.

|●| 🏃 **Haché** *(plan Camden Town, B2, 12)* : 24 Inverness St, NW1 7HJ. ☎ 020-7485-9100. ● camden@hacheburgers.com ● Ⓜ *Camden Town. Tlj 11h30-22h30 (23h ven) ; w-e 9h30-23h (22h dim). Burgers 8-12 £.* Haché ? Avec ce nom pas possible, il fallait un challenge à la hauteur : rien de moins que des burgers... pour « connoisseurs » ! Après avoir précisé, à la commande, la cuisson, le type de pain, la sauce et les accompagnements, le fameux hamburger s'avère digne d'éloges. Produits de qualité supérieure, frais, parfaitement cuits et assaisonnés. Au choix, bœuf, agneau, végétarien, et même salade. Affaire familiale, atmosphère vraiment relax, ça fait du bien ! Terrasse.

LES AUTRES QUARTIERS DU GRAND LONDRES

Autour de Regent Street

On aime bien cette rue résidentielle du village de *Primerose Hill,* élégante et tranquille, à distance convenable du barnum agité et bruyant des puces !

De bon marché à prix moyens (10-30 £ /12-34 €)

|●| **Lemonia** *(plan Camden Town, A2, 10)* : 89 Regent's Park Rd. ☎ 020-7586-7454. Ⓜ *Chalk Farm. Tlj 12h-15h et 18h-23h (dim 12h-15h30). Menus déj 14,50, plats 12,50-30 £.* Depuis plus de 30 ans, le resto grec de Camden, immuable dans la qualité de sa cuisine et de son service (les serveurs vieillissent lentement avec le resto et ont le contact facile). Clientèle d'habitués. Beaucoup de plantes vertes, très spacieux, lumineux aux beaux jours, apprécié des familles nombreuses (ici, on aime les enfants). Cuisine aux accents méditerranéens, ça va de soi, poissons bien préparés. Menus du midi vraiment intéressants.

|●| **Greenberry** *(plan Camden Town, A2, 11)* : 101 Regent's Park Rd. ☎ 020-7483-3765. ● info@greenberrycafe.co.uk ● Ⓜ *Chalk Farm. Dim-lun 9h-15h, mar-sam 9h-22h. Menus 13,50-15,50 £, plats 13-19 £.* Happy hour *mar-ven 17h-18h.* Resto-brasserie sans prétention au cadre simple et chaleureux, avec jolies photos au mur, très populaire, *packed* le dimanche (résa conseillée). Il offre une cuisine avec une touche personnelle de qualité régulière. Produits toujours de saison traités avec le souci de préserver goûts et parfums, fraîcheur absolue. Brunch du week-end également apprécié. Pain, gâteaux et glaces maison.

|●| ♛ **The Queens** *(plan Camden Town, A2, 16)* : 49 Regent's Park Rd, NW1 8XD. ☎ 020-7586-0408. Ⓜ *Chalk Farm. Face au parc de Primrose Hill. Lun-sam 11h-23h ; dim 12h-21h. Plats élaborés 12-23,50 £.* Un beau pub classique un rien classieux, fréquenté par les promeneurs du Regent's Park et les notables du quartier. Au 1er étage, la salle de restaurant cosy à l'ambiance décontractée et un balcon donnant sur le parc. Bonne nourriture sans surprise et assiettes bien présentées. Concerts en fin de semaine. Belle sélection de gâteaux.

|●| **L'Absinthe** *(plan Camden Town, A2, 22)* : 40 Chalcot Rd, NW1 8LS. ☎ 020-7483-4848. ● absinthe07@hotmail.co.uk ● Ⓜ *Chalk Farm. Tlj sauf dim et lun soir. Plats 12-20 £, petit déj et brunch 6-10 £.* En retrait de l'agitation du marché, une atmosphère provinciale

CAMDEN TOWN

LES AUTRES QUARTIERS DU GRAND LONDRES

se dégage de cet accueillant bistrot 100 % cocorico. Quelques tables au rez-de-chaussée ou en sous-sol avec nappes à carreaux comme il se doit. À la carte, escargots, poireaux vinaigrette, bœuf bourguignon, confit de canard ou la spécialité, une incontournable crème brûlée à l'absinthe. Y a même du pain perdu ! À accompagner de vins finement choisis, l'autre argument choc de la maison.

Où manger une bonne glace ?

♀ *Marine Ices* (plan Camden Town, A2, 27) : 61 Chalk Farm Rd. ☎ 020-7428-9990. Tlj 12h-21h. Depuis 1931, plus haut dans le quartier, Gaetano Mansi a longtemps régalé son monde (et au-delà) avec ses bonnes recettes de glaces à l'italienne. Ses petits-enfants ont créé ce nouveau lieu pour perpétuer la tradition : méthodes artisanales, ingrédients naturels, sorbets aux vrais fruits. Belle sélection de *sundays* également, milk-shakes, gaufres belges et *chocolate brownies*. Et (vraie) cerise sur le brownie, un choix de cafés extra...

Où boire un verre ?
Où écouter de la musique ? Où danser ?

♀ |●| ♪ ૠ *Proud* (plan Camden Town, A2, 26) : Horse Hospital, Chalk Farm Rd, NW1 8AH. ☎ 020-7482-3867. ● proudcamden.com ● Ⓜ Camden Town ou Chalk Farm. Tlj 12h-minuit (2h30 jeu-sam). Burgers 7,50-15 £. Cette ancienne clinique pour chevaux transformée en galerie photos/bar/night-club/resto ne manque pas de panache avec ses box devenus des recoins-salon. Des burgers sont proposés en terrasse chauffée et la salle d'expo *(tlj 11h-17h)* fait office de *dance floor* le soir. Super programmation, surtout le mercredi avec le *Club Kamikase* où l'on célèbre les Clash, Libertines, Red Hot Chili Peppers, Muse et tant d'autres... Ici, pas de course à la célébrité, on met plutôt en selle les DJs qui se lancent. Le dimanche à partir de 15h, même esprit pour les solos à la guitare, dans une ambiance bien sympa.
♀ ♪ *The Blues Kitchen* (plan Camden Town, B3, 25) : 111-113 Camden High St, NW1 7JN. ☎ 020-7387-5277. ● theblueskitchen.com ● Ⓜ Camden Town. Lun-mar 12h-minuit (1h mer-jeu, 2h30 ven) ; w-e 10h-3h (1h dim). Musique ts les soirs, tarifs et horaires variables. Gratuit si on mange ! Soul, rock, blues... l'Amérique côté musique dans ce grand pub aux banquettes de skaï beiges et plafonds à caissons, également connu pour ses whiskies : plusieurs dizaines de bouteilles, dont des raretés comme ce *William Heavenhill* à 50 £ le godet ! Une adresse anti-coup de blues, idéale pour bien commencer la soirée et croquer dans le burger du mois.
♀ |●| *The Enterprise* (plan Camden Town, A2, 28) : 2 Haverstock Hill (coin Chalk Farm Rd), NW3 2BL. ☎ 020-7485-2659. ● info@camdenenterprise. com ● Ⓜ Chalk Farm. Tlj 7h-11h, 12h-23h (1h ven-sam). Burger et pub grub 9-13 £. Bons Sunday roast et sandwichs. On aime bien ce vieux pub rugueux et patiné, offrant par journée de soleil son atmosphère tranquille et lumineuse. Aux 1ers frimas, le feu crépite dans la cheminée près de la petite bibliothèque. Le soir, autre ambiance, quand la musique conquiert l'espace, belle animation ! Concerts live quasi tous les soirs (sauf lundi-mardi). Vers 18h30-19h, parfois gratuits (ou tickets max 3-6 £). Réputé pour donner sa chance aux jeunes groupes. Retransmission des grands matchs (foot et rugby).

Spécial *nightclubbers*

♪ *O2 Forum Kentish Town* (plan Camden Town, B1, 30) : 9-17 Highgate Rd, NW5. ☎ 020-3362-4110 (résas et achat des billets). ● academymusic group.com/o2forumkentishtown/ ● Ⓜ Kentish Town. Entrée selon notoriété du groupe. Existe depuis 1934, de style Art déco ! C'est LA salle (2 400 places) où les jeunes groupes doivent passer pour prétendre à une parcelle de gloire « rock'n'rollesque ». Ce qui n'empêche pas les grosses cylindrées de revenir faire un tour de piste pour le plaisir... Bonne vue sur la scène du rez-de-chaussée comme de la mezzanine.

♪ **Jazz Café** (plan Camden Town, B2-3, **31**) : 5 Parkway, NW1 7PG. ☎ 020-7485-6834. ● fergus@theco lombusgroup.com ● thejazzcafelon don.com ● Ⓜ Camden Town. Ouv à partir de 19h. Résa conseillée. Entrée payante. Cette ancienne boîte de jazz très célèbre a revu sa programmation : désormais, en plus des concerts classiques (pas mal de grosses pointures), on a toutes les chances de tomber sur de la soul, du funk et du hip-hop. On y a même vu MC Solaar, le SOS Band ou encore Boy George (pas le même soir) ! Le samedi soir est même dévolu aux soirées _I love the eighties_, très étudiantes, très disco. Salle de resto (pas terrible) sur la mezzanine.

♪ |●| **Green Note et The Basement Bar** (plan Camden Town, A-B3, **34**) : 106 Parkway, NW1 7AN. ☎ 020-7485-9899. ● greennote.co.uk ● Ⓜ Camden Town. Mar-sam 19h-23h (minuit ven-sam) ; dim 14h-17h30, 19h-23h. Entrée : à partir de 8 £. Créé il y a 10 ans par 2 passionnés de musique world. Ici, c'est l'ambiance qui compte. Pas mal d'habitués fréquentent ce petit bar un peu _roots_, au parquet et aux meubles en bois qui en ont vu d'autres, où chaque soir des groupes ou des chanteurs solos s'essaient au jazz, au _bluegrass_ ou à la country. Chaleureux, relax et pas compliqué, comme la cuisine végétarienne qui permet de se sustenter entre 2 tours de chant. Et pour prolonger le plaisir, **The Basement Bar,** au sous-sol donc, avec une programmation tout aussi complémentaire.

♪ |●| ∞ **Lock 17-Dingwalls** (plan Camden Town, A-B2, **32**) : Middle Yard, Camden Lock, NW1 8ALF. ☎ 020-7428-5929. ● dingwalls.com ● Ⓜ Camden Town. Au début de Chalk Farm Rd, à gauche après le pont au-dessus du canal. Spectacle tlj 19h30-21h30. Comedy ven-sam, sinon musique live (rock, punk). Entrée : 5-15 £. Les Anglais appellent cela un _comedy club_, un genre de café-théâtre en beaucoup plus grand et plus élaboré. Possibilité de se restaurer. 3 salles : le _Market Bar_, le _Canalside Bar_ et le _Dingwalls Club_. Avec des animations régulières

comme les _Roll on Fridays_ (de 1 à 3 £), les soirées _We are Wild_ le dernier mercredi de chaque mois (gratuit) et tous les lundis _Free Live Music_. Et après ? On danse jusqu'à l'aube sur l'un des 3 _dance floors_, jusqu'à 2h30 les vendredi et samedi.

♪ **The Underworld** (plan Camden Town, B2, **20**) : 174 Camden High St, NW1 0NE. ☎ 020-7482-1932. ● theun derworldcamden.co.uk ● Ⓜ Camden Town. Tlj. Concert à partir de 18h-19h. Entrée : 8-20 £. Pour les club nights du w-e, 5 £ avt 23h30 ! Sous l'immense pub _World's End_ (face au métro Camden Town), une boîte sans déco notable mais connue pour ses « soirées délire », avec des groupes live déclinant la famille des _metal_ au complet : folk, death, heavy, indie... et même _extreme metal_ !

♪ ⚔ |●| **The Forge** (plan Camden Town, B3, **13**) : 3-7 Delancey St, NW1 7NL. ☎ 020-7383-7808. ● forgevenue. org ● Ⓜ Camden Town. Tlj sauf lun 10h-minuit (1h ven-sam, 22h30 dim). Possibilité de se restaurer (Forge Cantina ; mar-dim 18h-22h et brunch le w-e 10h-15h). Happy hour 17h30-19h (2 cocktails pour 10 £). Beaucoup de musique du monde, classique, jazz, funk, soul. On y a même vu une comédie musicale pour enfants ! Lieu très ouvert (dans tous les sens du terme !), sur plusieurs niveaux, et un mur végétal spectaculaire.

♪ ⚔ **KoKo** (plan Camden Town, B3, **33**) : 1 A Camden High St, NW1 7JE. ☎ 020-7388-3222 et 0844-477-1000 (tickets). ● koko.uk.com ● Ⓜ Mornington Crescent. Horaires et droit d'entrée selon groupe ; réduc étudiants certains jours. Ancien théâtre créé en 1900 (Chaplin y a joué) devenu cinéma en 1913, théâtre à nouveau de 1945 à 1965, puis salle de concerts (dans les années 1970, concerts mémorables des Rolling Stones – en 1964 avec album enregistré –, des Sex Pistols et des Clash) et, enfin, night-club ! On y a vu Madonna en 1983, dont ce fut le 1er concert en Grande-Bretagne, Eurythmics, The Cure, les Babyshambles, Roxy Music, Amy Winehouse ou Vanessa Paradis. Dans la vaste fosse qui fait office de _dance floor_ ou dans les différents étages, bonne ambiance,

bonne musique, bonnes *vibes,* le tout dans un décor magistral.
– Voir également nos adresses dans la rubrique précédente, « Où boire un verre ? ». Elles proposent toutes *music* et, parfois, *dancing* le soir.

Shopping

Outre les innombrables stands du marché aux puces de Camden, le quartier abrite quelques bonnes adresses alternatives pour faire son shopping.

⚜ *British Boot Company (plan Camden Town, B2, 42) :* 5 Kentish Town Rd, NW1 8NH. ☎ 020-7485-8505. • brit boot.co.uk • Ⓜ *Camden Town. Tlj 10h-19h30.* C'est minuscule, mais c'est pourtant LA boutique originelle de *Dr. Martens* depuis plus de 160 ans. Leur devise : « Si nous ne l'avons pas, c'est que ça n'a pas été fabriqué. » Toutes les vedettes de la musique s'y sont chaussées, de même que les *bobbies* de la Metropolitan Police. On y voyait souvent les Sex Pistols, les Clash, Morrissey, Madness, les Pogues, les Ramones, Robbie William et tant d'autres... Visite impérative pour les amoureux de ces chaussures indestructibles. Pas donné, mais les fins de séries sont parfois soldées. Et puis celles vendues moins chères au marché sont souvent des contrefaçons !

⚜ *Ray Man Eastern (plan Camden Town, A2, 41) :* 54 Chalk Farm Rd, NW1. ☎ 020-7692-6261. Ⓜ *Chalk Farm. Lun 13h-17h, mar-sam 10h30-18h, dim 11h-17h.* Pour les fans de *world music,* cette petite boutique aligne une sélection éclectique d'instruments d'Orient, d'Afrique et d'Amérique latine, à des prix raisonnables : gongs chinois, harpe birmane, tambourins marocains, sitars pour gauchers, ukulélés, clochettes tibétaines... Choix très impressionnant !

⚜ *Fresh Coffee Roasted (plan Camden Town, B3, 13) :* 11 Delancey St, NW1 7NL. ☎ 020-7387-4080. Ⓜ *Camden Town. Tlj sauf dim 9h30-17h30 (14h30 jeu).* George Constantiniou torréfie son propre café dans cette boutique depuis 1978 et fournit bon nombre de clients et d'amateurs. Rien ne semble avoir changé. Si vous passez dans les parages, suivez l'odeur et passez une tête dans cette boutique d'un autre âge. Accueil adorable.

⚜ Ne pas oublier le *marché aux puces de Camden Town,* plein de boutiques rigolotes. Lire ci-dessous « À voir. À faire ».

À voir. À faire

♥♥♥ *Marché aux puces de Camden Town (plan Camden Town, A-B2, 50) :* tlj 10h-18h, mais plus animé le w-e. Au bord de l'eau, très vivant, on l'appelle le *Camden Lock* ou *Dingwalls Market. (plan Camden Town, B3),* non sans admirer le délire fantasmagorique de la décoration des façades... Disquaires, boutiques de fringues branchées ou friperies *has been,* salons de piercing et tatouages, souvenirs laids, gadgets de mauvais goût ou inutiles... Un peu plus loin, il y a le marché proprement dit, coincé entre le canal et Camden High Street, dont 90 % des antiquités sont plus jeunes que vous. Nombreux stands de vêtements psychédéliques, rastas ou gothiques, objets d'Asie, affiches de films, bouquins et beaucoup de gadgets *seventies.* Ne pas hésiter à s'enfoncer dans le dédale de ruelles, près du chemin de fer, là où sont installées les boutiques les plus délirantes au cœur des anciennes halles *(Stables Market).* Repérez le forgeron géant et vous y êtes !
– Un incontournable, le *Cyberdog,* immense espace futuriste gardé à l'entrée par 2 robots gigantesques faisant office d'atlantes, où la techno pulse à fond et où vous trouverez de superbes tenues de l'espace pour frimer dans les raves les plus déjantées. Hors de prix, mais même les vendeurs, les danseuses (si, si !) et le DJ derrière ses platines cosmiques valent le coup d'œil...

– Les pin-up dans l'âme ou fans de rockabilly des années 1940 et 1950 ne manqueront pas la boutique **Collectif** *(d'autres adresses, notamment à Spitalfields),* située au pied des chevaux émergeant du pont (!) qui vend à prix honnêtes des modèles rétros conçus et créés à Londres. Les robes *baby-doll* ou cintrées à pois sont un must l'été. Pas mal de visiteurs prennent la pause devant la statue d'Amy Winehouse près de l'Atrium et des anciennes écuries. On vient même lui déposer des fleurs ou lui passer des bracelets ! Également des entrepôts de meubles design des années 1960-1970. Pour se reposer les gambettes dans un lieu agréable et paisible, **Cuban Café,** sous l'œil de velours et l'engagement de fer du Che.

HAMPSTEAD ET HIGHGATE

● Plan *p. 315*

À quelques kilomètres du centre de la capitale et pourtant si loin dans l'esprit, Hampstead et Highgate, séparés par le grand parc Hampstead Heath, sont d'anciens villages que l'urbanisation a englobés au début du XXᵉ s dans le « Grand Londres ». Ils ont su garder un caractère villageois et résidentiel, facilité par la configuration des ruelles (surtout à Hampstead), qui épousent les reliefs de la colline. Les touristes ne s'y aventurent guère, ils sont toujours aussi authentiques avec leurs cottages georgiens du XVIIIᵉ s, leurs maisons blanches de style victorien et leurs pubs en embuscade au débouché des venelles pavées. Ce charme inné attire, depuis des siècles, artistes, écrivains et penseurs en mal d'isolement et de quiétude : Robert Louis Stevenson, John Constable, George Orwell, le poète John Keats et, plus récemment, Elton John, Jeremy Irons ou Sting. Karl Marx a même « choisi » de mourir et de reposer ici (en 1883).

Comment y aller ?

➤ **En métro :** par la Northern Line, descendre à Hampstead (direction Edgware) pour le quartier du même nom, à Archway ou Highgate (direction High Barnet ou Mill Hill East) pour le quartier de Highgate. Dans tous les cas, pensez à récupérer, en sortant du métro, une *street map,* très utile pour vous repérer. Si vous avez l'intention de visiter les 2 quartiers, on vous conseille de commencer par Hampstead et de finir par Highgate, en traversant le parc. Déjà parce que, dans ce sens, ça descend (et que dans l'autre, ça monte sec), et surtout parce qu'il vaut mieux s'attarder dans le quartier de Hampstead, nettement plus attrayant, avant de traverser tranquillement Hampstead Heath où l'on vient avec bonheur respirer le bon air de la campagne...

Où dormir ?

Auberges de jeunesse (moins de 35 £ / 41 €)

🏠 **Palmers Lodge** (hors plan Hampstead par A2, **10**) **:** 40 College Crescent, Swiss Cottage, NW3 5LB. ☎ 020-7483-8470. ● palmerslodges.co.uk ●

Ⓜ *Swiss Cottage. 180 lits en dortoirs 2-28 lits. Env 12-30 £/pers. Quelques chambres doubles (ou twin) avec leur propre sdb 64-105 £/nuit, avec petit déj. Parking gratuit sur la place.* À 2 stations de Baker Street et à 5 de Westminster, autant dire que cette auberge de jeunesse n'est pas bien loin du centre. Et ce n'est pas là son moindre attrait. Installée dans un authentique manoir victorien, elle possède un charme fou. Même les dortoirs ont du cachet ! Les lits superposés doubles (dortoirs conçus pour des couples !) et fermés à l'aide de petits rideaux de toile blanche nous replongeraient presque en pleine Renaissance. Très théâtral tout ça ! Les dortoirs aménagés sous les combles ont gardé leurs poutres apparentes. Le réfectoire n'est pas en reste, vu que les repas sont servis dans les anciennes cuisines du manoir, celles-ci ayant conservé une grande partie de leur décor d'origine (cheminée, céramiques...). Excellente

ambiance : bar sur place (un genre de petit pub), salon TV, billard, jeux de fléchettes, barbecue aux beaux jours sur l'une des terrasses. Dommage toutefois qu'il n'y ait pas de cuisine en accès libre (on se contente d'un micro-ondes, ou des repas servis le soir). Pas d'adhésion, ni de limite d'âge. À noter que la maison possède un autre *hostel*, le *Hillspring Lodge* *(233 Willesden Lane, NW2 5RP ;* ☎ *020-7099-2435 ;* ● *palmerslodges.co.uk* ● Ⓜ *Willesden Green).* Sis dans un bâtiment moderne et sans charme, c'est un point de chute propre, fonctionnel, confortable... mais excentré.

Où manger ?

N'oubliez pas que les pubs cités plus loin servent aussi souvent des plats de bonne qualité, notamment le traditionnel *carvery lunch* du dimanche.

Très bon marché (moins de 10 £ / 12 €)

I●I ▾ 🕴 Brew House (hors plan Hampstead par B1) : Kenwood House, Hampstead Heath, NW3 7JR. ☎ 020-8348-4073. Ⓜ Highgate. Déc-janv 9h-16h, avr-sept 9h-18h (19h30 les soirs de concert), fév-mars et oct-nov 9h-17h. Plats 5-12 £. Nichée dans les anciennes remises de ce beau manoir de Kenwood House, la *Brew House* est le salon de thé typique des monuments historiques britanniques. La cuisine ne fait donc pas dans le créatif, mais ses soupes du jour, gâteaux maison et *today's special* bien typiques se goûtent fort bien sur la très belle terrasse luxuriante. Délicieusement champêtre. D'autant plus que l'on peut emporter le tout et s'offrir un pique-nique dans le magnifique parc qui s'étire à perte de vue. Terrasse.

De bon marché à prix moyens (10-30 £ / 12-34 €)

I●I ▾ The Horseshoe (plan Hampstead, A2, **21**) : 28 Heath St, NW3 6TE.

☎ 020-7431-7206. Ⓜ Hampstead. Lun-jeu 11h-23h, ven-sam 11h-minuit, dim 12h-22h30. Plats 7-18 £. Menus le midi 9-10 £ avec verre de vin. Concerts le dim soir. Ce pub nouvelle génération, à la déco moderne pseudo-industrielle, fait le plein à chaque service (voire avant et après). Car la cave abrite une brasserie de poche, une vraie, qui fait le bonheur des amateurs de *real ale*, tandis qu'en cuisine chefs et marmitons composent chaque jour un menu plein de bonnes idées et toujours bien réalisé. Ça change des *pub grub* étouffe-chrétiens ! Accueil un peu speed.

I●I La Cage Imaginaire (plan Hampstead, A2, **25**) : 16 Flask Walk, NW3 1HE. ☎ 020-7794-6674. Ⓜ Hampstead. Dans une petite rue perpendiculaire à Hampstead High St. Tlj sauf dim 11h30-23h. Menu-carte 26 £ pour 3 plats ; formule 2 plats 19 £ le midi, 23-26 £ à la carte. Un resto chic et français, aux prix serrés, niché dans une maison victorienne fort coquette. Une petite salle intime à l'atmosphère feutrée, propice aux confidences amoureuses. Les plats classiques (bons poissons notamment) sont élaborés avec de bons produits, la cuisson est soignée et les portions sont très correctes. Si l'on ajoute l'accueil chaleureux du personnel, on obtient une adresse à tous points de vue séduisante.

HAMPSTEAD

Où boire un verre ?

De bon marché à prix moyens (10-30 £ / 12-34 €)

🍷 🍴 *Spaniards Inn (hors plan Hampstead par B1, 22)* : *Spaniards Rd, NW3 7JJ.* ☎ *020-8731-8406.* Ⓜ *Hampstead. Dans la rue qui longe au nord le parc de Hampstead Heath. Du métro, bus n° 603 (en sem seulement) ; sinon bus n° 210 depuis les stations de métro Archway ou Golders Green (ou alors un peu de marche depuis Hampstead, arrêt « Spaniards Inn »). Tlj 12h-23h (22h30 dim). Plats 11-22,50 £.* Pub vieux de 500 ans, le plus célèbre de Hampstead. Le bandit de grand chemin Dick Turpin y préparait ses mauvais coups et Byron, Keats, Dickens ou Bram Stocker y trouvaient l'inspiration entre 2 bières. Les bancs devant la maison blanche rappellent leurs passages dans ces murs. Bref, malgré ses multiples rénovations et transformations, ce mythe résiste encore aux siècles et offre un véritable saut dans le temps : plafonds bas, poutres mal dégrossies, petites loupiotes dans les recoins et vrai feu de bois ne décevront pas les amateurs de romans d'aventures. Vaste jardin ombragé à l'arrière, très apprécié aux beaux jours. Bons petits plats de pub améliorés et bières locales.

🍴 |●| **The Holly Bush** (plan Hampstead, A1, 23) : 22 Holly Hill, NW3 6SG. ☎ 020-7435-2892. ● hollybush@fullers.co.uk ● Ⓜ Hampstead. Du métro, tourner à droite et prendre les petits escaliers à gauche, juste avt l'église. Tlj 12h-23h (22h30 dim) ; service 12h-16h30, 18h-22h ; dim 12h-20h. Réserver dim. Plats 14-24 £. Attention, perle rare ! On est plongé dans l'Angleterre profonde en entrant dans ce pub hors d'âge, perché en haut de la colline de Hampstead (ça grimpe sec !). Vieilli dans son jus depuis le milieu du XIXe s, il abrite 4 belles salles remplies de souvenirs, des recoins sombres pour les amoureux et de grandes tables patinées pour les familles ou les virées entre amis. Clientèle d'habitués qui se retrouvent autour de la cheminée en hiver. La cuisine est à l'image des lieux, rustique et généreuse. Spécialités de saucisses et de *pies,* et toutes sortes de viandes et poissons. Pour les amateurs, la *real ale* et les bières artisanales valent le détour. Demander à tester avant de goûter. On adore !

🍴 |●| **The Flask** (hors plan Hampstead par B1, 24) : 77 Highgate West Hill, N6 6BU. ☎ 020-8348-7346. ● the flaskhighgate@london-gastros.co.uk ●

Ⓜ Highgate ou Archway (mais assez loin du métro dans les 2 cas). Tlj 11h30-23h (12h-22h30 dim). Plats 11-16 £. Ces pubs de la ceinture de Londres ont vraiment du charme. Bois patinés et vitres en cul de bouteille, multiples recoins, cheminées et plafonds bas dégagent toujours le même magnétisme, bref, ce petit quelque chose de chaleureux et de convivial qui maintient la maison au rang des bonnes escales sur la route de la bière. Et par beau temps, sa vaste terrasse ne se refuse décidément pas, car on organise dans la bonne humeur des barbecues. La même terrasse, chauffée en hiver, fait la joie des fumeurs. On peut même prolonger le plaisir avec une cuisine de *gastropub* élaborée et soignée. On aime !

🍴 **The Flask** (plan Hampstead, A2, 25) : 14 Flask Walk, NW3 1HE. ☎ 020-7435-4580. ● flask@youngs.co.uk ● Ⓜ Hampstead. Lun-jeu 11h-23h, sam 12h-minuit, dim 12h-22h30. Voici une solide institution locale appréciée du voisinage depuis 1950. À l'avant, *public room* conviviale et large comptoir où officie le maître des lieux, puis 2 grandes salles sous verrière avec cheminée, boiserie, papier peint et moquette fleurie comme il se doit. Le lieu idéal pour siroter tranquillement une bonne bière, en goûtant l'atmosphère très populaire. Doisneau aurait sûrement fait des merveilles en tirant le portrait des mamies et des papys fringants qui fréquentent les lieux... Fait aussi resto.

Où prendre le petit déj ou le thé ?

🍽 **Ginger & White** (plan Hampstead, A2, 26) : 4a-5a Perrins Court, NW3 1QS. ☎ 020-7431-9098. ● info@gingerandwhite.com ● Lun-ven 7h30-17h30, le w-e 8h30-17h30. Petits déj 3-9 £. Un vrai coup de cœur à l'heure du brunch, pour cet adorable petit café spécialisé dans les *breakfasts all day...* Pas de *full English breakfast* mais toutes sortes de recettes traditionnelles habilement revisitées : *scones* au cheddar et piment, œufs brouillés au saumon fumé, toasts à la banane, *carrot cake,* crumble aux amandes, etc. La carte change d'un week-end à l'autre. Seul invariable, le pot de Marmite pour

tartiner vos toasts ! Petite terrasse dans la rue piétonne.

🍽 ✒ **Louis Patisserie – Hungarian Confectionery** (plan Hampstead, A2, 27) : 32 Heath St, NW3 6TE. ☎ 020-7435-9908. Ⓜ Hampstead. Tlj 7h30-18h. Un salon de thé resté intact depuis 1963. Déco vieillotte et kitsch à souhait, avec boiseries patinées, banquettes en moleskine et moquette fleurie. Plateau croulant de pâtisseries hongroises qui défient l'apesanteur. Idéal pour accompagner les thés corsés ou le cappuccino bien crémeux. Même le service est *old fashion...* à l'image de sa clientèle.

Monuments et balades

Hampstead était, traditionnellement, un quartier d'artistes et d'intellectuels. Il est toujours très prisé par quelques stars du théâtre ou du cinéma britanniques en mal de tranquillité ou en quête d'air pur, de calme et d'élégance. Le quartier est, en effet, un havre de paix avec de jolies maisons anciennes. Vu les prix de l'immobilier, il est aussi devenu un repaire de riches financiers. Bishop Avenue (dans le prolongement de Spaniards Road, vers East Finchley) est d'ailleurs surnommée « the millionaires' row », voire « the billionaires' row ». Des magnats du pétrole ou de l'industrie s'y sont installés en nombre. On y trouve les maisons les plus chères du monde. Pas toutes du meilleur goût ! Heureusement, le vieux Hampstead a conservé tout son charme.

🏹 **Burgh House and Hampstead Museum** (plan Hampstead, A1) : New End Square, NW3 1LT. ☎ 020-7431-0144. Ⓜ Hampstead. Mer-ven et dim 12h-17h. GRATUIT. Ce joli musée retrace toute l'histoire du quartier ; quelques salles vite visitées mais qui fournissent quantité d'anecdotes passionnantes et restituent parfaitement l'atmosphère bohème et arty du village de Hampstead. C'est aussi l'occasion de visiter une belle demeure de 1704, restée dans son jus. Café sur place, Angleterre oblige !

🏹 **Fenton House** (plan Hampstead, A1) : Windmill Hill, NW3 6SP. ☎ 020-7435-3471. ● nationaltrust.org.uk ● Ⓜ Hampstead. Ouv de fin fév (ou début mars) à fin oct (ou début nov), mer-dim 11h-17h. Entrée : 8,80 £ ; réduc. En sortant du métro, prendre en face Holly Bush Hill. La maison est devant soi en arrivant à la fourche, ceinte par un charmant jardin à l'anglaise. Ses buissons de roses et ses parterres d'orchidées font d'ailleurs le bonheur d'une colonie d'abeilles, dont le miel est en vente à l'accueil ! Dans cette grande demeure en brique rouge de la fin du XVIIe s, intérieur anglais tel qu'on se l'imagine : mobilier de style Régence, broderies, bibelots et porcelaines d'époque à faire tomber par terre les mamies anglaises. Nous, ça nous laisse plus sceptiques. En revanche, la belle collection de clavecins et d'épinettes des XVIIe et XVIIIe s mérite toute l'attention des mélomanes.

🏹🏹 Après les ruelles escarpées du vieux Hampstead, il faut aller savourer la tranquillité de **Hampstead Heath** (plan Hampstead, B2), cette lande verdoyante qui fait la liaison entre Hampstead et Highgate. Un véritable coin de campagne à quelques kilomètres du centre ; sauvage et formidablement préservé. Les bois touffus, les étangs au bord desquels on se donne des rendez-vous galants et les grandes étendues de pelouses doucement vallonnées sont très prisés par les Londoniens du dimanche. Le matin, été comme hiver, ce sont les baigneurs téméraires que l'on croise aux abords des ponds. Car rien de tel qu'un plongeon dans l'eau glacée des étangs pour bien commencer sa journée ! L'un d'entre eux est même exclusivement réservé à la gent féminine. De Parliament Hill au sud du parc, vue dégagée sur les environs. En marchant en direction du nord, on arrive dans le domaine de Kenwood, où des concerts ont lieu en plein air en été, dans un cadre très bucolique, tout près de Kenwood House.
Hampstead Heath est également l'un des points les plus élevés de Londres ; c'est le rendez-vous de tous les amoureux de cerfs-volants le dimanche matin, quand il ne pleut pas. C'est évidemment un lieu idyllique pour un pique-nique. Les Londoniens en profitent, été comme hiver, au moindre rayon de soleil.
Pas mal d'animations sont proposées, toute l'année, en plus des concerts, comme des marches commentées ou des découvertes nature.

🏹🏹 **Kenwood House** (hors plan Hampstead par B1) : Hampstead Lane, NW3 7JR. ☎ 020-8348-1286. ● english-heritage.org.uk ● Ⓜ Hampstead (puis marche à pied) ou Archway (puis bus n° 210). Tlj 10h-17h (16h en hiver). Fermé Noël et Jour de l'an. GRATUIT. Au nord de la lande, cette belle et vaste demeure aristocratique du XVIIIe s, dessinée par le célèbre architecte britannique Robert Adam (connu pour le Charlotte

Square d'Édimbourg et Hopetoun House près de South Queensferry), se distingue par ses remarquables façades de stucs à l'antique. Elle abrite la *Donation Iveagh,* une collection prestigieuse de peinture (Turner, Gainsborough, Constable, Reynolds, Van Dyck, Frans Hals, Vermeer, Rembrandt, Rubens, etc.). Plus incongrue, mais néanmoins remarquable, une collection de boucles de chaussures ! La bibliothèque est très originale avec sa riche décoration, ses 2 absides et son plafond voûté orné de stucs. ▼ Magnifique cafétéria aménagée dans les communs. Superbe terrasse (voir plus haut la *Brew House* dans « Où manger ? »).

✹ Highgate Cemetery *(hors plan Hampstead par B1)* **:** Swain's Lane, N6 6PJ. ☎ 020-8340-1834. ● highgatecemetery.org ● Ⓜ Archway. Tlj 10h (11h le w-e)-16h30. Entrée pour la partie est, plan à dispo (visite guidée possible : 8 £) : 4 £ ; gratuit moins de 18 ans (4 £ pour visite) ; et pour

> ## IL S'EN RETOURNE DANS SA TOMBE
>
> *L'accès à la tombe de Karl Marx, pourfendeur du capitalisme est... payante ! Tout fout le camp !*

la partie ouest (visite guidée obligatoire, sur résa en sem) : 12 £ (6 £ enfant à partir de 8 ans) à heure fixe (13h45 en sem, sauf l'hiver ; ttes les 30 mn 11h-15h le w-e). Grandiose entrée « égyptienne » de la partie ouest et conférence des guides vraiment captivante. Plein d'anecdotes intéressantes, souvent insolites. Riches et pittoresques tombeaux victoriens que le bon peuple allait admirer en famille au XIXe s... D'ailleurs, quand on commence à aimer l'exubérance de ce cimetière, dont les tombes et les monuments funéraires se perdent dans une végétation romantique, on devient vraiment anglais. Karl Marx y repose dans la partie est. Sur sa tombe, un énorme buste au goût très stalinien ! L'une des « nouvelles stars » des lieux n'est autre que George Michael, enterré près de sa maman.

DANS LES ENVIRONS DE HAMPSTEAD

✹ Freud Museum : 20 Maresfield Gardens, NW3 5SX. ☎ 020-7435-2002. ● freud. org.uk ● Ⓜ Finchley Rd. Bien indiqué en sortant du métro. Mer-dim 12h-17h. Entrée : 8 £ ; réduc. Audioguide en français 2 £. Une belle maison où papa Sigmund passa ses derniers mois, jusqu'à sa mort en 1939. D'origine juive, le père génial de la psychanalyse avait dû fuir l'Autriche, annexée par Hitler un an plus tôt. Installé ici, Freud reconstitua le célèbre intérieur de sa demeure viennoise : divan, bien sûr, bureau, bibliothèque... et une collection insolite d'antiquités égyptiennes, grecques et romaines. Un vrai cabinet de curiosités ! Une petite présentation vidéo et quelques textes, où Freud lui-même évoque les grandes étapes de sa vie, éclairent la personnalité du grand homme, sans oublier bien sûr une petite section sur l'interprétation des rêves, un joli jardin anglais pour les beaux jours, et quelques expositions temporaires.

AU NORD-OUEST

THE MAKING OF HARRY POTTER – WARNER BROS STUDIO TOUR

✹ *Situé à* **Leavesden, Watford,** *à 33 km au nord-ouest de Londres (par la M1).* ● wbstudiotour.co.uk ● *RÉSA OBLIGATOIRE ! Pas de billets vendus sur place. Adulte : 41 £ ; enfant 33 £ ; forfait famille 132 £. Vestiaire gratuit (ouf !).* Les pauvres moldus, sans voiture et à fortiori sans balai, devront se contenter de portoloins en commun (train depuis Euston ou Clapham Junction, jusqu'à Watford Junction, puis navette gratuite jusqu'aux studios). Possibilité de forfaits comprenant l'entrée et le transfert en bus depuis Victoria Station ou Baker Street, certains forfaits comprennent même l'A/R en Eurostar depuis Paris : ● *warnerbros.fr/achat/studio-tour-harry-potter.html* ● Compter donc une bonne grosse demi-journée pour la visite et le transplanage.

Commençons par les choses qui fâchent : le prix ! Cette attraction à vocation familiale affiche des tarifs plus que prohibitifs, et on serait tenté de ne la conseiller qu'à ceux qui ont lu *Harry Potter* plus de 15 fois ou vu les films plus de 130 fois (si, si, on en connaît !).

Les fans, les vrais, casseront leur tirelire et vivront quant à eux un rêve éveillé... Ils pourront visiter les studios où furent tournés les 7 (8 en réalité) épisodes de la saga. Aménagés dans un aérodrome désaffecté où furent également fabriqués des moteurs d'avion Rolls Royce, ces studios accueillent depuis mars 2012 les décors, les costumes, les accessoires, le tout à profusion et magnifiquement scénographié. Chose rare sur un tournage, le scénario n'était pas connu d'un épisode à l'autre, J. K. Rowling n'ayant pas encore écrit la fin quand débuta, en 2000, le tournage des premiers épisodes. Tout fut donc conservé précieusement, en prévision, au cas où...

Il faut avouer qu'au début de la visite (« à l'américaine »), on a parfois envie de « stupéfixer » le guide ! Heureusement, passé les 1res salles, la visite devient libre (ou audioguidée) et force est d'avouer que la magie opère. Les fans seront émus aux larmes en découvrant des lieux mythiques comme la grande salle de Poudlard, la rue de Traverse, le bureau de Dumbledore, la cabane de Hagrid, la chambre à coucher de Harry Potter, etc. De nombreux secrets de tournage seront dévoilés, et ce n'est pas là le moindre intérêt. Sans jamais briser le rêve et l'enchantement, on découvre, émerveillé, maquettes, effets spéciaux, grimages et autres créatures fantasmagoriques. Voilà de quoi émerveiller les plus blasés !

Évidemment, le marketing forcené peut agacer, et on peut regretter les différents suppléments (par exemple, pour la dégustation de bière au beurre). Immense boutique à la sortie (assez fascinante !) pour faire le plein de chocogrenouilles, de bêtises de Berthe Crochue ou de pastilles de gerbe !

À L'OUEST

WINDSOR CASTLE

🏰🏰🏰 ⚐ ☎ *020-7766-7304.* ● *royalcollection.org.uk* ● *Tlj 9h30-17h15 (9h45-16h15 nov-fév) ; dernière admission 1h30 avt. Compter ½ journée. Fermé certains jours, lors des réceptions et cérémonies officielles (vérifier avt de faire le déplacement !). Entrée : 21,90 £ ; réduc, audioguide (en français, 1h30) compris. Tarif réduit lorsque les State Apartments sont fermés (rare). Noter que le billet est valable 1 an (le faire tamponner à la sortie). Attention, St George's Chapel est fermée à 16h et le dim, sauf si vous participez à la totalité du culte. À 11h, relève de la garde (tlj sauf dim avr-juil, sinon 1 j. sur 2). Parcours d'activités thématiques disponibles pour les enfants pdt vac scol, sinon demander le kit de visite avec coloriages. Evensong (messe chantée) par le chœur de la chapelle Saint-George tlj à 17h15. Gratuit, car c'est un office religieux.*

Bon à savoir : on peut sortir faire une pause à l'heure du déj dans un des restos de la ville (bracelet à prendre à la sortie).

UN PEU D'HISTOIRE

Paraît-il la plus grande forteresse du monde encore habitée, l'équivalent en surface de 268 courts de tennis. La reine y séjourne le week-end et courant juin tous les ans. À cette occasion, l'étendard royal flotte au-dessus du donjon (la *Round Tower*), à la place du drapeau britannique. L'architecture de la propriété a de quoi surprendre, avec sa superbe silhouette médiévale tout en tours

RIEN NE SE PERD

Pendant la Révolution française, le château de Versailles fut saccagé et le mobilier vendu aux enchères par la Convention. Les plus belles pièces furent discrètement rachetées par le roi d'Angleterre. Porcelaines et meubles français ornent toujours le château de Windsor et le palais de Buckingham.

crénelées et mâchicoulis que l'on voit de loin. Entièrement remanié au XIVe s par Édouard III, puis à l'époque victorienne, Windsor n'a plus rien à voir avec la modeste forteresse de bois construite par Guillaume le Conquérant pour surveiller l'accès de Londres, il y a 1 000 ans... Seule l'imposante *Round Tower* rappelle l'emplacement de la 1re motte et du donjon normand. Au-dessous, un puits de 55 mètres permettait d'approvisionner le château. Pratique en cas de siège ! Observez aussi ces meurtrières, hautes et larges, qui permettaient de tirer en l'air et sur les côtés rapidement.

L'aile sud du château brûla en 1992, une *annus horribilis,* selon les propres mots de la reine ! S'ensuivit une vive polémique médiatico-politique : il fut pour la 1re fois question de reconsidérer les sommes énormes allouées par l'État à la reine... Qu'à cela ne tienne, la Couronne daigna payer la moitié de la facture (qui s'élevait à 50 millions de livres), mais le tarif de visite pour les touristes est depuis sacrément élevé (pour le remboursement), et près de 5 ans de travaux furent nécessaires pour rendre à Windsor son aspect d'origine.

Comment y aller ?

À 20 miles (32 km) à l'ouest de Londres.
➤ *En train :* accès direct de Waterloo Station en 50 mn-1h, puis 5 mn de marche. Trajet moins long de Paddington Station (35 mn), mais avec changement à Slough (facile). Trains ttes les 20 mn (dim ttes les 45 mn). Billet A/R 7-16 £ selon période de pointe (départ et arrivée de la même gare). Même si l'on n'est plus dans le périmètre de Londres, n'oubliez pas de montrer votre *Oyster Card* éventuelle,

au moment de l'achat du billet, pour ne pas repayer sur la partie du trajet déjà couverte par la carte.
➤ *En bus :* avec la compagnie *Green Line* de Victoria Coach Station *(plan d'ensemble, D6).* Moins cher que le train, mais compter au moins 1h15 sans les embouteillages...
➤ *Par la route :* sortie n° 6 sur la M 4, sortie n° 3 sur la M 3. Pas de parking, se garer en ville.

Visite

La visite du château n'est autorisée que dans la partie nord. C'est largement suffisant, vu les proportions de l'ensemble. Outre les 2 cours intérieures dont le **Quadrangle** où la reine accueille les grands de ce monde et le beau panorama sur la Tamise depuis les terrasses, on visite (avec les intéressants commentaires de l'audioguide) :
– **La chapelle Saint-George :** *attention, ferme à 16h, mais* evensong *(messe chantée) tlj à 17h15. Gratuit, car c'est un office religieux.* Immense et superbe, ce chef-d'œuvre en soi constitue certainement la pièce maîtresse du château. Il abrite les

sépultures de 10 monarques, dont George V, Henri VIII, Charles I er (sans sa tête !), George VI et, depuis 2002, son épouse, la reine mère (ainsi que la princesse Margaret qui fut le 1 er membre de la famille royale incinéré, faute de place auprès de ses parents, dans ce bien modeste caveau). La chapelle date du XV e s et se présente une voûte cintrée en éventail, fourmillant de détails. Un miroir évite de se tordre le cou. Dans le coin gauche, dos au portail, noter le monument assez poignant de réalisme, évoquant la mort en couches, en 1817, de la princesse Charlotte. Sa main dépasse du linceul. La couronne revint à sa cousine, une certaine... Victoria. Dans le chœur, stalles en bois, finement ciselées, attribuées à chaque membre de l'ordre de la Jarretière *(Order of the Garter),* avec leurs emblèmes. De la vraie dentelle (on parle des stalles, bien sûr !). À la sortie, spectaculaire *Albert Memorial,* une chapelle en marbre dédiée au petit-fils de Victoria.

– *State Apartments :* la partie principale du château ouverte à la visite. Au rez-de-chaussée, collections de services en porcelaine pour le moins... chargés ! À l'étage, le majestueux *Grand Escalier* permet d'accéder au *Grand Vestibule* (tête de tigre en or, belle panoplie d'armes anciennes et la balle qui tua Nelson à Trafalgar le 21 octobre 1805), la chambre de *Waterloo* où se fête chaque année l'anniversaire de cette victoire britannique (portraits des diplomates, tous peints par le même artiste), la *chambre du roi,* avec baldaquin et tentures vertes (Napoléon III et Eugénie y dormirent), différents salons et

DÉCORATION SEXY

En 1348, lors d'un bal, une jeune comtesse perdit sa jarretière et le roi Édouard III s'empressa de la lui remettre. Exaspéré par les éclats de rire dans son dos, il eut alors cette réplique : « Honni soit qui mal y pense, tel qui rit aujourd'hui demain s'honorera de la porter... » Ce qui fut dit fut fait, les plus éminents seigneurs du royaume se voyaient désormais obligés d'arborer une jarretière ! L'ordre de la Jarretière, ce club très fermé des meilleurs chevaliers anglais, existe toujours. Ils sont 24, auxquels s'ajoutent la reine et le prince de Galles. Seule la reine est autorisée à porter la jarretière... au bras.

cabinets décorés de toiles de maîtres (Rubens, Van Dyck, Holbein... la Couronne en possède 7 000 !), la *salle de bal* de la reine, la *salle du trône* de la Jarretière... Voir surtout le *Saint George's Hall,* vaste salle magnifiquement restaurée depuis l'incendie où sont visibles les blasons de tous les chevaliers de la Jarretière (au plafond, ceux des traîtres sont recouverts de blanc !). Un banquet somptueux s'y tient tous les ans en juin : une seule table et... 160 couverts parfaitement alignés. C'est de la petite salle suivante *(lantern lobby),* hexagonale, qu'est parti l'incendie de 1992. Remarquez l'amusante armure d'Henri VIII. De profil, on réalise qu'il était franchement rondelet !

– Les *George IV's Apartments (Semi-State Apartments),* datant des années 1820 et dans le prolongement des *State Apartments,* ne sont accessibles que d'octobre à mars. Très endommagé par l'incendie, un des plus beaux (et des plus riches) décors du château a retrouvé son panache d'antan. Très belles vues sur la campagne depuis les fenêtres.

– *La maison de Poupée (Dolls House) :* adorable petit palais construit pour la reine Marie (petite-fille de Victoria) en 1921. Tout y est miniaturisé au 1/12, de nombreux artistes ont offert une réplique d'un livre ou d'un tableau. Un chef-d'œuvre du genre, car rien ne manque : électricité, système de plomberie opérationnel... et même un service complet en argent dressé dans la salle à manger ou encore le dernier gadget en vogue à l'époque, un aspirateur ! Également en exposition, une sélection de vêtements et d'accessoires de poupée français ainsi qu'une Traction Avant !

– Après la *Grand Reception Room* aux superbes volumes (ça ne se voit pas, mais les lattes du parquet carbonisées en 1992 furent tout simplement... retournées, pour la restauration), dans *The Drawings Gallery,* expo par roulement d'une sélection de chefs-d'œuvre provenant de la collection royale.

– *La Grande Cuisine (Great Kitchen) :* en fonctionnement depuis 750 ans, la cuisine de Windsor est ouverte au public en visites guidées seulement, certains jours de l'année, sur réservation.

DANS LES ENVIRONS DE WINDSOR CASTLE

🍴 Si vous avez du temps, le fameux *Eton College* est à 15-20 mn à pied du château. Fondée au XVe s, c'est la 3e université britannique la plus prestigieuse, après Oxford et Cambridge. Elle est surtout réputée pour son système de bourse destiné aux élèves les moins fortunés. De ses bancs prestigieux sont sortis de nombreuses célébrités, parmi lesquelles 18 premiers ministres, George Orwell, John Le Carré et... le prince Harry (cherchez l'intrus !). ☎ 01-753-370-603. ● etoncollege.com ● *Visites guidées mai-oct ven 14h-16h (compter 1h30). Entrée : 10 £ ; réduc.*

🍴🎡 *Legoland :* Winkfield Rd, Windsor SL4 4AY. ☎ 0871-2222-001. ● legoland. co.uk ● A 3 km de Windsor et à 1h de Londres sur la B 3022, par les autoroutes M 4 et M 3, ou par le train jusqu'à Windsor, puis navette vers Legoland. Sinon, bus n° 702 de la compagnie Green Line (☎ 0844-801-7261, ● greenline.co.uk ●) ; départ derrière Victoria Coach Station. Horaires variables. En hte saison, tlj 10h-18h, sinon ferme à 17h sauf w-e. Fermé l'hiver. Entrée hyper chère : plus de 50 £ et 46 £ pour les enfants ; réduc très importante en réservant sur le site internet (plus de 7 j. à l'avance). Restauration possible sur place, et même nuit à l'hôtel Lego, avec chambres à thème (aventures, chevalier, pirates, etc.), hors de prix bien sûr ! D'autant que le parking n'est pas gratuit, à partir de 6 £ la journée. No comment... Fondée en 1932 par un Danois, la société Lego (du danois *leg godt,* qui signifie « bien joué ») a ouvert plusieurs parcs d'attractions de par le monde. La petite brique y est, bien sûr, à l'honneur et en dizaines de millions d'exemplaires. En tout, plus de 800 bâtiments qui ont demandé des années de travail aux dizaines d'experts-monteurs en Lego. Et le parc crée toujours de nouvelles attractions (plus de 50 en tout), mettant l'accent sur sa vocation à la fois créative, éducative et ludique.

AU SUD-EST

GREENWICH

● Plan p. 325

◎ **Au sud-est de Londres, sur la rive droite, Greenwich (au fait, on ne prononce pas le « w » !) se présente comme un adorable village, bien préservé, très animé le week-end. Si vous séjournez plusieurs jours dans la capitale, on ne peut que vous inciter à faire ce charmant petit détour sur les bords de la Tamise. Le site a si peu changé depuis les siècles passés,**

ET PARIS PRIT L'HEURE DE BERLIN

Conséquence imposée par l'occupation allemande. Résultat, Paris est en décalage d'une heure avec Londres alors que les 2 capitales sont sur le même fuseau horaire (Greenwich). Et rien n'a changé depuis 70 ans !

quand il était un lieu de villégiature royale et l'un des sujets de prédilection des peintres Turner ou Canaletto... Prévoir une bonne demi-journée de visite pour ce quartier dominé par le *Cutty Sark,* un majestueux trois-mâts rouvert récemment à la visite (il avait brûlé partiellement en 2007, en pleins travaux de restauration). Également au programme, l'ancien hôpital maritime, une église du XVIIIᵉ s flanquée de son romantique cimetière, un splendide musée de la Marine et, à 5 mn à pied, un parc royal (encore un !), célèbre pour son observatoire.

➤ Ne pas hésiter à traverser la Tamise par le tunnel qui part du *Cutty Sark.* En 10 mn, on se retrouve à Island Gardens. Très beau panorama sur Greenwich (cher à Canaletto), et on peut prendre le métro à partir de là (arrêt « Island Gardens »).

Comment y aller ?

➤ *En métro :* la solution la plus simple. Emprunter la ligne Docklands Light Railway *(DLR)* en direction de Lewisham. Départs env ttes les 10 mn ; compter 15-20 mn depuis Bank (ou de Tower Hill, mais il faudra alors changer à Shadwell) pour l'arrêt « Cutty Sark », le plus central. Greenwich est en zone 2.

➤ *En bus :* n° 188 (à prendre notamment à Russell Sq).

➤ *En bateau :* moyen le plus original pour s'y rendre avec les navettes du *Commuter River Service* (genre de bateau-bus public). ● thamesclippers. com ● Départs ttes les 20 mn des ports situés au niveau du London Eye ou de la Tower of London (entre autres), grosso modo 7h-minuit.

Durée : env 30 mn. Compter 12 £ l'A/R ; réduc, notamment avec la *Travelcard* et l'*Oyster Card.* Évidemment, ce n'est pas à proprement parler une croisière. Pour des balades avec des commentaires en anglais, il faut s'adresser aux compagnies touristiques, comme *Thames River Service* (☎ 020-7930-4097 ; ● thamesriverser vices.co.uk ●) ou *City Cruises* (☎ 020-7740-0400 ; ● citycruises.com ●). Horaires moins étendus et prévoir sur place env 12,50-15,50 £ l'A/R et 9,50-12 £ le trajet simple, selon la distance ; réduc sur Internet. Autre possibilité : prendre un ticket « River Red Rover » pour une utilisation illimitée à la journée. Prix : 20 £.

Adresse utile

🖥 @ *Greenwich Tourist Informa-tion Centre (plan Greenwich, A2) :* Pepys House, 2 Cutty Sark Gardens, SE10 9LW. ☎ 0870-608-2000. ● visit greenwich.org.uk ● Derrière l'entrée du Cutty Sark. Ⓜ Cutty Sark. Tlj 10h-17h. Fermé 24-26 déc. Propose

2 visites guidées payantes/j. (à 12h15 et 14h15), durée : 1h30. Le passage obligé avant d'explorer Greenwich. Liste des hébergements, expo sur la ville et sa riche histoire, ainsi qu'un café.

Où dormir ?

Si on arrive en voiture, c'est un très bon plan de loger à Greenwich pour éviter de se fourvoyer dans le centre de Londres. Greenwich est à 20 mn d'Oxford Street par la *DLR,* mais attention, le dernier train est à 0h30 ! (23h30 le dimanche...). Idéal pour ceux qui recherchent le calme.

Très bon marché (moins de 35 £ / 41 €)

🛏 *St Christopher's Inns (plan Greenwich, A3, 10) :* 189 Greenwich High Rd, SE10 8JA. ☎ 020-8600-7500 ou 020-8858-3591. ● greenwich@

st-christophers.co.uk ● st-christophers.
co.uk ● À 2 pas de la ligne DLR, station
Greenwich. Lits en dortoir 17-24 £ et
doubles à partir de 24 £ selon période
et promo, avec petit déj. Moins cher
que ses homologues du centre de
Londres, ce membre de la chaîne
d'AJ St Christopher's se démarque
également par sa petite taille (à peine
80 lits au total). Pas le grand confort
cela dit (micro-ondes à dispo en guise
de cuisine, dortoirs basiques de 6 à
8 lits superposés avec sanitaires en
commun pas toujours nickel, mais
salon TV, laverie et pas de couvre-feu.
Et même un dortoir réservé à la gent
féminine, hélas plus cher (16-24 £ la
nuit).

De prix moyens
à très chic (50-120 £
et plus / 58-140 €)

🏠 **Number 37** (plan Greenwich, A2-3,
11) : 37 Burney St, SE10 8EX. ☎ 020-
8265-2623. ● info@burney.org.uk ●
burney.org.uk ● Doubles env 95-110 £,
avec petit déj. Le B & B à son meilleur :
la maison pimpante est dans une rue
paisible à 2 pas du parc et des transports, les chambres sont soignées et
hyper cosy (la plus petite a ses toilettes
privées sur le palier mais est nettement
moins chère, tandis que la plus grande
bénéficie d'un accès à un jardinet), et
l'accueil est exemplaire. On se sent
aussitôt à l'aise, reçu comme un ami

avec un thé et toutes sortes de gen-
tilles attentions, comme les peignoirs
dans les salles de bains. Super !
🏠 **Number 16** (plan Greenwich,
A2, **12**) : 16 Saint Alfege Passage,
SE10 9JS. ☎ 020-8853-4337. ● info@
st-alfeges.co.uk ● st-alfeges.co.uk ●
Juste derrière l'église. Double env
125 £, avec petit déj. Parking payant.
Robert accueille ses hôtes avec grand
plaisir dans l'une des 3 chambres
en suite de son adorable petite maison remplie d'un bric-à-brac de qualité, glané au hasard des brocantes.
Notre préférée : la double avec lit à
baldaquin. 2 autres jolies chambres
(1 double et 1 simple) aux meubles
chinés là aussi. Elles ne sont pas
bien grandes, mais on s'y sent bien.
On vous conseille de réserver au plus
tôt. Accueil sans pareil, comme à la
maison.
🏠 **Hôtel Ibis** (plan Greenwich, A2,
15) : 30 Stockwell St, SE10 9JN.
☎ 020-8305-1177. ● h0975@accor.
com ● accorhotels.com ● Doubles
env 90-180 £ selon capacité, saison et
événements. Petit déj en sus. Parking
payant. Cet hôtel de chaîne tout en brique offre des chambres conventionnelles impeccables, de bon confort mais
évidemment sans surprise côté déco.
Il a, en revanche, l'avantage d'être très
bien situé, de ne pas être trop grand,
et abrite au rez-de-chaussée un café-
brasserie coquet, bien agréable pour
le petit déj ou le teatime. Accueil multi-
lingue efficace et très sympa.

Où manger ? Où boire un verre ?

De bon marché
à prix moyens
(10-30 £ / 12-34 €)

|●| **Heap's Sausages** (plan Green-
wich, A2, **22**) : 8 Nevada St, SE10 9JL.
☎ 020-8293-9199. ● heapssausages@
gmail.com ● Lun-sam 7h30-21h, dim
9h-21h. Env 4-9 £. Une curiosité !
Car il s'agit avant tout d'une maison
célèbre pour ses saucisses artisanales
aux recettes originales. Le labo est
d'ailleurs visible depuis la petite salle,
où l'on a opportunément aménagé

quelques tables pour accueillir les
amateurs de hot dog ou de saucisse-
purée. Bon, pas trop cher et bien
typique ! Bien aussi pour le petit déj ou
pour ses sandwichs à emporter dans le
parc tout proche.
|●| **Jamie's Italian** (plan Greenwich,
A2, **23**) : 17-19 Nelson Rd, SE10 9JB.
☎ 020-3667-7087. Tlj 12h-22h (23h
ven-sam, 21h dim). Sandwichs env 4 £,
plats env 10-23 £. Jamie's Oliver est
décidément partout. Mais à la différence de ses restos du centre de
Londres, celui de Greenwich comprend
3 espaces distincts : un deli bien

GREENWICH

■ **Adresse utile**

🖪 @ Greenwich Tourism
Information Centre (A2)

🏠 **Où dormir ?**

10 St Christopher's Inns (A3)
11 Number 37 (A2-3)
12 Number 16 (A2)

15 Hôtel Ibis (A2)

|●| 🍸 **Où manger ?**
Où boire un verre ?

20 Byron (A1)
22 Heap's Sausages (A2)
23 Jamie's Italian (A2)
30 Trafalgar Tavern (B1)
31 Cutty Sark Tavern (B1)

pratique pour composer un bon pique-nique à base de sandwichs frais et de desserts gourmands, un café cosy impeccable pour une pause, et la trattoria installée dans une vaste véranda façon jardin d'hiver, où l'on sert tous les classiques de la maison (*pasta* bien apprêtée, *burger* original, spécialités italiennes revisitées...). Chacun y trouvera son compte !

|●| ☕ Trafalgar Tavern (plan Greenwich, B1, **30**) : Park Row, SE10 9NW. ☎ 020-3887-9886. Tlj 12h-23h (1h ven-sam). Cuisine jusqu'à 21h. Plats env 13-23 £. Bar menus 8,50-27,50 £. Ce pub élégant déroule ses salles, ornées de marines et de portraits d'amiraux, directement le long de la berge. Génial les jours de tempête, lorsqu'on savoure sa bière bien au chaud en observant le ballet des flots en furie. Cuisine de pub pas donnée mais correcte côté brasserie, beaucoup trop chère dans la partie restaurant.

☕ |●| Cutty Sark Tavern (plan Greenwich, B1, **31**) : 4-6 Ballast Quay, SE10 9PD. ☎ 020-8858-3146. À l'angle de Lassell St. Lun-sam 11h30-23h (22h pour la cuisine), dim 12h-22h30 (21h pour la cuisine). Plats env 13-25 £. Une vraie taverne à matelots où, l'hiver, les habitués s'accoudent aux tonneaux tout en se réchauffant auprès de la cheminée. L'été, c'est la terrasse qui fait le plein de touristes et de promeneurs, car stratégiquement perchée en surplomb de la Tamise. Rustique et convivial. Salles plus cossues à l'étage, coiffées d'une charpente apparente. Quelques plats de pub classiques et très corrects.

|●| Sinon, quelques bars et restaurants de chaîne sur le *pier*. Qualité culinaire pas toujours garantie, mais on aime bien **Byron** (plan Greenwich, A1, **20**), un spécialiste des hamburgers, dans un cadre gentiment rétro américain. Tlj 11h30-22h (22h30 ven-sam). Compter 7,50-13 £.

Marché

– **Greenwich Market** (plan Greenwich, A2) : plusieurs accès dans Greenwich Church St. ☎ 020-8269-5096. Tlj 10h-17h30. Marché aux antiquités jeu, plus le w-e au niveau de la tour-horloge. Sympa comme tout avec ses enfilades de stands et de boutiques, ses terrasses de cafés, sa clientèle bigarrée et sa marchandise hétéroclite. Fripes, fringues de créateurs, artisanat du monde, produits du terroir, déco, brocante... on trouve de tout.

Monuments et balades

🎭🚶 Cutty Sark (plan Greenwich, A1-2) : sur le *pier*. ☎ 020-8312-6565 ou 6608 (résa). ● rmg. co.uk ● Tlj 10h-17h. Dernière entrée 45 mn avt fermeture. Fermé 24-26 déc. Ferme à 15h le 31 déc et n'ouvre qu'à 12h le 1er janv. Entrée : 15,65 £ (possibilité de billet combiné avec le Royal Observatory et les expos du moment).

L'un des emblèmes maritimes britanniques, auquel on a redonné vie de la plus belle manière qui soit. Imaginez un fier clipper, ces

UNE HISTOIRE EMBALLANTE

Au début du XXe s, pour des questions de coût et de commodité, Thomas Sullivan, un marchand américain, eut l'idée d'expédier son thé dans des petits sacs en soie plutôt que dans des boîtes métalliques. Les feuilles étaient donc destinées à être déballées à l'arrivée, mais les clients ne se posèrent pas plus de questions et, au lieu de cela, ils les firent infuser directement dans leurs sacs. Le sachet de thé était né !

trois-mâts du XIXe s destinés à sillonner à grande vitesse les routes commerciales du globe, planté sur son quai et toisant les gratte-ciel du Londres moderne en face. Il officia jusqu'en 1952. Victime d'un grave incendie en 2007, il fallut plusieurs années de restauration pour que l'on puisse à nouveau admirer sa splendeur, monter sur le pont, explorer ses entrailles et, surtout, passer en dessous, puisqu'il a été rehaussé de 3 m, en cale sèche ! Il faut dire que les Britanniques aiment cajoler leurs bateaux fétiches (comme la *Mary Rose,* à Portsmouth) et leur ont même donné un sexe : on dit toujours « she » quand on parle d'un bateau !

Au programme de la visite, des écrans tactiles et des effets sonores amusants (vous entendrez certainement les animaux embarqués à bord pour nourrir l'équipage), une évocation de l'activité commerciale menée par le *Cutty Sark,* avec la Chine ou l'Australie. Et un détail amusant : le vaisseau s'enfonçait plus quand il transportait de la laine que du thé ! Voir les couchettes rudimentaires où l'on dormait en chien de fusil, le quartier des officiers, le mess, les cuisines... Sur le pont, pour peu qu'il pleuve ou qu'il vente (ça peut arriver), on s'y croirait ! Enfin, la visite se termine sous la coque dorée, faite de cuivre et de zinc. Impressionnante collection de figures de proue au passage, étonnamment naïves, voire kitsch. Et pompon bas pour Hercule Linton, le designer de cette œuvre d'art des mers.

🏹 *The Old Royal Naval College (plan Greenwich, A-B1) :* au bord de la Tamise. GRATUIT. On doit ces colossaux bâtiments baroques, facilement reconnaissables à leurs 2 coupoles, à Christopher Wren. C'est l'une des vues emblématiques depuis la Tamise, immortalisée par Canaletto en son temps. Tour à tour palais, puis hôpital maritime et, enfin, collège royal de la Marine. Accès possible aux parties extérieures ainsi qu'à la *chapelle* de style néoclassique *(tlj 10h-17h),* richement ornée. Du Wedgwood à grande échelle. Voir également le *Painted Hall (tlj 10h-17h)* où fut exposée la dépouille de Nelson après Trafalgar. Une salle à manger peinte du sol au plafond ! Il fallut 19 ans à James Thornhill pour achever cette œuvre étonnante.

🏹 *Queen's House (plan Greenwich, B2) :* dans l'enceinte du parc royal. ☎ 020-8312-6565 ou 6608 (résa). ● rmg.co.uk ● Tlj 10h-17h. Dernière entrée 30 mn avt fermeture. Fermé 24-26 déc. Ferme à 15h le 31 déc et n'ouvre qu'à 12h le 1er janv. GRATUIT. Abrite les collections de peinture du Musée maritime – constituées principalement de portraits de souverains, marins et héros divers et variés –, ainsi qu'une courte exposition sur l'histoire de Greenwich... Un peu soporifique.

UN ROI PAS CHIEN

Queen's House, cette villa de style palladien, est signée par l'un des grands architectes du début du XVIIe s, Inigo Jones. Elle était destinée à devenir la résidence d'été de la reine Anne de Danemark, offerte par son mari, le roi James, pour s'excuser d'avoir insulté la pauvre femme après qu'elle avait tué son chien à la chasse ! Mais la malheureuse mourut avant la fin des travaux...

🏹🏹 🚶 *National Maritime Museum (plan Greenwich, B2) :* à côté de Queen's House. ☎ 020-8312-6565 ou 6608 (résa). ● rmg.co.uk ● Tlj 10h-17h (20h jeu pour les galeries du rdc) ; dernière entrée 30 mn avt la fermeture. Fermé 24-26 déc. Ferme à 15h le 31 déc et n'ouvre qu'à 12h le 1er janv. GRATUIT. D'emblée, le rez-de-chaussée vous plonge au cœur du sujet avec la superbe barge d'apparat dorée à l'or fin du prince de Galles Frédéric, réalisée en 1732 pour naviguer sur la Tamise : elle annonce la richesse des collections et la muséographie exemplaire. Voir également la poupe de l'*Implacable,* le navire français qui défia Nelson à Trafalgar, ou cette belle collection de figures de proue. Sur différents niveaux, les vastes galeries évoquent tour à tour le temps des croisières transatlantiques, les grandes batailles navales, les explorateurs des pôles, le trafic des esclaves... Tout cela repris sous un autre angle dans la super *Children's Gallery* ! Mais ne manquez pas la section *Nelson, Navy, Nation,* qui retrace l'évolution de la Royal Navy depuis le débarquement des troupes de Guillaume d'Orange en 1688, qui incita l'Angleterre à renforcer sa flotte, jusqu'à la fin de guerres napoléoniennes, en 1815, avec un focus sur l'ascension de son héros emblématique, Nelson. Le véritable joyau de cette collection est d'ailleurs la tunique de l'amiral, déchirée à l'épaule gauche par la balle mortelle et imbibée de son sang, conservée pieusement, comme une relique... Les Anglais vouent un véritable culte au vainqueur de Trafalgar.

🎭🎭 🚶 *Royal Observatory (plan Greenwich, B3) :* dans le parc royal, au sommet de la colline. ☎ 020-8312-6565 ou 6608 (résa). ● rmg.co.uk ● Tlj 10h-17h ; dernière admission 30 mn avt. Fermé 24-26 déc. Ferme à 15h le 31 déc et n'ouvre qu'à 12h le 1er janv. Entrée : 10 £ (planétarium inclus) ; possibilité de tickets combinés avec le Cutty Sark et les expos du moment ; réduc. Audioguide en français payant. Site ravissant, composé de plusieurs bâtiments (payants ou non), et qui offre, en prime, un superbe panorama sur

> ## Ô TEMPS, PRENDS TON ENVOL
>
> *Au sommet de l'observatoire, vous verrez un curieux ballon rouge surmonté d'une croix (Time Ball), qui monte tous les jours à 12h55 à mi-chemin, puis à 13h tapantes au sommet. Cette « balle » fut installée en 1833 pour permettre aux marins de régler leurs montres avec précision... Auparavant, un système moins pratique avait été mis au point : une time lady se rendait chaque jour au port pour donner l'heure exacte affichée à Greenwich !*

les Docklands. Dans la cour d'entrée de l'observatoire même *(accès payant)*, le célèbre méridien, symboliquement représenté sur le sol par un tracé lumineux, qui se poursuit en dehors de la cour (et qui donc est gratuit !). Chevauchez-le, et dites-vous qu'à cet instant précis, vous avez un pied dans l'hémisphère ouest et l'autre à l'est ! On le voit également très bien à travers la grille (pour ceux qui ne souhaitent pas payer le billet d'entrée assez dissuasif, même si l'expo ne manque pas d'intérêt).

Zone violette (payante)

– *Flamsteed House :* nommée ainsi en référence au 1er astronome royal, chargé par Charles II d'établir une carte du ciel suffisamment précise pour servir à la navigation. C'est dans ce petit observatoire du XVIIe s, construit par Christopher Wren (l'architecte de Saint Paul's Cathedral), que le scientifique s'installa, de même que ses 14 successeurs. Il a tout de ces petits châteaux pour savants fous qu'on voit dans certains vieux films de science-fiction !

On y découvre les différentes pièces à vivre meublées comme à l'époque. Amusant : dans la salle octogonale où l'on observait les étoiles, le grand télescope est simplement fixé aux barreaux d'une échelle. Les curieux en seront d'ailleurs pour leurs frais, car la lunette ne montre aucun astre, mais Pluto (le chien de Mickey !). L'inimitable humour anglais...

– *Bâtiment méridien :* bâtiment étonnant, les murs étant constitués d'un assemblage de panneaux s'ouvrant sur commande pour mieux admirer le ciel... Nombreux instruments de mesure, certains très anciens et, surtout, dans le dôme au-dessus de la boutique, le plus grand télescope à réfraction d'Angleterre, vieux d'un siècle et toujours en forme. On verra, enfin, une petite exposition sur le temps, sa « domestication » et ses implications dans notre quotidien...

Zone rose (gratuite)

Appréciez l'*Altazimuth* (1899), construit spécialement pour accueillir un télescope sous son dôme. Puis place aux *Weller Astronomy Galleries* avec la météorite Gibéon, vieille de 4,5 milliards d'années. Alors, ça fait combien de 0 ? Plusieurs courtes expos aussi pour se poser des questions existentielles (Qu'est-ce que l'Univers ? Où vont les étoiles mortes ?). De là, vous pouvez rejoindre le *Peter Harrison Planétarium* (payant).

🎎 **Fan Museum** (plan Greenwich, A2-3) : 12 Crooms Hill, SE10 8ER. ☎ 020-8305-1441. ● thefanmuseum.org.uk ● Mar-sam 11h-17h, dim 12h-17h. Congés : sept. Entrée : 4 £ ; réduc. Mar, ven, sam et 12h30-16h30, afternoon tea servi dans l'orangerie 8 £ (entrée musée comprise). Petit musée craquant comme une maison de poupée, entièrement consacré aux éventails (et non pas aux « fans » de Robbie Williams ou de Lady Di !), un peu à la manière d'un cabinet de curiosités. Il s'agit de la plus grande collection au monde, avec pas moins de 4 000 modèles en réserve, exposés principalement par roulement en fonction du thème du moment.

DANS LES ENVIRONS DE GREENWICH

● Plan Les Docklands, de Tower Bridge à Thames Barrier p. 286-287

🎎 **The O2 Arena** (plan Les Docklands, C1) : Peninsula Sq, SE10 0DX. ● theo2. co.uk ● Ⓜ North Greenwich (Jubilee Line). Il s'agit du dôme le plus grand du monde, recouvert d'une toile de 100 000 m² et inauguré pour célébrer l'an 2000. Événements sportifs, concerts à grande échelle... et tout l'attirail de restos qui va avec. Les touristes qui font l'effort de venir jusque-là peuvent emprunter un téléphérique (jolie vue !) pour gagner la gare et les docks de Royal Victoria de l'autre côté de la Tamise. Ils peuvent aussi s'amuser à crapahuter sur le dôme, en toute sécurité et en famille (● upattheo2.co.uk ●).

🎎 🚶 **Thames Barrier** (le grand barrage de la Tamise ; plan Les Docklands, D1-2) : à l'est de Greenwich. Infos auprès de la compagnie Thames River Service : ☎ 020-7930-4097 ou ● thamesriverservices.co.uk ● Seulement avr-fin oct. Compter 14 £ l'aller simple et 17 £ l'A/R au départ de Westminster seulement (pas de Greenwich). Plusieurs départs/j. Réducs sur Internet. Il s'agit de 7 portes monumentales en acier, dont la forme en coquille rappelle celle du célèbre opéra de Sydney. Cette barrière, érigée en 1982, doit empêcher la Tamise de sortir de son lit en cas de crue. L'idée de sa construction remonte à 1953, année où des inondations catastrophiques ont noyé 2 000 Londoniens. Le barrage lui-même ne se visite pas.

AU SUD

BRIXTON

Ce quartier populaire et vivant a perdu depuis pas si longtemps que ça son image de « coupe-gorge », repaire de dealers et théâtre de violentes émeutes dans les années 1980. Ce que chantaient les Clash dans *Guns of Brixton*. Artistes et gays sont venus s'y installer en nombre et cohabitent sans heurt avec la communauté afro-antillaise. L'identité du quartier est toujours étroitement liée à la musique : nombreux magasins de disques, adresses branchées et folles soirées avec des concerts live endiablés jusqu'à pas d'heure... Les *nightclubbers* se rendront notamment au *Brixton O₂ Academy* (● o2academy brixton.co.uk ●), orienté rock et musique black, rap et funk en tête, le grand théâtre de Brixton avec une capacité de presque 5 000 personnes et l'endroit le plus chaud du sud de Londres. Et il y en a d'autres ! Brixton, c'est aussi un marché haut en couleur et un « village », repaire de bobos et de hipsters. En pleine « gentrification », Brixton est *the new place to be in London* !

C'est aussi à Brixton, sur Stansfield Road, que le petit Bowie David vit le jour. Dans des styles très différents, Van Gogh vécut un moment ici, ainsi que John Major, Premier ministre conservateur de 1990 à 1997, qui y a passé une partie de son enfance, après que son paternel a fait faillite ! Décidément, Brixton accueille des destinées pour le moins variées...

Sinon, aucune difficulté pour se repérer : la majorité des restos, bars et boîtes se concentrent dans un petit périmètre autour de la station de métro.

➢ Pour y aller en métro, prendre la Victoria Line (arrêt « Brixton »).

Marché

– **Brixton Market :** *tlj à partir de 8h (10h dim) ; attention, les parties alimentaires couvertes ferment vers 16h-17h, le reste à peine plus tard.* L'essentiel de l'animation se concentre dans les réjouissantes allées couvertes de *Market Row* (le « Village »), ou dans celles qui se blottissent sous les arcades de la voie ferrée, le long d'*Atlantic Avenue.* On y trouve de tout : marché aux puces, mais aussi de nombreux stands exotiques avec légumes, viandes, des *take-away* pas chers, de vieux disques, des ventes militantes du *Socialist Worker ;* on y fait des rencontres, on y écoute les harangues enflammées des orateurs d'un jour. Le tout sur fond de Bob Marley et dans une ambiance de souk. Y aller le matin, comme pour la plupart des marchés. Également un pittoresque marché de rue toute la journée sur *Electric Avenue,* sur fond d'élégants immeubles (tous de même style) aux fenêtres ouvragées. Riches étalages des magasins d'alimentation. Exotisme garanti. Même les bouchers font du poisson halal, et les nombreux poissonniers ne sont pas vraiment une espèce en voie de disparition... Vêtements pas chers du tout. La providence des petits budgets !

Où manger ?

Très bon marché (moins de 10 £ / 12 €)

|●| Dans **Brixton Village,** la partie couverte du marché, on trouve, pour se restaurer, toute une panoplie de restos aux terrasses (douillettes et chauffées) toutes plus accueillantes les unes que les autres. L'ambiance est plus bobo, la clientèle décontractée y venant en famille se régaler de petites popotes plus ou moins bio, plus ou moins *veggie*, et plus ou moins exotiques. Convivial, bohème, pittoresque et à prix doux ; on adore !

Cet endroit tout particulièrement : |●| **Honest :** Unit 12, Brixton Village, SW9 8PR. ☎ 020-7733-7963. • brix ton@honestburgers.co.uk • *Lun 11h30-16h, mar-dim 11h30-22h30 (dim 22h). Plats 8-13 £.* Notre adresse préférée pour les burgers ! Même principe et même qualité qu'à Soho (voir « Le centre touristique. Où manger ? »). À accompagner comme il se doit de la bière locale, brassée à Brixton, la *B, Electric IPA.* En cas d'affluence, on s'inscrit sur la liste d'attente et l'on va boire un verre au bar (français) voisin en attendant qu'on nous appelle. Sympa, on vous dit !

AU SUD-OUEST

HAMPTON COURT PALACE

🏰🏰🏰 👫☎ 0044-20-3166-6000 *(depuis l'étranger).* • hrp.org.uk • *Tlj 10h-18h (16h30 nov-mars) ; dernière admission 1h avt fermeture. Fermé 24-26 déc. Entrée : mars-oct 25 £, moins cher nov-fév pour les adultes, audioguide en français compris ; réduc (notamment sur Internet).* **Bon plan :** *pass annuel permettant un accès illimité aux sites de Kensington Palace, Hampton Court Palace, Tower of London, Banqueting House et Kew Palace : à partir de 52 £ par adulte ; forfait famille. Les jardins ferment à la tombée de la nuit : accès aux jardins seuls (Pâques-Toussaint) et au labyrinthe 7,70 £ ; 4,70 £ pour le labyrinthe seulement. Activités pour les enfants (quiz, costumes Tudor, rencontre avec Henri VIII, etc.). Compter ½ journée.* Château à 2 faces, l'une Tudor en brique rouge, l'autre néopalladienne, d'un grand intérêt architectural vu les nombreux remaniements que ses hôtes successifs (des têtes couronnées) lui ont fait subir. Intérieurs fastueux et mobilier superbe, tapisseries et peintures appartenant à la collection royale. S'il fait beau, les jardins, l'autre merveille du palais, vous raviront. On vient depuis des lustres à Hampton Court rien que pour se perdre dans son célèbre labyrinthe végétal. Et puisqu'il est question de labyrinthe, un petit conseil : pensez à demander les 2 plans, celui du palais et celui des jardins ! En bref, l'entrée est certes un peu chère, mais on trouve à Hampton Court largement de quoi passer une belle journée. C'est aussi un excellent moyen de se familiariser avec l'histoire anglaise.

Comment y aller ?

À 25 km au sud-ouest de Londres, lové dans une boucle de la Tamise.

➤ **En train :** accès en 30 mn depuis la gare de Waterloo ou en 20 mn depuis Wimbledon (plus pratique si vous résidez dans l'ouest de Londres) jusqu'au terminus Hampton Court. Accès également possible par Vauxhall, voire Clapham Junction. Dans tous les cas, prendre un *Day Travelcard* pour 1-6 zones qui vous permettra de faire l'A/R (compter env 14 £). Si vous possédez l'*Oyster Card,* n'oubliez pas de la montrer au moment de l'achat du billet, pour ne pas repayer sur la partie du trajet déjà couverte par la carte.

➤ **En voiture :** le palais est situé sur l'A 308, code postal KT8 9AU. De la M 25, sortie 10. Parking payant (1,60 £/h).

➤ Les plus courageux pourront venir **à vélo** en longeant la Tamise : 29 miles, soit 47 km, depuis le London Bridge par le Thames Path.

Visite

Entrée majestueuse du palais avec sa façade rouge de style Tudor, crénelée de blanc et ornée de fines cheminées en brique et de tourelles.

La cour de l'Horloge constitue le centre du château, elle sert de point de départ à l'ensemble des circuits dans un dédale de corridors parfois traversés de courants d'air en cas de frimas. C'est ça aussi la vie de château ! C'est en tout cas dans cette cour que l'on retire son audioguide. On le recommande d'autant plus qu'il est gratuit (et en français).
L'histoire du palais est émaillée de différents rois et reines qui y ont traîné leurs guêtres (lignées Tudor,

LE SOLEIL A RENDEZ-VOUS AVEC LA TERRE

Dans la cour de l'Horloge, observez cette étrange horloge astronomique datant d'Henri VIII : elle donne l'heure, la date, les phases de la Lune, ainsi que les marées au London Bridge ! Toujours aussi bizarre : Copernic n'étant pas encore né, c'est le Soleil qui tourne autour de la Terre.

Stuart puis Hanovre) et de remaniements architecturaux, jusqu'à l'incendie du 31 mars 1986 qui a marqué les esprits. La réouverture n'eut lieu qu'en 1992. Ce palais fut construit au début du XVIe s pour servir de résidence au cardinal Wolsey, archevêque d'York et ministre d'Henri VIII. « Une maison un peu trop luxueuse pour un catho ! », se dit le roi, mort de jalousie, qui lui confisqua son jouet. Le souverain

LES AUTRES QUARTIERS DU GRAND LONDRES

agrandit la demeure pour le plaisir de ses nombreuses femmes. Voici un aperçu des différents circuits, susceptibles de changements :

The Baroque Story

Le 3e et dernier grand remaniement du palais fut entrepris à la fin du XVIIe s par Guillaume III d'Orange et sa femme Mary II Stuart. Ils choisirent Christopher Wren pour son inégalable style néo-Renaissance. Le but était de faire aussi bien que Versailles ! Heureusement, il manqua d'argent pour redécorer tout le palais, et la mort de Mary II de la variole en 1694, puis celle de Guillaume d'Orange en 1702 freinèrent ses projets. Il ne put s'attaquer qu'à l'aile orientale. Une animation futée de 13 mn permet d'apprécier l'évolution de la façade en fonction des travaux. Après eux, un autre couple s'attacha à modifier la déco du château, George II et son épouse Caroline, à qui l'on doit bon nombre de restaurations dont celle de Windsor.

Young Henry VIII's Story (1509-1532)

Tyrannique, homme à femmes, gros ? Le portrait du roi Henri VIII (1491-1547) dressé ici essaie de présenter les choses sous un autre angle et s'attache aux 1res années de règne. Le monarque, couronné à l'âge de 18 ans en 1509, se révélait alors plutôt charismatique, athlétique et éclairé. Bon, c'est quand même lui qui, plus tard, inventa l'anglicanisme pour avoir le droit de divorcer. 6 mariages ! Chronologiquement : un divorce, une exécution, une mort naturelle, une répudiation, encore une exécution ; la dernière lui survécut. Il eut 3 descendants qui tous régnèrent. D'abord Edouard VI, puis Marie Tudor, dite « Bloody Mary ». Cette dernière rétablit le catholicisme et fit enfermer sa demi-sœur, Elizabeth Ire, laquelle régna ensuite presque 50 ans et rétablit l'anglicanisme. Bonjour les repas de famille !

Henri VIII's Apartments (1509-1547, période des Tudors)

Entrée sous le porche d'Ann Boleyn. C'est la partie la plus ancienne du palais, celle que l'on préfère aussi. Le dépouillement des pièces attire l'attention sur les beautés architecturales de la période Tudor. Le **Great Hall** est orné d'un superbe plafond en bois sculpté et ajouré. Tapisseries flamandes racontant l'histoire d'Abraham. Dans l'antichambre suivante, la **Great Watching Chamber,** plafond cloisonné et orné de pendentifs. Dans la **Galerie hantée,** notre bon roi Henri VIII avait fait enfermer ici sa 5e femme (Catherine Howard) avant de la faire exécuter dans la Tour de Londres. Selon la légende, son esprit erre encore dans le palais... Accès à la tribune de la **chapelle royale** (1535) d'où l'on profite d'une belle vue sur le retable et sur le superbe plafond de bois (en chêne, couleurs bleu et or), orné de 60 anges ailés. On peut y lire la devise « Dieu et mon droit » avec le « N » à l'envers, comme on l'écrivait à l'époque.

The Georgian Story (1714-1737)

On y accède depuis les précédents appartements. Enfilade de pièces, celles des derniers monarques à avoir habité à Hampton Court : George Ier et surtout la reine Caroline et son époux George II (dont l'appétit sexuel est de notoriété publique, voyez sa nombreuse descendance !). Dans la galerie de la Communication, qui relie les appartements du roi à ceux de la reine, ne pas manquer les joues rosées des Beautés de Windsor par l'Anglais Peter Lely, les dames de la cour de Charles II. Une manière d'affrioler le roi avant ses visites nocturnes.

Aux murs, des copies (parfaites) des cartons de Raphaël. Les originaux ont été offerts par la reine Caroline au Victoria and Albert Museum. Depuis la Drawing Room, vue sur les somptueux jardins. Dans la Guard Chamber, on procédait au tri entre courtisans et espions (pas toujours facile !), tandis que George Ier fut couronné dans la Presence Chamber. Enfin, outre la fastueuse Queen's Gallery, on faisait la queue pour assister 2 fois par semaine au repas du roi dans la Public Dining Room, où la cuisine française était plus que jamais à la mode.

The Cumberland Art Gallery

Un musée dans le palais avec, dans ces 4 pièces, une sélection de la collection de peintures des Windsor (l'une des plus riches au monde, répartie dans les 13 résidences royales), allant de 1500 à 1900. Présentées par roulement, ces œuvres révèlent les goûts des souverains, bien sûr, mais racontent aussi les rouages du monde politique, les allégeances, les traits de la société, etc. Alors qu'on oublie parfois de les admirer en traversant les pièces, les tableaux sont ici intelligemment mis en scène. Ne pas manquer l'adorable cabinet de Wolsey *(Wosley Closet)* du XVIᵉ s, de style typiquement Tudor où Henry VIII aimait se retirer. Ni la *Canaletto Room* avec les célèbres vues de Venise du XVIIIᵉ s.

William III's Apartments (1689-1702)
Entrée sous la colonnade de la cour de l'Horloge. Après l'impressionnant escalier et ses peintures murales, une enfilade de pièces très hautes de plafond. Les baldaquins sont largement plus hauts que larges ! Ces appartements reviennent de loin après l'incendie qui eut lieu dans cette aile du palais en 1986. Les restaurateurs ont rendu leur splendeur à ces pièces décorées par Wren jusqu'à l'écœurement (voyez cette mosaïque d'armes !). Plafonds en trompe l'œil et panneaux de cheminée en bois de tilleul ou de chêne sculpté, somptueuses tapisseries et peintures. La sombre salle à manger nous ramène sur terre, là où Guillaume d'Orange dînait seul après la mort de la reine Mary II.

Henry III's Kitchens (1509-1547)
Il fallait bien des cheminées gigantesques et des passe-plats aussi longs qu'un comptoir pour nourrir tout ce petit monde (jusqu'à 800 personnes !). De belles pièces de viande et des *pies* alléchantes plus vraies que nature rendent la visite plus réaliste. Il y a même les odeurs. Et pourtant, il ne reste en fait qu'une petite part de ce qui fut un complexe gigantesque. Ne pas manquer non plus le *wine cellar* et ses rangées de tonneaux à vin. Ailleurs dans le palais, la *chocolate kitchen* est également visible, là où Thomas Tosier, le chocolatier personnel de George Iᵉʳ et de George II, concoctait des boissons nouvellement à la mode !

Mantegna's Triumphs of Caesar
Juste à droite, après l'entrée de la Grande Cour (attention, pas toujours ouvert), on peut admirer les *Triomphes de César,* 9 toiles imposantes peintes en 1485 par Mantegna, un des maîtres de la Renaissance italienne. Éléphants, musiciens, trophées de guerre... Grand souci du détail dans le traitement des costumes, des armes et des monuments.

Les jardins
Aussi plaisants et somptueux que le palais qu'ils entourent. Les dessinateurs se sont largement inspirés des jardins de Le Nôtre à Versailles. Splendides au printemps avec les jonquilles en fleur. Près de l'orangerie, petit coucou à la *Great vine,* la plus grande treille du monde, paraît-il, formée d'un seul cep de vigne qui pousse depuis plus de 200 ans dans une serre ! Terrain de jeu de paume *(Royal Tennis Court),* l'ancêtre du tennis, et balade possible en carriole à cheval. Ne pas manquer non plus les adorables *Privy Gardens, Rose Garden, Pond Gardens,* etc.

Le labyrinthe (maze)
C'est le plus ancien labyrinthe végétal connu, construit pour Guillaume III à la fin du XVIIᵉ s. Le plan des 800 m de parcours est affiché à l'entrée. Jerome K. Jerome le mentionne dans *Trois hommes dans un bateau,* et si vous vous perdez, ce qui est déjà arrivé à l'ours Paddington, suivez sa méthode : faites-vous des repères avec de la marmelade !

Où manger ?

I●I Vu le temps que prend la visite, il vous faudra sans doute déjeuner sur place. Pas de problème, comme d'habitude, on a pensé à tout ! On trouve une cafét plutôt modeste dans les anciennes cuisines (*Privy Kitchen,* qui propose des recettes inspirées des Tudors) et un self agréable dans les jardins, le *Tiltyard Café* (suivre la direction du labyrinthe). Frais, pas mauvais du tout (hmm les *pies*) et à prix raisonnables. Sinon, le pique-nique est autorisé.

KEW GARDENS

◎ 🐾🐾🐾 ⚲ À 15 km au sud-ouest de Londres, au bord de la Tamise, en zone 4 du métro. ☎ 020-8332-5655. ● kew.org ● Ⓜ Kew Gardens (à 30 mn du centre de Londres par la District Line, direction Richmond ou par la London Overground depuis le nord de Londres). À l'arrivée, franchir la voie ferrée et suivre en face Lichfield Rd sur 500 m. Également accessible en train depuis Waterloo (descendre à gare de Kew Bridge) et en bus (lignes nos 65, 391, 237 et 267). Tlj avr-août 10h-18h30 (19h30 le w-e et vac scol) ; ferme plus tôt le reste de l'année (horaires variables). Fermé 24-25 déc. Les serres ferment 30 mn à 1h avt les grilles. Entrée : 18,75 £ ; réduc ; 5 £ 4-16 ans (réducs sur Internet). Différents types de visites guidées, certaines gratuites à 11h et 14h (durée : 1h). Inscription 15 mn avt. Départ à Victoria Plaza. Le sujet varie au gré du temps, des saisons, de la nature et de la spécialité du guide. Sinon, se procurer le plan avec les immanquables du moment (seasonal highlights) et 2 parcours indicatifs (30 mn et 2h30). Des festivals ont lieu selon saison, notamment le Festival of Lights à Noël.

Visite

Une visite à ne pas manquer... Ce superbe jardin botanique se révèle d'une extraordinaire variété : 90 000 végétaux sur pas moins de 120 ha, le Jardin des plantes de Paris fait figure de square à côté ! C'est le résultat de la « collectionnite » aiguë dont souffraient les aristocrates anglais au XIXe s. Kew est aujourd'hui un parc d'agrément mais surtout un centre de recherche botanique de renommée mondiale. On y recueille notamment des spécimens de toute la flore britannique. Les graines suivent un traitement spécial qui leur permet de résister à des températures de - 20 °C et d'être conservées plus de 200 ans ! La période idéale pour visiter Kew Gardens est, bien sûr, le printemps, lorsque les rosiers et les rhododendrons sont en fleurs. Mais le bel aménagement de la nature, où les changements surprenants de paysage rappellent que rien n'est laissé au hasard, permet de se promener toute l'année sans jamais se lasser, sous le ballet des avions qui ne passent pas très haut ici. Un spectacle en soi ! Jardin japonais avec pagode, pinède, bambouseraie, roseraie, minitemple romantique... rien ne manque. Au sud-ouest du parc, on passe brusquement d'une forêt de conifères à une forêt de feuillus. De là, vue sur la « Tamise à la campagne », calme et bucolique, et sur Syon House, un manoir du XVIe s un peu austère. Les plus aventureux ne manqueront pas le Rhizotron and Xstrata Treetop Walway, un parcours dans la canopée.

CRAZY GEORGE

On a longtemps pensé que George III était devenu fou à la fin de sa vie. Il était en réalité peut-être atteint de la porphyrie, une maladie dont certains symptômes sont de type psychiatrique. Le nom de la maladie vient du porphyre, roche magmatique, rouge comme le marbre, car l'un des premiers signes typiques de la crise reste la coloration des urines en rouge.

Les serres

Ne manquez pas de les visiter. Immenses architectures de fer et de verre, ce sont elles qui ont fait la renommée de Kew Gardens. En plus de la *Davies Alpine House & Rock Garden* en forme d'arche, voir surtout :

– *Princess of Wales Conservatory :* des serres très design dans lesquelles 10 zones climatiques différentes sont reproduites, du désert jusqu'à la forêt tropicale : c'est l'occasion d'admirer de superbes orchidées (l'une des

grandes spécialités de Kew), des cactus géants, des nénuphars de 2 m de diamètre et d'incroyables plantes carnivores.
– La **Palm House,** plus ancienne, abrite une forêt tropicale en miniature et toutes les espèces de palmiers du monde. À découvrir depuis la passerelle métallique. Au sous-sol, des aquariums présentent des coraux multicolores et de jolis poissons.
– La **Temperate House,** la plus grande (4 800 m² et 42 m de haut !), toute rénovée, abrite elle aussi des plantes tropicales, des bambous et des rhododendrons géants. On peut y voir le *Chilean wine palm,* la plus grande plante d'intérieur du monde. Derrière cette serre, on trouve l'*Evolution House* ou comment la vie est apparue sur Terre.

Les galeries d'art
Installée dans un bâtiment moderne, la **Shirley Sherwood Gallery** présente l'évolution des plantes à travers les arts picturaux des XVIIIe et XIXe s (peintures, dessins, etc.). Une approche originale et didactique de la taxonomie ! Et de magnifiques œuvres au final. Peut être fermée le lundi entre 2 expos. Dans la galerie adjacente, une autre collection tout à fait inattendue : 832 tableaux de **Marianne North** (1830-1890), tous consacrés aux plantes et fleurs du monde entier ! Cette routarde talentueuse de l'époque victorienne a parcouru 5 continents et 17 pays de 1871 à 1885, et en a rapporté cet album de voyage tout à fait saisissant, ainsi que toutes sortes d'échantillons de bois exotiques. C'est elle qui a financé la construction de ce bâtiment à l'ancienne et a agencé l'ensemble de ses œuvres entre elles. Un coup de cœur !

Spécial enfants
Pour les enfants, plusieurs espaces de jeux interactifs et très bien faits : *Climbers and Creepers* (une incursion dans des galeries creusées par une souris), *Treehouse Towers* (toboggans et compagnie), *Badger Sett* (un tunnel de 1 m de haut creusé cette fois-ci par un blaireau)... Également un *Kid's Kew guide* à se procurer aux entrées ou dans les boutiques du parc.

Kew Palace
Pour les fans de résidences royales, dans le parc même, près de l'Orangerie : *ouv fin mars-oct, tlj sauf lun 9h30-17h. Entrée : comprise dans le billet pour Kew Gardens.* ● *hrp.org.uk* ● *On vous rappelle l'existence d'un pass annuel qui permet un accès illimité pdt 1 an aux sites de Kensington Palace, Hampton Court Palace, Tower of London, Banqueting House et Kew Palace : à partir de 52 £ par adulte ; forfait famille.* Ce palais mimi avec sa façade saumon servit d'asile au roi George III lorsqu'il devint fou. À l'intérieur, collection de jouets royaux dont une merveilleuse maison de poupée ayant appartenu aux filles du roi.
Pour les amoureux de la nature, *The Hive,* une expérience multisensorielle à ciel ouvert (fermée en cas de mauvais temps). Vous entrerez dans un espace de 17 mètres de haut composé d'aluminium et de lumières LED reconstituant l'intérieur d'une ruche. Véritable immersion sensibilisatrice notamment au rôle de la pollinisation.

Où manger ? Où boire un verre ?

|○| N'oubliez pas votre pique-nique, ce serait dommage, d'autant que les pelouses sont complètement libres d'accès. Sinon, restos ou selfs à plusieurs endroits du parc.
|○| Un self-service se trouve notamment dans l'*ancienne Orangerie. Ouv de 10h jusqu'à 1h avt fermeture des jardins.* Pratique et dans un beau cadre, mais il ne faut pas s'attendre à de la grande cuisine. C'est le plus grand bâtiment d'architecture classique du jardin (28 m de long et 10 m de large).
|○| 🚸 Dans le même coin, les familles optent plutôt pour le **White Peaks,** un resto conçu pour accueillir les enfants.
♈ À l'entrée, à côté de la boutique, le café *Victoria* offre une terrasse extérieure aux beaux jours.

DANS LES ENVIRONS DE KEW GARDENS

🎥🎥 Si vous êtes venu jusqu'ici, ça vaut le coup de reprendre le métro jusqu'à la prochaine station (Richmond), puis de prendre le bus n° 371 ou le n° 65 jusqu'à l'entrée piétonne Petersham Gate pour voir la nature livrée à elle-même dans **Richmond Park** *(en voiture : Holly Lodge, TW10 5HS)* : ☎ 030-0061-2200. ● *royalparks. org.uk* ● *Ouv de 7h en été (7h30 en hiver) à la tombée de la nuit. GRATUIT. Plan téléchargeable sur Internet.* Cet immense domaine en grande partie boisé servait de terrain de chasse à Charles I**er**. C'est le plus vaste parc royal de Londres avec ses 1 000 ha. Pas loin de 650 daims et des cerfs y vivent en liberté. Balade très sympa et vue superbe sur les méandres de la Tamise du haut de *Richmond Hill*, le panorama le plus peint des îles britanniques. Le domaine est sillonné de pistes cyclables, et autant dire que cette partie du Grand Londres est la plus huppée.

HOMMES, CULTURE, ENVIRONNEMENT

ARCHITECTURE

Depuis l'époque romaine, Londres garde les traces de toutes les époques architecturales. Mais comme les Anglais ne font jamais les choses comme les autres (c'est cela qui nous plaît chez eux), la dénomination de ces différents styles échappe parfois à notre compréhension. Alors *let's go* pour un *travelling* sur l'histoire des bâtisseurs britons !

Les **Romains** sont restés 350 ans en Angleterre, mais Londres en a gardé peu de vestiges. Le tracé de la City conserve grossièrement la forme de l'enceinte fortifiée du IIe s. Au départ des légions en 418, *Londinium* est livrée aux Barbares. Il faut attendre Alfred le Grand et ses princes saxons pour voir s'élever des remparts à l'emplacement de l'actuelle *London Tower*.

Le Moyen Âge

Le **style roman** est arrivé dans les bagages des Normands qui utilisaient la pierre à la place du bois et du torchis. Dans le quartier de Smithfield, l'ancien porche de Saint Bartholomew the Great (XIIe s), surmonté d'une maison Tudor, en témoigne. Le **style gothique** s'impose au Moyen Âge avec la construction de maints édifices religieux de prestige. L'abbaye de Westminster, dont la construction s'inspire de l'abbaye de Jumièges, en Haute-Normandie, en est le symbole le plus spectaculaire. Les Anglais distinguent 3 époques gothiques : le **Early English** (vers 1100), style primitif caractérisé par de hautes fenêtres à lancettes se terminant en arc brisé aigu. Le **Decorated Style,** plus exubérant, vient orner les fenêtres de décorations végétales et couvre les voûtes de nervures foisonnantes au dessin complexe. À partir du XIVe s, retour du dépouillement avec le **Perpendicular Style,** qui n'a pas d'équivalent hors d'Angleterre : on pourrait décrire les édifices de ce style comme une cage aux voûtes en éventail et constituée de nervures de pierre pour permettre l'entrée de la lumière. La chapelle Henri VII de l'abbaye de Westminster en constitue le meilleur exemple avec sa voûte dégoulinante de culs-de-lampe ouvragés.

Après la rupture d'Henri VIII avec Rome, la floraison des édifices religieux s'interrompt pour faire place à la construction de demeures civiles. Les manoirs s'ornent d'encorbellements et de colombages. C'est l'émergence des **styles Tudor et élisabéthain** qui s'expriment particulièrement dans les théâtres où Shakespeare créa ses pièces (voir *The Globe,* la reconstitution de l'enceinte théâtrale de 1599).

De la Renaissance au classicisme

La **Renaissance italienne** arrive tardivement en Angleterre via la France et la Hollande, et apporte un souci de symétrie extérieure et l'usage des fenêtres à meneaux. Sous l'influence de Palladio, Inigo Jones *(Covent Garden Piazza)* est l'architecte qui introduit le **classicisme.** À Londres, on peut admirer son sens des proportions harmonieuses dans la salle des banquets de *Whitehall* et à la *Queen's House* de Greenwich.

Après le Grand Incendie de 1666 qui ravage une bonne partie de Londres, Sir Christopher Wren est chargé de reconstruire la ville et notamment *Saint Paul's*

Cathedral, Saint James's Church et le *Greenwich Hospital*. C'est le triomphe du **baroque mêlé de classicisme** avec des concepteurs comme John Vanbrugh et Nicholas Hawksmoor à qui l'on doit la *Christ Church* de Spitalfields et *Saint Mary Wollnoth* dans la City. L'église de *Saint Martin-in-the-Fields* et sa magnifique bibliothèque datent aussi de cette époque. On définit alors la largeur des rues ainsi que la hauteur des maisons (3 ou 4 étages maximum), les matériaux utilisés sont également contrôlés.

Le XIXᵉ s et le néoclassicisme

À la **fin du XVIIIᵉ s,** John Nash (plan de Regent Street), John Soane (voir sa maison-musée à Holborn), William Chambers et surtout l'Écossais Robert Adam et ses frères revisitent l'Antiquité et imposent leur approche néoclassique en bâtissant profusion de vastes maisons familiales. À visiter : *Kenwood House* à Hampstead, ou encore *Crescent Park,* dont on peut admirer l'harmonieux arc de cercle formé par ces façades uniformes, conçu par John Nash. Les **maisons georgiennes** avec porches à colonnades blanches et parfois frontons triangulaires datent de cette époque, de même que, en décoration, les **styles Chippendale** et **Regency.**

Avec le XIXᵉ s, la révolution industrielle et le long règne de la reine Victoria, on voit fleurir une nouvelle architecture de fer et de verre qui culmine avec le *Crystal Palace.* Entre-temps, le **Gothic Revival** renouait avec l'architecture médiévale. Le Parlement, le palais de Westminster, le *Tower Bridge* et *Saint Pancras Station* en sont les fleurons emblématiques. Dans le registre néoclassique, on trouve aussi le *Royal Albert Hall.* À la fin du siècle, en réaction contre la misère urbaine générée par la révolution industrielle, naît, sous la houlette de William Morris, le mouvement **Arts & Crafts,** qui allie l'ornementation italianisante, le Moyen Âge français et les matériaux rustiques.

Du début du XXᵉ s datent les maisons qualifiées d'**edwardian**. Il est difficile en Angleterre de distinguer les *Arts and Crafts* de l'Art nouveau, tant les 2 mouvements se mêlent et s'alimentent mutuellement, avec, dans leur sillage, les préraphaélites et les symbolistes. C'est une époque particulièrement productive et l'on trouve quelques somptueux exemples de cette synthèse, comme le splendide magasin *Liberty.* Parallèlement, en plein apogée de l'Empire, on assiste à un nouveau retour du classicisme avec les bâtiments de Sir Edwin Luytens, comme le cénotaphe de *Whitehall.* Après les cités-jardins de Hampstead, les **premiers gratte-ciel** apparaissent aux alentours de 1937 avec le Russe Bertold Lubetkin, qui construit à Highgate des immeubles dans le style de Le Corbusier.

Du XXᵉ s à la nouvelle *skyline*

Le **modernisme** fait suite aux destructions de la Seconde Guerre mondiale. Le *Royal Festival Hall,* assez brut de décoffrage dans le genre, voit le jour en 1951. Pour pallier l'afflux démographique, les cités-dortoirs sortent de terre dans les banlieues du Grand Londres ; **15 villes nouvelles** sont édifiées dans un rayon de 30 à 50 km autour de la City. Les années 1960 et 1970 se caractérisent par l'émergence du **brutalisme,** voué au culte du béton tous azimuts. Pour exemple, le *Barbican Centre,* que George Orwell n'aurait pas renié.

En réaction à cette tendance et soutenu par un personnage public – et non des moindres, à savoir le prince Charles –, un groupe d'architectes (avec à sa tête l'inépuisable Norman Foster) privilégie la fantaisie des structures en maîtrisant le **style high-tech.** Le *London Eye,* en 2000, et le *Gherkin,* incroyable immeuble qui symbolise la City, en sont des exemples. Fascinants, spectaculaires et, bien évidemment, sujets à controverse. Les docks de South Bank sont réhabilités et de nouvelles tours assez réussies sortent de terre dans les quartiers de Canary Wharf et des Docklands : on peut en juger en contemplant celle des télécoms britanniques et, surtout, la pyramide postmoderne de *Canada Tower,* conçue par Cesar Pelli. Admirons le bâtiment de la *Lloyd's* ou l'œuvre de Jean Nouvel, dans la City, surnommée « Stealth Bomber », le « Bombardier incisif », juste en face de Saint Paul's Cathedral : un projet que le prince Charles, toujours lui, avait à l'origine interdit ! Les lignes gris acier du bâtiment qui abrite, entre autres, un centre commercial (une première dans la City !) offrent pourtant des perspectives étranges et stupéfiantes, notamment depuis la terrasse du 8e étage.

En 2015, ce sont une vingtaine de **nouveaux buildings** qui sont sortis de terre, tous aux formes plus ou moins incongrues et dans une anarchie de styles assez surprenante. On trouve la « Râpe à fromage » (*Cheese Gratter,* par Richard Rogers, l'autre papa du Centre Pompidou), le *Walkye Talkye* de l'Uruguayen Rafael Vinaly ou encore le *Toboggan* ! D'autres projets architecturaux ont déjà vu le jour avec les Jeux olympiques de 2012, notamment l'*Orbit* (une « œuvre d'art » de 115 m de haut financée par l'homme d'affaires indien Mittal) ou encore le centre aquatique en forme de vague, conçu par Zaha Hadid, la « starchitecte » anglo-irakienne. Mais le plus gros chantier architectural dans la capitale reste *The Shard,* un « éclat » de verre près du London Bridge, construit par Renzo Piano, un gratte-ciel inauguré en 2013, flirtant avec les 310 m. Cette construction accueillant des bureaux, un hôtel de luxe *(Shangri-La),* un resto et des habitations, est actuellement le plus grand immeuble d'Europe de l'Ouest. Juste à côté, la Tate Modern continue de surprendre avec une pyramide déstructurée imaginée et réalisée par le même tandem à l'origine de la transformation de cette ancienne usine, Herzog et de Meuron. **One Blackfriars** *(plan d'ensemble, H4),* avec son petit ventre dodu imaginé par Ian Simpson, et la construction de **Scalpel Tower** *(plan d'ensemble, J3),* qui porte bien son nom sur Lime Street, dans le quartier de la City, dessinée par le cabinet américain Kohn Pedersen Fox, sont autant de projets qui montrent l'entrain de Londres pour les gratte-ciel, au grand dam du prince Charles...

– Pour plus d'infos sur le développement architectural de Londres et les plus de 400 nouveaux gratte-ciel dans les cartons : ● *newlondonarchitecture.org* ● (voir aussi le *New London Architecture* à Bloomsbury).

BOISSONS

– Si l'on en croit la légende, toute l'Angleterre s'arrête vers 17h pour le **teatime.** Les Anglais en boivent en fait toute la journée ! Rien de tel qu'une bonne *cup of tea* pour arroser n'importe quelle occasion ou redonner le sourire à son interlocuteur. Demandez-le *white* (avec un nuage de lait que l'on verse AVANT le thé) ou *black* (sans), avec ou sans sucre. Autre rituel, à essayer au moins une fois dans sa vie, dans les hôtels chic ou les salons de thé lon-doniens : les fameux **afternoon teas** et **high teas** (prévoir tout de même une grosse poignée de livres) avec un grand choix de thés aux arômes différents, des sandwichs et toute une cohorte de gâteaux. L'origine de cette tradition viendrait de la duchesse Anna de Bedford (1783-1857). On ne mangeait que le matin et le soir à l'époque. Après quelques malaises, elle prit le parti de lancer la mode de l'*afternoon tea,* avec sandwichs, gâteaux et thé. La tradition est restée.

MILK IN FIRST

Traduction : « le lait en premier », ou le surnom donné par les aristocrates aux arrivistes. Les nouveaux riches avaient pour habitude de verser le lait avant le thé, de peur que leur tasse, sous l'effet de la chaleur, ne casse. Un test révélateur de personnalité et de rang social ! Eh oui, un aristocrate n'a jamais eu ce problème, tant sa porcelaine est de bonne qualité et tant il possède de tasses !

Parmi **les afternoon teas** les plus **connus,** ceux des hôtels prestigieux tels que le *Ritz,* le *Savoy,* le *Hyde Park Hotel,* le *Dorchester* ou le salon de thé *Fort-num & Mason*... Tous proposent un rituel souvent aussi drôle que leurs gâteaux sont bons, à grand renfort de vaisselle délicate, d'ustensiles compliqués et de règles à respecter. Mais nos préférés sont à **The Orangery** de Kensington Palace (voir « Où prendre le petit déj ou le thé ? Où manger des pâtisseries ? » à Brompton, Chelsea et South Kensington) et **Sketch** (voir le chapitre « Le centre touristique »), complètement loufoque donc... *British* !

– Les Anglais ne boivent pas que du thé ! Ils se passionnent également pour le **café.** Vous trouverez pour preuve des centaines de **coffee shops** et autres où l'on sert des expressos, bien sûr, mais également des cafés spéciaux assez originaux. Rien à voir avec le jus de chaussette servi dans les grandes enseignes si l'on opte pour un *regular*.

– Côté boissons alcoolisées, vous pourrez goûter aux délicieux **ciders** qu'on commande *dry, medium* ou *sweet,* tout comme le **sherry** (xérès), très apprécié des vieilles dames. Délicieux et pas très cher. N'oubliez pas le **port** (porto), très bien représenté par de prestigieuses maisons comme *Taylor's,* et évidemment le **whisky.** Du scotch tourbé d'Écosse au pur malt irlandais en passant par le bourbon américain, il y en a pléthore.

– Si vous aimez les **liqueurs** douces, goûtez le *Drambuie,* au whisky, ou l'*Irish cream,* au café. Au rayon **cocktails,** essayez un *dry martini* ou une *vodka and lime* (prononcez « laïme »).

– Goûtez au **Pimm's,** boisson à base de plantes et de quinine. Typiquement anglais, servi avec du concombre. Il aurait des vertus digestives. Très bon aussi avec de la limonade. Avec modération ! Très frais en été et, l'hiver, chaud avec du jus de pomme, ça passe pas mal non plus... Vendu aussi en canette dans les supermarchés.

– Les amateurs de **vin** seront surpris : l'Angleterre produit à nouveau du vin (et même des effervescents), du Kent au nord du pays de Galles... La production reste confidentielle, et sa consommation encore plus. Quant à sa réputation, elle reste à faire ! Certains bars et restos londoniens l'ont inscrit à leur carte. Les **wine bars** sont à la mode mais restent assez chers. En revanche, les cartes sont souvent bien montées, mêlant sans vergogne les crus classiques du Vieux Continent (France, Italie, Espagne...) aux domaines du Nouveau Monde. On trouve aussi dans tous les pubs branchés et les restaurants une sérieuse sélection de vins au verre.

Conseils du même tonneau (de bière)

L'autre boisson « mythique », c'est évidemment la **bière.** Les non-amateurs goûteront à la *ginger ale,* plus douce. Parmi les bières les plus populaires, la goûteuse *London Pride,* ou la toute simple mais désaltérante *Carling.* Pour un demi, commander *half a pint* (prononcer « haffepaïnte ») mais, proportionnellement, une *pint* (demi-litre) coûte moins cher. Dans tous les cas, mieux vaut avoir repéré l'emplacement des w-c avant de se lancer !

Voici un petit topo sur les bières anglaises :

– **Bière au tonneau :** *draught* ou *on tap* (au robinet), tirée à la pompe traditionnelle, servie à température ambiante, est sans conteste la meilleure. La *bitter,* blonde amère, est la plus populaire, mais la *lager,* blonde traditionnelle, est aussi très bonne. Seul problème, les bières *on tap* se font de plus en plus rares. Tout fout le camp !

– **Bière en bouteille :** *pale ale* (bière blonde) et *brown ale* (bière brune mais douce), et surtout la *stout,* dont le meilleur exemple est la Guinness, noire et crémeuse. C'est même obligatoire !

– **Bière à la pression :** on en trouve beaucoup, elle est servie froide ou glacée, très gazeuse comme en France ou en Allemagne, où elle n'a cependant rien à voir avec la vraie bière anglaise, comme la *real ale.*

Les bières américaines et mexicaines ont aussi envahi le marché anglais. On en trouve de plus en plus dans les pubs.

Les pubs

De tradition typiquement britannique, le pub est le lieu de rencontre par excellence. On y vient avec ses collègues, ses amis ou tout simplement en famille (mais, sauf exceptions, sans jeunes enfants) pour y passer un joyeux moment de détente et de discussion. Le pub, en général, offre plusieurs salons dont les différences sont de moins en moins sensibles : public bar, *lounge bar*, saloon bar, *private bar* (ce dernier est réservé à un club). On pratique une activité tellement peu française dans les pubs que le mot n'existe même pas dans notre langue : on « socialise ». On y parle de tout et de rien. Vous

ressentirez cette extraordinaire atmosphère de fusion des classes ; ici, on laisse son origine sociale au vestiaire et on se côtoie allègrement. Au coude à coude, vous trouverez le *cockney* (titi londonien), le jeune cadre gominé, la mamie en tenue lavande, les groupes de minettes déchaînées à l'occasion d'une *hen night* (enterrement de vie de jeune fille), l'ouvrier lisant *Tribune* (journal de gauche du Labour Party), le vieux marginal plein de malice et... le touriste français, les yeux ronds comme des billes devant ce spectacle.

Un peu d'histoire

Cercles paroissiaux durant le Moyen Âge, plus opportunément situés sur les routes des pèlerinages, enfin lieux de réunion des ouvriers qui, au XIXe s, commencent à se syndiquer, les pubs ont souvent conservé leur vitrine en verre dépoli, de vieilles boiseries noircies et patinées, des lumières faiblardes, comme au temps de la bougie, et de beaux cuivres.

Les amateurs perspicaces remarqueront que certains noms de pubs reviennent souvent. Parmi ceux-ci, *King's Head,* en souvenir de Charles Ier que Cromwell fit décapiter, *Red Lion* qui rappelle les guerres coloniales, *Royal Oak* qui commémore la victoire de Cromwell sur Charles II qui se réfugia sur un chêne (!). Fin de l'intermède culturel.

La vague de modernisme a frappé durement et les chaînes de pubs standardisés ou les *posh pubs* (littéralement : « pubs chicos ») se sont multipliés. Des propriétaires peu respectueux du passé ont remplacé la patine du temps, la sciure, les vieilles pompes à bière avec manche de porcelaine par du clinquant, faux acajou, velours rouge, cuivre et barmen impec'. Évidemment, les comportements ne sont plus les mêmes dans un environnement aussi propre, aussi hygiénique, et l'âme du pub populaire a, dans ce cas, bel et bien trépassé.

Pubs et mœurs

Outre le fait que l'on boive souvent sa bière sur le trottoir quel que soit le temps, les Anglais pratiquent beaucoup le *pub crawling*. Lorsqu'ils sortent à plusieurs, le 1er paie une tournée dans un premier pub, le 2e en paie une autre dans un pub différent et ainsi de suite. Le tout, c'est de se rapprocher de chez soi pour être sûr de pouvoir rentrer, surtout si l'on est 15 à payer une tournée !

– Mais tout le monde ne peut pas s'inviter dans une famille londonienne pour dîner. Il reste donc les **restaurants,** dans lesquels on mange certes bien mais pour cher. Mieux vaut tenter sa chance dans les fameux ***gastropubs,*** établissements hybrides nés du désir de conserver l'atmosphère si riche et conviviale des pubs en proposant une cuisine plus élaborée qu'une saucisse-purée ! En quelques années, Londres a vu fleurir un peu partout ces néopubs souvent plus chers et toujours plus branchés que leurs grands frères. Par ailleurs, la grande tendance des ***nouveaux restaurants*** a des influences méditerranéennes ou asiatiques. Quelques bonnes surprises en perspective. À commencer par la viande de bœuf ! L'élevage est aujourd'hui considéré par les spécialistes comme l'un des meilleurs au monde. Des races de petits gabarits, sélectionnées pour la qualité de leur viande, et élevées selon les règles de l'art dans la belle campagne anglaise ; des viandes persillées, maturées 30 à 60 jours, et cuites à la perfection, « *bleu* » ou « *rare* » (bleu ou saignant), voilà qu'ils pourraient nous donner des leçons ! On aime vanter aussi le local, et mettre en avant ses producteurs.

– Le midi, pour manger une nourriture saine dans une ambiance typique, une solution : les ***pubs*** et leur ***pub grub*** traditionnelle (littéralement « boustifaille »), pas mauvaise du tout ! Pratiquement tous servent, entre 12h et 14h30, ces plats uniques, très bons et abordables, parmi lesquels le *ploughman's lunch* (fromage servi avec des oignons ou du chutney et du bon pain frais), le *shepherd's pie* (hachis Parmentier) ou tout simplement le ***scotch egg,*** un œuf dur, pané et frit avec de la chair à saucisse. Essayez sinon le *carvery lunch* (traditionnel repas du dimanche), avec du *roast beef*, des *roast potatoes* et du *Yorkshire pudding*. Parfois économique (ils proposent souvent des formules pour 2) et archi copieux. On ne vous les indique pas tous, on insiste plutôt sur les snacks et les restos « classiques », mais ne négligez pas cette formule le midi. Sinon, de nombreux ***cafés*** ont essaimé un peu partout, surfant sur la vague bio en proposant de bonnes soupes du jour, des sandwichs préparés avec des ingrédients frais et originaux, et des suggestions plus soignées annoncées sur l'ardoise. Impeccable pour un déjeuner de qualité à prix maîtrisé.

– Pensez aussi aux célèbres ***fish & chips,*** qui permettent de manger sur le pouce pour vraiment pas cher, même si parfois, ça sent un peu le graillon. Le pire côtoie le meilleur en la matière ! On en trouve souvent au menu des pubs. Nos préférés sont *The Seafresh Fish Restaurant* (à Pimlico, Westminster et St Jame's Park), *Golden Union* ou encore *Bonnie Gull* (dans le centre touristique).

LES PREMIERS FAST-FOODS DU MONDE

Les fish & chips ont envahi les quartiers londoniens dès le XVIIe s. La recette du poisson frit fut apportée par les juifs sépharades du Portugal, et la morue était pêchée au large de l'Islande. Cette nourriture bon marché, assaisonnée de vinaigre, devint vite extrêmement populaire.

– Du point de vue culinaire, Londres vous offrira une palette de choix comme nulle part ailleurs en Europe. Ce n'est pas pour rien qu'elle a été désignée capitale mondiale de la gastronomie (pour sa diversité) ! Il serait dommage de repartir sans avoir mangé ***chinois, japonais, pakistanais, jamaïcain*** ou ***indien.*** Ces restaurants offrent une cuisine de qualité inégale, comme partout, mais les meilleurs d'entre eux sont dignes d'éloges. Les meilleurs restos chinois ou indiens d'Europe sont à Londres et offrent un véritable dépaysement. C'est une cuisine épicée – au sens riche et non arrache-gueule. Elle mélange le sucré et le salé, et se permet des associations surprenantes. Mais vous pourrez aussi manger grec, hongrois, espagnol, italien... *À noter :* dans ce domaine, les adresses sont souvent imprévisibles. Tel resto indien ou chinois s'avère génial à son ouverture puis, un an après, fort de son succès, se permet des pratiques peu commerçantes. C'est un des effets du libéralisme à outrance : rotation du personnel, concurrence, valse des étiquettes. On a un peu de mal à suivre d'une année sur l'autre, surtout parmi les adresses pas chères.

– Il ne faut pas négliger non plus les ***restaurants végétariens.*** Dans un pays qui place les animaux en haute estime, il est légitime de recenser 10 % de la population végétarienne. Force est d'admettre qu'en matière de légumes et d'épices (héritage des colonies ?), les gourmets français auraient beaucoup à apprendre. Il y a donc nombre de restos végétariens où l'on mange bien à des prix plus que raisonnables... pour Londres. En outre, pratiquement tous les restaurants ont un menu végétarien toujours moins cher que les autres (normal, il n'y a pas de viande !). Au choix : pâtes, lasagnes, quiches, gratins, salades et sandwichs. Contrairement à une idée reçue, la cuisine « veggie » est diversifiée et souvent pleine d'inventivité.

– Sinon, il reste des ***petites adresses*** pas chères du tout, qui nourrissent leur homme, qui laissent le porte-monnaie quasi intact mais qui s'avèrent un peu frustrantes pour les papilles. Elles servent en général un peu de tout (spaghettis à la bolognaise, steak bouilli-frites, soupe aqueuse, poisson pané, *beans*...). Faites quand même attention où vous mettez les pieds : vous avez déjà mangé du bacon qui ressemble à de la semelle ? Nous, il nous est arrivé de regretter que ça n'en fût pas ! Et puis il y a les ***grandes chaînes*** de qualité honnête et pas trop chères, comme les restaurants des grands magasins et des musées, souvent de bons plans, pratiques et rapides.

Quant à la cuisine française, on trouve quelques pépites, comme *L'Artiste Musclé* dans le centre touristique, ou le charmant *L'Absinthe* à Camden Town.

CURIEUX, NON ?

Les Français, dit-on, cultivent l'art de vivre, la table, les bons vins, la haute couture. Les Britanniques aiment à cultiver l'absurde et une certaine excentricité ! On peut ainsi croiser un(e) vendeur(se) avec piercings et tatouages dans une boutique de luxe, ça ne choquera personne !

LA REINE, MODE D'EMPLOI

Si vous étiez amené à rencontrer la reine, sachez qu'elle n'accorde jamais aucune interview. Elle n'a aucun pouvoir, c'est ce qui fait sa force. Et puis Elizabeth II mérite d'être inscrite au Guinness des records, puisqu'elle est la reine de 16 pays.

– Un petit déjeuner sans œufs n'est pas digne de ce nom. Œufs sous toutes leurs formes : pochés, mollets, durs ou brouillés, qu'importe, pourvu qu'ils existent !

– Les Londoniens adorent faire la queue. C'est d'ailleurs souvent le signe qu'un établissement est réputé !

– Le piéton n'est pas prioritaire ! On peut facilement se faire tailler un short...

– Si Paris est plein de scooters, Londres est la ville des vélos. Et les cyclistes ne font pas les choses à moitié : chaussures à crampons pour s'accrocher aux pédales, lycra fluo et autres lumières clignotantes sont de mise.

– Le fromage se prend généralement à la fin du repas, après le dessert (on ne rigole pas !)...

– Très souvent, au restaurant ou au pub, c'est vous-même qui décidez de l'endroit où vous désirez être assis. Ne vous sentez donc pas agressé lorsqu'on vous demande où vous allez manger, et indiquez la table sur laquelle votre choix s'est arrêté. D'ailleurs, on prend généralement sa commande au comptoir et on paie de suite.

– On ne serre jamais la main d'un Anglais, sauf quand on le voit pour la 1re fois. Quant à la bise, n'y songez même pas ! En revanche, un inconnu peut vous appeler *darling, honey* ou même *love* sans problème ! Et entre amis ou en famille, c'est le *hug* qui est de mise, une franche accolade.

– Esprit civique oblige, ici, on respecte strictement les passages piétons. Même s'ils sont simplement signalés au sol ou par un poteau lumineux.

– L'*afternoon tea* n'est pas qu'un simple thé avec une douceur sucrée ! C'est même l'occasion de faire, et le goûter, et le dîner en une seule fois, avec sandwichs et même champagne pour les plus chic.

– Les toilettes publiques, gratuites, sont une institution qui provoque la jalousie du reste du monde civilisé ! On en trouve dans tous les lieux publics, à proximité des gares, des marchés, des hôpitaux, des rues commerçantes, etc. Elles datent de l'époque victorienne, où les principes de l'hygiène étaient érigés au rang des vertus civiques.

– Personnes handicapées : les Anglais ont pensé à elles bien avant nous et sont exemplairement équipés... Pour preuve, l'excellent site qui leur est consacré : ● tourismforall.org.uk ●

HANDICAP ?

La « main dans le chapeau » (hand in cap) est évidemment une locution anglaise. Cela remonte à l'époque où l'on troquait encore ses biens. Pour rétablir l'égalité des valeurs entre le bien donné et le bien reçu, on compensait la personne désavantagée (handicapped) en mettant de l'argent dans un chapeau.

– Souriez, vous êtes filmé ! Sachez que pas un centimètre carré de la ville ne semble échapper à la vigilance des caméras. La vidéosurveillance est omniprésente, y compris dans le bus.

– Il n'y a qu'à Londres où l'on peut célébrer les personnages de fiction mythiques avec le musée consacré à Sherlock Homes ou encore la boutique du quai 9 ¾ d'Harry Potter à la gare de King's Cross !

ÉCONOMIE ET BREXIT

Depuis les mesures libérales de l'ancien Premier ministre David Cameron, les Anglais se serrent la ceinture. Suppressions d'un grand nombre de postes de fonctionnaires, de nombreux services publics, blocage des salaires...

UNE MONNAIE DE POIDS !

Le symbole £ est une extension de la lettre L pour le mot « Libra », qui signifiait en latin une livre de monnaie.

Les premiers signes d'une reprise de l'économie britannique apparaissent ; des postes se créent, le chômage baisse. Et la croissance de l'Angleterre dépasse les 2 % ! Bien plus que ses partenaires européens, notamment outre-Manche... Des résultats qui ont pesé dans la réélection haut la main de Cameron en mai 2015. Mais ce triomphe fut de courte durée, le Premier ministre s'étant engagé à organiser un référendum sur la sortie ou non du pays de l'Union européenne.

Après avoir tenu en haleine l'Europe entière en 2016, ce débat divisa plus que jamais la société anglaise autour de la question des migrants, entre menaces diverses en fonction du vote final et peurs plus ou moins justifiées. Le 24 juin 2016, le résultat était sans appel : 51,9 % des électeurs avaient voté « Out », donc en faveur du Brexit, autrement dit de la sortie de l'Union européenne. Une victoire avant tout pour l'UKIP, le parti émergent d'extrême-droite, le seul parti qui s'était positionné unanimement et officiellement en faveur du « Out », et un sévère retour de boomerang pour Cameron, poussé à la démission. Si la livre a dégringolé de 20 % depuis juin 2016, la consommation a continué de progresser.

Maintenant, la date de sortie officielle de l'Europe est fixée au 29 mars 2019. Problème : les exportations anglaises sont avant tout destinées à l'Europe. Seront-elles taxées par Bruxelles après cette date ? L'impact économique s'annonce sévère sur l'économie anglaise. Theresa May a donc négocié une période de transition jusqu'au 31 décembre 2020 pour finaliser les décisions communes entre Londres et Bruxelles, notamment le sort des expats (qui ne devraient pas perdre leurs droits), le paiement des retraites ou encore le statut de résident des Européens sur le sol anglais. Un casse-tête où Londres a sérieusement mis de l'eau dans son vin (ou sa bière !). Du Brexit dur, l'Angleterre a découvert la perspective d'un Brexit mou.

D'ailleurs, un sondage de mars 2019 prouve que les *British* ont changé d'avis sur l'Europe ! Heureusement que le mariage du prince Harry avec Meghan Markle entraîne un regain pour la Couronne et ses attributs. Tous à vos *mugs so British* avec les tourtereaux !

ENVIRONNEMENT

Depuis quelques décennies, fini le temps du légendaire *fog* qui accablait les Londoniens de maladies pulmonaires. On ne chauffe plus guère au charbon et la Tamise est redevenue une rivière remontée par des espèces de poissons presque oubliées. On a même aperçu des dauphins dans l'estuaire. Si, si !

De plus, le centre de Londres est l'un des plus verts d'Europe (deux tiers de sa superficie !), et les Londoniens entretiennent chaque arpent de gazon avec amour et petites cisailles. Londres revendique désormais une certaine **green attitude** : péage pour les voitures parcourant le centre-ville, arrivée de milliers de vélos sur le modèle des Vélib' parisiens avec des stations tous

UN IMMEUBLE TOUT EN BOIS

À Hackney, au nord-est de Londres, à l'angle de Provost Street et Murray Grove, se dresse un immeuble de 8 étages entièrement construit en contre-plaqué (lamellé-croisé), des panneaux aussi résistants que le béton et très peu... inflammables.

les 300 m, création d'un secteur piéton au nord de Trafalgar Square, etc. Les déplacements à vélo augmenteraient d'ailleurs de 17 % par an depuis 2003. Quant aux *Green Tomato Cars,* ce sont des taxis hybrides qui fixent le prix en fonction de la distance parcourue et non du temps passé.

Quelques professionnels emblématiques, la mairie en tête, sont sensibles au respect de l'environnement (eau des toilettes recyclée dans des hôtels, réduction des émissions d'oxydes de nitrogène des bus, bio dans de nombreux restos, etc.). Le règne du tout-*organic* (bio) fait d'ailleurs fureur parmi les Londoniens.

La dynamique de vitrine est déjà bien rodée, mais elle ne pourra guère infléchir – à moins de politiques radicalement volontaristes. Le centre touristique de Londres doit devenir en 2020 une zone de très faibles émissions (ULEZ). Quasiment plus de véhicules polluants dans le centre, sinon taxes à gogo !

Parcs

En été, frémissants de feuilles ; en automne, curieux avec leurs tas de feuilles mortes ; en hiver, fantomatiques et inquiétants ; au printemps, ornés des premiers signes de la nature renaissante... Ne soyons pas trop lyriques, même s'il y a bien souvent de quoi l'être.

L'une des grandes fiertés de Londres réside dans ses parcs. Ils portent presque tous l'appellation de *Royal Parks,* car ils appartiennent à la Couronne. Le plus célèbre est *Hyde Park,* en

À EN PERDRE LA TÊTE !

Le lac de Saint James's Park est, paraît-il, habité par le fantôme d'une dame sans tête : elle était mariée à un sergent de la garde, mais tomba amoureuse d'un collègue de son mari. Celui-ci, furieux, lui coupa la tête (carrément) et jeta le corps de sa femme dans le lac du parc. Non mais !

plein centre, le plus grand (136 ha) et le plus populaire, prolongé par *Kensington Gardens* (110 ha). On peut s'y baigner et louer des barques en été. *Regent's Park,* au nord, *Green Park* et *Saint James's Park,* aux abords de Buckingham, sont les plus agréables. Ce dernier rappelle les jardins français dessinés par Le Nôtre, qui avait influencé Charles II lors de son exil en France. Petit détail : les beaux transats qui vous tendent les bras sont payants ! En revanche, les pelouses (et quelles pelouses !) sont libres d'accès dans tous les parcs londoniens. N'oublions pas non plus les nombreux petits parcs dépendant des *terraced houses,* ces alignements de maisons de style georgien construites à partir du XVIIIe s pour répondre à la poussée démographique de la capitale, et qui participent eux aussi au charme et à l'aspect vert de Londres, l'appellation *street* se changeant en *garden.*

Dans la proche banlieue, vous pourrez vous rendre au jardin botanique de *Kew Gardens,* au parc de *Richmond* (pour y gambader avec des daims en liberté !) ou à *Hampstead Heath,* un superbe bois complètement préservé des promoteurs immobiliers. Très agréable pour un pique-nique lorsque le temps s'y prête (voir le chapitre « Les autres quartiers du grand Londres »). À conseiller aux routards écologiques et romantiques qui aiment respirer une bouffée d'air frais. Des espaces verts magnifiques.

HISTOIRE

Quelques dates importantes

– **55 av. J.-C. :** Jules César débarque en Angleterre et apporte la bonne parole romaine dans la Perfide Albion.

– **61 apr. J.-C. :** l'armée des Icènes, conduite par la reine Boadicée, pille et incendie la première cité romaine. Les Romains reconstruisent la ville et édifient le temple de Mithra (vestiges visibles près de Guidhall).

– **IIIe et IVe siècles :** les Romains ont toutes les difficultés à faire de ce coin paumé au nord de l'Empire un endroit habitable et agréable à vivre pour eux.

– **796 :** après les Romains, les Anglo-Saxons occupent le pays. Londres devient pour la 1re fois résidence royale.

– **XIe siècle :** Londres acquiert le statut de capitale politique.

– **1066 :** Guillaume le Conquérant gagne la bataille d'Hastings et achève la conquête de l'Angleterre. Les Normands restent seuls maîtres à bord.

– **1215 :** par la *Magna Carta,* le roi Jean sans Terre reconnaît aux corporations londoniennes le droit de procéder à l'élection d'un lord-maire. Ce qui permet aujourd'hui à celui-ci de défiler une fois par an dans un joli carrosse.

– **XVIe siècle :** création de l'Église anglicane par Henri VIII, histoire de pouvoir changer de femme. Il faisait bon être roi à l'époque.

– **1649 :** les Londoniens font leur révolution et décapitent Charles Ier à Whitehall. Cromwell lui succède.

– **1665 :** plus de 100 000 Londoniens meurent de la peste. Et comme un malheur n'arrive jamais seul...

– **1666 :** durant 4 jours, le Grand Incendie détruit les 4/5es de la ville : 13 000 maisons et 90 églises, dont la cathédrale Saint-Paul, sont réduites en cendres. À la suite de cela, Christopher Wren lance la reconstruction de la ville dans un style qui lui est très propre.

– **1688 :** seconde révolution anglaise et avènement l'année suivante de Marie II Stuart.

> **ENGLISH FIRST !**
>
> *L'idée de couper la tête du roi n'est pas une invention française. Les Anglais y ont pensé avant, 144 ans plus tôt, en étêtant Charles Ier, à la suite d'une guerre civile sanglante. Plus incompréhensible, leur décision d'installer sur le trône son fils Charles II, particulièrement corrompu.* Amazing British !

– *1876 :* Victoria est proclamée impératrice des Indes. L'« ère victorienne » correspond au zénith de la puissance et de l'impérialisme britanniques.

– *1888 :* Jack l'Éventreur sème la terreur dans les rues de Whitechapel.

– *1897 :* la reine Victoria décide de déménager pour s'installer à Buckingham Palace.

– *1939-1945 :* les raids aériens allemands sur la ville tuent plus de 30 000 personnes et endommagent la City. En 1940, un cer-

ET LA FAMILLE ROYALE CHANGE DE NOM

Avec son mariage en 1840, la reine Victoria rentre dans la lignée allemande des Saxe-Cobourg-Gotha. En 1917, le sentiment antigermanique est si fort que la famille royale britannique doit changer de nom. Elle choisit comme nouveau patronyme Windsor, du nom de son château le plus célèbre... et le plus vaste du monde.

tain Charles de Gaulle parle à la BBC... le 18 juin, en commémoration d'un certain 18 juin 1815 (Waterloo). Belle revanche sur l'histoire !

– *1952 :* Elizabeth II devient reine d'Angleterre et souveraine de l'Empire britannique. À l'époque, elle vivait encore dans le bonheur.

– *1968 :* grève des ouvriers et des dockers qui paralysent le commerce et le trafic pendant plusieurs mois. Même sans grève, le trafic est toujours bloqué aujourd'hui.

– *1979 :* Margaret Thatcher est nommée Premier ministre. Sale temps pour les Anglais !

– *1987 :* incendie à la station King's Cross. Il aura fallu 30 morts pour qu'on interdise de fumer dans le métro.

– *1990 :* 300 000 personnes se retrouvent à Trafalgar Square pour protester contre la *poll tax* (impôt sur la communauté). Résultat : Maggie démissionne et l'impôt est réformé. John Major lui succède.

– *1992 :* élection surprise des conservateurs ; John Major est reconduit dans ses fonctions. 4ᵉ victoire d'affilée pour les conservateurs. 2 bombes de l'IRA explosent dans le centre de Londres. Incendie au château de Windsor.

– *1994 :* James Miller, un Américain de 30 ans, atterrit en ULM et à moitié nu sur le toit du palais de Buckingham. *Shocking !*

– *1997 :* l'élection de Tony Blair, leader du Parti travailliste (Labour), met fin à 18 ans de pouvoir conservateur. Mort de Lady Diana dans un accident de voiture sous le tunnel du pont de l'Alma à Paris, donnant lieu à une grande émotion populaire.

– *1999 :* mariage du dernier fils d'Elizabeth, Édouard, avec Sophie Rhys-Jones.

TRADITION ROYALE

La reine Victoria était fière de descendre (soi-disant) de David, roi d'Israël. Voilà pourquoi ses fils furent circoncis. Cette coutume perdura 150 ans, jusqu'à ce que la princesse Lady Diana refuse que ses 2 fils subissent la circoncision. Chez les membres de la famille royale, ça n'a pas plu !

– *2000 :* élection du travailliste très à gauche Ken Livingstone à la mairie de Londres et centenaire de la *Queen Mum.*

– *Juin 2001 :* Tony Blair et le Parti travailliste sont réélus les doigts dans le nez !

– *2002 :* en février, Margaret, la sœur de la reine Elizabeth, décède. En avril, c'est au tour de *Queen Mum* de tirer sa révérence. En mai, la reine entame son jubilé (50 ans de règne). Le cœur n'est pas vraiment à la fête.

– *2003 :* l'Angleterre est sacrée championne du monde de rugby.

– *2005-2006 :* Charles et Camilla se marient, enfin, en avril 2005. Tony Blair est réélu pour la 3ᵉ fois à Downing Street, du jamais-vu pour un travailliste. Des bombes explosent dans le métro et les bus de la capitale britannique, en juillet 2005.

– **2007 :** Tony Blair quitte Downing Street après 10 ans aux manettes. Gordon Brown prend la suite. Le *Cutty Sark,* clipper des mers, brûle.

– **2008 :** un incendie dévaste une partie de Camden Market. Ken Livingstone, le maire de Londres, est battu par le conservateur Boris Johnson, le « bouffon » excentrique, ancien journaliste, aux positions iconoclastes, voire racistes.

– **2009-2010 :** arrivée dans la capitale des « Boris Bikes », sur le modèle des Vélib' parisiens, demandés par le maire. David Cameron devient Premier ministre.

– **2011 :** le mariage du prince William et de Kate Middleton a lieu à l'abbaye de Westminster. Coût : 105 millions d'euros pour 1 900 invités. Dans le même temps, David Cameron lance son projet de *Big Society,* ou le transfert des actions de l'État au profit des collectivités et autres initiatives locales. Résultat : grosses manifestations dans Londres.

– **2012 :** le 27 juillet, les Jeux olympiques de Londres (les 3e en un siècle !) débutent avec une spectaculaire cérémonie d'ouverture, concoctée par Danny Boyle, le génial metteur en scène de *Slumdog Millionnaire.* Au programme, notamment, un saut en parachute de la reine Elizabeth II... ou presque. Visiblement en forme, celle-ci a déjà inauguré le clipper *Cutty Sark,* refait à neuf, à Greenwich et fêté son jubilé de diamant (60 ans de règne).

– **2013 :** inauguration du *Shard,* le gratte-ciel habité le plus haut d'Europe de l'Ouest. Elizabeth II et le prince Philippe fêtent leurs 65 ans de mariage et la naissance de leur arrière-petit-héritier, George de Cambridge. Margaret Thatcher tire sa révérence.

– **2014-2015 :** échec du référendum du 18 septembre 2014 sur l'indépendance de l'Écosse (55,3 % de non)... Carnet rose : Kate et William accueillent la princesse Charlotte de Cambridge en mai 2015. David Cameron remporte haut la main les législatives.

– **2016 :** on fête les 400 ans de Shakespeare et les 90 ans de la reine. Élection du travailliste Sadiq Kahn à la mairie de Londres. Brexit : le « Out » l'emporte avec 51,9 % des voix, David Cameron est poussé à la démission. La conservatrice Theresa May prend sa succession en juillet. La reine fête ses 90 ans tout en vert, avec une revue des troupes (1 500 soldats et 300 chevaux) et une parade militaire aérienne.

– **2017 :** le prince Harry annonce ses fiançailles avec sa nouvelle fiancée, l'actrice californienne Meghan Markle. *Shocking !* Elle est divorcée ! Après de nombreuses tergiversations, Theresa May peut enfin procéder à la sortie de l'Angleterre de l'Union européenne, mais à quel prix !

– **2018 :** la date de sortie de l'Europe de l'Angleterre est fixée au 29 mars 2019. Le 19 mai 2018, le prince Harry et l'actrice américaine Meghan Markle se marient à Windsor.

LONDRES GAY

Même s'il n'en fut pas toujours ainsi (loin s'en faut !), il n'est pas très difficile d'être homosexuel à Londres. Dans la ville qui a su accepter toutes les excentricités, tant vestimentaires qu'idéologiques, les gays et les lesbiennes sont fondus dans la masse. Les quartiers de Soho et de Covent Garden sont les centres de la communauté gay de la capitale, mais de nombreuses adresses ont vu le jour vers Dalston ou Hackney.

Un esprit de tolérance mesurée règne ici. La vie nocturne est bien sûr très active et, comme il est impossible de tout recenser, ceux qui sont intéressés pourront trouver des *flyers* (invitations) dans les bars, dans les pubs et chez les disquaires. La plupart des boîtes *straight* (hétéros) réservent 1 ou 2 soirées par semaine à leurs clients gays. Pas mal d'infos sur ● visitlondon.com ● rubrique « gay ».

À noter que la manifestation annuelle des homosexuels, la *Gay Pride,* est l'occasion d'un grand concert à Hyde Park, le dernier dimanche de juin et de manifestations jusque début juillet ● prideinlondon.org ●

MÉDIAS

VOTRE TV EN FRANÇAIS : TV5MONDE, la première chaîne culturelle francophone mondiale

Avec ses 11 chaînes et ses 14 langues de sous-titrage, TV5MONDE s'adresse à 360 millions de foyers dans plus de 198 pays du monde par câble, satellite et sur IPTV. Vous y retrouverez de l'information, du cinéma, du divertissement, du sport, des documentaires...

Grâce aux services pratiques de son site voyage ● voyage.tv5monde.com ●, vous pouvez préparer votre séjour et, une fois sur place, rester connecté avec les applications et le site ● tv5monde.com ● Demandez à votre hôtel le canal de diffusion de TV5MONDE et contactez ● tv5monde.com/contact ● pour toutes remarques.

Presse

Tous les patrons de presse français restent pantois quand ils regardent les tirages des journaux anglais. Les Anglais lisent énormément, vous en aurez la preuve dans le métro. Dès le matin, les lecteurs se précipitent sur *Metro* (● metro.co.uk/ ●), sans grand intérêt culturel mais idéal pour apprendre les gros titres. Le soir, c'est la ruée sur l'*Evening Standard* (● standard.co.uk ●), gratuit. Côté payants, il faut reconnaître que les Anglais ont le choix. Le quotidien le plus célèbre, et peut-être le plus sérieux, est le *Times* (● thetimes. co.uk ●). Si vous avez l'occasion, jetez un coup d'œil sur le courrier des lecteurs, ça vaut le coup. La presse dite « sérieuse », avec *The Daily Telegraph* (● telegraph.co.uk ●) pour les expos et l'art, *The Independent* (● independent. co.uk ●), très sérieux, qui a sorti « i », moins dense mais tout aussi rigoureux, *The Daily Express* (pas terrible), *The Daily Mail* (● dailymail.co.uk ●) et *The Guardian* (● guardian.co.uk ●) offrent un large panorama des différentes tendances politiques du pays. Le *Financial Times* (● ft.com ●), imprimé sur papier saumon, est l'outil indispensable des businessmen et -women de la City. À côté, il y a les tabloïds ; le *Mirror* et le *Sun* en sont les têtes d'affiche. Ils disent rarement du bien de qui que ce soit et sont antieuropéens. Traditionnellement antitravaillistes, le *Sun* et le *Daily Mirror* mélangent ragots, scandales tournant souvent autour de la famille royale, de mannequins seins nus, avec des tirages impressionnants.

Radio

Il y a bien évidemment la *BBC* (la *Beeb* ; ● bbc.co.uk ●), avec ses 6 programmes différents, dont un destiné aux enfants (Radio 5 sur 693 et 909 AM), et le World Service qui lance toutes les heures le fameux *This is London*... En tout, 120 millions d'auditeurs dans le monde écoutent des émissions diffusées en 35 langues. Sur Londres, *Capital Radio* (95,8 FM) est la plus écoutée des radios locales.

Télévision

Sans conteste la TV européenne qui s'exporte le mieux dans le monde, capable de produire le *Monty Python Flying Circus* comme les documentaires les plus sérieux. Côté chaînes gratuites, 2 chaînes pour la *BBC* (et plusieurs chaînes supplémentaires sur le câble, dont *BBC News*). La 1re chaîne programme des séries, des variétés et du sport ; la 2de est plus « culturelle ». *ITV 1* (shows et docs sensationnalistes), *Channel 4* (idem) et *FIVE* (intello) sont des chaînes hertziennes privées. Il y a également le satellite avec *MTV, BskyB*...

MONARCHIE : DIEU VA-T-IL SAUVER LA REINE ?

Elizabeth II cumule les mandats : elle est à la tête de l'Église anglicane, du Commonwealth et du système monarchique le plus puissant du monde. La Constitution peu codifiée lui laisse encore le pouvoir, symbolique, de nommer le Premier ministre. Elle lui concède également la propriété des... cygnes qui peuplent les parcs, relativement à une loi datant du XIVe s ! Mais combien de temps encore l'édifice tiendra-t-il ?

PAUVRE REINE !

Toujours bien classée, sa fortune a toutefois fondu comme un glaçon dans une tasse de thé. Son portefeuille d'actions n'a cessé de perdre de la valeur. Ses collections d'art et son patrimoine immobilier restent considérables, mais elle ne peut rien vendre. En effet, tout appartient à la fonction et non à sa personne. Bref, elle manque de cash ! Help !

Alors que la mainmise ancestrale de l'aristocratie, dont la famille Windsor, sur 70 % des terres britanniques est la cause directe de la flambée de l'immobilier, la révolution est encore loin en Grande-Bretagne. Si les dépenses royales s'élevaient en 2016 à plus de 40 millions d'euros (à la charge du contribuable), la reine ne paie des impôts que depuis quelques années. Et pourtant, les Anglais entretiennent infailliblement avec leur monarchie aux frasques de people une relation pour le moins ambiguë, frisant l'irrationnel.

Mais le brillant film *The Queen* de Stephen Frears, qui valut à Helen Mirren un oscar en 2007, a montré comment cette fidélité aveugle a vacillé quelque peu dans la semaine qui suivit la mort de Diana en 1997. La reine, présentée dans son intimité, apparaît distante, voire cynique, mais surtout désemparée face à la réaction de tout un peuple. Comme si elle découvrait que celui-ci pouvait se rebeller. Gardienne d'un temple millénaire, elle doit faire face aux médias, à l'émotion de ses sujets et aux pressions de son tout nouveau Premier ministre travailliste de l'époque, Tony Blair.

Avec la mort de Diana, une aile du palais a brûlé et la reine semble touchée, comme tous les Anglais (ou presque) par la crise : ses actions ont perdu 30 % en 2008 et elle a dû réduire de moitié ses dépenses entre 1990 et 2002, alors qu'en 2010, les négociations sur sa pension annuelle accordée par le gouvernement pendant les 10 années à venir étaient âprement menées par ses conseillers. La reine doit se serrer la ceinture et ne mène plus le train de vie fulgurant d'avant. La plus grande part de son patrimoine (elle reste tout de même l'une des grosses fortunes du pays !) est liée à sa fonction et n'est donc pas vendable. Bref, en ces temps de crise économique profonde et de grande désaffection vis-à-vis des politiques, Elizabeth II, avec ses cheveux gris de grand-mère proprette, incarne pour le peuple une institution rassurante, le dernier pilier indéboulonnable du pays en quelque sorte. Mais après Elizabeth II, qu'adviendra-t-il ?

Charles, éternel aspirant, programmé pour régner mais privé du trône, semble certes plus à la page, mais est loin d'incarner cette stature sécuritaire de gardien du temple. Il divorce, s'affiche écolo mais voyage à grands

LE JOB DE CHARLES ? PRINCE

Il est ennuyeux d'avoir comme devise « Je sers », pour lui qui n'a pas fait grand-chose depuis plus de 60 ans. Faut dire qu'en Angleterre, la démocratie n'est pas un vain mot. Les Royals ne peuvent jamais émettre d'avis sur les problèmes politiques ou autres. Ils doivent suivre les directives du gouvernement, sans broncher. Ici, le Premier ministre est le vrai (et seul) patron.

frais. Ses frères, sa sœur ou ses fils font la une permanente de la presse bas de gamme. Mais le prince William, fils de Lady Di et du prince Charles, convole en noces avec Kate Middleton, jeune roturière rencontrée lors de ses études. Tout le monde s'est pâmé devant les robes Alexander McQueen de Catherine et de sa sœur Pippa. Les tourtereaux ont permis également de relancer la production de tasses et assiettes kitsch à souhait en vente dans les boutiques de souvenirs. Un must ! George Charlotte et Louis, les enfants de Kate et William, redonnent une image glamour de la famille royale. En 2015, la reine assoit sa puissance mondiale : avec la mort du roi Abdallah d'Arabie Saoudite, elle devient la monarque la plus âgée du monde !

PATRIMOINE CULTUREL

Avant de partir à la conquête du patrimoine londonien, sachez que **tous les musées nationaux sont gratuits,** contrairement à ceux de Sa Majesté et aux attractions privées, souvent hors de prix. Le **London Pass** (● londonpass.fr ● voir plus haut le chapitre « Infos pratiques sur place », rubrique « Infos touristiques. Centres d'information ») assez cher tout de même, est avantageux sur plusieurs jours, car non seulement il vous fait faire des économies mais, en plus, il vous permet de couper les files d'attente !

Musées

Londres possède un nombre de musées considérable (près de 170 !) et parmi les plus riches du monde. Ils convaincront, sans doute, les plus réfractaires au tourisme culturel. Du British Museum à la Wallace Collection, de la Tate Modern à la Tour de Londres, tout le monde y trouvera son compte. Les enfants prendront également du plaisir, le maître mot étant souvent didactisme. Cela ravira petits et grands !

Les grands musées bénéficient de la manne céleste des recettes récoltées par l'État sur la *National Lottery Game.* Les espaces d'exposition ont été repensés, offrant aux visiteurs une meilleure lisibilité des œuvres et des objets présentés, et de nombreux outils audiovisuels étoffent désormais les anciens textes académiques. La plupart des grandes collections publiques sont gratuites. D'autres musées sont très chers, voire hors de prix, comme Madame Tussauds ou Tower Hill. Tous les monuments gérés par la Couronne (Tour de Londres, Kensington Palace, Hampton Court Palace) sont chers. Il faut bien que la reine paie ses impôts !

Les vestiaires des musées sont gratuits (sauf au British Museum), mais une petite donation est encouragée et les valises ou sacs de voyage sont rarement acceptés. Petite ombre au tableau, les horaires ! Ouverts vers 9h30, les musées ferment presque tous vers 17h30-18h. Quelques nocturnes seulement. À Londres, il ne s'agit pas tant d'essayer de voir tous les musées (c'est possible mais en 6 mois !) que de réussir votre sélection en fonction de vos goûts. Même en patins à roulettes, il faudrait une bonne semaine pour tous les voir. Petit conseil : dans les grands musées, choisissez donc 1 ou 2 sections qui vous branchent et tenez-vous-en là. Pour cela, demandez le plan en arrivant. Et puisqu'ils sont gratuits, mieux vaut y revenir à plusieurs reprises si la durée de votre séjour le permet.

Monuments et balades

Voir également la rubrique « Visites guidées » dans le chapitre « Infos pratiques sur place ».

Comme New York et Paris mais peut-être plus encore, Londres est un assemblage de quartiers distincts et d'anciens villages. Si un Londonien vous dit habiter South

Kensington, dites-vous qu'à Paris ce serait le 16e arrondissement. S'il vient de l'East End, il y a fort à parier qu'il ait du sang pakistanais. On schématise, bien sûr, mais il est important de comprendre les décalages d'un quartier à l'autre pour réussir à mieux cerner cette métropole aux ramifications complexes.

Chaque quartier du centre (centre 1) a quelque chose d'historique : les monuments, les musées, les bâtiments intéressants sur le plan architectural sont donc disséminés sur plusieurs kilomètres. À vous de choisir tel ou tel quartier à explorer en priorité, en fonction de vos goûts. Vous ne serez pas totalement perdu : les pubs vous serviront d'oasis en cas de fatigue, de soif ou de petit creux.

Si vous maîtrisez l'anglais passablement, il n'est pas inintéressant de choisir une promenade thématique d'une des nombreuses associations qui proposent des balades guidées. C'est souvent très amusant et très bien préparé. Il y en a pour tous les goûts : « Jack l'Éventreur » dans Whitechapel (en français le 1er vendredi du mois à 19h45 avec London Walks) ; « Le quartier juif » ; « Les Beatles » ; « Shakespeare et Dickens » ; « Diana, princesse de Galles » ; « Sherlock Holmes » ; « Les pubs de la Tamise » ; « Les fantômes de la City » ; « Little Venice »... Demandez le programme et le point de rendez-vous. Grosso modo, 2h de promenade et 9 à 16 £ par personne.

■ **The Originals London Walks :** PO Box 1708, London NW6 4LW. ☎ 020-7624-3978 (infos par tél). ● walks. com ● Compter 10 £/pers. Beaucoup de choix de balades : les classiques, le Londres « illégal », sur les traces d'Amy Winehouse, les lieux de tournage de Harry Potter, les Beatles et des dizaines d'autres.

■ Plusieurs compagnies proposent ce genre de prestations, dont : **Mystery-walk** (☎ 020-8526-7755 ; ▤ 079-5738-8280 ; ● tourguides.org.uk ●) et **City Secret Walks** (☎ 020-8530-8443). Les fans de Jack l'Éventreur se rueront sur les balades qui lui sont consacrées : voir le chapitre « L'East End. Spitalfields, Brick Lane et Whitechapel ».

■ **À nous deux Londres :** ▤ 079-1025-3508. ● anousdeuxlondres.co.uk ●

Visites dim seulement 10h30, sinon sur résa seulement selon programme. Compter 12 £/pers pour 2h de visite ; réduc. En général à 10h30 (18h30 pour Jack the Ripper). Au choix, découvrez des quartiers de la capitale (« Westminster », « Covent Garden », « Palais et traditions », etc.) en français !

– **Culture and Adventure :** ● cultureandadventure.com ● À partir de 20 £/pers. Visites guidées en français sur différents thèmes, tels les trésors cachés de la ville et les classiques Harry Potter ou Jack l'Éventreur.

– **London Greeters :** si vous voulez visiter l'Est londonien avec ceux qui l'habitent, n'hésitez pas à les contacter via le site ● londongreeters.org/book-a-greet ●

Punks

Le punk n'est pas une invention du diable, mais bel et bien un phénomène social. Il ne serait pas né sans la crise qui frappa l'Angleterre après le 1er choc pétrolier. À la différence de la plupart des hippies, les « keupons » étaient avant tout des fils de « prolos ». L'un d'eux, lucide, déclarait à la presse musicale : « Je n'avais que 3 possibilités pour m'en tirer : braquer une banque, devenir footballeur ou chanter. Et moi je n'étais ni courageux ni sportif... »

Vers 1975, un nouveau genre musical apparaît à Londres, en réaction à la musique planante de l'époque : le pub rock, qui renoue avec l'esprit originel du rock'n roll. Parmi ses piliers (de bar) : Elvis Costello, Doctor Feelgood et le troubadour Ian Dury, inventeur de la maxime « Sex, Drugs and Rock'n Roll ». Devant le succès (surtout scénique) de la formule, des centaines de jeunes révoltés fourbissent leurs guitares en attendant de pouvoir, eux aussi, monter sur scène...

Au même moment, à New York, le public rock découvre les jeans déchirés des Ramones, la poétesse Patti Smith et les provocants New York Dolls. Le manager des Dolls, Malcolm McLaren, dégoûté par le show-biz américain, revient à Londres, bien décidé à se venger. Il ouvre une boutique de fringues sur King's Road, sobrement baptisée *Sex*. Un jour, il surprend de petites frappes en train de chaparder ses T-shirts. Impressionné

DRÔLES DE PISTOLETS !

En 1976, les Sex Pistols sont invités à une émission de la BBC, en direct. Très vite, les téléspectateurs assistent à une profusion d'injures, jamais entendues à une heure de grande écoute. Résultat : le présentateur est débarqué illico, et les ventes du 45-tours « Anarchy in the UK » font un carton, propulsant définitivement le groupe !

par leur look, McLaren a une intuition proche du génie : les manager pour révolutionner l'histoire du rock... les Sex Pistols sont nés. Ils jouent comme des patates, mais leur allure, leurs slogans, leur énergie, la voix frénétique de leur chanteur (Johnny Rotten – « pourri » en français) et le charisme de leur bassiste (Sid Vicious) les propulsent immédiatement. Dans la foulée, les maisons de disques signent avec tous les groupes punks qui leur tombent sous la main. Quelques-unes entrent aussitôt dans la légende : The Clash, The Stranglers, Buzzcocks, Damned...

Tous les musiciens amateurs du moment s'engouffrent dans la brèche. Le public imite l'attitude et le look de ces nouvelles idoles. Les conservateurs s'étranglent devant une subversion aussi populaire.

Musicalement, la vague punk aura eu le mérite de réinjecter une rébellion et une vitalité propres au rock des pionniers et que l'on croyait avoir perdues depuis longtemps... Autosabordée en 1978 (après le suicide de Sid Vicious), la scène punk anglaise généra aussitôt un autre genre, aussi créatif et excitant, quoique moins spectaculaire : la *new wave,* dont sont issus les groupes les plus intéressants des années 1980. Preuve que le slogan « No future » était lui aussi dérisoire.

Enfin, en ce début de XXIe s, le mouvement électroclash (mélange de punk-rock et de techno, mâtiné de *revival eighties*) fait les beaux jours des... boîtes de nuit !

PÈLERINAGE ROCK

● Plan *p. 355*

☛ **Denmark Street** *(centre 1, E3, A) :* Ⓜ *Tottenham Court Rd.* Boutiques vendant des guitares. Dans un *studio d'enregistrement* de cette rue, Elton John écrivit son 1er single, *My Song.* Au n° 4, dans le *Regent Sound Studios,* les Rolling Stones enregistrèrent leur 1er album. Au n° 21, jetez un œil sur la façade de *Rhodes Music,* le plus vieux magasin de guitares d'Angleterre.

☛ **Ronnie Scott's Jazz Club** *(centre 1, E3, B) :* 47 Frith St, à Soho. Ⓜ *Leicester Sq ou Tottenham Court Rd.* Jimi Hendrix y fit son dernier concert en 1970, 3 jours avant sa mort. À 2 pas, au 9 Greek Street, *Jazz After Dark,* pour manger l'assiette préférée de feue Amy Winehouse.

☛ **The Marquee Club** *(centre 1, E3, C) :* 90 Wardour St. Ⓜ *Piccadilly Circus ou Tottenham Court Rd.* En 1962, les Rolling Stones y donnèrent leur 1er concert public (ils ne jouèrent qu'une demi-heure). The Who y vinrent de nombreuses fois à partir de 1964. Pete Townshend y fut le 1er à casser sa guitare sur scène. Il sera largement imité par la suite. En 1965, David Bowie y fit ses 1ers concerts. Le club est fermé depuis 2008, mais un petit nouveau a pris le relais, le *100 Wardour Street* (voir Spécial noctambules).

☛ **Carnaby Street** *(centre 1, E3-4, D) :* Ⓜ *Oxford Circus.* Dans cette rue déjantée se baladaient régulièrement les Pink Floyd, The Who et les Rolling Stones.

C'est ici que Paul McCartney a rencontré sa femme Linda. Nous, on n'a trouvé que des boutiques de fringues. Sur Regent Street, trouvez la Heddon Street. Les fans de Bowie se rappelleront que c'est là, dans cette ruelle, qu'il posa pour la pochette de Ziggy Stardust ! Une plaque rappelle l'événement. Et direction le *Café Royal*, où il enterra son personnage...

☛ **London Palladium** *(plan d'ensemble, D-E3, E)* : Ⓜ *Oxford Circus*. C'est au *London Palladium*, dans une émission de la BBC, que les Beatles se produisent pour la 1re fois, devant un parterre de groupies hystériques, en octobre 1963. Juste à côté, au **Northern England Music Stores** *(fermé)*, Lennon déclarait « *We are more popular than Jesus now* ». Dans les jours qui suivirent, aux États-Unis notamment, des croyants mirent le feu aux albums des Fab Four.

☛ Jimi Hendrix vécut avec sa copine Kathy au **23 Brook Street** *(plan d'ensemble, D3, F)* Ⓜ *Oxford Circus*. L'appartement se visite depuis 2016. Il passa sa dernière semaine à son **Cumberland Hotel,** dans la suite n° 507 *(plan d'ensemble, C3, I)* Ⓜ *Marble Arch*.

☛ Madonna a acheté le **Punch Bowl** *(plan d'ensemble, D4, G)* Ⓜ *Green Park*. C'est le 2e plus ancien pub de Londres.

☛ **Green Street** *(plan d'ensemble, C3, H)* : Ⓜ *Marble Arch*. Au n° 57 se situe le seul appartement que les Beatles aient partagé. Ils l'achetèrent en 1963, après avoir quitté Liverpool. C'est ici qu'ils composèrent notamment *I want to hold your hand.*

De là, prendre la ligne de métro *Victoria* jusqu'à la station *Vauxhall*.

☛ **Battersea Power Station** *(plan d'ensemble, D7, J)* : *Battersea Park Rd, à Vauxhall.* Ⓜ *Battersea Park ou Vauxhall*. Cette usine électrique servit de pochette aux Pink Floyd pour leur disque « Animals » en 1976, où figure un ballon en forme de cochon. Les Who et Muse les imitèrent en la faisant figurer sur leurs albums « Quadrophenia » et « The Resistance ».

☛ Mick Jagger vécut au **48 Cheyne Walk** *(plan d'ensemble, B7, K ;* Ⓜ *South Kensington)* avec Marianne Faithfull, puis avec sa femme, Bianca Jagger. Il installa un studio au fond du jardin. Keith Richards habita dans la même rue au n° 3 avec Anita, l'ex de Brian Jones.

☛ **Let it Rock** *(plan d'ensemble, A7, L)* : *430 King's Rd.* Ⓜ *Imperial Wharf*. La pétulante Vivienne Westwood ouvrit cette boutique en 1971. Elle y habillera les Sex Pistols et contribuera à promouvoir la musique punk. L'échoppe s'appellera ensuite *Sex...* un nom certainement plus accrocheur.

☛ **Hammersmith Odeon** *(centre 2, K11, M)* : *2 Queen Caroline St, à Hammersmith.* Ⓜ *Hammersmith*. David Bowie y fera mourir Ziggy Stardust en 1973, la rock star extraterrestre venant de Mars qu'il créa un an plus tôt. Les Beatles y donnèrent 38 concerts mémorables, le tout réparti sur seulement 21 nuits. Johnny Cash, David Bowie, Queen et même Bob Marley y jouèrent.

Puis embarquez jusqu'à la station *Ladbroke Grove* avec la ligne *Hammersmith & City*.

☛ **Virgin Records** *(centre 2, L9, N)* : *130 Notting Hill Gate.* Ⓜ *Notting Hill Gate*. En 1972, Richard Branson ouvrit cette boutique de disques importés. Très vite, il édita des disques de groupes punk, notamment les Sex Pistols. Puis il acheta des avions !

☛ **Samarkand Hotel** *(centre 2, L9, O)* : *22 Lansdowne Rd.* Ⓜ *Holland*. Jimi Hendrix mourut dans cet hôtel, en compagnie d'une jeune Allemande, Monika.

☛ **I Was Lord Kitchener's Valet** *(centre 2, L9, P)* : *293 Portobello Rd, à Notting Hill.* Ⓜ *Ladbroke Grove*. Ouvert en 1966, les vêtements de la célébrissime pochette de « Sgt Pepper Lonely Hearts Club Band » des Beatles furent achetés là. Ses 1ers clients furent Mick Jagger, John Lennon et Jimi Hendrix.

☛ **Quartier de Camden** *(plan Camden Town)* : Ⓜ *Camden Road, Camden Town et Chalk Farm*. La maison avec jardin d'Amy Winehouse se trouve au **30 Camden Square** *(hors plan par B2, Q)*. Elle donna ses 1ers concerts en 2004 au **Jazz Café** *(B2-3, R)*, puis fit ses 1res apparitions sur scène au **Roundhouse** *(A2, T)*. Hawley

PÈLERINAGE ROCK

A Denmark Street *(centre 1, E3)*
B Ronnie Scott's Jazz Club *(centre 1, E3)*
C The Marquee Club *(centre 1, E3)*
D Carnaby Street *(centre 1, E3-4)*
E London Palladium *(plan d'ensemble, D-E3)*
F 23 Brook Street *(plan d'ensemble, D3)*
G Punch Bowl *(plan d'ensemble, D4)*
H Green Street *(plan d'ensemble, C3)*
I Cumberland Hotel *(plan d'ensemble, C3)*
J Battersea Power Station *(plan d'ensemble, D7)*
K 48 Cheyne Walk *(plan d'ensemble, B7)*
L Let it Rock *(plan d'ensemble, A7)*
M Hammersmith Odeon *(centre 2, K11)*

N Virgin Records *(centre 2, L9)*
O Samarkand Hotel *(centre 2, L9)*
P I Was Lord Kitchener's Valet *(centre 2, L9)*
Q 30 Camden Square *(hors plan Camden Town par B2)*
R Jazz Café *(plan Camden Town, B2-3)*
S Hawley Arms *(plan Camden Town, B2)*
T Roundhouse *(plan Camden Town, A2)*
U Primrose Hill Park *(plan Camden Town, A3)*
V Abbey Road *(plan d'ensemble, A1)*
W London Beatles Store *(plan d'ensemble, C2)*
X Crawdaddy Club *(hors plan d'ensemble par A5)*
Y Rough Trade East *(plan d'ensemble, J2)*

Arms (B2, S) était son pub préféré et elle y retrouvait souvent Pete Doherty. Aujourd'hui, une statue la représente en plein cœur de Camden et son marché. Les Clash et Madness y ont aussi fait leurs gammes. Le chanteur d'AC/DC, Bon Scott, a été retrouvé mort dans une R5 sur la rue principale, Camden High Street.

☛ *Primrose Hill Park (plan Camden Town, A3, U) :* c'est dans ce square que Paul McCartney promenait son chien Martha, d'où le célèbre titre « Martha my Dear ».

Et aussi...

☛ *Abbey Road (plan d'ensemble, A1, V) :* Ⓜ St John's Wood. Les fameux studios, où les Beatles, mais aussi les Pink Floyd, Oasis ou encore Radiohead enregistrèrent, sont classés Monument historique depuis 2010... Le passage clouté *(crosswalk)* qui illustre le dernier disque des Beatles est le seul classé au Patrimoine national !

> **CONFUSING !**
>
> *Beaucoup de fans se plantent en descendant à la station de métro Abbey Road qui est située à 9 miles du célèbre passage piéton. La bonne station : St John's Wood. Certains tentent aussi de retrouver les lieux de jeunesse des Beatles en arpentant... Liverpool Road. Erreur !*

■ *London Beatles Store (plan d'ensemble, C2, W) :* 231 Baker St. ☎ 020-7935-4464. Ⓜ Baker St. Tlj 10h-18h30. Tous les gadgets, T-shirts, casquettes, mugs... qui évoquent les Beatles avec plus ou moins de bonheur.

☛ *Crawdaddy Club (hors plan d'ensemble par A5, X) :* au Station Hotel (aujourd'hui Edwards Hotel), 1 Kew Rd, à Richmond, face à la gare. Ⓜ Richmond Station. Les Rolling Stones y connurent leurs 1ers succès en 1963. D'ailleurs, les Beatles vinrent même les voir et ils sont restés amis. Ensuite, Eric Clapton, Jimmy Page et les Yardbirds y jouèrent régulièrement, entre autres.

☛ *Rough Trade East (plan d'ensemble, J2, Y) :* Dray Walk, 91 Brick Lane ; à Brick Lane. Ⓜ Shoreditch High St. Petite escale chez ce disquaire mythique pour tous les aficionados de musique. En outre, le quartier a un esprit très rock qui colle bien à ce « pèlerinage » ! Se reporter à la rubrique « Shopping » dans le chapitre sur Brick Lane.

POPULATION

Être ou ne pas être anglais, ou généralités sur quelques différences... Mais qui sont-ils ? L'ennemi héréditaire, la Perfide Albion, surnommée ainsi en raison de ses falaises blanches (*albus* signifie « blanc » en latin), a toujours eu le don d'irriter les Continentaux. Son flegme dédaigneux a engendré chez les autres peuples à travers les âges des sentiments négatifs, parfois même agressifs. Pour leur

> **INIMITIÉS FRANCO-ANGLAISES**
>
> *Même le vocabulaire a gardé trace de ces guerres qui ont marqué les siècles. Ainsi, en français, prendre la fuite discrètement se dit « filer à l'anglaise » ; les Britanniques se sont vengés en traduisant « to take French leave ». Idem pour « capote anglaise » qui se dit « French letter ».*

part, les Britanniques penseraient presque que le monde civilisé s'arrête à Douvres ! Le Français est cartésien, tout doit s'expliquer, et 2 et 2 font toujours 4... Les Britanniques pensent plutôt que les chiffres sont l'affaire d'un comptable et qu'il est de toute façon extrêmement vulgaire d'étaler son érudition. Un Anglais d'une éducation irréprochable répondra toujours à une affirmation par : « Vous croyez ? »

Feindre de ne pas savoir que la Terre est ronde ou affirmer ne pas avoir tout à fait maîtrisé la table de multiplication par 4 a toujours été du meilleur ton.

Une nuit, à la fin des années 1950, il y avait un brouillard tellement dense que l'aéroport de Londres fut fermé et que même les ferry-boats n'osaient pas s'aventurer sur la Manche. Le lendemain matin, un grand quotidien populaire britannique titrait à la une : « Le continent est isolé... » ! Ce trait d'esprit illustre bien le fait que si la Lune gravite peut-être autour de la Terre, le monde, selon les Anglais, tourne quant à lui autour des îles Britanniques...

L'Anglais aime à cultiver l'absurde, l'humour à froid et l'irrationnel. C'est tout de même dans l'un des pays les plus pluvieux d'Europe qu'on a non seulement produit le plus de voitures décapotables mais aussi commercialisé la voiture « découverte », c'est-à-dire sans capote du tout !

Il fallait être anglais pour déclarer la guerre à l'Argentine et partir bille en tête défendre un bout de terre à plus de 10 000 km de l'Europe, sur lequel les moutons étaient la seule et unique richesse. Mais ils partirent aux îles Falkland derrière le fils de la reine *himself,* parce qu'on ne touche pas au sol royal.

Ignorer la réalité pour imposer sa propre vision du monde est un pilier de la philosophie anglaise. Durant la Seconde Guerre mondiale, le toit d'une épicerie londonienne fut touché par un panneau sur lequel était écrit : « Plus ouvert que d'habitude »...

On retrouve l'origine de ces comportements jusque dans les légendes arthuriennes. La sublimation, la quête du Saint Graal, le roi Arthur et ses chevaliers de la Table ronde, tout ça représente encore aujourd'hui les aspirations profondes de la noblesse anglaise et, par ricochet, celles de l'homme de la rue. Être mieux que ce qu'on est, le fair-play, lutter contre ses sentiments, bref, les Anglais pensent qu'à force de faire semblant d'être plus généreux et plus chevaleresque, on finit bien par le devenir ! Du conflit entre les petites mesquineries quotidiennes et les grandes envolées lyriques est né le goût de la dérision, et ce n'est pas sans raison que les Monty Python se sont attaqués au mythe arthurien dans l'un de leurs premiers films. Si, dans d'autres pays, il faut se montrer extrêmement circonspect et prendre garde à la manière de formuler une critique individuelle ou nationale, les Anglais, eux, adorent être « vannés ». La seule vraie insulte que vous pouvez leur faire est de leur dire qu'ils n'ont pas le sens de l'humour. Un des plus grands succès de librairie britannique (30 éditions !) fut, en 1946, un livre extrêmement drôle et méchant sur le comportement anglais : *How to be an Alien* (Penguin), écrit par George Mikes, un Hongrois. Il commence son livre ainsi : « Les Continentaux pensent que la vie est un jeu ; les Anglais, eux, pensent que le cricket est un jeu ! » Et le reste à l'avenant...

La France aux Français ? Mais de quel droit ?

Si les Anglais éprouvent une véritable passion pour la France (ce sont eux qui ont découvert et « colonisé » la Côte d'Azur ; quant aux vins de Bordeaux, on peut dire qu'ils font partie intégrante de la culture anglaise depuis le Moyen Âge), le peuple français, en revanche, leur inspire plutôt des sentiments de méfiance. Les discussions politiques de comptoir en France remplissent d'effroi le cœur du touriste anglais. Comment faire confiance à cette nation où chacun croit savoir tout sur tous les sujets ? Les Français apparaissent, à leurs yeux, comme un

HUMOUR ANGLAIS

Durant la Seconde Guerre mondiale, Churchill pénètre dans le bureau de de Gaulle dans un costume excentrique : nœud papillon à pois, chemise rayée et costume à carreaux. Le général, en uniforme, lève la tête, sourit et dit à son hôte : « Tiens, c'est le carnaval à Londres aujourd'hui ? ». « Que voulez-vous, répond le Premier ministre de Sa Majesté, tout le monde ne peut pas se déguiser en Soldat inconnu ! »

peuple frivole, gonflés de leur propre importance – comme Napoléon ! – et, pire encore : des révolutionnaires ! En gros, certains Britanniques pensent que Dieu, dans un moment lyrique, a créé le plus beau pays du monde : la France ; puis que, pour rétablir un juste équilibre vis-à-vis des autres, il y a mis... le peuple français ! N'empêche, l'engouement pour la France ne se limite pas à la cuisine et aux grands vins : les comédies musicales londoniennes comme *Les Misérables* affichent complet.

Le sens civique

Les Britanniques sont réputés pour leur flegme, mais il ne faut pas trop gratter le vernis pour réveiller la fougue qui sommeille dessous. Aussi ne prenez pas leur place. Faire la queue est une institution sacrée. Il faut en Angleterre la respecter, bien qu'il soit parfois difficile de savoir où cette pratique convient. On fait la queue pour prendre le bus ou le train, aux guichets des cinémas et

EXCLUSION

Jusqu'en 1828, tous les fonctionnaires britanniques étaient obligés de prêter serment pour obtenir un poste. Ils devaient notamment déclarer par écrit qu'ils ne reconnaissaient pas l'autorité du pape. Ce qui excluait tous les catholiques.

des théâtres, mais pas au bar à l'entracte ou au pub. Somme toute, il faut bien observer la situation, puis décider s'il y a lieu d'être patient ou de défendre âprement sa place.

Y a-t-il un avenir au droit à la différence ?

Aujourd'hui, au XXIe s, la Grande-Bretagne s'apprête psychologiquement à mettre un pied timide dans le XXe s ! Les colonels à la retraite – qui cultivent les roses en rêvant avec nostalgie à leurs chasses au tigre passées –, les fils de famille – dont personne n'attendait un autre comportement que d'avoir de l'esprit et de conduire des décapotables rouges afin d'épater les filles – ainsi que les vieilles dames à ombrelle – qui sirotent le thé dans des fauteuils en osier sur des pelouses millénaires –, tout cela s'estompe peu à peu pour rejoindre le grand album des images d'Épinal d'une Angleterre historique. D'ailleurs, la très chic *Manorial Society of Great Britain* met en vente les titres de noblesse des aristocrates fauchés. Tout fout le camp !

Avec « Ma'am Thatcher », l'Angleterre a appris qu'elle était au bord de la faillite. Avec l'arrivée massive d'immigrés en provenance des anciennes colonies et des pays de l'Est, elle doit apprendre aussi à gérer, avec pas mal de difficultés, une société multiculturelle. Enfin, le Brexit en 2016 a terminé de la rendre perplexe. Bref, la Grande-Bretagne est en pleine mutation. Mais, aussi radicaux que pourront être les changements, l'excentricité restera une caractéristique nationale. Car c'est bien dans ce pays encombré de petites maisons alignées que le droit à la différence demeure une réalité. Que ce soit les modes extravagantes de la jeu-

ET POURQUOI LES IMMIGRÉS VEULENT-ILS ALLER EN ANGLETERRE ?

Chez les Anglais, une règle préserve le droit de tous les citoyens, depuis des siècles : l'habeas corpus. Cette loi garantit à une personne arrêtée d'être présentée très rapidement à un juge qui décidera de la validité de son arrestation. S'il n'y a pas de délit, elle sera libérée aussitôt. En Angleterre, on peut donc se promener sans avoir de carte d'identité. Ce n'est pas le cas en France !

nesse britannique – qui se diffusent dans le reste du monde – ou des allures de ces vieux aristocrates qui siègent à la Chambre des lords avec leurs cheveux coiffés en queue-de-cheval et qui prônent la polygamie, le fait est là : l'Angleterre cultive le paradoxe et aime l'excentricité. Le droit d'être différent, que ce soit à titre individuel ou en tant que nation, fait partie de l'héritage culturel de cette petite poignée d'îles...

SITES INSCRITS AU PATRIMOINE MONDIAL DE L'UNESCO

En coopération avec le

Organisation
des Nations Unies
pour l'éducation,
la science et la culture

Centre
du patrimoine
mondial

Pour figurer sur la liste du Patrimoine mondial, les sites doivent avoir une valeur universelle exceptionnelle et satisfaire à au moins un des 10 critères de sélection. La protection, la gestion, l'authenticité et l'intégrité des biens sont également des considérations importantes.

Le patrimoine est l'héritage du passé dont nous profitons aujourd'hui et que nous transmettons aux générations à venir. Nos patrimoines culturel et naturel sont 2 sources irremplaçables de vie et d'inspiration. Ces sites appartiennent à tous les peuples du monde, sans tenir compte du territoire sur lequel ils sont situés. Pour plus d'informations : ● *whc.unesco.org* ●

À Londres, les sites inscrits sont les suivants :
– *Westminster Palace :* le Parlement britannique.
– *Westminster Abbey and Saint Margaret's Church :* abbaye où se marient les grands hommes, où sont couronnés les grands hommes et où sont enterrés les grands hommes.
– *Tower of London* (Tour de Londres) *:* ancienne prison royale où sont conservés les bijoux de la Couronne.
– *Le quartier de Greenwich :* où se situe le fameux méridien.
– *Kew Gardens :* les jardins botaniques royaux.

SPECTACLES ET SORTIES

Musique

Une visite londonienne digne de ce nom inclut forcément un ou plusieurs concerts, en prolongeant la nuit dans l'une des boîtes qui font aussi la réputation de cette capitale festive. Vous avez l'embarras du choix, vu le nombre de salles. N'hésitez pas à aller découvrir des groupes inconnus : on a très souvent de bonnes surprises. Quelques salles de notre sélection (forcément réductrice mais en principe représentative) constituent la base du rock et du jazz à Londres. On n'y va pas pour danser, mais pour écouter de la musique. La plupart des boîtes où l'on danse accueillent également des groupes. On les a généralement classées dans « Où sortir ? », mais elles pourraient aussi bien figurer dans « Où écouter du rock, du blues, etc. ? » (quel casse-tête, *Good Lord !*).

Quant aux *boîtes* proprement dites, les plus à la mode disparaîtront avant que ces lignes ne soient imprimées. D'autres existent depuis des années et nous survivront sans doute. Il y en a pour tous les goûts. Et puis n'oublions pas ce genre hybride de clubs, les *DJ-bars,* mi-bars mi-boîtes, qui pullulent. On s'y retrouve pour boire un verre, pour écouter un groupe ou un DJ. C'est cool, peut-être un peu plus chaleureux (on y parle vraiment pas mal, en se collant bien à l'oreille de son/ sa partenaire) et puis surtout... c'est 2 fois moins cher qu'en boîte, tout comme les consos ! Et pour bien en profiter, direction essentiellement l'Est londonien.

Musique classique

Il existe quelques temples incontournables de la musique classique, comme le Barbican Hall, l'English National Opera ou le Royal Albert Hall (vous les retrouverez dans l'index). Purcell Room, Queen Elizabeth Hall, Royal Festival Hall, Royal Opera

House sont aussi d'autres temples. Certaines églises, dont Saint Martin-in-the-Fields, proposent 1 à 2 fois par semaine des concerts de musique baroque (aux chandelles !). Les amateurs ne manqueront pas les *Proms* en été, des concerts populaires organisés au Royal Albert Hall.

Les spectacles du West End

La plupart des **théâtres** sont dans le West End, en plein centre. Ils jouent généralement du « boulevard », sauf quelques pièces qui ont percé dans les « Fringe Theatres » et qui accèdent aux honneurs. Les pièces du West End sont les plus chères et leurs billets les plus difficiles à obtenir. En plus de ceux qu'on indique, beaucoup d'autres petits théâtres, malgré les difficultés financières et les coûts de production, présentent des spectacles de tout 1er ordre et font de Londres probablement la capitale mondiale du théâtre expérimental.

On ne peut décemment pas aller à Londres sans voir une de ses fameuses **comédies musicales,** une vraie activité culturelle populaire. Certaines comédies sont à l'affiche depuis plus de 25 ans, comme *Les Misérables,* les « Miz », comme on dit ici. Il y en a pour tous les goûts, avec des comédies souvent adaptées de films *(Jersey Boys, 42nd Street, Singin'In the Rain, The Lion King)* ou de séries télé, voire de personnages ayant réellement existé. D'autres connaissent un certain succès, comme *Charlie et la Chocolaterie* ou *Matilda.*

– Plus d'infos sur les programmes : ● *londontheatre.co.uk* ●
– Pour les billets moins chers sur place : kiosque **TKTS** sur *Leicester Sq. (centre 1, E-F4).* C'est la seule agence « officielle » (commission de 3 £ par billet) qui permette d'obtenir des billets à tarif réduit (jusqu'à 50 %) pour la plupart des spectacles du West End (affichés sur un écran et programme papier), jusqu'à 2 jours à l'avance maximum. *Lun-sam 10h-19h, dim 11h-16h30.* Sinon, passer par leur site ● *tkts.co.uk* ● Surtout, n'achetez jamais un billet au noir. Il peut coûter le triple ou le quadruple du prix normal, voire être carrément faux !

Cinéma

Signalons que les salles du centre sont plutôt chères ; viser les *early seances* pour débourser moins, préférer les cinémas indépendants ou se rendre dans les cinés de la banlieue proche. Mais voir un film en v.o. non sous-titré vous fera économiser des cours d'anglais !

SPORTS

Les Anglais aiment à croire qu'ils ont inventé tous les sports, ce qui est – il faut l'avouer – presque vrai. Une grande partie de l'activité scolaire y est d'ailleurs consacrée : il faut un esprit sain dans un corps sain, et non pas faire comme les Continentaux qui fabriquent des intellectuels buvant du café jusqu'à 3h du matin, refaisant un monde dans lequel, de toute façon, aucun Anglais ne voudrait vivre...

Le sport en Angleterre est invariablement associé aux paris : les Anglais sont prêts à parier n'importe quoi, et sur tout. Les *bookmakers* – une institution

42,195 KM ? ENCORE UNE LÉGENDE !

Les Jeux olympiques de Londres en 1908 ont vu pour la 1re fois défiler les nations avec leurs drapeaux respectifs lors de la cérémonie d'ouverture, mais c'est aussi à cette date que fut fixée la distance si étrange du marathon de 42,195 km. Elle ne correspond pas à la distance Marathon-Athènes (40 km environ), comme le veut la légende, mais à la distance entre... Windsor Castle et la loge de la famille royale au stade olympique.

privée en Angleterre – prennent des paris sur le pays qui accueillera les prochains Jeux olympiques ou sur le temps qu'il fera demain. Dans ce dernier cas, les optimistes sont désavantagés ! Ce goût du pari montre aussi le refus profond des Anglais de croire qu'autre chose que les lois du hasard puisse régir la vie.

Football

Vous voulez assister à un match de foot ? Eh bien, il va falloir vous y prendre longtemps à l'avance et croiser les doigts très fort... Victimes d'un succès qui dépasse les frontières de la Manche, les grands clubs londoniens affichent complet plusieurs mois avant la date des matchs et, la plupart du temps, les billets sont octroyés en priorité aux abonnés des clubs (les célèbres *subscribers*). Pas facile, la vie de supporter ! Si vous souhaitez tenter votre chance, voici la liste et les coordonnées des principales équipes de Premier League de la capitale et un site pour vous procurer des billets : ● worldticketshop.fr ●, rubrique « Football ».

– *Arsenal Football Club* (les Gunners) : ☎ 0207-619-5003 ou 5000. ● arsenal. com ● Le club rouge et blanc du manager français Arsène Wenger (depuis 1996). Pour aller voir jouer les *Gunners,* c'est facile : prendre la ligne Piccadilly vers le nord, station Arsenal. Depuis septembre 2006, l'équipe joue à l'Emirates Stadium (à Ashburton Grove), tout à côté. Ce stade de 60 335 places (c'est précis !) a coûté la bagatelle de 520 millions d'euros mais reste le plus rentable de la Premier League !

– *Chelsea Football Club* (les Blues) : ☎ 0207-835-6000. ● chelseafc.com ● Propriété de l'oligarque russe Roman Abramovich, l'équipe des *Blues* est l'une des meilleures du continent européen. Pour se rendre au stade Stamford Bridge, la station de métro la plus proche est Fulham Broadway, sur District Line. Le plus simple est de prendre le métro jusqu'à Earl's Court et de changer de ligne, direction Wimbledon.

– *Tottenham Hotspur Football Club* (les Spurs) : ☎ 0843-208-1222. ● totten hamhotspur.com ● L'un des plus anciens clubs d'Angleterre (1882), ennemi juré d'Arsenal, est toujours à la recherche de son lustre d'antan. Pour se rendre au stade de White Hart Lane, la station la plus proche est Seven Sisters, sur Victoria Line. Ensuite, compter 20 mn de marche.

– *West Ham United* (les Hammers) : ☎ 020-8548-2748 ou 0333-030-1966. ● whufc.com.uk ● Ce club légendaire a connu ses heures de gloire dans les années 1960-1970 en remportant 3 Coupes d'Angleterre et la Coupe des Coupes européenne, avant de sombrer peu à peu dans l'anonymat du championnat anglais. Ses supporters restent néanmoins fidèles et encouragent une équipe à consonance résolument cosmopolite, mais qui donne sa chance aux jeunes talents anglais. Pour se rendre à l'Upton Park, descendre à la station du même nom, sur District Line et Hammersmith and City Line. La station est à côté du stade.

– *Fulham Football Club* (les Cottagers) : ☎ 0843-208-1222. ● fulhamfc.com ● Le club du milliardaire égyptien Mohammed al-Fayed, ex-propriétaire des célèbres magasins *Harrods* à Londres. Un petit club au palmarès encore vierge, qui connaît beaucoup de difficultés pour faire partie des grands ! Pour se rendre au stade champêtre de Craven Cottage, prendre District Line jusqu'à Putney Bridge Station et continuer à travers le Bishop's Park, le stade est indiqué. Craven Cottage est sur les bords de la Tamise.

Rugby

Pour ceux qui l'auraient oublié, la Grande-Bretagne est le berceau du rugby, qui fut précisément inventé au collège de Rugby au milieu du XIXe s... par hasard. La légende raconte que c'est le jeune William Webb Ellis qui décida de prendre le ballon en main lors d'une partie de football.

BALLON OVALE

Au départ, pour le rugby, le ballon était rond. Il était fabriqué par le cordonnier de la ville, à l'aide d'une vessie de porc. Puis, peu à peu, l'objet est devenu ovale, car beaucoup plus facile à prendre à la main.

C'est à **Twickenham,** non loin de Richmond, à environ 18 km au sud-ouest de Londres, que retentit chaque année le célèbre *God Save the Queen* durant le Tournoi des Six Nations ou les tests-matchs du Quinze de la Rose. Le **stade** (Twickers pour les intimes) est le siège de la Fédération de rugby à 15 et prête aussi sa pelouse pour des mégaconcerts. Pour les supporters, un **musée** retrace l'histoire du ballon ovale à travers une série d'objets (maillots, coupes) et de vidéos, et on descend également dans l'arène. *Fermé j. fériés, avt et après les matchs, bref, comme c'est un peu compliqué, avt de vous déplacer, renseignez-vous sur le site* ● *worldrugbymuseum.com* ● *ou par tél :* ☎ *020-8892-8877. En train, gare de Twickenham depuis Waterloo puis 15 mn à pied ; en métro station Richmond puis bus. Ouv mar-sam 10h-17h, dim 11h-17h. Musée + stadium tours : 20 £.*

Tennis

Là encore, Londres est à l'honneur, puisque la capitale accueille chaque année (fin juin-début juillet) l'une des épreuves du Grand Chelem, le tournoi de tennis sur gazon (on sait que les Anglais sont des spécialistes dans le domaine) qui se déroule à Wimbledon. L'équivalent de notre Roland-Garros parisien en terre battue. Les places y sont aussi difficiles à obtenir. À défaut de voir la petite balle jaune passer et repasser, vous pouvez aller visiter le nouveau musée (voir le chapitre « Brompton, Chelsea et South Kensington »).

les ROUTARDS sur la FRANCE 2019-2020

(dates de parution sur • routard.com •)

Découpage de la FRANCE par le ROUTARD

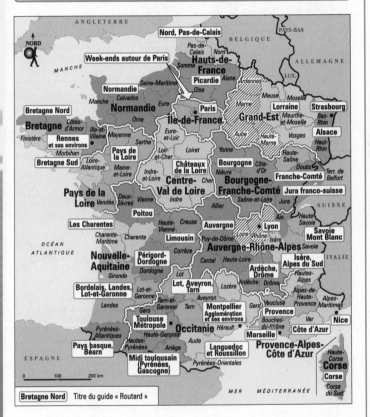

Bretagne Nord Titre du guide « Routard »

Autres guides sur la France

- Hébergements insolites en France
- Canal des 2 mers à vélo
- La Loire à Vélo
- Paris Île-de-France à vélo
- La Vélodyssée (Roscoff-Hendaye)
- Nos meilleurs campings en France
- Nos meilleures chambres d'hôtes en France
- Nos meilleurs restos en France
- Les visites d'entreprises en France

Autres guides sur Paris

- Paris
- Paris balades
- Paris exotique
- Restos et bistrots de Paris
- Le Routard des amoureux à Paris
- Week-ends autour de Paris

les ROUTARDS sur l'ÉTRANGER 2019-2020

(dates de parution sur • routard.com •)

Découpage de l'ESPAGNE par le ROUTARD

Découpage de l'ITALIE par le ROUTARD

Autres pays européens

- Allemagne
- Angleterre, Pays de Galles
- Autriche
- Belgique
- Bulgarie
- Crète
- Croatie
- Danemark, Suède
- Écosse
- Finlande
- Grèce continentale
- Hongrie
- Îles grecques et Athènes
- Irlande
- Islande
- Madère
- Malte
- Norvège
- Pays baltes : Tallinn, Riga, Vilnius
- Pologne
- Portugal
- République tchèque, Slovaquie
- Roumanie
- Suisse

Villes européennes

- Amsterdam et ses environs
- Berlin
- Bruxelles
- Budapest
- Copenhague
- Dublin
- Lisbonne
- Londres
- Moscou
- Naples
- Porto
- Prague
- Saint-Pétersbourg
- Stockholm
- Vienne

Découpage des ÉTATS-UNIS par le ROUTARD

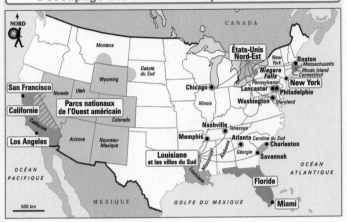

Autres pays d'Amérique

- Argentine
- Brésil
- Canada Ouest
- Chili et île de Pâques

- Colombie
- Costa Rica
- Équateur et les îles Galápagos
- Guatemala, Belize

- Mexique
- Montréal
- Pérou, Bolivie
- Québec et Ontario

Asie et Océanie

- Australie côte est + Red Centre
- Bali, Lombok
- Bangkok
- Birmanie (Myanmar)
- Cambodge, Laos
- Chine

- Hong-Kong, Macao, Canton
- Inde du Nord
- Inde du Sud
- Israël et Palestine
- Istanbul
- Jordanie
- Malaisie, Singapour

- Népal
- Shanghai
- Sri Lanka (Ceylan)
- Thaïlande
- Tokyo, Kyoto et environs
- Turquie
- Vietnam

Afrique

- Afrique du Sud
- Égypte
- Kenya, Tanzanie et Zanzibar
- Maroc

- Marrakech
- Sénégal
- Tunisie

Livres-photos Livres-cadeaux

- L'éphéméride du Routard (septembre 2018)
- Voyages
- Voyages : Italie (octobre 2018)
- Road Trips (40 itinéraires sur les plus belles routes du monde ; octobre 2018)
- Nos 120 coins secrets en Europe
- Les 50 voyages à faire dans sa vie
- 1 200 coups de cœur dans le monde
- 1 200 coups de cœur en France
- Nos 52 week-ends dans les plus belles villes d'Europe
- Nos 52 week-ends coups de cœur en France (octobre 2018)
- Cahier de vacances du Routard (nouveauté)

Îles Caraïbes et océan Indien

- Cuba
- Guadeloupe, Saint-Martin, Saint-Barth
- Île Maurice, Rodrigues
- Madagascar

- Martinique
- République dominicaine (Saint-Domingue)
- Réunion

Guides de conversation

- Allemand
- Anglais
- Arabe du Maghreb
- Arabe du Proche-Orient
- Chinois
- Croate
- Espagnol

- Grec
- Italien
- Japonais
- Portugais
- Russe
- G'palémo (conversation par l'image)

Nous tenons à remercier tout particulièrement Loup-Maëlle Besançon, Thierry Bessou, Gérard Bouchu, François Chauvin, Grégory Dalex, Fabrice Doumergue, Cédric Fischer, Carole Fouque, Guillaume Garnier, Nicolas George, Michelle Georget, David Giason, Claude Hervé-Bazin, Emmanuel Juste, Dimitri Lefèvre, Fabrice de Lestang, Romain Meynier, Éric Milet, Pierre Mitrano, Jean-Sébastien Petitdemange et Thomas Rivallain pour leur collaboration régulière.

Jean-Jacques Bordier-Chêne
Laura Charlier
Agnès Debiage
Coralie Delvigne
Jérôme Denoix
Tovi et Ahmet Diler
Clélie Dudon
Sophie Duval
Alain Fisch
Bérénice Glanger
Adrien et Clément Gloaguen
Bernard Hilaire et Pepy Frenchy Kupang

Sébastien Jauffret
Alexia Kaffès
Jacques Lemoine
Caroline Ollion
Martine Partrat
Odile Paugam et Didier Jehanno
Céline Ruaux
Prakit Saiporn
Jean-Luc et Antigone Schilling
Jean Tiffon
Caroline Vallano

Direction: Nathalie Bloch-Pujo
Contrôle de gestion: Jérôme Boulingre et Adeline Cazabat Barrere
Secrétariat: Catherine Maîtrepierre
Direction éditoriale: Hélène Firquet
Édition: Matthieu Devaux, Olga Krokhina, Gia-Quy Tran, Julie Dupré, Emmanuelle Michon, Pauline Janssens, Amélie Ramond, Amélie Gattepaille, Margaux Lefebvre et Elvire Tandjaoui
Ont également collaboré: Brigitte de Vaulx, Pauline Margain, Isabelle Chotel
Cartographie: Frédéric Clémençon et Aurélie Huot
Fabrication: Nathalie Lautout et Audrey Detournay
Relations presse France: COM'PROD, Fred Papet. ☎ 01-70-69-04-69.
● info@comprod.fr ●
Direction marketing: Adrien de Bizemont, Clémence de Boisfleury et Charlotte Brou
Informatique éditoriale: Lionel Barth
Couverture: Clément Gloaguen et Seenk
Maquette intérieure: le-bureau-des-affaires-graphiques.com, Thibault Reumaux et npeg.fr
Relations presse: Martine Levens (Belgique) et Maureen Browne (Suisse)
Contacts Partenariats et régie publicitaire: Florence Brunel-Jars
● fbrunel@hachette-livre.fr ●

INDEX GÉNÉRAL

LISTE DES CARTES ET PLANS

Remarque importante aux hôteliers et restaurateurs

Les enquêteurs du Routard travaillent dans le plus strict anonymat. Aucune réduction, aucun avantage quelconque, aucune rétribution n'est jamais demandé en contre-partie. Face aux aigrefins, la loi autorise les hôteliers et restaurateurs à porter plainte.

Avis aux lecteurs

Le Routard, ce n'est pas comme le bon vin, il vieillit mal. On ne veut pas pousser à la consommation, mais évitez de partir avec une édition ancienne. Les modifications sont souvent importantes.

Les réductions accordées à nos lecteurs ne sont jamais demandées par nos rédacteurs afin de préserver leur indépendance. Les hôteliers et restaurateurs sont sollicités par une société de mailing, totalement indépendante de la rédaction, qui reste donc libre de ses choix. De même pour les autocollants et plaques émaillées.

Avec routard.com, choisissez, organisez, réservez et partagez vos voyages !

✓ Rejoignez la plus grande communauté francophone de voyageurs : **plusieurs millions d'internautes.**

✓ Échangez avec les routarnautes : forums, photos, avis d'hôtels.

✓ Retrouvez aussi toutes les informations actualisées pour choisir et préparer vos voyages : plus de 300 guides destinations, une centaine de dossiers pratiques et un magazine en ligne pour découvrir tous les secrets de votre destination.

✓ Enfin, comparez les offres pour organiser et réserver votre voyage au meilleur prix.

Les **Routards** *parlent aux* **Routards**

Faites-nous part de vos expériences, de vos découvertes, de vos tuyaux et de vos coups de coeur. Aidez-nous à remettre l'ouvrage à jour. Indiquez-nous les renseignements périmés. Faites profiter les autres de vos adresses nouvelles, combines géniales... On adresse un exemplaire gratuit de la prochaine édition à ceux qui nous envoient les meilleurs courriers, pour la qualité et la pertinence des informations. Quelques conseils cependant :

– Envoyez-nous votre courrier le plus tôt possible afin que l'on puisse insérer vos tuyaux sur la prochaine édition.

– N'oubliez pas de préciser l'ouvrage que vous désirez recevoir, ainsi que votre adresse postale.

– Vérifiez que vos remarques concernent l'édition en cours et notez les pages du guide concernées par vos observations.

– Quand vous indiquez des hôtels ou des restaurants, pensez à signaler leur adresse précise et, pour les grandes villes, les moyens de transport pour y aller. Si vous le pouvez, joignez la carte de visite de l'hôtel ou du resto décrit. En tout état de cause, merci pour vos nombreux mails.

122, rue du Moulin-des-Prés, 75013 Paris

• *guide@routard.com* • *routard.com* •

Routard Assurance *2019*

Enrichie année après année par les retours des lecteurs, *Routard Assurance* est devenue une assurance voyage incontournable. Tout est compris : frais médicaux, assistance rapatriement, bagages, responsabilité civile... Vous avez besoin d'un médecin, d'un conseil médical ou d'une prise en charge dans un hôpital ? Appelez simplement le plateau *AVI Assistance* disponible 24h/24, leur réseau est l'un des plus complets actuellement. Vous avez eu des frais de santé en voyage ? Envoyez les factures à votre retour, *AVI* vous rembourse sous une semaine. Avant votre départ, n'hésitez pas à les appeler pour des conseils personnalisés. Et téléchargez l'appli mobile pour garder le contact avec l'assistance 24h/24 et disposer de l'un des meilleurs réseaux médicaux à travers le monde. *40, rue Washington, 75008 Paris.* ☎ *01-44-63-51-00.* • *avi-international.com* • Ⓜ *George-V.*

Édité par Hachette Livre (58, rue Jean-Bleuzen, CS 70007, 92178 Vanves Cedex, France)
Photocomposé par Jouve (rue de Monbary, 45140 Ormes, France)
Imprimé par Lego SPA Plant Lavis (via Galileo Galilei, 11, 38015 Lavis, Italie)
Achevé d'imprimer le 16 août 2018
Collection n° 13 - Édition n° 01
20/3012/9
I.S.B.N. 978-2-01-626708-0
Dépôt légal : août 2018

PAPIER À BASE DE
FIBRES CERTIFIÉES